Né en 1928 à [...] *e Courdy commence sa ca* [...] *. Successivement reporter* [...] *arlé puis télévisé, chef du s* [...] *l'étranger par la radio et la* [...] *yo comme délégué de l'O.R.T.F.* [...] *— après un congé de formation aux Eta* [...] *diplôme de politique japonaise contemporaine et un* [...] *plôme de politique chinoise à l'Université Columbia (1970-1972); devient responsable de la mission éducative (1973); chef des services de* FR3 *Nice-Côte d'Azur (1975-1977), puis producteur de* Tribune libre *à FR3.*

En 1965, J.-C. Courdy a obtenu le Souci d'or de la Biennale de la langue française au Congrès de Namur. Il a produit 52 films pour les séries d'enseignement du français, un long métrage d'Art et d'Essai : La Lanterne de pierre, *et trois courts métrages. Il est également l'auteur d'un roman :* Vinci (1977). *Président de la presse étrangère au Japon pour la période 1969-1970, il est actuellement président de l'Association des journalistes France-Japon.*

L'Empire du Soleil Levant : pour combien d'entre nous ces mots évoquent-ils plus qu'une estampe où des samouraïs et des dames en kimono se profilent sur fond de volcan enneigé et de cerisiers en fleur ? On continue à fêter la floraison des cerisiers au Japon, mais les temps ont changé et l'on trouve à Tokyo plus de tours de béton que de frêles maisons de papier.

Doté d'une étonnante faculté d'adaptation, le Japon ne s'est pas modernisé seulement dans son architecture ou ses méthodes de travail (il a les usines les plus sophistiquées du monde), sa vie a adopté aussi le rythme de l'Occident. Et pourtant...

Sept ans passés au Japon ont permis à Jean-Claude Courdy d'observer les Japonais dans leur vie quotidienne, de les voir s'européaniser mais aussi garder leurs traditions dans un déconcertant climat de dualité, d'ambiguïté. Sait-on qu'il y a encore des castes et des hors-castes qui sont les burakumin ? Sait-on que la compétition est féroce dans ce « pays du sourire » et qu'un étudiant peut se suicider pour une mauvaise note ? Le Japon est un pays de contrastes, de contradictions, de patience, de défis relevés.

Dans ce volume, Jean-Claude Courdy se fait sociologue, psychologue, historien, pour donner une image aussi fouillée, aussi riche que possible de ce peuple d'Asie devenu en quelques décennies un géant industriel avec qui l'Europe doit compter et qu'elle doit donc s'efforcer de comprendre. Son étude sur *Les Japonais*, publiée en 1979, a été mise à jour pour la présente édition.

JEAN-CLAUDE COURDY

Les Japonais

PIERRE BELFOND

La modernité, ce n'est pas seulement l'art d'assumer paradoxalement la technicité et d'y découvrir une espèce de profondeur, mais aussi l'art d'assumer la mobilité essentielle qui caractérise le fait virtuose.

Vladimir Jankélévitch,
*Liszt et la rhapsodie,
essai sur la virtuosité,*
Plon, 1979.

Un auteur n'a pas à se justifier. On aurait tôt fait de le croire coupable d'un manque de confiance en soi. Les « peut-être » et les « parfois » nuisent à la crédibilité des scrupuleux, dont le refus du blanc ou du noir est trop souvent pris pour le signe d'une pensée terne, hâtivement assimilée à une absence de pensée.

La première partie de ce livre, « Rencontres », est l'histoire de mes engouements et de mes révulsions vis-à-vis des Japonais tels que je les ai vus, en essayant d'oublier mes à-priori, mon éducation, ce qu'on m'avait dit au Japon ou les idées toutes faites qui trottaient en moi. En réfléchissant, j'ai voulu aller plus loin dans mes rencontres. J'y ai découvert ces « dualités » qui sont l'objet de la deuxième partie. Histoire et civilisation font coexister en permanence le mythe et la réalité, la tradition et le modernisme, l'Orient et l'Occident. Le lecteur sera sans doute mieux préparé pour aborder les « réalités » du Japon contemporain, celles du Japonais chez lui, dans la société, dans l'entreprise. La vie de tous les jours dans l'empire du Soleil-Levant aurait pu s'arrêter là, si les Japonais ne portaient, d'une manière ostensible, le cordon ombilical qui tient chaque individu rivé à la patrie, à la terre du Japon. Il fallait donc, pour expliquer ce que ressentent les Japonais, évoquer ces lames de fond qui mettent le navire en péril : défis des corps étrangers, qu'il faut intégrer ou rejeter, défis des démons passés qui viennent contredire ceux du présent, et des démons d'aujourd'hui qui veulent faire la loi au nom de l'anéantissement de ceux d'hier, défis des *systèmes qui voudraient se faire passer pour des valeurs.*

Ce livre ne prend place dans aucune classification. Son propos n'est point de combler les frustrations des sociologues, ni de conforter les ostracismes des stratèges de l'économie mondiale, ni d'alimenter de nouvelles hypothèses de géopolitique. Ma tâche était de rendre compte de la vie du peuple presque au jour le jour et, au travers du quotidien, d'aider des hommes à comprendre d'autres hommes.

J.-C. C.

SOMMAIRE

AVANT-PROPOS

La prise de conscience de l'événement, de sa dimension, de l'importance qu'il va revêtir a coïncidé pour moi avec la guerre d'Algérie. Le journaliste ne maîtrise pas l'objet de sa quête, qui lui échappe souvent, court devant lui, gonfle, explose. Sa responsabilité d'homme de communication se trouve engagée, comme peut l'être celle d'un skieur imprudent qui déclenche une avalanche. Il n'y a plus de commune mesure entre un reportage et les réactions en chaîne qu'il peut entraîner. Tout journaliste est prisonnier de sa fatalité, tant les répercussions de sa voix sont imprévisibles. Car les hommes sont ainsi faits : ne retenant de l'information que le détail ou ce qui les arrange, ils délaissent bien souvent les notations qui l'éclairent !

Le journaliste n'a plus d'autre alternative que châtiment ou frustration.

Il y a quinze ans que je flirte avec le journalisme lorsque, en mai 1963, j'apprends que j'ai quelques chances d'être nommé délégué permanent de l'Office de Radiodiffusion Télévision française en Extrême-Orient avec, pour base arrière, Tokyo. Je vis dans l'euphorie du Festival de Cannes ; le temps incertain ou franchement pluvieux favorise la rêverie exotique. J'ai déjà choisi de faire le voyage en bateau. Je me suis renseigné. Marseille-Yokohama : trente-deux jours de navigation, avec quelques escales : Port-Saïd - Le Caire - Aden - Bombay - Colombo - Singapour - Saigon - Hong Kong - Kobé...

Je pense à d'autres villes comme Séoul, Manille ou Pékin qui font partie de ma chasse gardée. Je suis cependant réaliste ; je ne me fais pas trop d'illusions sur mes chances de sortir souvent à la une. Dès mon arrivée à Tokyo, cette impression se confirme. Paris s'intéresse assez peu au Japon. Mes confrères Robert Guillain du *Monde*, Marcel Giuglaris de *France-Soir*, Jacques Jacquet-Francillon du *Figaro* envoient beaucoup plus de copies que leurs journaux respectifs n'en absorbent.

En ce qui me concerne, la radio épongera la plupart de mes modulations. La télévision diffusera environ quatre cents sujets en sept ans, dont soixante-dix pour cent auront pour thème l'engagement américain en Asie, la Corée, la Chine et le Vietnam. Parmi les événements du Japon, les révoltes estudiantines soulèveront quelque intérêt, ainsi que l'arraisonnement d'un avion de ligne à la pointe des sabres de cinq membres de l'armée rouge. À quelques exceptions près, ce sera la frustration.

Les années ont passé, j'ai quitté le Japon après sept ans. Je m'y suis marié. Mes enfants y ont coulé leurs premières années. J'y ai été heureux. Il me restait cependant, à mon retour à Paris, ce sentiment d'avoir été impuissant à révéler à mes amis un grand pays et un grand peuple. L'ambition de nous enrichir de nos mutuelles différences ne me semblait pas démesurée. Peut-être les efforts déployés dans cette direction ne sont-ils pas venus à leur heure. Je me suis souvenu d'un dialogue téléphonique avec mon confrère Roland Dhordain, alors que je débutais dans le métier de radio-reporter, où il s'était déjà fait un nom en compagnie de Michel Péricard et Joseph Pasteur. J'avais traversé le Sahara en auto-stop et, par hasard, j'avais été le témoin du jaillissement du premier pétrole à Edjelé à la frontière libyenne. J'avais envoyé à mon retour une modulation qui avait échoué au panier.

Deux mois après, la nouvelle était officiellement annoncée. Roland Dhordain, appelant ses correspondants à Alger, s'étonnait de n'avoir eu ce soir-là aucune intervention d'Alger. Comme je lui répliquai qu'elle avait été faite depuis plusieurs semaines, « ce qui compte, me dit-il, c'est non seulement de donner la nouvelle, mais de choisir le bon moment pour la donner ».

Ce livre vient-il à son heure ? Je l'espère, si j'en juge par la pénétration du Japon dans notre vie quotidienne, par la place qu'il y tient à travers des objets aussi usuels et familiers que la radio, la télévision, la chaîne haute fidélité, la machine à calculer et bientôt l'ordinateur familial, sans oublier, pour certains pays européens ou américains, l'automobile. Notre objectif, en écrivant cet ouvrage, a été de chasser notre frustration et de donner aux esprits curieux quelques-unes des clefs indispensables pour aborder de nouveaux rivages, ceux où nous conduisent inéluctablement nos destinées d'hommes. Je dois donc témoigner ma gratitude à ceux qui ont facilité mon débarquement et mon acclimatation sur la planète Japon :

— Anne-Marie, mon épouse, documentaliste attentive, amoureuse du Japon, où nous sommes arrivés séparément. Un jour, elle a accepté de me suivre dans le bureau du Consul de France, Réginald Austin, pour y lier sa vie à la mienne, en présence de Jean Dehouc et Henri Deguchi, nos témoins et amis.

— Mes confrères dont j'ai essayé de retenir les leçons, avec une mention spéciale pour Jacques Jacquet-Francillon du *Figaro*, Robert Guillain du *Monde*, Marcel Giuglaris de *France-Soir*, Bernie Krisher de *Newsweek*, l'écrivain italien Fosco Maraini, ainsi que le compositeur-musicologue britannique Dorothy Britton.

— Mes professeurs « Sensei », James Morley, directeur de l'Institut asiatique de l'université de Columbia, dont l'enseignement m'a appris le sens de l'histoire ; Mike Oksemberg, l'un des plus perspicaces sinologues américains, qui a éclairé pour moi le contexte des relations Chine-Japon ; Zbinew Brzezinsky, conseiller spécial du président des Etats-Unis, rencontré dans les couloirs de l'université de Columbia et dans des séminaires sur le Japon, dont la critique incisive m'a aidé à nuancer certains jugements.

— Les Français du Japon, les « tatamisés », ceux qui ne pourraient pas vivre ailleurs, comme René de Berval le bouddhiste, Roger Denoual le banquier, Jacques Pezeu-Massabiau le géographe, le père Valade, missionnaire, correspondant de l'abbé Pierre.

— Les diplomates japonologues français André Brunet, Michel Huriet, Jean Perrin.

— L'ambassadeur de France Louis de Guiringuaud, qui occupa le poste de Tokyo avant d'aller aux Nations Unies et de devenir le ministre des Affaires étrangères de la France.

— L'ambassadeur des Etats-Unis David Osborne.

— Les ambassadeurs du Japon : Fujiyama, Kagami, Kitahara, Motono, Nakayama.

— Les professeurs de sciences politiques Inoki, Kosaka et Mushakoji, le professeur de droit constitutionnel Miyazawa, le professeur de lettres Ko Iwase, l'ancien gouverneur de la banque du Japon Sumita Satoshi, Enna Takeo administrateur du journal *Asahi*, Okamoto Taro artiste philosophe, Dan Ikuma compositeur, chef d'orchestre, écrivain, ainsi que mon ami Suzuki Takashi.

... A un moment ou à un autre de ma vie japonaise, tous ont contribué à étayer mes connaissances et à former mon jugement.

Je suis redevable également aux différents services des ambassades du Japon en France et de France au Japon, au Centre de Presse étrangère de Tokyo, au ministère japonais des Affaires étrangères qui m'ont ouvert de nombreuses portes. Que soient également remerciés l'Office économique franco-japonais et la Documentation française qui ont toujours su trouver la date, la statistique ou la pièce qui manquait à mon dossier.

INTRODUCTION

NOMBREUX sont les Japonais saisis de malaise en visitant le château de Versailles. La symétrie des pelouses, des allées, des fontaines leur paraît trop artificielle. C'est ce qu'affirme M. Mushakoji Kinhide, professeur de sciences politiques à l'université de Sophia à Tokyo. Vanité que de vouloir soumettre la nature à l'homme, qui n'en est pas le maître ! Comment peut-on songer à lui imposer sa loi, alors que notre problème d'êtres humains est essentiellement un problème d'adaptation et de cohabitation avec notre environnement. Il y a là un choix esthétique en corrélation étroite avec le souci des Japonais de ne pas s'enfermer, sur le plan intellectuel, dans un esprit géométrique. Les Nippons sont, en ce sens, plus près de Pascal que de Descartes. Mon étonnement fut d'ailleurs grand lorsqu'un certain M. Maeda, professeur à l'université de Todai, vint se présenter à moi, dans mon bureau de Tokyo, comme le président de la Société des Amis de Pascal. Elle existe, elle compte à travers le Japon une centaine de membres, tous distingués universitaires ; elle n'a d'équivalent que la Société des Amis de Shakespeare. Et pourtant, le Japon compte de nombreux esprits « géométriques » ; mathématiciens, physiciens, architectes, médecins, qui calculent, expérimentent, bâtissent, contribuent à faire reculer la maladie. L'Etat japonais est un modèle d'organisation. Le gouvernement a un plan. Mais comme le fait remarquer le professeur Mushakoji, « il y a plan et plan ». Il cite le cas de l'architecte urbaniste Kurokawa Kisho racontant que, lors d'une visite à Brasilia, il a été frappé non par « la cité vide et inhumaine dans sa beauté géométrique mais plutôt par le bidonville, bâti sans aucun plan par les ouvriers de Brasilia ».

C'est là que l'architecte japonais découvre l'harmonie la plus évidente entre l'homme et son environnement car, dit Kurokawa, « lorsqu'on bâtit, il faut prendre en compte le rythme de destruction des composantes de ce que l'on bâtit. Homme et nature sont complémentaires dans un même système ». On ne peut pas visiter le Japon sans être frappé par cette évidence.

Le professeur Muramatsu Takeshi cite, de ces liens privilégiés, deux manifestations suffisamment éloquentes : la permanence du culte *shintô*, tel qu'il apparaît dans le Shugendo ou chamanisme des montagnes, culte par excellence de la nature remontant aux origines du Japon, et la culture du riz dans un pays septentrional, dont l'acclimatation depuis des siècles exige du paysan japonais un effort surhumain, créateur d'un lien exceptionnel entre la terre et l'homme. Une telle harmonie se répercute au niveau des rapports de l'homme japonais avec son prochain. Aussi, un Japonais ne peut pas présumer qu'il s'oppose à un autre Japonais, d'où peut-être l'idée que l'individualisme n'existe pas au Japon. L'expérience « individualiste » trouve cependant, là-bas, un merveilleux champ d'expérience. C'est d'après ce critère que la jeunesse veut s'affirmer aujourd'hui. Mais lorsque l'individualisme est ressenti comme une aliénation, on abandonne la confrontation de soi avec l'autre, et on repart à la recherche de l'harmonie.

Cette attitude donne au Japon une physionomie pluraliste, d'une manière différente du libéralisme qu'on lui associe en Occident, où chacun croit détenir la vérité. Dans tout pluralisme à l'occidentale, il y a

16

concurrence. Au Japon, il y a coopération. En Occident, il faut faire triompher la vérité ; au Japon, il faut faire le choix qui sert le mieux la société dans laquelle on vit et ne jamais sacrifier les rapports humains à cette vérité. L'amour du prochain passe avant l'amour de la vérité. C'est un peu le message de l'écrivain Endo Shusaku dans son livre *Le Silence de Dieu* dont l'adaptation cinématographique a été présentée au Festival de Cannes en 1974. Le prêtre qui voit ses fidèles torturés un par un est convaincu que même le Christ se serait renié pour sauver un chrétien mis à mort à cause de lui. Pour un chrétien, c'est une hérésie. La philosophie occidentale n'en est pas moins touchée par l'absurdité du « que la justice passe et que périsse le monde ». Vladimir Jankélévitch l'explique fort bien : « Au-delà de ce qui nous paraît être la vérité, il y a une autre vérité plus profonde dont nous ne possédons pas toujours les éléments... »

Dans leur incertitude, les Japonais se sentent obligés, selon l'image d'un philosophe allemand, de bâtir en permanence une maison à deux étages : l'un entièrement japonais, l'autre entièrement occidental. Ainsi, il y aurait dans la même maison un va-et-vient constant entre les deux étages, se traduisant par une incapacité permanente à trancher. Faut-il voir là un respect de la complexité des choses, ou un mode de pensée énigmatique destiné à tromper ? Est-il exact que les Japonais soient dans l'incapacité de choisir entre le blanc et le noir parce qu'ils préfèrent le gris ? Il est vrai que dans cette inquisition permanente de la société que représentent les sondages, les Japonais battent les records des *sans opinion*, ce qui ne peut évidemment correspondre à une ignorance, mais traduit plutôt un embarras devant la question appelant un oui ou un non.

Comment expliquer, dès lors, le fanatisme et la violence ? L'histoire du Japon, des origines à nos jours, n'a pas été avare de ces épisodes sanglants, révélateurs d'un parti pris, d'une décision froidement exécutée, de tergiversations balayées, d'un choix délibéré.

A l'indécision se traduisant dans le langage quotidien par des *shikashi...ga...* « cependant, mais... », peut être opposée la résolution, dont le symbole est ce bandeau que l'on noue autour de son front et qui se charge de montrer à tous que l'on ira jusqu'au bout. Le « jusqu'au-boutisme », verso de la médaille, dont le recto est le « pèse le pour et le contre », jette un doute sur la vraie nature de la médaille.

Les comportements sociaux résultent de ce double héritage : celui de la violence inhérent à la géographie, l'histoire, le peuple ; celui de l'impassibilité, acquise pour survivre dans une société soumise à des secousses. Ruth Benedict, écrivain américain dont on se plaît à louer la pertinence, alors qu'elle n'est jamais venue au Japon, a parlé d'une « civilisation de la honte », qui s'opposerait à une « civilisation du péché ». C'est là une apparence, même si le vocabulaire de l'excuse est celui qui revient le plus souvent dans les usages japonais.

Dans les années de la croissance vertigineuse, on ne comptait plus les faillites de petites et moyennes entreprises, qui ont augmenté encore après la crise de 1972. Chaque fois le même cérémonial se reproduit. La direction convoque les actionnaires, petits ou gros épargnants, et chaque cadre responsable fait son autocritique publique. A la fin de son discours, le responsable s'incline et demande pardon, en priant qu'on l'excuse d'avoir conduit l'entreprise à la faillite. A la Diète, tel homme politique, voire le Premier ministre, est pris en flagrant délit de promesse non tenue, d'échec patent de sa politique sur un point précis. Il ne manque pas de présenter aussitôt ses excuses à ses collègues et à la nation tout entière avant de remettre sa démission. Cette attitude trouve un prolongement dans les relations humaines de tous les jours...

Deux heures du matin, Tokyo est désert. Le dîner chez le conseiller culturel de l'ambassade s'est terminé tard ; je me propose de ramener à son hôtel un autre invité, l'historien Albert Soboul, spécialiste de la Révolution et membre du comité central du Parti communiste français. Je prends un raccourci. Je dévale une côte entre deux rangées de petits magasins construits en bois. En bas, une transversale perpendiculaire. Je franchis le carrefour sans regarder ni à droite, ni à gauche. Je suis presque passé et nous ressentons alors un choc très violent à l'arrière droit. Notre véhicule fait un demi-tour sur lui-même et s'immobilise. Quatre jeunes gens de vingt ans sortent du véhicule d'en face. Ils sont navrés. Nous nous inclinons et nous excusons mutuellement. Nous avons été de part et d'autre si imprudents, moi pour avoir franchi le carrefour sans regarder, eux pour avoir dépassé la vitesse permise. Je suis persuadé qu'au fond d'eux-mêmes les quatre jeunes Japonais dont la voiture était désormais inutilisable n'avaient qu'une envie, celle de me « casser la gueule ». Intérieurement, ils m'insultaient, de même qu'au fond de moi je les traitais de bâtards alcooliques. Peut-on donner le sens d'un sentiment aussi profond en soi que la honte, à ce qui n'est qu'un code de coexistence, imposé par des conditions de vie en société différentes des nôtres ?

Lorsqu'une société s'impose des contraintes aussi sévères, il lui est indispensable de ménager des soupapes de défoulement collectif. C'est ainsi que la manifestation publique souvent violente est une forme d'expression de la « vox populi », étouffée normalement par l'éducation. Mais le défoulement fonctionne aussi au niveau de chaque individu...

Tokyo, il fait encore nuit. Il est six heures du matin. Dans la rue de Setagaya, on commence à entendre des pas. Ce n'est pas encore l'heure du ramassage des ordures et l'on ne distingue pas le ronronnement caractéristique des bennes broyeuses, digérant lentement les déchets. Tous les bruits sont encore feutrés. Des claquements légers indiquent seulement que l'on referme, au fond des petits jardins, les portes coulissantes extérieures. Des ombres se faufilent çà et là, se dirigeant vers la bouche de métro la plus proche, vers la gare ou l'arrêt d'autobus. Ils ont tous moins de vingt-cinq ans et appartiennent à un *dojo*, c'est-à-dire à un club où l'on pratique les arts martiaux. Judo, karaté, aïkido, kendo sont les soupapes de défoulement individuel, pour une jeunesse physiquement victime des conditions de vie d'un archipel surpeuplé, et moralement dans l'incapacité de réaliser l'idéal incarné par les vertus que le Japon autarcique leur a léguées.

Mori Arimasa, professeur de philosophie, déclare : « Nous sommes entraînés sur les rails des pensées de type européen... » Cette constatation comporte une nuance de regret qu'il ne puisse y avoir d'autre issue à une société moderne, fût-elle japonaise, que celle d'emprunter un mode de pensée qui lui est étranger. Cela signifie que « la pensée occidentale possède non pas seulement une efficacité, mais aussi une certaine vérité et une validité universelle... » On retrouve ici un particularisme japonais opposé à l'universalisme occidental. Mais Mori Arimasa s'empresse d'ajouter que cette pensée qui s'efforce de tout réduire à une proposition et à une équation « numériques et quantitatives » étouffe « ce qui est directement et profondément humain ». Ambiguïté ou dualité ? La conception japonaise des relations humaines crée un huis-clos, celle de l'Occident fait courir en permanence le risque de la dépersonnalisation. Les Japonais qui s'interrogent sur leur identité devraient en fait être rassurés. Ils sont plus à même que les Occidentaux de répondre à la question : Qui sommes-nous ? Ne faut-il pas aussi que nous nous posions la question de savoir : « Qui sont-ils ? »

Venant d'Europe, j'étais inquiet, plein d'appréhension de me trouver au milieu de la foule. En débarquant sur la Ginza ou à Shinjuku à dix-huit heures, j'ai compris que je n'aurais plus jamais peur de la foule. L'été, sur la place de Sukiyabashi, au moment où les feux passent au vert pour les piétons qui sortent du Mitsukoshi-Ginza, c'est un déferlement de chemises blanches à manches courtes. On est si serré qu'on se touche, et pourtant on peut se mouvoir avec une extrême facilité. S'il pleut, une forêt de parapluies se frôle, et tout à coup au milieu de la marée, voici la tache incongrue : « l'American-jin » qui peut aussi bien être français, se distinguant par son complet-veston ou son imperméable. Les Japonais ne portent pas d'imperméable. Ça n'est pas la mode. Zabo, un caricaturiste français qui a exercé sa verve et sa pointe sèche aux dépens des Chinois, des Indiens et des Japonais, a fait un jour une expérience intéressante. Il avait revêtu un chapeau de rizière et un vêtement fait de deux pans de paille (on dirait deux gerbes qui pendent l'une dans le dos, l'autre sur le ventre), que les paysans mettent pour se protéger du mauvais temps lorsqu'ils travaillent dans la rizière. Ainsi accoutré, Zabo s'était posté au carrefour de la Ginza et traversait avec le flux, retraversait avec le reflux, tandis qu'une caméra le suivait de loin. Les réactions de la foule vues sur la pellicule sont étonnantes. Seules deux écolières de treize ou quatorze ans chuchotent et rient à l'étouffée au passage de Zabo, qui n'a rien d'un paysan japonais. La foule continue son chemin sans prêter attention à cet énergumène qui à Paris eût fait recette pour peu qu'il eût joué de l'accordéon dans le métro.

Je n'ai jamais éprouvé de malaise. On peut regarder les filles en face. Le sourire dont elles gratifient votre regard est presque une invitation. Les vitrines des magasins regorgent de tout ce qui peut attirer l'œil, et on n'en finit plus de se créer des envies et d'imaginer comment on va transformer son appartement en bazar de bric-à-brac et de « gadget ». Les affiches des théâtres et des cinémas prennent une ampleur démesurée, un hélicoptère vient rompre la monotonie des bruits. Les bouches de métro dégorgent et regorgent, le bain de foule est presque parfumé. La nuit tombe vite, les néons s'allument, la rue devient un immense « luna park ». On n'a jamais envie d'aller se coucher, tant on est sollicité par les petites choses : l'horoscope au coin de la rue, l'assiette de nouilles que vous tend le marchand d'*o'Soba*, le petit « bistrot » à la Japonaise où dix clients, pas un de plus, ont l'honneur de déguster ici la *tempura*, là les *yakitori* (brochettes), plus loin le *sashimi* (poisson cru) ou les *souchi* (poisson cru enveloppé de riz maintenu par une feuille d'algue). Sans crainte, on peut entrer partout, salué par un *Hirashaïmase* (soyez le bienvenu) tonitruant. Qui que vous soyez, vous êtes le client roi. Je vais ainsi d'étonnement en étonnement : A Hiroshima, un « fils de la bombe » m'explique que les Américains sont ses amis. A Nagasaki, dans le merveilleux cirque qui enserre la baie, la faisant ressembler à un immense théâtre dont la scène serait le port, je fais connaissance avec le culte de Puccini, qui créa *Madame Butterfly* sans avoir jamais mis les pieds au Japon. On ne sait plus aujourd'hui si la maison de Madame Butterfly a été reconstruite sur les paroles de Puccini, ou si celui-ci, par quelque don de télépathie, n'a pas rêvé une réalité de l'au-delà. A Ebusuki, on est deux mille à se baigner ensemble, au milieu de cactus géants en matière plastique. Dans la presqu'île de Shimokita, on va une fois l'an se mettre en communication avec l'esprit des morts. A Happo-En, dans le cadre d'une station de ski ultra-moderne, à quelques centaines de mètres d'un quatre étoiles, une modeste chaumière vous reçoit ; on vous conduit au bord de la rivière qui borde les cuisines et où a été aménagé un vivier. On y pêche sa carpe ou sa truite, que l'on grille devant vous, pour quelques centaines de yen. A Sado, les paysans s'offrent spontanément à restituer, pour vous seul, leur théâtre et leurs danses. A Kyoto, on trouve encore dans Gion des hôtels qui louent des chambres à l'heure, mais qui après vingt-deux heures et jusqu'à huit heures du matin vous accordent leur hospitalité si, comme cela arrive souvent, vous ne trouvez rien dans le circuit normal du *Japan Travel Bureau*. A Dotombori, le quartier des plaisirs d'Osaka, on vous donne une leçon d'anatomie en guise de strip-tease. La rencontre est toujours stupéfiante. Les journaux tirent à plusieurs millions d'exemplaires par jour. Les machines à écrire ne comptent pas moins de deux mille touches. A l'université de Tokyo, des étudiants apprennent la langue d'oc et lisent Mistral dans le texte. Des pins de cent ans ne dépassent pas trente centimètres de haut. Sur une scène de *nô*, en deux heures, l'acteur a fait vingt pas et a prononcé vingt mots. Le bain parfumé continue...

Cette première phase de la rencontre distille l'euphorie. Certains récalcitrants perpétuels de la vie ne connaissent jamais ce premier stade, rebutés qu'ils sont par le monde d'incompréhension qui les entoure. Peut-on vivre sans nom de rues, avec des chauffeurs de taxi ignorants ou cinglés, au milieu d'une foule étouffante, avec des gens sans humour, qui font une mine consternée lorsque vous riez et qui rient lorsqu'il n'y a vraiment pas de quoi. On ne se console même pas avec la cuisine infecte. Ils ne peuvent pas écrire comme tout le monde... Tout devient prétexte à râler...

Vient le deuxième stade. Un rien et tout vous énerve : se déchausser en rentrant dans une maison. Entendre parler des merveilleux arrangements de fleurs alors qu'on voit partout, dans la rue, d'affreuses couronnes de fleurs artificielles pour célébrer l'inauguration d'une épicerie ou le dépucelage de la nouvelle mariée ; la foule commence à tourner à l'obsession, dans la rue, les autobus, le métro ou le train. Les somptueux immeubles de bureaux ou de magasins font sourire, alors que 80 p. 100 de la capitale et des villes sont construits en bois et ressemblent à d'immenses bidonvilles électrifiés, dépourvus d'eau l'été, empuantis par l'absence de tout-à-l'égout. Le luxe de Ginza nous révolte, en parcourant les rues sans fin de Saniya où s'entassent les chômeurs, huit à dix dans des pièces de vingt mètres carrés. Pas de plan d'urbanisme et même pas de plan du tout si ce n'est un bureau ministériel de quelques dizaines de fonctionnaires dépourvus de moyens. Des partis politiques affairistes, un système éducatif qui pousse les jeunes au suicide et au désespoir, des femmes esclaves faites pour servir leur mari et qui ne mangent jamais à table avec eux... des contrats non respectés, des barrières tarifaires, douanières, réglementaires à n'en plus finir pour rester entre soi et empêcher l'étranger de pénétrer... Partout l'ambiguïté, le peut-être, le quelquefois, la tension permanente de l'individu soumis à une hiérarchie sociale rigide, passant son temps à avoir peur de perdre la face...

Dans cette période de ma vie au Japon, ma deuxième phase fut aggravée par trois anecdotes : Une jeune Européenne travaillant comme secrétaire dans une ambassade tomba amoureuse d'un jeune Japonais ; fils d'une famille ni riche ni pauvre, simplement aisée, il était semble-t-il lui aussi amoureux. Elève un peu attardé dans une université privée, il n'avait pas d'idée précise sur son avenir professionnel tant que ses parents acceptaient de l'entretenir. Un jour, la jeune Européenne entrevit l'impasse dans laquelle elle s'était engagée, sans qu'il fût possible de trouver une solution, même dans un mariage, dont les parents du Japonais ne voulaient pas. Elle prit donc la décision de rompre. Alors commence le psychodrame. Le jeune homme jusqu'ici bien élevé, chevalier servant, amant parfois passionné, se transforme en personnage ordurier, en pleine rue, fait un scandale devant des amis, simule un évanouissement sur le trottoir et se fait transporter chez lui dans un état comateux... Fin de l'acte I. Acte II : par téléphone le jeune homme commence à faire du chantage, harcèle la jeune Européenne, exige une compensation sans dire laquelle. Fin de l'acte II. Acte III : la pauvresse, effrayée, arrive chaque jour au bureau à bout de nerfs, au bord de la dépression et, au énième coup de fil, accepte une ultime rencontre pour fixer la compensation. Fin de l'acte III. Acte IV : la rencontre a lieu. Le jeune homme a repris toute sa maîtrise de soi: Calmement, il menace : « Ta rupture m'a fait perdre la face à l'université, tu me dois une réparation... (la jeune fille passe de la larme à l'œil à la stupéfaction)... J'exige immédiatement six cent mille yen. Mes amis sont témoins. Si tu ne me les donnes pas dans quarante-huit heures, je te tue et je me suicide ensuite... » Elle a l'heureuse idée de se confier à un spécialiste du Japon, qui ne peut que lui donner ce conseil : « Prenez l'avion pour l'Europe dès demain. » Ce qu'elle fit...

Dans l'interphone, ma secrétaire m'appelle : « Le professeur X... vous prenez ? — Bien sûr ? — Allô ! Monsieur Courdy, c'est assez urgent. J'ai besoin de vous voir. Puis-je passer à votre bureau demain ? — D'accord ? seize heures ? — Seize heures... » Le lendemain à l'heure précise, le professeur X... de l'université Y... est devant moi. Je me demande ce qu'il a de si important à me dire. Il y a près de cinq minutes qu'il est entré dans mon bureau et il n'a toujours pas ouvert la bouche. Il a longuement cherché son paquet de cigarettes, puis les allumettes, et m'a demandé si ça ne me dérangeait pas... Enfin, il commence : « Je voulais vous soumettre un problème grave. Il s'agit de moi, et je cherchais un interlocuteur impartial. Alors j'ai pensé à vous. » Re-silence... Le professeur reprend : « Voilà des années que je suis tourmenté par un problème de conscience. Trois fois par semaine, quand je vais faire mon cours, je n'emprunte pas volontairement le plus court chemin pour me rendre dans l'amphithéâtre. Je fais un long détour, car je sais que, sinon, je vais rencontrer mon vieux *sensei* (professeur mais aussi maître à penser). Or, c'est plus fort que moi, je ne peux pas, je n'ai pas encore trouvé la manière adéquate de le saluer... » Nouveau silence... bouffée de cigarette... « Qu'en pensez-vous ? »...

Invité par le gouvernement coréen, je m'étais joint à un groupe de dix journalistes japonais, trois ou quatre Américains et deux autres Français. La deuxième ou troisième soirée fut consacrée à nous demander de donner un échantillon de notre talent national. Je ne sais pas chanter et j'ai horreur de ce genre de manifestation. Obligé de m'exécuter, j'improvise le mime de la fable de La Fontaine, *Le Chêne et le Roseau.* Je ne suis pas Marcel Marceau, mais tout le monde avait compris que le chêne représentait l'Amérique et le roseau le Japon, que le chêne finissait par être déraciné par la tempête et que le roseau après avoir courbé le front sous l'orage résistait et triomphait. Les journalistes japonais qui appartenaient au club du ministère des Affaires étrangères japonais se réunirent après coup pour décider d'une mesure de protestation contre moi, ne pouvant supporter l'idée que le Japon avait « courbé le front ». C'était une insulte, non parce qu'ils croyaient que ça n'était pas la vérité, mais parce qu'une vérité qui leur était désagréable avait été dite en public, et qui plus est devant leurs anciens colonisés. Quant à moi, je ne m'aperçus que bien plus tard du remous que j'avais provoqué. Je ne considérais pas du tout comme humiliante la position du roseau. Convoqué au ministère des Affaires étrangères, je présentai sincèrement mes excuses, n'ayant jamais eu l'intention d'offenser, mais désormais plus conscient de ce que représente la face ou la perte de la face.

Au stade numéro deux, le Japon me sortit par tous les pores de la peau, et je repris l'avion pour l'Europe sans regret, bien décidé à ne plus y revenir. A dix mille mètres et au fur et à mesure que je m'éloignais, je me sentais renaître, plus décontracté, plus calme, essayant de répondre à la question : Qui sont-ils ? Les vrais Japonais sont-ils ceux qui ont créé ce bain parfumé où je me suis vautré pendant des mois, ou ceux qui transforment leur environnement en étuve, dans laquelle on se perd, indifférencié, sous peine d'être pris pour cible dès qu'on veut émerger à la clarté ? Ma pensée ne pouvait se détacher de ce monument à l'extrémité d'Okinawa qui commémore le sacrifice des enfants d'une école secondaire, qui en 1945 se sont jetés du haut de la falaise, professeurs en tête, devant les bateaux de guerre américains. Au stade deux, le Japon était pour moi le fond du gouffre où la mer se brise et redouble de violence. Une autre image me poursuivait : celle de l'immense procession aux flambeaux de la nuit de l'An. Je m'étais intégré à la foule devant la gare d'Harajuku, et porté par le flot je montais lentement, au milieu des ombres tenant chacune un cierge allumé, vers le temple Meiji. Au-delà de la lueur des bougies, j'essayais de deviner ce que cachaient les arbres du parc. Je ne me demandais pas qui ils étaient mais plutôt qui les habitait, tant le reflet de la procession créait derrière eux une profondeur habitée. Le gravier crissait en cadence. Personne ou presque ne parlait et le murmure qui s'élevait de la foule la rendait encore plus indistincte. Combien étions-nous, passé minuit, dans ces premières minutes du Jour de l'An, à monter de Harajuku à la porte du temple ? Le journal du 2 janvier dira quatre millions. J'ignorais ce que nous allions faire au temple, lorsque tout à coup il apparut dans la clairière. Hommes, femmes, enfants en famille ou seuls frappaient trois fois dans leurs mains en s'inclinant, jetaient leur obole, puis se retiraient, environnés du murmure de tous ceux qui, derrière eux, approchaient. La foule descendait à travers le parc et une à une les bougies s'éteignaient.

Éteintes depuis longtemps, leurs flammes continuaient à vaciller devant mes yeux Je n'avais décidément rien compris au Japon. Je n'en avais rien vu. Mon puzzle était fait de morceaux impossibles à assembler. Une petite phrase d'un ami français, Pierre-Louis Blanc, aujourd'hui directeur de l'Ecole Nationale d'Administration, tintait à mes oreilles : « Si vous quittez le Japon en ayant un seul ami japonais, un ami que vous souhaiterez revoir et qui vous manquera, votre séjour ici aura été une réussite. » J'avais beau chercher. De tous les Japonais que j'avais fréquentés, je n'en voyais pas un qui répondît à la définition d'une telle réussite. Je décidais qu'il fallait que je revienne au Japon, pour rassembler les éléments du puzzle que je venais de détruire.

RENCONTRES

Revoir Tokyo après une longue absence

Nous avions déjà attaché nos ceintures. Il était dix heures du matin. En cette fin d'octobre, le temps parfaitement clair permettait de voir la terre s'approcher. Après les étendues désolées de la Sibérie, je découvrais tout à coup de vertes forêts hospitalières, que l'automne n'avait pas encore atteintes. La mer formait une bande d'écume continue montant à l'assaut des arbres dont elle ne pouvait que lécher le pied. Ce paysage ne m'était pas familier. Je n'apercevais pas, comme chaque fois que j'avais atterri précédemment au Japon, la tour de Tokyo et tout autour de la baie noyée dans les fumées les immenses zones industrielles, notamment celle de *Kawasaki*, qui ont rendu le Japon célèbre par la densité de sa pollution. C'était la première fois, un an après son ouverture, que j'arrivais à *Narita*, le nouvel aéroport international situé dans la presqu'île de *Chiba*, à environ soixante-dix kilomètres du centre de la capitale. Le côté spacieux des installations faisait ressortir d'autant plus le vide de la grande salle d'arrivée où presque personne n'attendait les voyageurs de notre vol. Avant la mise en service de Narita, la proximité de Haneda, l'ancien aéroport international situé à quinze kilomètres à peine de Ginza, en avait fait la promenade favorite des Japonais de Tokyo. Ils avaient pris la sympathique habitude d'un cérémonial d'escorte des voyageurs, à leur arrivée ou à leur départ. Narita a tué la coutume. Mes compagnons de voyage et moi, nous nous sentions seuls et un peu

31

perdus. La douane, toujours scrupuleuse, paraissait moins tatillonne. Les taxis attendaient sagement rangés à la sortie. Le bus pour le centre de la ville accueillait un à un les voyageurs d'Europe. Je montais, ébloui par le soleil, dans un autobus à air conditionné, aux sièges moelleux. Du royaume de la fantaisie et de l'inorganisation, j'étais de nouveau tombé dans un univers méticuleux où le moindre détail a son importance, mais je le savais. Rien n'avait changé. Les bagages soigneusement étiquetés avaient été délicatement arrangés dans le coffre et non empilés n'importe comment. Dans chaque pochette, devant chaque siège, un carton plastifié rouge d'un côté, bleu de l'autre. Sur le côté rouge, en japonais, en chinois, en anglais, en allemand et en français : « Si vous êtes malade, montrez le côté rouge de ce carton au chauffeur : il appellera aussitôt une ambulance. » Sur le côté bleu, cette autre inscription : « Si vous avez envie d'aller aux toilettes d'une manière pressante, montrez le côté bleu de ce carton au chauffeur... » Il y a peu de temps, il n'y avait pas d'autobus sans hôtesse. Je fus donc étonné de ne pas les voir donner aux voyageurs les informations attendues, en particulier la durée du trajet et l'heure approximative d'arrivée. Les hôtesses avaient été remplacées par une cassette enregistrée.

L'autoroute de Chiba était presque saturée, pas au point cependant de nous immobiliser, comme cela arrive souvent, mais suffisamment pour rallonger de quinze à vingt minutes le trajet normal. Du « Air terminal » à la gare de Tokyo, je retrouvais après deux ans d'absence la même foule, les mêmes rues aux bâtisses sévères, égayées par de nouvelles plantations d'arbres, les efforts et le goût de la décoration des commerçants. Le parc d'Hibiya au pied du palais impérial avait l'air rajeuni. Çà et là, quelques immeubles nouveaux ; partout et en particulier dans le quartier de Marunouchi, un effort d'embellissement par la création de massifs de fleurs... Tokyo est une ville que le soleil transforme, « une ville froide où le soleil est chaud » pour paraphraser le géographe Jules Sion.

Dès mon arrivée à l'hôtel, je commence à téléphoner dans tous les azimuts, afin de planifier ces quelques jours trop courts que je vais passer au Japon. Le son familier de la tonalité du téléphone japonais résonne agréablement, d'autant plus qu'ici pas de standards embouteillés, pas de « friture », même lorsqu'on appelle un numéro lointain. Dans la rue, les Tokyoïtes apparaissent toujours comme des utilisateurs fanatiques des petits téléphones rouges installés sur les trottoirs, devant les bureaux de tabac ou les échoppes. Dans le centre, de nouvelles cabines publiques équipées de téléphones à touches ont fait leur apparition. Les journaux titrent sur le voyage de Deng. Le vice-Premier ministre chinois, en venant parapher le traité de paix et d'amitié sino-japonais, signé le 12 août 1978 à Pékin, donne à l'événement une dimension mondiale. Sur le plan économique, on perçoit de prime abord l'énorme marché potentiel que représente la Chine pour le Japon, l'accélération que les capacités technologiques du Japon vont imprimer au développement de l'immense Chine. On parle d'événement historique, non seulement parce qu'il fera date dans l'histoire, ce qui va de soi, mais surtout parce qu'il peut être l'amorce d'un retour à une continuité historique rompue en 1894. On pressent le « scoop » politique qui renforce une Asie asiatique, en éliminant, sans la nommer, l'Union soviétique des puissances de la région. La Chine de Chou En-lai avait poursuivi cet objectif, depuis Bandoeng ; les accords de sécurité nippo-américains ne pouvaient que le raffermir. Aussi ne s'étonnait-on pas de l'approbation chinoise.

Dans ma chambre de l'Akasaka Tokyu Hotel, je regardais avec curiosité ces images surprenantes de Mme Deng, visitant une école maternelle et pleurant d'émotion devant les gestes et les chants d'amitié des enfants nippons pour une grande dame venue du continent où naquit il y a quatorze siècles la culture japonaise. Kyoto, témoin de l'héritage, décidait le même jour d'offrir à la Chine un terrain pour y construire un centre culturel chinois. A *Nara*, ville sacrée

33

du bouddhisme, au temple *Todaïji*, le grand prêtre montrait avec fierté le Bouddha, l'une des plus grandes statues en bronze du monde, élevée en l'an 752 avec l'aide d'ingénieurs chinois. En 717, le prêtre chinois Ganjin arrivait du continent et bâtissait le Toshodaïji. En souvenir de ces liens dont la force a traversé les siècles, l'empereur Hiro-Hito, recevant Deng, émettait le souhait d'un avenir rempli d'amitié et ajoutait :

« Vous paraissez bien jeune et en pleine forme... »

A quoi Deng répondit :

« J'ai soixante-quatorze ans et Votre Majesté, elle aussi, a bonne mine bien qu'elle soit plus âgée que moi... Oublions donc le passé... C'est le passé... »

Les journaux n'en finissaient pas de parler de Deng, l'œil humide tourné vers un certain passé.

Un autre passé, en revanche, était inconvenant à évoquer. C'est le reproche que certains critiques adressaient à Noguchi Goro, « le meilleur chanteur de sa génération » selon le journal *Asahi*, mais dont la chanson *Boku in totte seishun towa* (ce que la jeunesse signifie pour moi) n'avait pas sa place, notait le critique, dans le récital qu'il donnait en novembre au Nissei Theatre. Cette longue chanson en forme de poème n'est autre que la lecture, sur fond musical, de lettres écrites du front à leur mère par de jeunes soldats qui vont mourir. La liste des récipiendaires de l'Ordre de la culture, le premier novembre, évoquait aussi pour moi un Japon inchangé : le romancier Ozaki Kazuo, soixante-dix-huit ans, le professeur de physique théorique Nanbu Yoichiro, le potier artisan Kusube Yatchi, le professeur de philosophie Tanaka Ichitaro et le benjamin de cinquante-deux ans Sugimura Takashi, directeur du Centre national du cancer. La campagne électorale qui allait s'ouvrir pour la désignation du président du parti de la majorité, le Parti libéral démocrate, occupait la une des quotidiens, mais presque par inadvertance, même si ce nouveau président allait devenir, comme le veut l'usage, le nouveau Premier ministre. Le public indifférent aux jeux d'une politique trop politicienne s'attachait à des futilités. C'est ainsi que pendant mon séjour Joe faisait figure de héros national. Joe est un chimpanzé vivant au zoo de Tama, à Tokyo. Un programme de la télévision nationale japonaise avait à la mi-octobre attiré sur lui l'attention du public, aussi l'émission faisait-elle l'objet d'une rediffusion. Les Japonais avaient été impressionnés d'abord par la courtoisie des chimpanzés, puis par l'autorité de Joe et sa manière de régler les différends entre ses congénères, sa galanterie avec les dames chimpanzés, son courage à défendre la communauté contre toute attaque ou semblant d'attaque venant de l'extérieur. Le courrier avait afflué à la station de télévision et bientôt grâce aux journaux et à la télévision un mot d'ordre circula : ils sont plus humains que les hommes. Inspirons-nous des chimpanzés. Le programme de télévision a été acheté par l'Association japonaise des sportifs amateurs pour l'entraînement des athlètes et par le gouvernement de la métropole de Tokyo pour servir d'exemple aux futurs administrateurs, dans l'apprentissage d'une gestion communautaire qui n'a pas besoin de contrôle... Les professeurs n'en montraient pas moins leur mécontentement, estimant leurs classes surchargées, les terrains à bâtir se vendaient de plus en plus cher, le yen n'en finissait pas de monter, le budget de la défense donnait lieu à quelques commentaires et les critiques économiques, soucieux de donner autre chose que des satisfecit, tentaient de remettre en question le 7 p. 100 de croissance, objectif du gouvernement. L'intronisation de Jean-Paul II était expédiée sur trois petites colonnes...

Comme toujours au Japon, j'étais noyé sous le flot de l'information et je sentais confusément le besoin de faire un examen de conscience afin d'y voir plus clair : au fond qu'y a-t-il de changé ? Le Japon change-t-il ? Et les Japonais ?...

Le paradoxe du changement : Kazuko

C'est d'abord l'éternel Japon qui m'assaille derrière les titres des journaux, ce Japon éternel qui modèle les hommes et la société et dont le caractère immuable apparaît dès que l'on a débarqué sur les îles : le travail de fourmi accompli pour gagner quelques kilomètres carrés sur la mer et compenser l'usure séculaire des côtes ainsi que ce phénomène géographique d'imperceptible torsion qui affine siècle après siècle la taille de ce long corps qu'est l'île du Honshu. Il y a cette instabilité permanente de la croûte sur laquelle on vit et que menacent jour après jour les typhons, les raz de marée, les éruptions volcaniques... « Eruption du mont Usu : un fleuve de boue volcanique envahit les villes de Toyako et de Abuta... Trois personnes sont portées disparues... Par suite de pluies diluviennes, la lave du volcan Usu se transforme en fleuve de boue. Le volcan était entré en activité au mois d'août dernier. La ville de Toyako a été isolée et il a fallu évacuer deux cents maisons. A Abuta la cité a été privée d'eau, la boue ayant envahi la station de pompage... » Je ne fus pas étonné à cette lecture. Ce genre de fait divers n'a rien d'exceptionnel. La nature japonaise ne change pas. Le modelage qu'elle a imposé aux hommes permet de comprendre les caractères profonds d'interdépendance ressentis par les individus, certaines réactions grégaires, spontanées et un enracinement d'autant plus fort que le sol est instable, donnant aux hommes cette dominante paysanne que l'on retrouve partout, même dans le paysage urbain.

Un esprit occidental se pose des questions en termes de compatibilité ou de contradiction. Je me suis donc demandé si la persistance d'un type de société rurale et d'une mentalité rurale était compatible ou en contradiction avec une urbanisation forcenée. Je me rappelais, en me rendant à l'aéroport de Haneda, aujourd'hui réservé aux dessertes intérieures, l'inauguration en 1964 du fameux monorail entre la gare d'Hamamatsucho et ce qui était alors l'aéroport international de Tokyo. Les pylônes de support de la voie unique s'éloignaient peu à peu des docks et traversaient, les pieds dans l'eau, un renfoncement de la baie. Fin 1978 : les voitures panoramiques passent maintenant par-dessus les toits. On arrive à Haneda à travers entrepôts, terrains de loisirs divers et zones de bureaux. De quelque côté qu'on se tourne, on ne voit plus la mer. Des espaces de deux à trois kilomètres ont été gagnés sur l'eau ; le monorail circule au milieu des terres. A l'endroit où mourait le Pacifique, routes et maisons ont été construites. L'urbanisation se manifeste partout ; il ne s'agit pas ici de « mitage » du territoire, mais d'une couverture urbaine d'une densité maximale, parfois à la limite du supportable.

Dans cette fantastique création continue que représentent les villes au Japon, le système familial, qui a été à l'origine d'une société japonaise homogène, survit ou se transforme. On retrouve au Japon toutes les contraintes imposées par la modernisation, mises en évidence aux Etats-Unis d'abord, en Europe ensuite. Mais ici les revers du progrès scientifique, du développement des transports, de l'élévation du niveau de vie n'ont pas seulement modifié ou bouleversé un système de valeurs comme dans les pays industrialisés occidentaux. Ils ont créé les conditions d'une rupture totale avec le passé, donc une remise en cause, de la part des enfants, des modes de vie de leurs parents. Au moment où je retrouve Tokyo, les suicides d'enfants sont d'actualité comme peut l'être le rejet ou l'acceptation d'une société que de nombreux Japonais perçoivent inadaptée à l'époque contemporaine, mais dont ils pressentent qu'elle leur est indispensable pour survivre.

Ces réflexions m'étaient inspirées par Kazuko. Le hasard de l'attribution des sièges nous a fait nous retrouver côte à côte au départ de Paris dans le vol régulier Paris-Tokyo via Moscou. Elle portait les cheveux raides en longs bandeaux pendants qui atténuaient l'asymétrie de son visage. Elle avait un type japonais très marqué. Elle paraissait nerveuse, allumant cigarette sur cigarette, les écrasant à moitié fumées l'une après l'autre dans le cendrier, que l'on avait oublié de retirer puisque nous nous trouvions en zone « non fumeurs ».

« Vous allez à Tokyo ?

— Oui, et vous ?

— Moi aussi.

— Nous avons donc quelques heures à passer ensemble... C'est votre premier voyage au Japon ?

— Non, j'y ai habité longtemps.

— Combien de temps ?... deux ans, trois ans... ?

— Beaucoup plus... sept ans.

— Et c'est la première fois que vous y revenez ?

— Non, j'ai quitté le Japon en 1970, j'y étais arrivé en 1963, mais depuis mon départ c'est la quatrième fois que je fais le voyage. Et vous ?

— J'ai quitté le Japon il y a trois mois, depuis j'ai voyagé en France et au Brésil... Maintenant je rentre...

— Où avez-vous appris le français ?

— A Paris. J'ai habité Paris pendant cinq ans...

— Si je ne suis pas indiscret, que faites-vous à Tokyo ?

— Attendez, je vais vous montrer... »

Elle sortit, de son sac marqué L V, un porte-cartes également marqué L V d'où elle tira quelques photos qu'elle me tendit...

« Vous connaissez Harajuku ?

— Oui...

— C'est un magasin de modes qui m'appartient et qui est situé dans ce quartier. J'ai deux employées, elles m'aiment beaucoup et elles font marcher le commerce en mon absence... Mais je suis partie depuis plus de trois mois et je ne sais pas ce que je vais retrouver.

— Comment vous appelez-vous ?

— Kazuko... vous trouvez que c'est un joli nom ?

— Bien sûr, j'aime tous les noms japonais... ma fille s'appelle Keiko.

— Oh ! vous lui avez donné un prénom japonais ?...
Alors vous aimez le Japon... Vous êtes marié, je suppose ?

— Oui.

— Moi aussi, j'ai un petit garçon de six ans et une fillette de trois ans et demi. Et vous, vous n'avez qu'une fille ?

— Non, j'ai aussi un garçon de douze ans.

— Ma petite fille de trois ans et demi n'est pas de moi. Je l'ai adoptée, c'est la fille de ma belle-sœur, ou plutôt de la femme du frère de mon mari... Mais tout ça est bien compliqué.

— Votre belle-sœur est morte ?

— Elle a quitté mon beau-frère pour s'enfuir avec son amant. La petite fille a trouvé refuge chez sa grand-mère, donc chez ma belle-mère. Mais ça n'a pas marché, elle était malheureuse, alors je l'ai prise avec moi... Je ne sais pas si j'ai bien fait.

— Pourquoi, vous avez des regrets ?

— Pas du tout, mais j'ai tout abandonné moi aussi, ma fille adoptive, mon fils, mon mari. J'ai quitté la maison il y a trois mois, pour la France, puis pour le Brésil... et maintenant je reviens... J'avais décidé de m'en aller pour toujours. Vous savez, j'ai le tempérament d'un homme, mais comme toutes les femmes j'ai un côté faible et mon mari l'a découvert, alors il en a profité...

— Que fait votre mari ?

— C'est un homme grand, mince, très beau. Je crois que c'est un homme intelligent. Il est acteur et il a tout sacrifié à sa profession. Il y a trois ans, il est tombé gravement malade. Un cancer, je suppose, dans le sang. On lui a fait subir une très grave opération. Il est revenu à la maison au bout de deux mois. Puis, pendant six mois, il est resté en convalescence. Je me suis occupée de lui comme d'un enfant. Il avait besoin de moi et il ne comprenait pas que moi aussi j'avais besoin de lui... Je suis très égoïste, mais lui aussi... Il fallait que je sois toujours à sa disposition. Il avait, de temps en temps, une façon très éloquente de me regarder. Même si je n'en avais pas envie, il fallait que je me déshabille, et le plus souvent il prenait son pied, égoïstement. Parfois, c'était merveilleux pour moi mais trop rarement... Bientôt, j'en ai eu assez et je n'ai plus voulu qu'il me touche. Alors il est devenu furieux. Chaque fois qu'il avait envie de faire l'amour, il me battait... pour me mettre en condition, disait-il... Un jour, il m'a fait mal et j'ai décidé de partir. Le hasard et peut-être un jeu cruel de la part de mon mari m'ont mise sur la route de Isamu. Il est président d'une petite société d'import-export, il est riche ; c'est le meilleur ami de mon mari. Il ne connaît rien, ni à l'art, ni à la comédie... Mais depuis plusieurs mois il était toujours « fourré » à la maison. Mon mari l'invitait presque tous les jours. On aurait dit qu'il le faisait exprès pour éviter de se trouver en tête-à-tête avec moi. J'ai commencé bientôt à observer Isamu... Son regard n'était pas celui d'un copain... et un jour, j'ai senti qu'il ne m'était pas indifférent. Mon mari a poussé Isamu dans mes bras. Quand nous étions seuls, il me vantait son physique, son intelligence... Il y a trois mois, j'étais à la boutique :

« — *Moshi*, *Moshi* Kazuko-San *Deska ?* »

« C'était lui, il avait reconnu ma voix. Il m'invitait à tout quitter. Il m'annonçait que lui-même partait pour Paris. Il avait son billet pour le jour même. Il me suppliait de le rejoindre chez sa sœur, rue de l'Observatoire, et il me fit promettre d'être à son rendez-vous... J'ai promis et j'ai bien été obligée de tenir ma promesse, je suis partie le surlendemain, après avoir confié ma fille adoptive et mon fils à ma belle-mère. Je n'ai pas caché à mon mari qu'il n'était pas question que je revienne... C'est idiot, n'est-ce pas, puisque je suis revenue ? A Paris, Isamu m'attendait comme convenu avec un billet d'avion pour Rio... J'ai passé au Brésil trois mois... extraordinaires... Isamu s'est beaucoup occupé de moi... Il a passé son temps près de moi... puis un jour il a reçu une lettre du Japon... il en a eu assez. Le soir même nous quittions Rio pour Paris. Moi je suis restée à Paris tandis qu'il est reparti directement pour Tokyo... Dès le lendemain il m'appelait au téléphone :

« — Reviens à Tokyo... Tu n'as qu'à revenir chez ton « mari et nous continuerons à nous voir.

« — Il n'en est pas question... Hier soir, c'est mon « mari qui m'a appelée à son tour.

« — Reviens, je ne peux pas vivre sans toi... ton père « et ta mère demandent que tu reviennes... les enfants « aussi... »

Kazuko s'adressant à moi, mais se parlant plutôt à elle-même, ajouta :

« Si je reviens à Tokyo c'est pour tenter une nouvelle expérience avec mon mari mais pas pour mes enfants... peut-être pour mon père et ma mère...

— Qu'allez-vous faire en arrivant à Tokyo ?

— Je vais téléphoner à mon père, puis j'irai sans doute chez mon mari... »

Nous approchions de l'aéroport international de Narita. Les Alpes japonaises apparaissaient à hauteur de hublot couvertes de cryptomérias...

« J'espère que je ne vous ai pas importuné en vous racontant ma vie... »

Après avoir franchi la douane, j'ai aperçu pour la dernière fois Kazuko dans un taxi. Elle me faisait des signes désespérés, m'invitant à prendre le taxi avec elle. Je lui montrai ma valise déjà embarquée dans la soute de l'autobus qui assure la liaison aéroport-centre ville... Elle donna l'ordre au taxi de démarrer, je ne l'ai pas revue.

Le paradoxe de la permanence : la loi du groupe

Cette confession à un inconnu m'a frappé. En l'analysant, j'y ai tout d'abord vu une banale histoire de fugue, comme il en arrive souvent au Japon. Des femmes disparaissent, changent d'identité, et vont vivre ailleurs, abandonnant mari et enfants. Les recherches faites pour les retrouver sont en général vaines. Les disparitions d'adultes ne laissent pas de traces. Les Japonais n'ont pas de carte d'identité, mais un système d'enregistrement à la mairie de leur domicile. Cette inscription ne fait état d'aucun lien avec leur résidence précédente. On peut ainsi vivre n'importe où, coupé de son passé. Mais la vie moderne est un défi permanent à ceux qui recherchent l'anonymat. L'ordinateur joue ici un rôle ambigu. D'un côté, il dépersonnalise, rien n'étant plus anonyme que la carte perforée. Mais en même temps, il met en mémoire, permettant de situer et d'identifier chacun, même celui qui ne le souhaite pas. Ainsi, fin 78, 31 691 résidents de l'arrondissement de Suginami, à Tokyo, ont signé une pétition pour refuser leur enregistrement de domicile sur l'ordinateur, faisant valoir que cette pratique allait violer leur vie privée. La pétition, comportant plus des 8 000 signatures requises pour sa validité, a été transmise à la commission de contrôle électoral, avant d'être examinée par le conseil municipal. Quatorze arrondissements de la capitale sur vingt-trois ont adopté l'informatique pour l'enregistrement de leurs résidents. Cependant, si Kazuko avait voulu disparaître, elle avait plus de chances de ne laisser aucune trace en se réfugiant à l'intérieur du Japon. Dans son cas, il y avait donc autre chose qu'une banale affaire de fugue. Comment expliquer son départ ? Les femmes japonaises éprouvent moins que les hommes la nécessité de s'intégrer dans un groupe. Elles sont en fait le pivot du groupe le plus homogène et le plus résistant de la société japonaise : celui du *ié*, à l'intérieur duquel elles possèdent une autorité, sans commune mesure avec ce qui en paraît à l'extérieur. Lorsque la structure du *ié* est malmenée, la femme ne ressent plus aucune attache avec qui ou quoi que ce soit. Pourquoi est-elle revenue ? Ni à cause de son mari, ni à cause de ses enfants, mais plutôt parce que son père et sa mère, par leur accueil et leur désir, étaient susceptibles de l'introduire de nouveau dans le circuit du groupe familial. Pour Kazuko, il s'agissait avant tout d'une réinsertion dans un groupe qui la replacerait dans son statut de fille et de mère à la fois, son rôle d'épouse étant confondu avec celui de mère.

Kazuko savait au fond d'elle-même qu'en acceptant de revenir à Tokyo elle tirait à jamais un trait sur les habitudes qu'elle avait contractées au cours d'un précédent séjour en Europe, où le concept de famille est essentiellement basé sur les relations entre époux.

En Occident, tous les petits catholiques ont entendu raconter au catéchisme l'histoire du retour de l'enfant prodigue. Elle célèbre l'unité retrouvée de la communauté mise en péril par un comportement individuel marginal.

La loi du groupe prévaut sur les aspirations individuelles. A cette loi est attachée une valeur morale qui culpabilise toute marginalité. Dans sa version modernisée des années 80, l'enfant prodigue ne revient pas. Il est dans le destin de chacun de nous d'être des enfants prodigues. A un moment ou à un autre de notre vie, nous devenons des marginaux dès que nous franchissons le pas de la porte familiale pour entrer dans la vie. Au Japon, l'enfant prodigue reste culpabilisé à vie, comme le sont tous les comportements individuels marginaux.

L'été indien n'en finissait pas. En me rendant à l'université de Tokyo, tout en comptant les stations de métro, je réfléchissais à cet exemple de l'enfant prodigue de la Bible qui me paraissait dépeindre un phénomène social du Japon contemporain : celui des aspirations individuelles à abandonner la chaîne reliant chaque Japonais à un groupe, qu'il s'agisse du clan familial, du milieu professionnel, scolaire ou universitaire, ainsi qu'au caractère « immoral » qui s'attache à la réalisation de telles aspirations. J'étais arrivé à Hongo Sanchome et je descendis précipitamment, me retrouvant dans une ruelle de boutiquiers. Là encore, dans le vieux Tokyo des maisons en bois, tout le long de la rue piétonne, des bacs à fleurs remplis d'iris et de pétunias alternaient avec des étalages décoratifs de

branchages artificiels aux couleurs d'un automne qui
n'était pas encore là.

Question de mentalité

J'avais rendez-vous à l'école de médecine de l'université de Tokyo avec le professeur Doï Takeo,
médecin-chef des services de psychiatrie de l'hôpital
Saint-Luke et professeur de psycho-pathologie et de
psychanalyse à l'université la plus prestigieuse du
Japon. C'est un homme d'allure jeune, assez replet ; il
a plus de cinquante ans mais en paraît quarante, le
visage ouvert, l'œil pétillant et malicieux. Un vieux
bureau métallique, encombré de pipes, fait face au
mur. La chaise tourne le dos à une table basse et à un
petit canapé bon marché agrémenté de deux fauteuils
sommaires tendus de tissu bordeaux. Par la fenêtre
viennent les bruits de va-et-vient sur le campus de
l'université.

« Les Japonais sont-ils si différents ? Existe-t-il une
mentalité japonaise ?

— La nature humaine est ce qu'elle est, les Japonais
sont des humains, et je me demande parfois s'il faut
insister sur une originalité japonaise peut-être moins
importante que nous ne le pensons. Ma collègue
Mme Nakane Chie, professeur de sociologie dans cette
université, a posé le problème en termes de structures,
moi je le vois en termes de psychologie, mais il n'y a
aucune contradiction entre nos conceptions. En fait
ce qui caractérise les Japonais, c'est « l'esprit de
corps ».

— Comment, selon vous, cet esprit de corps, lié à
l'origine à la cohésion de la famille rurale, a-t-il survécu à l'urbanisation ?

— C'était le thème d'un congrès organisé par le collège royal australien et néo-zélandais de psychiatrie
auquel j'ai assisté à Singapour. L'urbanisation est un
défi permanent à l'équilibre mental des individus.
Pourquoi le taux de criminalité, de délinquance juvénile, de divorces et en général de tous les phénomènes

de désagrégation du corps social est-il sensiblement moins élevé au Japon que dans les autres pays industrialisés ? Comment la société japonaise garde-t-elle son équilibre au gré des changements précipités qui y sont intervenus au cours des dernières années ? Les psychiatres n'y sont pour rien ; il faut, en revanche, être attentif à la force de cohésion inhérente à notre société. Il y a, chez les Japonais, une propension très forte à garder un équilibre entre la stabilité de l'individu et celle de la société qu'ils considèrent comme liées l'une à l'autre. Les Japonais ne vivent pas comme des individualistes à la recherche unique de leur équilibre personnel, ni comme des « socialistes » uniquement préoccupés des progrès de la société. Le Japon n'est certes pas le seul pays où la réalisation d'un tel équilibre est recherchée, mais il est intéressant de noter que chez nous cette recherche est instinctive. J'irai même plus loin en disant que mes compatriotes font rarement la différence entre équilibre personnel et stabilité sociale. Ainsi, les Japonais ne sont pas individuellement égoïstes, mais il existe un égoïsme de groupe. Ils peuvent même être très égoïstes lorsqu'ils agissent en groupe. Cela a existé de tout temps. Aujourd'hui, cet égoïsme devient plus apparent qu'autrefois parce qu'il n'y a plus de barrière. Dans le Japon féodal, lorsque le comportement égoïste d'un groupe mettait en péril la société, un ordre d'en haut tranchait le conflit : le groupe à l'origine de toute déstabilisation recevait un ordre de *seppuku* (hara-kiri). Le Japon connaît donc aujourd'hui un problème qui n'existait pas hier : celui de l'autorité arbitrale.

— Alors, rien n'a changé, sinon l'agressivité et l'égoïsme de groupes accentuant les rivalités par suite de l'absence d'autorité...

— 70 p. 100 des Japonais vivent aujourd'hui dans la communauté urbaine, et leur mentalité est la même qu'autrefois. C'est une mentalité de classe moyenne qui adhère à un concept que nous appelons *Amae*, du verbe *Amaeru*, signifiant : présumer et dépendre de l'amour de l'autre. Le psychanalyste britannique

Michael Balint décrit très bien ce phénomène. Lorsque vous dites : *j'aime*, cela signifie que vous êtes dans un processus actif à l'égard de quelqu'un ou de quelque chose. Mais derrière cela existe également un processus passif : c'est le désir d'être aimé. En japonais on ne peut pas dire : *je t'aime*, d'un point de vue actif... il n'y a pas de mot. L'amae, c'est ce concept d'instinct de l'homme, tendant à créer une harmonie totale avec son environnement. La sensibilité des Japonais est donc très aiguë et il leur est facile d'« entrer dans les chaussures des autres ». Mais ça n'est pas de l'altruisme. C'est un instinct de conservation de l'harmonie de son environnement et un sentiment inné de dépendance vis-à-vis de l'« autre ».

— La recherche de l'amae n'est pas forcément génératrice d'harmonie, elle peut aussi devenir source de conflits, dans la sexualité par exemple...

— Il est vrai que chaque race projette sur une autre ses fantasmes et tout ce qui est tabou, et qu'elle ne peut qu'imaginer, mais non admettre chez elle.

— Comment expliquez-vous que la pornographie en provenance de l'étranger soit censurée et pas celle fabriquée au Japon ? La pornographie américaine serait-elle plus pernicieuse que la pornographie japonaise ?

— L'appel sexuel est amplifié par l'exotisme, voyez le succès ici de Marylin Monroe ou de Brigitte Bardot. Il suffit de regarder sur nos murs les affiches publicitaires, on ne voit que des blondes sculpturales. En réalité, le Japon ne diffère pas tellement de l'Occident, la sexualité est commune à l'humanité, sans distinction de race, mais Freud n'y est pas applicable. Je récuse pour les Japonais le rôle de la libido. Au Japon, plus que partout ailleurs, le sentiment et le sexe sont liés.

— Est-ce encore là une manifestation de l'esprit de groupe ?

— Oui, mais cela ne veut pas dire que je le condamne sous prétexte qu'il abrite parfois toute une série d'actions individuelles égoïstes. L'amae, c'est l'instinct du troupeau. L'égoïsme des groupes déna-ture souvent l'amae, ce qui rend difficile par exemple nos relations avec les pays étrangers et nous vaut en retour d'être traités avec mépris de *Japan Inc* (société Japon). Mais je reste persuadé que la facilité des Japonais à se regrouper et à adhérer ensemble à certaines règles est un facteur de stabilité aussi bien individuelle que sociale.

« Cette faculté de regroupement a survécu à tous les traumatismes de l'urbanisation et de la moderni-sation et a sans doute évité une rupture dans notre société. Tenez, je suis un psychiatre, un médecin. Je soigne donc des malades. Or la maladie mentale, en France comme au Japon, est une caricature de la culture dont elle reflète en quelque sorte le côté excentrique. En France, le psychiatre intervient pour permettre à un individu de retrouver sa personnalité, son individualité. Moi, j'interviens pour permettre à mes malades de retrouver le sens du groupe, car l'incapacité de l'individu à former un groupe ou à s'y joindre est dans ce pays un signe de déséquilibre... Selon le professeur Doï, les malades atteints de com-portements individualistes ou marginaux franchissent une étape de leur guérison en retrouvant une commu-nauté au sein même de l'hôpital psychiatrique où ils sont soignés. Ensuite, c'est un problème de transfert d'une communauté à l'autre, de celle où évolue le malade pendant son séjour à l'hôpital à celle où il était intégré avant sa maladie... »

Débarquer au Japon pour la première fois...

A *Yokohama*, lorsque je débarque du *Laos*, l'un des trois paquebots de la ligne d'Extrême-Orient des Messageries maritimes, j'ai navigué, escales compri-ses, trente-deux jours. Le navire est déjà à quai depuis plus d'une heure ; je ne suis pas pressé de quitter ma cabine et ces salons où j'ai élu domicile durant plus d'un mois. Je boucle ma valise, lorsque le commissaire de bord encadre sa silhouette à l'entrée : « On vous cherche partout... Des Japonais... » J'ai déjà salué le conseiller culturel de l'ambassade, Pierre-Louis Blanc, venu attendre sa sœur Josy Anne, et je m'apprête à prendre mon dernier déjeuner à bord si on accepte de me servir. Il est plus de treize heures. J'aperçois derrière le commissaire une femme petite, avenante, qui me tend la main et fait les présentations en français. Je ne retiens pas les noms, mais elle m'explique qu'elle est venue avec le chef du bureau des liaisons extérieures de la N.H.K., la chaîne nationale de la T.V. japonaise. Ils me cherchent partout depuis une heure ; cela a l'air de beaucoup l'amuser car elle rit. Tout le monde rit. J'invite donc tout le monde à venir rire avec moi dans la salle à manger, et, par la même occasion, à prendre une collation. Le menu est maigre, les cuisines sont fermées. La conversation se réduit à des questions de pure forme sur le voyage, appelant des réponses laconiques que le chef de service ponctue invariablement d'un raclement de gorge, suivi de *sodès-né*, ce qui peut, paraît-il, se traduire, je l'ai appris depuis, par « Ah ! bien, bien !... » Le repas est vite expédié. Puis un Japonais, chauffeur de son état, prend mes bagages ; me voici conduit à mon hôtel dans la somptueuse limousine américaine envoyée par la télévision. Le chauffeur a mis sa casquette blanche aux armes de la N.H.K. Il ouvre et referme les portières avec cérémonie. Nous démarrons vers Tokyo. J'ouvre grand les yeux. Je ne comprends pas ce qui arrive. Nous nous engageons interminablement dans des rues étroites où la voiture peut à peine passer. Il n'y a pas de trottoir. Une débauche de fils électriques fait penser à un « Buffet » anarchique. Des maisons basses en bois bordent sans fin la chaussée alternant avec de petites boutiques, des barrières à claire-voie. Pas un immeuble en vue. On tourne à droite, on tourne à gauche, enfin un peu d'espace, l'avenue est un peu plus large ; on passe près d'une gare que je reconnaîtrai par la suite comme étant celle de *Shinagawa*. Après une heure d'une interminable et épuisante course, je me retrouve au milieu d'un jardin face à un parc. Je n'ai pas encore vu un seul immeuble. J'ai l'impression d'être en pleine campagne. Une campagne à la japonaise, très peuplée, avec beaucoup de circulation. Mon nouveau domicile se trouve à cent mètres de l'ambassade de France, à quelques centaines de mètres de deux ou trois autres chancelleries, en plein cœur d'*Azabu*, quartier résidentiel du centre de Tokyo. En attendant, je maudis les services de l'ambassade de m'avoir logé si loin de tout et je me promets de changer d'hôtel. L'hôtel Azabu Prince est entouré de jardins agréables, mais le quartier va être transformé sous peu. Devant et derrière l'hôtel, des immeubles de trois ou quatre étages, vont bientôt remplacer les espaces verts. J'ai emprunté la Kan-Nana-dori ou 7e Avenue qui ressemble à un boulevard extérieur circulaire totalement indépendant du réseau des autoroutes urbaines : circulation impossible, désordre d'urbanisation, anarchie de câbles de transport électrique, indications de direction uniquement en japonais. En vingt-cinq ans, sur cette artère, seul le carrefour de la Meguro-Dori sera transformé grâce à un passage souterrain permettant d'éviter les feux. A Tokyo ou Kyoto, dans toutes les villes du Japon que je connais, je retrouve des lieux familiers. Rien n'a changé à Meguro, à Setagaya ni même à Shibuya. L'immense gare voit débarquer et embarquer chaque jour des dizaines de milliers de banlieusards. Les rames de métro se suivent à deux minutes d'intervalle, sortant et entrant sans relâche au premier étage d'un grand magasin. Avant comme après le travail, le consommateur est à pied-d'œuvre. Du quai du métro, il n'a qu'une porte à franchir pour parcourir le rayon de lingerie féminine ou celui des jouets. Mais la nuit un étonnement renouvelé saisit le passant dans la débauche de néons, d'enseignes lumineuses ,de journaux lumineux créant une atmosphère qu'on comparerait volontiers à celle de Broadway si on n'en ressentait aussitôt le caractère irréel. A Broadway, un néon est un néon. A Shibuya, un néon ressemble à un néon, mais on n'en est pas sûr, tant la lumière scintillante est créatrice d'une symphonie pour les yeux reçue par une foule dense qui monte et descend autour du visiteur étranger, comme sur un voilier en pleine mer la houle vient à vous. Rien ne bouge, puis soudain tout paraît tanguer, se déséquilibrer, enfin on passe et jamais un bruit n'arrive à faire perdre le sens de l'harmonie. La foule ne crie pas, elle murmure et s'écoule autour de soi, comme la lame se casse sur l'étrave par beau temps. Les rues calmes, étroites, sans trottoir sont bordées de petits jardins. Quatre ou cinq pierres permettent de franchir une bande de gazon pour atteindre une porte coulissante, à la fermeture symbolique, qui vous introduit dans une maison de bois fine et délicate. On laisse ses chaussures à l'entrée. On les troque pour les *zori*, chaussons immunisés contre la poussière de l'extérieur. Le long de corridors aux planchers volontairement grinçants, entre des *shoji*, cloisons de papier mobiles où le chat, le bébé ou l'adulte se sont amusés à faire un trou, on se dirige vers la pièce où attend l'hôte. On se débarrasse des *zori*, on écarte le *shoji*, et à genoux sur les talons on s'incline pour saluer ; puis on rentre dans la pièce, pieds nus sur le *tatami*, ce sol en paille de riz sur lequel, le soir, la maîtresse de maison étalera les *futons*, matelas légers et pliables destinés au repos de la nuit.

Rien n'est changé dans l'atmosphère ouatée de ces rues d'un quartier de Tokyo où le modernisme a pénétré avec la voiture qui est cependant restée discrète. Rien n'est changé dans le contraste qu'elles offrent avec les avenues voisines encombrées de poids lourds rendant l'air irrespirable, cet air qui donne à Tokyo sa réputation de ville la plus polluée du monde. Des bruits familiers d'oiseaux viennent jusqu'à moi... Puis le piaillement des écoliers du voisinage. Il y a de plus en plus de piaillements dans la rue... « Oaïo gozaïmasu ! Oaïo gozaïmasu ! Oaïo gozaïmasu ! » Ce bonjour matinal est articulé de plus en plus fort par une dizaine de gosses qui partent à l'école. Je me lève et je réalise soudain que ce bonjour m'est adressé. Ils sont tous là, garçons en noir, leur casquette à la main, fillettes en bleu à col marin, les nattes bien tressées, arrêtés le long de la maison. Ils s'inclinent en criant une fois de plus « Oaïo ! » dès qu'ils m'aperçoivent à la fenêtre, puis s'enfuient en courant. J'apprends un peu plus tard que les mères du voisinage ont parlé du *geijin* qui habite chez Hiroguchi-San et recommandé à leurs enfants de ne pas oublier de me saluer en passant devant la maison. Cela fait partie d'un rituel : rituel du repas familial, de la politesse, du bain, du coucher, des relations de voisinage... Ainsi se crée un univers symbolique dans lequel la rigidité de certaines relations sociales a pour corollaire la fantaisie, voire l'anarchie et le côté bon enfant des comportements individuels.

Qu'est-ce qui est vrai ? Le Japonais dont la politesse délicate touche parfois à l'obséquiosité, ou celui dont la muflerie se manifeste vis-à-vis des individus anonymes rencontrés par hasard sur son passage, dans la rue ou dans les lieux publics ? Le Japonais peut-il à la fois se conduire avec rigidité et s'adapter sans peine à toutes les situations nouvelles, même les plus inattendues ? Est-ce un homme résolument moderne et tourné vers l'avenir, ou un citoyen traditionaliste fermé à tout ce qui est étranger ? La douceur allant jusqu'à la mièvrerie est-elle compatible avec le culte du guerrier et de l'épée ainsi que la violence innée qui se défoule dans les arts martiaux ? Le Japonais est-il loyal ou traître, généreux ou dédaigneux, soumis ou rétif, courageux ou timide, agressif ou pacifique ? Comment démêler la réalité, entre un cadre social bien structuré et presque imperméable aux influences extérieures, et des institutions dont la diversité et la fantaisie intègrent toutes sortes de modèles à la pointe du progrès. Faut-il enfin se fier à la hiérarchie impitoyable de la société, ou à l'égalitarisme du mode de vie ?

Le Japon ressemble à ce labyrinthe de glaces de nos foires, dont les miroirs renvoient mille images de chacun de ceux qui s'aventurent dans leurs dédales. C'est un Japon à facettes qui apparaît, dont les institutions renforcent une image pluraliste déconcertante.

Face à la violence du milieu naturel, l'évolution de l'histoire a délimité plusieurs Japons : celui du Nord et celui du Sud séparés par la ceinture du mythe qui va d'Ise à Sado en passant par Nara, Kyoto Fukui et Kanazawa. Celui de la façade Pacifique, et celui de la façade mer du Japon, délimités par les méridiens du réel, ceux de l'Hokkaïdo au Kyushyu qui longent la faille des tremblements de terre, d'un volcan à l'autre, avec une mention spéciale pour cette ligne de Tokaïdo, de Tokyo à Kyoto, dont le Fuji symbolise le point central de la rencontre entre les méridiens du réel et ces parallèles du mythe. Le sacré et le profane se confondent à ce point. Le sacré l'emporte, comme l'ordre inné dans la mentalité rurale l'emporte sur l'anarchie, quelle que soit la force de désagrégation sociale née de l'urbanisation. La réconciliation de toutes les forces centrifuges avec le courant centripète, garant de l'homogénéité du Japon, amène les Japonais à concevoir, au-delà des solutions écologiques de régression, une mégalopolis, comme le rêve rejoignant le réel dans une espèce d'ambition cosmique.

Recto et verso de la médaille : coexistence ou adaptation au pouvoir le plus fort

Au cours de ma première année au Japon, j'ai fait l'expérience de toutes les ambiguïtés et de tous les malentendus. Arthur Koestler, bien qu'il n'ait rien voulu comprendre au Japon, préférant rester définitivement étranger à un monde irrationnel, où l'affectivité sert à la fois de terrain de rencontre et de langage de communication, a eu le mérite de montrer qu'ambiguïtés et malentendus ne sont pas réservés aux rapports entre étrangers et Japonais, mais sont aussi de règle entre Japonais. La langue japonaise, remplie de périphrases et d'approximations successives d'une réalité qui n'est jamais établie, laisse à chaque interlocuteur la possibilité de se dérober à la tentative de communication avec l'autre, grâce à un système d'interprétation nuancée de ce qui est dit. On peut se demander si cette faculté d'accepter ou de refuser poliment un message ne devient pas nécessaire dans une société où la communication est la règle. Au Japon, on ne peut ignorer son voisin qui parfois devient plus important que certains membres d'une famille qui ne vivent pas sous le même toit. La densité de la foule supprime toute possibilité d'isolement. Le problème n'est donc pas de communiquer, mais plutôt de ne pas communiquer. C'est peut-être pour n'avoir pas compris le besoin profond de solitude des individus de ce pays, que Lafcadio Hearn, méprisé au début du siècle par ses compatriotes américains, fut aussi isolé par les Japonais qu'il voulait trop comprendre au point de devenir citoyen de l'Empire du Soleil-Levant.

Lorsqu'on veut connaître le Japon, il convient, comme un pilote qui va poser son avion dans le brouillard, de ne pas manquer son approche, sinon on s'expose à passer à côté d'un monde qui ressemble au nôtre dans ses manifestations extérieures, mais dont l'âme qui l'habite croit à la permanence de son génie propre. L'âme de ce monde se différencie en cela de celle de nos vieilles sociétés sceptiques qui remettent sans cesse en cause leur existence.

Pour expliquer ce qu'on ne comprend pas, il faut se garder des clichés. Il n'y a pas, d'un côté, un comportement rationnel : le nôtre et, de l'autre, une conduite, celle des Japonais, dont les principes n'ont pas été définis par Descartes.

Au point de rencontre de deux civilisations, les individus hésitent à s'engager, et une période d'observation précède la communication véritable. Cette attente, avant de franchir un certain « Rubicon culturel », prend parfois beaucoup de temps car la sincérité des Japonais, leur orgueil aussi, les empêchent souvent de revenir sur leur engagement.

Leur face à face interne renforce encore leur dualité du mythe et du réel. Pendant mon séjour, une grande firme de publicité, la Dentsu (cinquième groupe mondial) a donné une des plus fastueuses réceptions auxquelles j'ai eu l'honneur d'être invité. Cette société avait loué deux étages de salons de l'un des plus fameux hôtels construits à Tokyo pour les Jeux Olympiques : le New Otani. Plus de deux mille invités dégustaient à satiété langoustes, homards, caviar, etc., tandis qu'à l'étage supérieur ceux qui étaient rassasiés pouvaient assister à des spectacles divers où l'admirable théâtre *nô* voisinait avec le strip-tease le plus vulgaire. Sur les tables, de somptueux *ikebana*, réalisés par les plus talentueux artistes du pays, faisaient face à d'immenses couronnes de fleurs artificielles que l'on dispose en général au Japon pour marquer inaugurations ou cérémonies. Ce voisinage du laid et du beau, nés des mêmes mains, capables d'exprimer le génie ou la vulgarité, un professeur de l'université de Waseda, Ko Iwase, spécialiste de littérature française, l'a jugé en ces termes : « Une médaille possède un recto et un verso différents et c'est pourtant la même médaille. »

... Coexistence

Pour découvrir le Nippon, il est indispensable de rechercher les clefs permettant d'accéder à la réalité d'un pays, le seul sans doute dans le monde à ne pouvoir compter que sur ses ressources spirituelles et le génie de sa civilisation pour créer les richesses matérielles indispensables à sa vie, sur une terre nue et aride où légendes et mythes n'évoquent que misère, asservissement, calamité et mort.

En remontant aux origines de cette civilisation et aux éléments qui l'ont façonnée, on découvre, à travers tous les hauts lieux de pèlerinage où gisent ses racines profondes, que l'esprit rejoint la matière en s'identifiant à elle, tantôt sous des formes anthropomorphiques, tantôt plus rustiquement dans l'abstraction des volumes, des odeurs, des couleurs et des sons. L'homme japonais contemporain retrouve la musique et la poésie au point où la vie et la mort se confondent, là où les pierres, le feu, l'eau, la terre et l'air portent témoignage.

Ce réel à facettes implique toujours un savant dosage de pragmatisme et d'idéologie. Le sens du concret et de l'efficacité va de pair avec la force idéologique, dont il faut mesurer l'impact si on souhaite pénétrer dans le Japon des profondeurs. Celle-ci compte au moins autant que celui-là, même si elle n'est qu'un habit de cérémonie qui camoufle une fourmilière mercantile. Il faut cependant se demander si la fourmilière mercantile n'est pas plutôt le camouflage choisi par ce Japon des profondeurs, objet de notre quête tout au long de ces pages. En annonçant le décès de leur père à leurs amis, deux fils tentaient d'expliquer ce que les Japonais appellent *akiramé*, c'est-à-dire la résignation qui va de soi face à une destinée inéluctable. L'un d'eux m'écrivait : « La mort ne doit pas donner lieu à la tristesse. Elle prolonge la vie comme la vie prolonge la mort. L'une n'existe que par l'autre. » A l'ultime instant, les convictions religieuses des individus ne jouent pas un grand rôle. Le shintoïsme n'est là que pour entretenir le souvenir de ceux qui deviennent les ancêtres dont la plus auguste lignée, celle de l'empereur, remonte jusqu'aux divinités. Dieu n'existait pas au sens où nous l'entendons, Bouddha ou Jésus et ses prophètes ne sont que des assurances prises sur un au-delà incertain. Les Japonais ont presque tous adopté la théorie du pari de Pascal. Cela ne les gêne pas d'être en même temps shintoïstes et bouddhistes, d'appartenir à une Eglise chrétienne et de suivre assidûment les préceptes de l'une de ces nombreuses sectes qui fleurissent au Japon, regroupant des milliers et même des millions de fidèles autour de pratiques parfois bizarres. Il n'y a pour les individus aucune contradiction à mêler ce que l'on pourrait appeler la pratique du dérisoire avec l'essentiel.

Pour trouver l'individu japonais, il faut se livrer à une véritable psychanalyse. « Derrière le masque, j'aime me cacher », m'a dit un jour le célèbre écrivain Mishima Yukio, mort par *seppuku* (hara-kiri) le 25 novembre 1970. Il entendait par là, comme tous les Japonais, se référer au *nô*, cette forme de théâtre si pure, si parfaite, qui tient à la fois de la tragédie antique, du répertoire d'opéra, du ballet, le tout joué au ralenti dans une symbolique gestuelle qui rend le spectacle proche de la cérémonie religieuse, et qui est célébrée selon un rite millénaire inchangé. Chaque acteur de nô revêt un masque représentant un caractère type : la femme jalouse, le démon, une divinité, un animal, le vieillard avare...

Le succès du nô dépend moins de la vérité de la morale de l'histoire que de l'effet esthétique atteint au niveau de l'émotion poétique transmise par le jeu des acteurs. Derrière leur masque et quel que soit ce masque, les Japonais dissimulent l'essentiel qu'ils placent instinctivement dans la beauté et la perfection du geste, plutôt que dans l'objectif recherché par son accomplissement.

Les Japonais appellent tous les Caucasiens des *Nanban* ou sauvages du Sud, par référence aux marchands et marins hollandais qui entrèrent les premiers en contact avec eux à l'aube du XVIe siècle. C'est ainsi que m'a traité mon ami Suzuki Takashi, avec lequel j'ai beaucoup appris. A chacune de nos rencontres, nous eûmes tous les deux des conversations interminables. Plus il parlait, essayant de m'expliquer les Japonais et leur mentalité, moins je comprenais. Un jour, avec l'air détaché et serein que je lui connaissais, Suzuki Takashi laissa tomber : « ...Je vous admire beaucoup et je ne me lasse pas de vous écouter expliquer, analyser un problème. Vous êtes logique et clair, c'est ça l'intelligence... » Déjà je sentais monter en moi les effluves de ma vanité... Suzuki enchaîna, pensif, comme pour lui-même : « Tout ça, c'est clair dans votre bouche et dans votre esprit, mais je ne suis pas sûr que la clarté soit un moyen d'atteindre la réalité... » Où est la réalité ? C'est bien la question à se poser à propos d'un pays qui a connu, en moins d'un siècle, la société féodale, la société industrielle et la société post-industrielle. Elles sont apparues l'une après l'autre, mais aucune ne s'est substituée à la précédente. Les Japonais admettent-ils parfaitement cette coexistence, particulièrement perceptible à Tokyo. De Marunouchi, le quartier moderne des affaires où règne notamment Mitsubishi, au dédale de ruelles des maisons de bois moyenâgeuses d'Ueno rassemblées autour du temple de la déesse Kannon ; d'Akasaka, le quartier des plaisirs, où des geishas en pousse côtoient la faune des grands hôtels américains et les prostitués hommes ou femmes, à *Saniya* le quartier des « smicards » et des chômeurs, cette coexistence ne se mesure pas au contraste entre le gratte-ciel de Toranomon et la dernière maison de bois du résistant écologique d'Yurakuchô. On la voit à la couleur de la rue, à l'habillement des passants, aux petits métiers, à ces ruelles insoupçonnées, sans trottoirs, qui serpentent entre des claies de bambous ou de bois. Personne n'ose trancher le cordon ombilical qui maintient une architecture du XXIe siècle dans l'orbite de l'espace traditionnel japonais. C'est pourquoi contestation et confrontation ont toujours conduit jusqu'ici le Japon à la conciliation. Les épreuves, les chocs sont parfois rudes : la guerre civile pointe son museau. Ce fut le cas en 1960 lors des grandes manifestations anti-américaines ; en 1968 avec la révolte des étudiants ; en 1970 avec l'Armée Rouge ; de 1973 à 1978 autour de l'aéroport de Narita, symbole de toutes les résistances à une société traditionnelle trop rigide. Celle-ci est perpétuellement remise en question tant elle apparaît ne plus correspondre aux aspirations de tous. Mais il en est ainsi à travers toute l'histoire du Japon. Révolte et résignation, contestation et conciliation s'exercent en même temps dans la structure nationale que les Japonais appellent le *kokutaï* et qui, elle, fait l'unanimité.

... Adaptation au pouvoir le plus fort

Certes, dans l'histoire de la nation japonaise, le *kokutaï* a été détourné et manipulé, notamment par les militaristes, depuis l'affaire de Mandchourie en 1931 jusqu'à la fin de la seconde guerre mondiale. Modifié ou transformé, le système de valeurs n'a cependant jamais été remis fondamentalement en cause, grâce à un concept auquel les Japonais ont toujours pleinement adhéré : celui du *tenko*. C'est un pur produit de la culture japonaise, on ne le trouve nulle part ailleurs en Asie. Il signifie conversion, dans le sens d'acceptation d'un pouvoir plus fort que celui auquel on est attaché. Le *tenko* a permis à Meiji d'ouvrir les portes de l'Archipel à l'Occident, mais aussi aux militaires de prendre le pouvoir et de ne le concéder que sous la pression de la bombe atomique. C'est le tenko qui a fait du Japon l'allié des Etats-Unis ; c'est lui qui a permis la création d'un Etat moderne et économiquement surdéveloppé. Adaptation va de pair avec un dynamisme créateur dans tous les domaines, qui n'exclut pas une certaine nostalgie à l'image du propriétaire du gratte-ciel de Toranomon au cœur de Tokyo. Il avait décidé de rendre à la capitale du Japon le chant des oiseaux qu'elle avait perdu. Il y a quelques années, il a créé sur le toit de son immeuble, au haut du trente-sixième étage, un environnement de verdure pour les attirer. Et il a réussi...

De la relativité de l'événement

TOKYO STATION : La gare centrale de Tokyo, côté palais impérial, exhibe une façade triste et basse, de couleur brique, copie de quelque gare de province française construite entre les deux guerres, qui aurait survécu aux bombardements. Il existe une deuxième façade, plus récente, plus propre, dont on dira dans quelques années qu'elle porte la marque du matériau bon marché de l'après-guerre. On traverse d'un côté à l'autre, mais je préfère le côté vieillot. Cinq jours à peine après mon arrivée dans la capitale nippone, je suis là, entre deux Japonais, attendant mon tour pour atteindre l'un des guichets extérieurs de la gare. Je suis invité à passer mon premier dimanche japonais à Hayama, station balnéaire réputée, au bord du Pacifique face au célèbre Fuji-San où le conseiller chargé de la presse à l'ambassade de France au Japon a loué une maison de week-end. Mon collègue Thibault, de passage au Japon, est invité aussi et m'attend tout à côté, au bout du trottoir. Mon tour arrive rapidement et j'articule distinctement : « Zushi » en montrant deux doigts. Sans hésiter, le guichetier me tend un billet et me réclame 120 yen en écrivant Y 120 sur un bout de papier. Je marque mon étonnement car je lui ai demandé deux billets. Mais derrière on pousse et je suis obligé de passer. Thibault me fait un signe désespéré, puis stoïquement prend son tour dans la file d'attente pour acheter un second billet. Arrivé au guichet, il articule, comme moi, « zushi » et montre un doigt : le billet lui arrive avec la monnaie. Tout est en ordre. Non, il y a quelque chose de bizarre. Nos billets ne sont pas identiques. Nous les comparons avec anxiété, d'autant plus qu'il a payé 180 yen, donc 60 yen de plus que moi. Nous n'arriverons jamais à l'heure pour le déjeuner. Nous finissons par en prendre notre parti et nous voici essayant de trouver le bon quai. Nous demandons à quelqu'un dans la foule : « Zushi ? » On nous montre un quai. Pour plus de sûreté, nous posons la question à un autre passant, une femme cette fois-ci. A son tour elle pose une question que nous ne comprenons pas, attend en vain la réponse, puis nous indique un autre quai. Nous misons sur le premier renseignement. Nous nous mettons dans une file et je souffle à mon voisin : « Zushi ? » Il me répond : « Aïi... » Un train passe en trombe et ne s'arrête pas. Personne ne bronche. Un deuxième train s'arrête. La foule grimpe, s'entasse, mais mon voisin me fait signe de ne pas bouger tandis que lui-même s'enfourne péniblement et que la porte automatique se referme derrière lui. Ce train est parti, un autre le suit à la minute. Thibault demande à nouveau : « Zushi ? » Tout le monde semble approuver. Nous voici enfin dans le bon train. Pas pour longtemps. Un contrôleur, à la vue du ticket de Thibault, essaie de lui faire comprendre que quelque chose ne va pas et qu'il faut changer de voiture ; lui, pas moi. Un Japonais parlant anglais s'avance cérémonieusement vers Thibault et explique : « Sir, you bought a first class ticket, you should get down at the next stop and go to the green car : green is the sign for first class car. » Nous partons d'un fou rire comprenant tout à coup que mes deux doigts signifiaient un billet de seconde classe et non deux tickets, tandis que l'unique doigt de Thibault lui a fait recevoir un billet de première.

A peine sommes-nous remis de notre émotion que le train vibre en émettant le bruit bizarre d'un mobile qui poursuit sa course toutes roues bloquées. Le mécanicien du train vient de freiner à mort ; notre convoi s'immobilise bientôt en rase campagne. Après un quart d'heure d'attente, nous repartons au pas, traînant avec nous un soleil de septembre d'autant plus estival que la matinée touche à sa fin et que nous prenons conscience que notre hôte nous attendra sans doute longtemps pour déjeuner. Nous venons d'entrer dans une gare. Des haut-parleurs vocifèrent quelque ordre mystérieux. Tous les voyageurs se précipitent hors du train et attendent sur le quai d'en face. Nous les suivons sans comprendre. Un autre train nous prend déjà en charge pour nous débarquer, quelques minutes après, dans une autre petite gare où le même manège recommence. A la quatrième gare, après avoir changé de train trois fois, tandis que nous patientons en espérant le quatrième, l'explication vient à nous. Au bout du quai, des masses de wagons enchevêtrés, couchés sur la voie, gisent aussi loin que notre regard peut porter. Des infirmiers avec des brancards transportent des corps que l'on vient de retirer des amas de ferraille. Ils passent indifférents à quelques mètres d'une foule silencieuse et impassible. La catastrophe ferroviaire semble importante. Un train finit par nous charger et moins d'une heure après, nous sommes à Zushi. Il faut encore prendre l'autobus jusqu'à Kurua. Le trajet dure vingt minutes. Il est déjà treize heures et nous sommes attendus depuis douze heures trente. Il n'y a pas trop de mal. Le conseiller nous reçoit avec flegme. Son épouse n'a pas l'air étonnée. La radio vient d'annoncer le déraillement. Il y a cent morts. Je me souviens tout à coup que je suis journaliste. C'est mon premier dimanche japonais. Dois-je envoyer la nouvelle ? Quelle importance Paris peut-il accorder aux cent morts d'une catastrophe ferroviaire qui s'est produite à l'autre bout du monde, d'autant plus que le Japon est réputé pour le nombre impressionnant de morts que l'on compte chaque fois que survient un événement tragique. C'est du moins ce que je me dis... Où trouver un téléphone pour demander une communication internationale ? Comment récupérer, un dimanche, la pellicule que la télévision japonaise a sans doute tournée ? Comment l'expédier ? Si je dois m'occuper de tout cela, je n'ai plus qu'à rentrer à Tokyo. Mais comment ? Je vais mettre au minimum trois heures, peut-être quatre. Il y a huit jours, Paris n'avait pas de correspondant.

Je décide d'aller profiter de la plage, de jouir de la vue du Fuji dont le cône enneigé émerge d'un halo de brume. Avec le décalage horaire (huit heures de moins à Paris), il sera encore temps d'agir demain... Demain, je réalise tout à coup que j'ai été envoyé en Asie pour couvrir les événements d'Asie du Nord ; mon territoire généreusement découpé avant mon départ dans un bureau parisien, comprend outre le Japon, la Corée, la Chine, Hong Kong et les Philippines. On y ajoutera ultérieurement le Vietnam-Sud, la Birmanie, la Thaïlande.

En sept ans, le hasard de nos opérations me conduira dans tous les pays d'Asie et du Pacifique, jusqu'en Nouvelle-Zélande. Cette pensée des grands espaces qui m'habite déjà me réveille et me fait sentir dans la poche de mon veston mon billet aller et retour Tokyo-Manille. Je dois dès le lundi matin décoller pour les Philippines afin de prendre un premier contact avec cette partie de ma circonscription. On y est en pleine campagne électorale ; les élections sénatoriales y amèneront au pouvoir le parti nationaliste du président Marcos.

Dès mon retour à Tokyo le dimanche soir, j'appelle Paris. Il est vingt heures trente à Tokyo, donc douze heures trente rue Cognac-Jay. Mon coup de fil est reçu dans la plus complète indifférence. Mon déraillement et mes cent morts n'intéressent personne. Même réaction à la maison de la Radio. Je m'endors avec la satisfaction du devoir accompli, après avoir mentalement réfléchi à mon programme philippin. Dès huit heures le lundi matin, je suis à *Haneda*, prêt à partir. L'avion d'Air France qui rentre à Paris me restitue quelques instants l'odeur de la France à travers le champagne, le babillage des hôtesses et la visite au poste de pilotage. Je reviens à mon siège pour l'atterrissage et c'est la stupeur : à côté de moi traîne un exemplaire de l'édition anglaise du *Mainichi*, l'un des trois grands de la presse japonaise ; on lit sur six colonnes : week-end tragique au Japon : six cents morts. L'article relate le déraillement dont j'ai eu un aperçu, mais aussi la plus grande catastrophe minière de l'histoire du Japon : un coup de grisou qui a causé la mort de près de cinq cents mineurs. Ce qui n'était qu'un banal fait divers aux antipodes devient, même à Paris, un événement de dimension internationale. Il me reste grâce au décalage horaire suffisamment de temps pour téléphoner à Tokyo, réunir les détails et appeler Paris d'un studio de Manille afin de donner ma version des événements ou du moins de l'un des deux. Ma secrétaire japonaise se charge d'acheminer le jour même un film de la télévision nationale N.H.K. Le ratage a été évité de justesse, mais je commence à pressentir la nature du malentendu permanent qui va désormais me séparer de mes rédactions parisiennes. Quels que soient mes efforts et malgré un décalage horaire favorable de huit heures, Paris, par mon intermédiaire, recevra toujours le lendemain les nouvelles de la veille, à moins d'utiliser le satellite qui n'est pas encore disponible. La pellicule met vingt-quatre heures pour aller de mon bureau du centre de Tokyo au 15 de la rue Cognac-Jay à Paris. Pour mesurer l'impact d'un événement japonais à Paris, il faut donc tenir compte, bien sûr, de l'importance qu'il revêt au Japon et de sa signification pour le reste du monde. Mais il convient avant tout de se demander s'il aura la force de résister deux jours à l'usure, pour être repris valablement le lendemain à Paris. Peu d'événements japonais ont présenté ce dernier critère. En sept ans, on les a comptés sur les doigts des deux mains.

Le Japon tel qu'il est perçu

Le Japon vit cependant à l'heure des grands pays industrialisés. La technologie nippone concurrence avec succès celle des pays occidentaux les plus développés, lorsqu'elle ne la dépasse pas. Le niveau intellectuel moyen du peuple japonais se mesure à travers d'éloquentes statistiques qui prouvent la qualité d'un enseignement supérieur et d'une formation permanente accessibles, et se vérifie par un nombre d'étudiants supérieur à celui des pays les plus avancés. Le produit national brut et le revenu individuel par habitant placent le Japon au deuxième rang des puissances capitalistes dans le monde. Face à la crise mondiale et bien que durement touché, plus profondément peut-être que des pays européens comme l'Allemagne fédérale et la France, le Japon est en train d'accomplir un redéploiement économique et sans doute un effort de civilisation réaliste, spectaculaire et dynamique. Les pays capitalistes avancés, même les Etats-Unis, voient cette intelligence de l'avenir comme une concurrence menaçante, devant laquelle ils élèvent des barrières protectionnistes. Ces réalistes expliquent en partie pourquoi le Japon apparaît différent de ce qu'il est par la seule idée que l'on s'en fait.

Devant les chiffres, il faudrait mettre en avant tous les *facteurs humains* pouvant éclairer des statistiques au caractère stupéfiant en soi. Un modèle de civilisation en perpétuelle mutation mais toujours fidèle à ses sources préserve dans la vie quotidienne un rituel dont le poids donne à cette société cohésion et homogénéité. Chez lui, dans son cadre professionnel, dans la rue, le Japonais évolue à l'intérieur d'un environnement réglementé et hiérarchisé qui imprime à ce pays une marque d'efficacité que les Etats occidentaux assimilent trop rapidement à un mépris de l'homme, de la fantaisie ou de la liberté dont ils se font volontiers les défenseurs. Ainsi le Japon est-il perçu autrement que l'image extérieure qu'il donne de lui et qui est celle d'une démocratie capitaliste occidentale économiquement avancée et politiquement libérale. Ce pays apparaît différent par une certaine idée confuse que l'on se fait de lui par assimilation avec ses voisins. Qu'il s'agisse des Etats-Unis ou de l'Europe, il existe au niveau du grand public une confusion entre tout ce qui est oriental. On attribue aisément aux Japonais des qualités ou des défauts que l'histoire a colportés jusqu'à nous à travers les rencontres de l'Europe et de l'Amérique avec la Chine, avec la Corée ou avec le Vietnam.

Tout ce monde est jaune, a les yeux bridés, est fourbe... à cause des yeux, cruel... Les supplices chinois sont légendaires... et fume de l'opium. Les femmes y sont attrayantes car de mœurs faciles..., on pourrait ainsi poursuivre ce catalogue de poncifs de l'ère coloniale alimentés par les récits de différents corps expéditionnaires ou de bons pères victimes des persécutions religieuses.

Puis sont venus s'ajouter les souvenirs de la guerre

39-45, largement imprégnés d'un manichéisme pour consommation de masse, à travers les films diffusés dans le monde entier par le U.S.I.S. (*U.S. Information Service*). L'image d'un peuple particulièrement cruel s'est ainsi attachée au Japon, propagée par les récits et les films de la guerre du Pacifique. Ce pays lointain auquel on s'intéresse épisodiquement est victime d'une série de stéréotypes qui ont franchi les frontières mais qui ne représentent qu'une connaissance fragmentaire et confuse.

Tout le monde sait répondre à la question à cent francs : Qu'est-ce qu'un kamikaze, une geisha, le judo, le karaté ou le hara-kiri ? L'Américain et l'Européen moyens sont à même de citer une ou deux marques d'appareils photographiques ou d'automobiles japonaises. Ils sont persuadés que les Japonais nous copient. Ils savent que l'empereur n'est plus un dieu et que l'électronique japonaise est devenue la championne de la fabrication des calculatrices de poche. Mais si on va plus loin et si on pose des questions sur le bouddhisme ou le zen, par exemple, l'ignorance ou la confusion apparaissent.

Kishi Keiko, célèbre actrice japonaise des années 60, avait été chargée par la T.B.S., l'une des plus importantes chaînes privées de télévision au Japon, de présenter une émission en direct et par satellite entre les Champs-Elysées et Tokyo. A Paris, près du métro George-V, elle arrête les passants : « Connaissez-vous le Japon ? » « Non », c'est la réponse désespérante de plusieurs Français pris au hasard. Tout à coup, une femme d'âge mur, à la parole facile, répond : « Oui », et ajoute : « C'est une honte, ces gens sont très malheureux, ils meurent de faim et nous ne faisons rien pour les aider. » Le lendemain, les journaux japonais rapportent l'anecdote. C'est pour eux la révélation du fossé de méconnaissance et d'incompréhension qui les sépare d'un grand pays comme la France, et la confirmation de ce que les Japonais ressentent depuis Meiji : le sentiment d'être méconnus et mal aimés. Comment en serait-il autrement, lorsque des personnalités qui font métier d'influencer l'opinion ajoutent à cette confusion. C'est le cas d'écrivains comme Arthur Koestler qui n'a vu du Japon que son côté robot, ou de Jean-Pierre Chabrol qui a vu Ubu dans chaque Japonais rencontré, ou encore de cet anonyme, qui avait signé, en 1924, du pseudonyme Thomas Raucat, une humoristique relation de son séjour au Japon sous le titre : *L'Honorable Partie de campagne*. L'anonyme s'appelait en fait Roger Poidatz. Polytechnicien spécialiste de la photographie aérienne, il avait été envoyé au Japon comme instructeur après l'armistice de 1918. Son roman, paru en 1929, montre un Japon caricatural que les Japonais ont d'abord aimé puis haï après qu'une âme charitable leur eut démontré que leur pays y était ridiculisé. En fait, le comique ne naît pas du comportement des Japonais tel qu'il est décrit, mais de la rencontre de personnages étranges vêtus comme on l'était dans le Japon traditionnel — des femmes et beaucoup d'hommes aux manières raffinées, remplis de curiosité pour tout ce qui vient de l'étranger dont on sait peu de chose — avec un voyageur qui se comporte avec eux comme une sorte de Martien fraîchement débarqué d'un O.V.N.I.

Il peut tout de même paraître fantastique qu'une aventure, décrite dans le cadre de l'Exposition universelle de Tokyo en 1922, soit parfaitement transposable et plausible dans le Japon de l'Exposition universelle d'Osaka en 1970. A presque cinquante ans de distance, la rencontre des deux mondes revêt pour l'un comme pour l'autre le même caractère de découverte de l'étrange. L'auteur de *L'Honorable Partie de campagne* se réfugie dans l'humour en guise d'explication, comme le feront plus tard de nombreux visiteurs européens et américains à l'occasion des Jeux Olympiques de 1964 ou de l'Exposition universelle de 1970. Cette approche du Japon prolonge l'étonnement qui met sur la voie du réel. C'est à la capacité d'étonnement d'un voyageur que l'on mesure sa perspicacité. Thomas Raucat n'en manque pas, et dans ce sens il nous lance sur la piste d'un Japon où la candeur des jeunes filles peut faire croire à une certaine naïveté nationale que les Japonais ne détestent d'ailleurs pas, mais qui devient trop souvent synonyme de niaiserie en Europe ou en Amérique.

Le Japon tel qu'il veut paraître

Les Japonais préfèrent paraître affublés de qualités prisées par l'étranger, plutôt que chargés de tout ce qui est considéré comme un défaut à l'extérieur de l'Archipel. Ils se réfèrent ainsi à un système de valeurs qui leur est étranger. L'image qu'ils veulent montrer d'eux-mêmes en tant que nation tend à accentuer tout ce qui peut les fondre dans la communauté internationale et à gommer toute originalité susceptible d'en faire un peuple à part. Il convient de rapprocher ce type de comportement national des aspirations de l'individu nippon, dont l'ambition de se fondre dans la masse de ses concitoyens lui fait préférer la grisaille de la routine à l'excentricité. Plus que partout ailleurs, on ressent au Japon l'anonymat de la foule.

Cette persistance à adopter à l'échelle nationale, aussi bien qu'au niveau des individus, des comportements en harmonie avec les autres nations et les autres hommes a contribué depuis 1868 à faire du Japon un pays à part et à donner aux Japonais un caractère d'extra-terrestres dont ils voudraient bien se débarrasser. Harmonie et consensus, deux mots clefs au Japon ressortissant au mythe autant qu'à la réalité engendrent ainsi le paradoxe de l'originalité au regard de civilisations comme les nôtres, dont le mouvement résulte plutôt de chocs, de convulsions ou de confrontations.

L'harmonie à tout prix pour atteindre le niveau des pays avancés de l'Occident ne suffit plus aux Japonais, depuis 1965. Leur objectif est de dépasser l'Occident. Il leur importe de savoir s'ils l'ont atteint et il n'y avait plus au Japon en 1970 de citoyen de l'empire du Soleil-Levant qui ne soit conscient de sa responsabilité et qui n'ait le souci et le brûlant désir de tester l'image que les Japonais donnent d'eux-mêmes : — *Do you like Japan ?*

La question est toujours directe et sans fioritures. Elle m'a été posée cent fois, mille fois, par chacun des Japonais que j'ai pu rencontrer. En général, j'ai toujours répondu un oui de politesse. Comment pourrais-je ne pas aimer le Japon ? Mais quand j'ai voulu faire l'expérience du « non », j'ai entendu un raclement de gorge douloureux, suivi d'un autre raclement. Mon interlocuteur, personnalité connue, finit par articuler le « AAAAh ! So Deska » traditionnel, puis me jeta à la figure : « Venez déjeuner avec moi mardi prochain. Nous parlerons. » Le ton était presque hargneux et je me demandais quelques instants si j'allais accepter. Le mardi suivant, je me rendis à l'adresse indiquée : M. T. m'attendait entouré de ses deux collaborateurs principaux. Le déjeuner d'hommes donne lieu aux habituels babillages des serveuses agenouillées près de nous et décortiquant la langouste, ainsi qu'à différents toasts au saké destinés à réchauffer l'atmosphère. Vers la fin du repas, mon hôte lâcha : « Les Français ne sont pas polis. J'étais à Paris récemment et j'avais obtenu un rendez-vous avec un haut fonctionnaire de votre gouvernement. Quarante-cinq minutes après l'heure fixée, j'ai quitté l'antichambre de ce grand personnage en signalant à sa secrétaire que je regrettais de devoir partir mais que mon bref séjour à Paris m'imposait un horaire assez strict. Le soir en rentrant à mon hôtel, il y avait un mot d'excuses écrit par la secrétaire et un petit paquet joliment enveloppé, comme chez nous. Je l'ai ouvert : c'était un cendrier (Silence gêné de part et d'autre.) Bon, cela ne m'empêche pas de vous inviter à déjeuner. J'aurai plaisir à vous renouveler mon invitation... » Le moment était venu de me retirer. Je le fis en m'inclinant, bien décidé à ne pas renouveler l'expérience du « non ». Car si les Japonais sont imperméables au « non », et peuvent en être douloureusement affectés, le « non » au Japon peut faire tomber un irrémédiable rideau. Ce risque peut apparaître aujourd'hui moins grand.

En 1979, les Japonais sont tellement persuadés d'avoir dépassé l'Occident industrialisé qu'ils posent de moins en moins souvent la question : « Do you like Japan ? » Au contraire, ils tiennent à montrer qu'ils n'ont plus rien à apprendre. L'organisation sans faille de l'accueil des hôtes de l'Archipel reste pour l'étranger une source d'étonnement et parfois d'agacement. Invité d'une firme japonaise homologue, un P.-D.G. français, arrivé un lundi et dont le départ était prévu le samedi, fut très soulagé, en lisant l'emploi du temps qui lui avait été fait, de constater que le vendredi après-midi portait la mention : *Free*. Le déjeuner du vendredi avait été retenu dans un restaurant célèbre : le Chinsanzo, vaste parc paysagé à la japonaise, avec des massifs de pins torturés entre lesquels coulent des ruisseaux enjambés par de petits ponts rouges. Un pavillon particulier avait été retenu. Le P.-D.G., que j'accompagnais, se pencha vers moi à la fin du repas : « Ce thé est horrible, articula-t-il en aparté... Je vais faire une sieste... » Notre interlocuteur japonais parut l'avoir deviné. Appelons notre P.-D.G. Dupont...

« Dupont-San, vous n'avez rien à faire cet après-midi ?

— Si, la sieste...

— AAAAAhh... Sodeska... Nous avons préparé une distraction... »

L'un des adjoints de notre hôte s'était levé promptement et téléphonait au fond de la salle...

« Merci, protesta Dupont, ma femme m'attend pour aller faire quelques achats dans les magasins, elle souhaite acheter quelques perles. D'ailleurs nous avons rendez-vous à trois heures... »

Le second adjoint de notre hôte se leva tout aussi promptement et s'empara d'un autre téléphone...

« Voilà, tout est arrangé, dit le premier adjoint.

— Voilà, tout est arrangé, dit le second adjoint.

— Nous allons vous faire voir les plus beaux chevaux du Japon, le manège vous attend.

« — Votre femme est prévenue, elle vous attend à partir de cinq heures trente... »

Dupont poussa un soupir qui n'était pas de soulagement. Il n'y avait plus qu'à se laisser faire et c'est ainsi que nous fûmes conduits au Centre d'entraînement du cheval qu'on nous dit être à un quart d'heure de voiture et qui était en fait à quarante-cinq minutes. Rien ne nous fut épargné... Ni l'historique du manège, ni l'arbre généalogique de chacun des chevaux... Enfin, ce fut la démonstration. Un cavalier et un cheval évoluèrent pendant dix minutes. Le maître de manège ne cessait de souligner que l'entraînement de l'homme et du cheval était l'œuvre d'un Français. Le retour au centre de Tokyo après deux heures d'embouteillages donna tout loisir au P.-D.G. Dupont de réfléchir : « Pourquoi m'obliger ainsi à perdre un après-midi pour un cavalier, un cheval et un maître de manège ? » « Vos hôtes, monsieur le président-directeur général, ont pensé vous honorer ainsi, puisque la seule médaille d'or française des Jeux Olympiques de Tokyo a été remportée par Jonquières d'Oriola. »

Les hommes d'affaires français résistent mal à de tels traitements de V.I.P., en tout cas moins bien que leurs collègues allemands ou américains. Ceux-ci ont en général une meilleure connaissance des comportements de leurs partenaires, ou savent mieux en jouer. Un homme d'affaires occidental qui débarque est soumis à une sorte d'examen préalable de la part de son interlocuteur japonais. L'Occidental croit souvent trouver en face de lui son alter ego alors qu'en réalité il se trouvera pris dans une structure horizontale de la société qu'il visite. Il rencontrera ainsi trois, quatre, dix interlocuteurs, et rien n'avancera car aucun d'eux ne sera qualifié pour faire avancer son affaire. Par ce moyen, les Japonais auront ainsi mis à l'épreuve son sérieux, sa crédibilité, la qualité des produits qu'il vend ou la capacité qu'il a d'acheter ceux qu'on souhaite lui vendre. De nombreux reportages ont montré en Occident les mésaventures de ces hommes d'affaires qui, épuisés par des négociations sans fin, ayant abandonné la partie et repris, découragés, le chemin de l'aéroport, furent tout étonnés à leur arrivée dans le hall de départ de rencontrer leurs interlocuteurs avec cadeaux et contrat signé. Paradoxalement, tout est mis en œuvre pour paraître ce que l'on pense que l'étranger souhaite que l'on soit. On fait donc ressortir de soi l'attachement aux valeurs de l'autre : hommes et institutions sont conditionnés pour refléter la foi dans le progrès et la science, ainsi que l'attachement à des valeurs universellement reconnues : Démocratie, Paix, Croissance économique, Liberté.

En voulant s'identifier à des valeurs importées, les Japonais ne sont pas dupes, mais leurs efforts pour s'effacer devant leurs hôtes sont mal payés de retour, et aboutissent souvent à mettre en évidence une autre image d'eux-mêmes tout aussi éloignée de la réalité que celle qu'ils voudraient donner. De plus, cet effacement a pour résultat de montrer des rites, des comportements, des manifestations ressortissant en apparence au folklore et pris comme tel, alors qu'ils sont l'expression de la civilisation japonaise dans ses profondeurs. Ainsi se trouve-t-on confronté à un Japon à trois visages : le Japon tel qu'il veut paraître, le Japon tel qu'il est, et le Japon tel qu'il est perçu.

Rencontre avec le milieu professionnel de l'auteur

Au moment décisif de ma rencontre avec le Japon, on n'allait pas à Tokyo comme on va à Londres ou à New York. Il fallait soigneusement s'y préparer. Le Japon ne pouvait accueillir que des spécialistes. Il n'était pas question de tourisme mais de représentants diplomatiques, ou d'envoyés spéciaux des grandes sociétés et firmes mondiales, ou encore de correspondants de presse. Pas une société, pas un gouvernement, pas un journal n'aurait songé à envoyer à Tokyo pour le représenter un professionnel même compétent, qui eût ignoré la langue japonaise, la civilisation, les usages et les coutumes du pays, ou la psychologie de ses habitants. La France faisait exception à cette règle. C'est ainsi que je me suis retrouvé à Tokyo beaucoup par curiosité, encore plus par hasard après une conversation avec l'académicien Michel Droit, à cette époque mon confrère, qui avait conservé un souvenir mémorable d'un voyage de quelques semaines à Tokyo. Je parlais l'anglais comme un Français moyen, avec mes souvenirs de lycée, et pas un mot de japonais. Je n'avais, je crois, jamais rencontré de Japonais ou plutôt si, une seule fois, et j'en avais gardé un curieux souvenir.

Dans les semaines qui précédèrent mon départ, je me mis en quête d'opinions sur le Japon. Les réponses de tous ceux qui acceptèrent mes interviews avaient un point commun : « ...!!! Ah!!! Ah!... le Japon! » Mon interlocuteur hochait invariablement la tête de haut en bas. Un souffle profond passait. Quelque chose de définitif allait être dit. J'attendais, mon stylo à la main...

« Vous serez frappé par la densité de population... La foule est obsédante, omniprésente, la campagne n'existe pas...

— ...Avec les Japonais, c'est toujours un dialogue de sourds. On palabre interminablement. On n'arrive à rien... Résultat : zéro. »

Je transcrivais : Japonais, dialogue difficile.

« Ne va jamais seul dans un bar de la Ginza, tu y laisseras la peau des fesses, j'ai payé un whisky, *un*, deux cents francs... »

Je transcrivais : Loisirs très chers pour un porte-monnaie occidental.

« Les Japonaises... bof... elles te font des agaceries, elles sont très délurées, mais au dernier moment elles te posent un lapin...

— La circulation à Tokyo ? Pas d'adresses, pas de noms de rues, les taxis foncent à tombeau ouvert et se perdent. Le premier jour c'est amusant, mais pour

72

travailler c'est autre chose, cela devient très éprouvant pour les nerfs...

— La cuisine... infecte...

— La politesse des Japonais, une apparence trompeuse, méfie-toi. Plus on te fera de courbettes, plus il faudra d'attendre à des « vacheries ».

Après avoir rencontré une vingtaine de fonctionnaires et hommes d'affaires qui avaient eu l'occasion d'effectuer une mission professionnelle au Japon, je fus totalement démoralisé. Je ne voulais pas partir les mains vides, aussi prévenu que je pouvais l'être contre un pays où j'allais habiter au minimum deux ans. Le Japon pays difficile sans doute, les Japonais peuple bizarre, il faut l'admettre ; dans ces conditions, il doit exister une clef. Je vais chercher la clef. Où ? Je dus longtemps réfléchir avant d'aboutir à la conclusion que seuls les spécialistes du Japon me fourniraient ce passeport intellectuel et moral qui m'était indispensable pour me rendre à Tokyo. Les orientalistes ont beaucoup changé en quinze ans. En 1963, ils en étaient encore à distiller sentencieusement leur savoir, procédant à des initiations par étapes généralement longues. Comment expliquer le Japon en une heure à un journaliste ? L'ésotérisme était de bon aloi et le Japon une chasse bien gardée appartenant à quelques-uns. Dès mon premier entretien avec l'une des éminences, je compris qu'il valait mieux pour moi commencer par le commencement et suivre la filière, si je voulais clarifier des réponses aussi diluées que savantes à des questions même précises : Peut-on dire que la civilisation japonaise soit une variante de la civilisation chinoise ? Comment explique-t-on la collaboration des Japonais avec les Américains alors qu'il y a entre eux Hiroshima et Nagasaki ?

Nous étions en 1963 au début de juillet. Je devais embarquer le 13 août à Marseille. Je compris qu'avec les spécialistes de l'Extrême-Orient il me faudrait dix ans avant d'être prêt à partir. Mon bateau avait le temps de faire plusieurs voyages. Je finis par me tourner vers la lecture. Trente-deux jours de bateau de Marseille à *Yokohama* favorisent les longues veillées avec un livre, et les interminables siestes me permirent de ressasser le Japon et les Japonais dont je finis par me fabriquer une image de marque façonnée à ma mesure. J'avais beau me persuader que je devais éliminer toute idée préconçue, mes conversations à Paris et mes lectures sur le bateau reviendront souvent compliquer ma véritable initiation au Japon, celle que j'ai pratiquée sur le terrain. Elle était d'autant plus importante que je devais organiser ma vie professionnelle et ma vie privée.

La N.H.K. ou Nippon Hoso Kyokaï devenait mon nouveau cadre professionnel. Il s'agissait de la société de radio-télévision nationale dont le statut ressemblait assez à celui de l'O.R.T.F. dont je devenais le délégué permanent pour le Nord Extrême-Orient. Mais alors qu'en Frnce l'O.R.T.F. se trouvait en situation de monopole, la N.H.K., avec deux chaînes, devait faire face à la concurrence de cinq chaînes privées. Après avoir réglé mes problèmes d'installation à l'hôtel, je fis la connaissance de mon premier interlocuteur japonais : Matsui Ichiro, le directeur des relations extérieures. Chauve, l'œil pétillant presque égrillard derrière d'épaisses lunettes, il parlait un anglais correct et « baragouinait » quelques mots de français. Son rire sonore me le rendit très vite sympathique. Il avait comme adjoint un francophone distingué, M. Sakamoto. Avec les deux envoyés spéciaux qui m'avaient accueilli à mon débarquement, j'avais, du moins je le croyais, fait l'inventaire de mon nouvel environnement humain, si j'excepte nos deux secrétaires japonaises.

L'attribution d'un bureau au correspondant de l'O.R.T.F. fut l'occasion d'un premier contact avec une administration japonaise. J'avais été relégué dans une pièce exiguë donnant sur cour, meublée de deux vieux bureaux métalliques rouillés. J'aurais souhaité un décor plus accueillant. Mais Matsui Ichiro avait lu avec attention ma carte de visite, et avec un sourire malicieux avait laissé tomber, en voyant ma déception : « C'est provisoire... »

Ce fut Sakamoto qui procéda à ma nouvelle installation :

« Les bureaux sont attribués selon la position hiérarchique. Vous avez un bureau de Kokyocho. Les téléphones sont de couleur différente selon le grade. Les sièges deviennent plus confortables au fur et à mesure que l'on monte dans la hiérarchie. »

Le soir même, j'étais l'invité du chef des liaisons internationales, M. Hiraoka. A dix-sept heures trente, Sakamoto et lui me conduisirent au garage de l'immeuble où nous attendait une limousine noire de la N.H.K., chauffeur avec casquette et ganté de blanc. Mes souvenirs de cette soirée ne sont pas inoubliables. La voiture nous conduisit dans un bar du quartier de Ginza. Le chauffeur ouvrait cérémonieusement la portière de mon côté et s'inclinait respectueusement, la casquette à la main. Il fallait descendre au sous-sol. Sakamoto annonça au bar : N.H.K., prononcez ENN-ECH-KE — La patronne fit claquer un *Ah Sodeska* (Ah ! bien !) que je connaissais et nous installa à une table qui avait été réservée. Hiraoka commanda de la bière. Sakamoto également. Je fis donc de même tout en acceptant leur proposition de goûter au saké. Au bout de quelques minutes, la conversation menaçait de s'éteindre. Sakamoto, très volubile, se mit à parler en japonais à Hiraoka. Celui-ci hocha la tête, Sakamoto se leva et disparut mystérieusement. Hiraoka ne broncha pas. Puis Sakamoto apparut de nouveau rayonnant :

« Excusez, monsieur, j'espère que Courdy-San aime les jeunes filles japonaises », (gros rire bien gras). Sakamoto essuie ses lunettes, mais Hiraoka reste imperturbable. Je vois arriver trois demoiselles, dont une vêtue d'un kimono, les autres en robe de cocktail très décolletée. Le kimono s'assoit d'office sur la banquette entre Sakamoto et Hiraoka, tandis que les deux autres plus jeunes m'entourent. Assises à ma droite et à ma gauche, chacune pose à son tour des questions sur mon compte tantôt à Sakamoto, tantôt à Hiraoka. Tout à coup, ma voisine de droite, la mieux pourvue en seins généreux, se met à battre des mains en criant : « Alain... De... lon. A.lain de lon. Brigit Bardot Brigit Bardot. Yves Montand », etc. L'énumération se poursuit et je me demande où elle va s'arrêter. Hiraoka sourit, Sakamoto devient de plus en plus volubile. Le kimono assis en face de moi s'ouvre subrepticement sous la table, du moins je le suppose car une jambe qui n'est ni celle de Sakamoto ni celle d'Hiraoka entoure la mienne. Nous n'en sommes qu'à la troisième bière. Sakamoto regarde sa montre, dit quelques mots en japonais. Les filles se lèvent, s'inclinent devant nous « *Domo arrigato sayonara, mata dozo.* » Merci, au revoir, à bientôt, nous sommes déjà sur le trottoir. Le chauffeur somnole à son volant, sa casquette sur les yeux. Il se réveille en sursaut, vient ouvrir la portière et nous voilà repartis. Cette fois, j'ai faim ; un restaurant nous accueille à cette heure tardive pour le Japon. Il est plus de vingt heures. C'est une *yakitoria*. On y sert uniquement des brochettes. C'est tout à fait remarquable. Le chauffeur a été libéré et je serai reconduit à mon hôtel par un taxi auquel mes hôtes ont tenu à donner de longues explications pour être sûr qu'il ne me perdrait pas.

En arrivant à l'hôtel, une surprise m'attendait. Ma valise, laissée ouverte sur mon lit, avait servi de récipient à une gouttière. Elle était déjà à moitié remplie. Le patron de l'hôtel se déclare navré mais ne peut rien pour moi, ni réparer les dégâts, ni me donner une autre chambre. Il me restait à faire sécher le linge et à changer le lit de place pour éviter de dormir sous la gouttière. Il me fut expliqué fermement le lendemain que je ne pouvais pas prétendre rester plus longtemps à l'hôtel Azabu Prince. Au Japon, on passe dans les hôtels, on n'y séjourne pas.

Alors commença pour moi une longue migration. Ma secrétaire passait deux à trois heures par jour rien que pour retenir une chambre que je gardais quarante-huit heures dans le meilleur des cas. Il est vrai qu'à cette époque les capacités hôtelières de Tokyo étaient très limitées. De grands hôtels de mille chambres et plus étaient en construction en prévision des Jeux Olympiques. La vie devenait insupportable. Mon bureau était littéralement envahi plusieurs fois par jour par de jeunes employés de la N.H.K. qui venaient me voir comme un objet d'exposition. Les femmes passaient en général le pas de la porte et bavardaient dans leur langage avec ma secrétaire. Les hommes, moins timides, déposaient leur carte de visite puis sans raison apparente s'emparaient de mon téléphone et conversaient interminablement avec un mystérieux correspondant. Lorsque j'interrogeais Tanabe-San, ma secrétaire, elle répondait invariablement : « Il a besoin de téléphoner, alors il m'a demandé la permission. » Pendant ce temps, rien n'avançait à mon gré. Des dizaines de Japonais voulaient m'entretenir de sujets qui ne m'intéressaient pas et qui n'avaient aucun rapport avec ma mission. Je sentis que la situation allait évoluer lorsque Sakamoto, après avoir fait irruption dans mon bureau à pas feutrés, articula :

« Dimanche prochain, il y a une fête près de Tokyo. C'est la fête annuelle de la N.H.K. Vous verrez le président à cette occasion. Voulez-vous venir ? Je vais demander une voiture pour vous... »

Il faisait encore chaud ce premier dimanche d'octobre et le ciel sans nuage favorisait cette sorte de grande kermesse campagnarde organisée pour et avec le personnel de la N.H.K., qui comptait à l'époque environ dix-sept mille salariés. Des tentes dressées dans un grand champ accueillaient les visiteurs, ici pour une démonstration de jongleurs, là pour déguster les nourritures d'un pantagruélique buffet arrosé de bière, de saké et même de vin japonais. Sous la tente officielle, le président, M. Abe, un vieillard dynamique, apparemment amusant, me prie de rester près de lui pour assister au défilé final. Chaque service de la N.H.K. avait choisi un thème de déguisement. Je reconnus Sakamoto déguisé en samouraï. Il était venu m'inviter à participer au défilé déguisé en lutteur de Sumo. Je préférais offrir au meilleur déguisement le prix de l'O.R.T.F., qui fut distribué après celui du président. Puis, en quelques secondes, j'échangeai ma carte de visite contre celles de tous les interlocuteurs dont j'allais avoir besoin pour organiser mon travail : le directeur de l'information et celui des services techniques m'intéressaient particulièrement, ainsi que celui qui était chargé des opérations de retransmission des Jeux Olympiques. Dès ce moment, la situation se débloqua. Le directeur des programmes, Nagahama-San, me témoignait une particulière sympathie ainsi que le vice-président Maeda qui allait devenir bientôt président.

Sur ces entrefaites, Nagahama-San fut nommé directeur de la station T.V. d'Osaka, la plus importante station régionale de télévision couvrant pratiquement la moitié sud du Japon. Au dîner de clôture de la réunion des directeurs de programmes et des patrons de télévision du Sud-Est asiatique qu'il avait organisé, il proposa un toast en l'honneur de la télévision française et de son représentant. Je commis alors la gaffe, révélatrice d'un certain état d'esprit des populations des pays d'Asie à l'égard des Japonais, dont ils acceptaient d'être les hôtes. L'ambiance était totalement euphorique. La N.H.K. avait fait un substantiel effort de coopération avec l'Asie du Sud-Est pour aider les jeunes télévisions asiatiques à se moderniser. Le souhait du nouveau président de la N.H.K. était de créer les conditions favorables à la mise en place d'un réseau d'Asiavision comparable à celui de l'Eurovision. Dans la chaleur du banquet, je me levai et portai à mon tour un toast en l'honneur de notre hôte — « Pour Nagahama-San et la N.H.K., *banzaï* » — A ce moment, les Japonais qui composaient la moitié de la salle, debout, levèrent les bras à la verticale en répondant : *banzaï !* répété trois fois. Les délégués et représentants du Sud-Est Asiatique n'avaient pas bronché, tournant poliment leur cuillère dans le café.

J'eus ultérieurement une conversation sur cet incident avec un délégué indonésien fort sympathique, qui m'expliqua : « Pensez-vous que Singapour puisse oublier que les Japonais ont fusillé 30 000 des leurs en même temps, et qu'après le carnage, l'armée japonaise a crié *banzaï*. Ce mot a une résonance de cruauté dans tout le Sud-Est Asiatique. » Heureusement, si ces mots restent chargés de mauvais souvenirs, les réalités changent. De 1964 à 1979, quinze années ont fait leur œuvre pour créer à la fois de nouvelles conditions politiques, mais surtout un nouveau type de relations personnelles entre le Japon et l'Asie du Sud-Est.

A travers le prisme déformant mais irremplaçable de la télévision, j'ai rencontré le Japon sous tous ses aspects. La chaîne nationale de la télévision japonaise a été pendant sept ans mon partenaire privilégié, mon recours dans les difficultés et souvent aussi mon soutien. Chaque fois que j'ai eu l'impression du contraire, et cela m'est arrivé très souvent durant les trois premières années de mon séjour, j'ai dû convenir de mon erreur. J'avais transgressé, sans le vouloir, les règles de la dialectique japonaise ou passé outre aux us et coutumes les plus inviolables. Aucun Japonais ne se libère jamais de son contexte social mais quand il s'y risque, cela donne parfois des résultats surprenants.

Le président de la N.H.K., Maeda Yoshinori, prenait très au sérieux son rôle de président de l'*Asian Broadcasting Union* A.B.U., Union asiatique de télévision, le pendant de l'Union européenne. Deux ans après l'incident du banzaï d'Osaka, la N.H.K. jouait le rôle vedette du congrès de l'A.B.U. qui se tenait cette année-là à Singapour. Le second rôle, qui aurait bien voulu devenir le premier, était tenu par l'A.B.C., c'est-à-dire la télévision australienne, leur compétition au sein de cet organisme international n'étant que le reflet de la position respective de leurs gouvernements en Asie du Sud-Est. Maeda Yoshinori était à Tokyo un véritable proconsul. Hors du Japon je le trouvais beaucoup plus décontracté, n'hésitant pas à tomber la veste lorsqu'il sentait la nécessité de détendre l'atmosphère ;

malicieux finaud, il était doté d'une qualité rare au Japon : le sens de l'humour à l'occidentale et de la repartie vive. Il parlait, lorsqu'il le voulait, un langage concis et clair ; les instructions qu'il donnait ne souffraient pas d'interprétation. Le congrès A.B.U. était traditionnellement clôturé par le dîner du président. Ce soir-là, à Singapour Maeda Yoshinori était en pleine forme. Sa cour riait à ses bons mots. Les représentants de l'Asie du Sud-Est avaient fraternisé sans arrière-pensée avec les Japonais. Sir Charles Moses, ancien président d'A.B.C., secrétaire général de l'organisation régionale toujours suivi de sa secrétaire majordome, dominait de sa haute stature les groupes de délégués, commentant ici la qualité du whisky, là les charmes de nos hôtesses chinoises et l'accueil mémorable que nous avions reçu durant trois semaines à Singapour. Le président frappa dans ses mains et annonça : « Attention, ce soir après le dîner, je vous réserve une surprise... »

Nous attendions avec curiosité la fin du dîner. Au dessert, le président se leva et nous fit le discours d'usage, terminant par ces mots :

« Et maintenant, le spectacle va commencer... »

Il invitait un à un les participants à venir se produire dans une chanson de leur pays d'origine... Il y avait sans doute parmi nous de très bons professionnels de la télévision, mais assez peu de bons chanteurs et, tout en reconnaissant notre piètre talent, nous éprouvions quelque déception à penser que cet « auto-spectacle » pouvait être la surprise annoncée. Le président lui-même vit l'ambiance tomber. Il se leva donc et claironna :

« ... Et maintenant mon ami M. Courdy et moi-même allons vous interpréter un succès mondial : *Santa Lucia*... »

Maeda Yoshinori se rappelait avec émotion ses débuts de journaliste correspondant du journal *Asahi*, à Rome. Il ramenait tout ce qui n'était pas asiatique à l'Italie et souffrait d'une tendance à assimiler la France à l'Italie. Malheureusement, je ne parle pas l'italien, je chante faux et le « tube » Santa Lucia ne faisait pas partie de mon répertoire, un problème de génération sans doute. Notre prestation ne fut pas très brillante car le président connaissait les paroles mais pour l'air, c'était très approximatif. Nous eûmes droit à des applaudissements d'estime, mais ils n'étaient pas mérités. L'assemblée termina le repas presque à voix basse. Le président avait l'air déçu et l'assistance commença à murmurer : « Si c'est ça la surprise... »

En réalité le président nous réservait une autre surprise. Il fit un signe et une musique venue d'une « sono » fort bien réglée nous imposa un silence complet tandis qu'apparaissait entre les tables une créature blonde dont la belle stature nous coupa le souffle. Passant en revue chacun de nous, elle exécuta un strip-tease qui, pour être classique, n'en dénotait pas moins un talent très sûr. Ce fut un triomphe...

Pour apprécier la « surprise », il faut replacer cette initiative japonaise dans le contexte de cette assemblée de responsables de télévision, accumulant les séances de travail sur le rôle de la télévision dans l'éducation, la lutte contre l'analphabétisme, l'éducation civique, etc. Cette décontraction des Japonais a beaucoup contribué à redonner au Japon une position morale acceptable en Asie du Sud-Est, malgré de nombreuses bavures sur le terrain. Leur comportement a d'ailleurs sensiblement évolué en quinze ans. D'une rigidité tenant à l'éducation, aux structures de la société, et se manifestant à la fois dans les rapports quotidiens et dans leur style très spécifique de « management », le Japonais exporté en Corée, en Malaisie ou en Indonésie, ou encore au Laos, au Vietnam et au Cambodge avant la prise de pouvoir communiste, est passé insensiblement à un comportement plus sociable et plus direct, notamment avec ses partenaires sud-asiatiques.

Tokyo-Paris par satellite

Le hasard allait très vite me faire éprouver les subtilités de l'administration japonaise au Japon. Pressentant le boom japonais, j'avais décidé d'attacher mon nom à une réalisation d'envergure consistant à relier pour la première fois Paris et Tokyo par satellite, créant ainsi un lien entre nos deux télévisions nationales. La réalisation de ce projet dépendant des instances gouvernementales des deux pays, je m'en ouvris au conseiller culturel français, Pierre-Louis Blanc. En deux mois, une étude préliminaire fut faite au Japon. On pouvait réaliser techniquement la liaison par deux voies : le satellite américain Telstar II, mais les calculs montraient que la retransmission n'était possible que dans le courant du mois d'avril 1964 ; le satellite russe Molnya était selon les Soviétiques utilisable, mais il fallait procéder à des essais.

A Paris, le gouvernement français était réticent. Il avait d'emblée éliminé Molnya pour des raisons techniques, nos installations spatiales de Pleumeur-Bodou, équipées de matériel américain, étaient à cette époque plus adaptées à une coopération avec la N.A.S.A. qu'avec les Russes. Il en était de même avec les Japonais. Mais ceux-ci, devant les hésitations françaises, avaient pris contact avec la B.B.C., car le président Maeda n'avait accepté mon projet que parce qu'il coïncidait avec son désir de donner au Congrès de la radio-télévision éducative, qui se tenait à Tokyo, un retentissement mondial. Après maintes péripéties, il fut acquis que l'O.R.T.F. et la N.H.K. feraient la retransmission. Il fallut alors discuter le programme de l'émission. Celui-ci avait été confié au service de l'éducation, dirigé par Yoshida avec qui, à travers plusieurs réunions interminables, je devais me lier de sympathie, sinon d'amitié. Le programme proposé par les Japonais comportait uniquement des séquences enregistrées :

1 — Allocution du premier ministre Sato

2 — Tokyo avant les Jeux Olympiques

3 — Le Congrès de la radio-télévision éducative, avec une interview du président Maeda.

Je n'étais pas du tout d'accord avec ce programme. L'O.R.T.F. m'avait laissé carte blanche. Je souhaitais donc que malgré l'heure matinale à Tokyo l'émission fût réalisée en direct et surtout sans allocution officielle. Les discussions traînaient. Un jour, me rendant à la énième réunion, je fus tout surpris de ne pas voir mes interlocuteurs habituels. Ni Yoshida, ni ses collaborateurs n'étaient là. « Devant votre intransigeance, déclara d'emblée l'interprète, le service de l'éducation a été dessaisi du problème et vous allez traiter avec le service de l'information... »

Le problème fut donc réexaminé avec mes confrères journalistes. Je pensais que ce serait plus facile mais je me trompais. Tout repartit à zéro. Le direct était accepté pour la séquence sur Tokyo. Il fut convenu qu'un hélicoptère survolerait le centre de la capitale autour du palais impérial à six heures du matin, afin de donner une idée de Tokyo à l'aube. On ne put éviter le discours officiel. Les Japonais, conscients de l'inévitable « pavé » que ferait le premier ministre, suggéraient d'y ajouter le prince héritier Akihito, plus populaire, disaient-ils, en Europe. Finalement, nous avons « accepté » le prince, le premier ministre et le ministre des Postes et Télécommunications.

Côté français, ce fut un peu moins chargé mais la réciprocité « diplomatique » appelait un autre pavé. La scène des directeurs de télévision au Congrès de la radio-télévision éducative était maintenue. Tout ce qu'on pouvait espérer était que les promenades dans Tokyo le matin et dans Paris la nuit occupent la plus grande partie de l'émission.

Ce fut, cependant, une première mondiale, car un système de retransmission par satellite était prévu pour les Jeux Olympiques dont l'ouverture devait avoir lieu début octobre, mais le relais était assuré par deux satellites, l'un au-dessus du Pacifique, l'autre au-dessus de l'Atlantique. Il n'y avait pas alors de satellite géostationnaire. En avril 1964, l'exploit consistait à assurer la liaison avec un seul satellite. Il devait se trouver en vue de l'Europe et du Japon, une seule fois, un nombre limité de minutes. Les chercheurs japonais avaient fait à notre demande des calculs qui sont apparus exacts et précis.

Quand Tokyo prépare les Jeux

En 1964, le Japon s'était mis à l'heure olympique. Rien d'autre n'avait d'importance. Tokyo, transformé en chantier de construction, avait l'aspect d'une ville bombardée. Partout de gigantesques chantiers gisaient dans les profondeurs du sous-sol qui n'avait plus reçu de telles blessures depuis le percement du métro. Pour bien comprendre la dimension du problème, il faut imaginer la plus grande agglomération urbaine du monde, soit à l'époque près de vingt millions d'habitants répartis à l'horizontale autour de la baie de Tokyo, approximativement de *Chiba* à *Yokosuka*, sur une longueur de cent vingt kilomètres et une profondeur d'environ soixante-dix. Tokyo proprement dit comptait onze millions d'habitants environ, regroupés par quartiers, qu'on peut comparer à autant de villages ! Les maisons sont en bois avec un tout petit jardin bien aménagé ; elles sont clôturées de palissades de planches passées au brou de noix ; chaque quartier comporte deux ou trois rues avec boutiques, le marchand de légumes, le marchand de poissons, le quincaillier, quelques restaurants spécialisés : *suchiya* marchand de *suchi*, boulettes de riz contenant du poisson cru ou une crevette entourée dans une feuille d'algue séchée, marchand d'*o'soba* (nouilles, soupes), *sashimi* ou poisson cru, etc. Les rues et ruelles enjambent, çà et là, un petit ruisseau. Il y a partout l'électricité et le gaz. Les installations qui desservent les maisons sont branchées dans un désordre indescriptible. Des fils courent partout, dans un enchevêtrement spectacu-

laire. Lorsque la rue est un peu plus large, des passe-
relles en hauteur ont été élevées pour permettre aux
enfants de traverser sans danger. Il n'y a pas de
trottoir, les rues ne portent pas de nom. Nulle part
n'existe le tout-à-l'égout. On ne trouve pas de quartier
résidentiel, au sens où on l'entend à Paris. Partout
coexistent des maisons cossues et des demeures plus
modestes, si l'on excepte peut-être Azabu, le quartier
des ambassades et certaines parties de Setagaya.
Tokyo n'a pas l'aspect d'une ville, mais d'une juxtapo-
sition de villages. Cependant, en cette année 1963,
Marunouchi dans le quartier de la gare, la Ginza avec
les grands magasins, Shibuya et Shinjuku sont déjà
des centres urbains hérissés de constructions à étages.
A Akasaka, quelques immeubles clairsemés dominent
les maisons de bois. Pour les Jeux, on a *créé* la ville.
D'abord les voies de communication : une autoroute
de la Ginza à l'aéroport de Shibuya puis, ultérieurement, à Shinjuku, à Ueno, à Meguro. Une autoroute
Tokyo-Yokohama. Les chantiers d'autoroute boule-
versent totalement la vie des citoyens de l'Empire.
Quand on le peut, on travaille jour et nuit. Pour permettre à la vie de continuer et en particulier rendre la
circulation possible sur les artères principales, on a
imaginé un système de poutrelles en bois ou métalliques qui permettent de boucher les trous des chantiers
pendant la journée et de les ouvrir la nuit. De véritables ateliers de forge grouillent dans les entrailles de
Tokyo chaque nuit. On démolit des rues entières pour
percer des avenues. On élargit des voies en déplaçant
les maisons telles qu'elles sont ; les autoroutes urbaines apparaissent bientôt suspendues au-dessus des
toits. Les avenues se dessinent, des monuments et des
stades se construisent. A Yoyogi, c'est la piscine en
forme de bateau renversé qui attire spécialement
l'œil ; à Komazawa, le stade de football et le temple de
la lutte. Ailleurs, c'est la cathédrale de Tokyo à laquelle
l'architecte Tange Kenzo a donné la forme d'une grue
en vol, symbole de bonheur et de paix. Les hôtels
Impérial, Okura, Hilton, déjà terminés en 1963, ainsi

que quelques autres comme le Palace voient se joindre à eux de nouveaux grands hôtels à l'occidentale,
comme le Tokyo Prince et surtout le New Otani dont
les jardins somptueux contiennent d'énormes roches
valant plusieurs millions de yen chacune. Il n'y a pas
de chômage à Tokyo, en 1963 et 1964. On manque
plutôt de main-d'œuvre. Alors se produit un immense
mouvement qui avait commencé dès la fin de la
guerre. Le monde rural se disloque. Les jeunes, attirés
par l'embauche, émigrent vers la ville. Victimes des
conditions de logement très dures, ils se retrouvent
parqués à la périphérie dans un quartier qu'on appelle
Saniya. Entassés à cinq, six et même dix dans vingt
mètres carrés, ils sentent bien que le Japon bouge,
mais qu'ils ne sont pas les bénéficiaires du progrès.
Chaque matin à l'aube, aux carrefours, on peut assister
à un marché aux « esclaves » : des recruteurs viennent
sélectionner la main-d'œuvre dont ils ont besoin pour
leurs chantiers, en pratiquant parfois une surenchère
à la baisse. Il y a plus de volontaires que d'emplois
offerts s'agissant des emplois normalement rémunérés.
Quand le recruteur a terminé, les laissés-pour-compte
s'offrent en location à des prix dérisoires. Ceux-là
feront les travaux les plus durs et les plus exposés.

Le décollage de la croissance

Sato Eisaku, alors futur premier ministre, me reçoit
dans sa résidence privée, en tant que ministre du
Développement scientifique et des Jeux Olympiques.
Sa maison japonaise s'ouvre sur un jardin gazonné. Il
est huit heures du matin. Le petit déjeuner nous est
servi sur la galerie extérieure. Le ministre porte le
vêtement traditionnel japonais. Il a un gros rire en me
voyant : « Ah ! Ah ! dit-il, voilà un Français... je viens
justement d'être reçu par le général de Gaulle. Il a un
immense bureau ; mais je crois qu'il a voulu m'im-
pressionner en me recevant dans cette grande pièce.

Il doit bien avoir une autre pièce de réception plus intime. Il était debout, très grand, et me regardait venir. Moi, je pensais aux Jeux Olympiques et je me suis demandé si je n'allais pas me mettre à courir pour traverser la pièce. Quand j'ai été près de lui, il m'a tendu la main en disant : « Alors, monsieur le minis- « tre, quel nouveau transistor m'apportez-vous ? »

— Ah ! Ah ! Ah ! » Sato Eisaku riait de bon cœur, de ce rire sonore que j'entendrai plusieurs fois par la suite, lorsqu'il me recevra en tant que premier minis- tre... « Le Japon, ajoute-t-il, a décollé. Ça sera très dur pendant quelques années, mais nous devons rattraper la puissance économique de l'Europe et le niveau de vie des Européens... » Il pensait, en me disant cela, au niveau économique de l'Allemagne fédérale.

« Rattraper et dépasser... ?

— Ah ! Ah ! Ah ! Pourquoi pas ? mais c'est bien l'objectif !... »

Nissan et furia automobile

On était en octobre 1963, M. Ikeda était encore pre- mier ministre et la nouvelle de l'assassinat de Kennedy allait jeter la stupeur un mois après et venir comme un coup de *kyosaku* (gourdin utilisé dans les temples Zen pour réveiller les moines endormis pendant la méditation) inciter les politiciens à la réflexion. En sortant de la résidence de Sato Eisaku, le chant des oiseaux de son jardin avait cédé la place au bruit des marteaux-piqueurs. L'autoroute de l'aéroport allait bientôt être doublée d'un monorail, et dans quelques mois serait inaugurée la ligne du Shinkansen, le train le plus rapide du monde, dont le record en exploita- tion commerciale n'a pas été battu : Tokyo-Kyoto, moyenne 220 km/h. La production automobile se développa tout à coup à un rythme infernal.

En septembre 1963, quand j'arrive à Tokyo, la cir- culation est impossible, non pas à cause du nombre de véhicules qui circulent, mais parce que les artères sont étroites et que les camions prennent toute la place. Il n'y a aucune règle. Tout le monde fonce à tombeau ouvert ; avec la circulation à gauche, on peut avoir une idée de la facilité pour un Occidental à se déplacer au volant de sa voiture dans Tokyo ! Les voitures particulières sont rares, les taxis innombrables, en général de petites Datsun munies d'un système de fermeture des portes arrière commandé de l'avant par le chauffeur. On sort du taxi, on se retourne pour fermer la portière et elle passe brusquement sous votre nez, se refermant avec un claquement sec. Certaines voitures plus grandes, du type Prince, arborent sur le toit une antenne de télévision. Des postes Sony ou Matsushita format réduit sont montés à l'arrière et parfois à l'avant. Les voitures de sociétés, reconnaissables à leur plaque d'immatriculation verte, ou les voitures de maître sont garnies de housses blanches ; la vitre arrière et parfois les vitres latérales arrière sont tendues de rideaux souvent brodés. J'ai compris au bout de quelques semaines les raisons de cette transformation des voitures en chambres à coucher. Les P.-D.G. et les hauts fonctionnaires y dorment confortablement pendant le trajet de leur domicile à leur travail ou inversement. Nissan s'est taillé avec Toyota une place remarquable dans la fabrication des voitures de place, de maître et, à l'autre bout de la gamme, des petits taxis. Je pris donc contact avec les services de Nissan quelques jours après mon arrivée. On m'envoya non un vendeur, mais, comme me le précisa ma secrétaire après avoir lu la carte de visite de mon visiteur, un chef vendeur. Il faut, au Japon, apprendre le cérémonial de la carte de visite. Vous ne pouvez vous présenter à quelqu'un en tendant la main et en disant : Courdy ou Suzuki. Votre interlocuteur vous regarde effaré, vous prend pour un paysan qui sort de sa campagne et articule une phrase informe qui signifie... « How do you spell it ? » (Comment l'épelez-vous ?)

Vous vous enlisez alors dans un processus linguistique relativement complexe car lorsque vous annoncez R, votre interlocuteur comprend L... Quand vous aurez mis un quart d'heure à faire comprendre votre nom, vous ferez comme tout le monde : vous ferez faire des cartes de visite en français et en japonais. Les présentations se feront sans un mot, avec une simple inclinaison de tête, à laquelle vous ajouterez une courbure du dos si votre vis-à-vis est une Excellence ou un Monsieur important. Vous tendrez votre carte de visite tandis qu'il vous tendra la sienne, de préférence en même temps ; lors de l'échange vous aurez un sourire feint, puis vous vous jetterez avidement sur le texte de la carte, qui peut éventuellement être long. Vous n'oublierez pas le sourire de conclusion du rituel ; si vous êtes vraiment heureux de le rencontrer, vous ajouterez selon le cas un autre signe de tête ou une seconde courbure de dos. Alors seulement la conversation pourra commencer.

Dans le cas du chef vendeur de Nissan, il ne convenait pas à mon rang que j'accepte directement sa carte de visite. Aussi fut-elle remise à ma secrétaire pour m'être transmise. J'expliquais : « Je veux une petite voiture nerveuse pour passer dans les petites rues et que je puisse conduire moi-même... » La stupeur se peignit sur son visage et calmement il expliqua à ma secrétaire : « Ces petites voitures ne conviennent pas à un honorable *geijin*. Comment pourrait-il s'y reconnaître dans ce Tokyo, aux ruelles anonymes, biscornues. La suspension est très dure, je ne peux pas garantir les freins, impossible de faire conduire ces voitures par un chauffeur, car la place arrière est trop étroite pour mettre les genoux... C'est la « Prince » qui convient le mieux à votre honorable patron... » Il sortit de sa poche quatre pages imprimées en japonais dans une écriture serrée sur papier fin et dit à la secrétaire de bien vouloir le signer...

« Mais je veux d'abord lire le contrat, osai-je faire remarquer.

— Non, répondit-elle, c'est illisible, moi-même je n'y comprends rien...

— Pourquoi devez-vous signer le contrat et pas moi ?...

— Parce que vous ne pouvez pas signer avec le stylo, votre signature n'a aucune valeur. Je vous ai fait faire un sceau personnel que j'ai fait enregistrer à la mairie d'arrondissement. »

Elle prit un sceau minuscule, en tamponna les trois exemplaires de ce qui était censé être le contrat, me présenta le carnet de chèques pour que je verse l'acompte requis... Et voilà, l'affaire est conclue. La *Nissan Prince*, flambant neuf, me sera livrée à l'aéroport d'Haneda à mon retour de Hong Kong où je dois me rendre le lendemain. Reste à régler le problème du chauffeur. L'inspecteur des ventes me propose de prendre Ono-San, un jeune homme très cultivé, parlant l'anglais et qui cherche précisément un poste de chauffeur dans une firme étrangère, afin de perfectionner son anglais... Ono m'attend à l'aéroport. Il arbore une magnifique casquette blanche. Il ouvre les portières, il se comporte comme un chauffeur de Rolls. La voiture est très belle, bien finie, très confortable. La radio est livrée avec le véhicule. Il est vingt-deux heures trente et j'ai hâte de rentrer chez moi. A deux kilomètres de l'aéroport, le moteur a soudain des ratés puis s'arrête. Ono descend, inspecte le véhicule, s'incline devant moi en disant : « Sumimasen... je vous demande pardon... » Il règle la radio sur une station à la mode qui diffuse des chansons occidentales et s'éloigne de la voiture. Il a laissé la casquette sur le siège. Confortablement assis, je ne prête pas attention au temps qui passe. Je profite de cette panne pour lire les journaux. Au bout d'une heure, je commence à regarder autour de moi. La circulation s'est raréfiée. Les petites maisons de bois ont toutes leurs volets clos. On devine dans la pénombre les fils électriques, gigantesque toile d'araignée arrimée sur les toits, de chaque côté de la rue. J'ignore où je me trouve. Ma valise, assez lourde, est dans le coffre. J'envisage de la laisser là et de poursuivre ma route à pied. Je trouverai bien un taxi... Je me mets à en guetter un, mais en vain. Il n'y a plus de circulation. La rue est éclairée de loin en loin par des ampoules blafardes.

Après deux heures d'attente, je vois une ombre se profiler au loin... C'est Ono qui ramène un jerricane d'essence. Il remplit le réservoir sans rien dire, met le contact et démarre sans problème. Je me promets de le remercier dès le lendemain... J'ai dormi presque huit heures et mon quartier est déjà très animé lorsque je suis réveillé à neuf heures par une *Marseillaise* sifflée allégrement. C'est Ono-San qui nettoie la voiture... Décidément, je n'ai pas le cœur à renvoyer un chauffeur japonais qui siffle *La Marseillaise* en travaillant. Nous connaîtrons par la suite beaucoup d'aventures ensemble, jusqu'au jour où il me quittera pour continuer son ascension dans l'échelle sociale.

Ono-San parlait peu, mais j'appris bientôt que sa passion était la musique classique. Il appartenait à une association dont je n'ai jamais compris quelles étaient les activités mais je me souviens qu'un jour il me demanda la permission de s'absenter, car, me dit-il, il devait donner l'après-midi une conférence en anglais sur Beethoven. Avec la Nissan Prince, nous parcourions ensemble les dédales de Tokyo. Le matin, il passait me prendre pour me conduire à mon bureau. Jamais il ne prenait la même route et je finis par en relever au moins une demi-douzaine différentes, pour le même parcours. Je n'avais trouvé nulle part un plan détaillé de Tokyo qui fût exact. En effet, les rues se modifiaient à une allure record. Comme il n'y avait pas de nom, il fallait se fier à des points de repères, mais ceux-ci également disparaissaient. Je me rendais régulièrement dans le quartier de Marunouchi près de la gare centrale de Tokyo, où se trouvait le *Foreign Correspondents' Club* (Club de la presse étrangère) et la K.D.D. Koksaï Denshin Denwa, la Compagnie des télégraphes et téléphones internationaux. Je savais qu'il fallait tourner à un coin de rue où se trouvait un jardin. Un jour, le jardin qui m'avait servi de point de repère la veille avait disparu : à sa place, un chantier entouré de palissades. Le lendemain, le jardin avait été remis en place. Je m'y étais de nouveau accoutumé lorsqu'il disparut du jour au lendemain.

Mais cette fois c'était définitif : un immeuble commençait à grimper.

Ono-San se perdait régulièrement, il s'arrêtait au coin d'une rue, demandait sa route, repartait, tournait en rond, revenait au point de départ. Chaque course en dehors de Marunouchi ou Shibuya centre devenait une expédition. C'était un vendredi et j'offrais ma première réception en l'honneur de la N.H.K. et d'une équipe de la télévision venue de Paris pour tourner un feuilleton franco-japonais. L'ambassadeur de France, Etienne Dennery, s'était joint à nous. Je décidai de prendre des précautions. J'envoyais d'abord Ono-San dans l'après-midi reconnaître le parcours entre mon bureau et le restaurant japonais *Happo-En*. Puis je décidai de partir avec une heure d'avance. La durée normale du trajet était d'environ vingt minutes. Au bout d'une heure les rues avaient succédé aux avenues, les ruelles aux rues et nous n'étions pas encore en vue de Happo-En. Ono-San descendait pour demander son chemin à des commerçants, à des passants, et chaque fois c'étaient de longs conciliabules. Tantôt la personne arrêtée faisait des gestes en étendant le bras pour indiquer la droite ou la gauche, tantôt Ono-San faisait lui-même les gestes pour quêter l'approbation. Je compris beaucoup plus tard à mes dépens qu'à Tokyo il ne faut jamais demander sa direction à un Tokyoïte, il n'en sait pas plus que vous, mais, comme il ne peut pas perdre la face, il vous indique celle qu'il croit être la plus probable ; ça n'est jamais la bonne. Il ne faut surtout pas s'adresser à un chauffeur de taxi. Ils sont d'habitude recrutés à la campagne et c'est le client qui doit leur indiquer leur chemin, sous peine de se retrouver irrémédiablement à l'opposé de l'endroit où il désire se rendre. Enfin, on ne s'adresse aux postes de police d'îlotage qui quadrillent Tokyo qu'à ses risques et périls. Ono-San eut la mauvaise idée de demander son chemin à un poste de police locale. Au lieu de lui indiquer la direction, on commença par lui demander ses papiers, puis ceux de la voiture et il dut répondre à d'interminables questions, au bout desquelles nous avions perdu une demi-heure. A sept heures quarante-cinq nous faisions une entrée remarquée dans les somptueux jardins d'*Happo-En*. Mes invités avaient déjà été servis. On en était aux discours d'usage et là, il avait bien fallu m'attendre. On le faisait de bonne grâce en regardant sa montre et en mettant cette incongruité sur le compte de mon noviciat japonais. Les invités écoutèrent poliment les discours, puis m'ayant salué se retirèrent un à un, trouvant que tout s'était déroulé très normalement.

Les mésaventures avec la police étaient innombrables, à une époque où les étrangers étaient plutôt rares dans les rues. L'acteur français Jean Mercure avait voulu faire connaissance du *Tokyo by night*. Il se perdit avec un confrère dans le quartier de Shibuya et trouva tout naturellement refuge au poste de police pour demander son chemin. Ayant oublié ses papiers à l'hôtel, il y passa la nuit. Quant à celle qui allait devenir ma femme, je l'attendais pour un dîner avec sa sœur jumelle. A vingt-trois heures, elles n'étaient pas encore là. Je les supposais perdues dans Tokyo. Anne-Marie et Marie-Claude, même poids, même taille, même visage m'attendaient sagement dans un poste de police. Courtoisement traitées, la conversation était réduite. Il n'y aurait pas eu de problèmes et on aurait pu leur indiquer leur route si Marie-Claude n'avait pas eu la bonne idée d'oublier ses papiers. Je traversais Tokyo avec Anne-Marie, soit de Meguro à Ogikubo, pour aller les lui chercher... Hélas ! ce fut pis. Les deux passeports portaient le même nom, un prénom presque semblable, Anne-Marie et Marie-Claude, et la même date de naissance. Nous ne connaissions ni les uns ni les autres le mot japonais pour *twin sisters* (sœurs jumelles) et nous répétions consciencieusement *twin sisters* ; enfin, à une heure avancée de la nuit, je pus obtenir au téléphone un fonctionnaire parlant l'anglais qui dissipa ces brumes linguistiques et nous fit libérer.

Le Japon de la croissance décollait, mais le vieil atavisme de méfiance de l'étranger à tout propos et hors de propos resurgissait dans la vie quotidienne, alors que le nombre d'étrangers résidant au Japon ne faisait que croître. En un an, le nombre de voitures particulières sillonnant Tokyo décupla. On aurait dit que chaque Tokyoïte attendait que l'on perçât des avenues pour pouvoir s'acheter sa voiture. C'est à cette époque que j'allai à Hiroshima sur l'invitation de M. Ueda, l'un des directeurs des usines Mazda. M. Masuda junior, propriétaire de la marque, était le président de l'Amicale France-Japon à Hiroshima. Je fus reçu à la maison des hôtes de marque de la firme située à l'extrémité de la baie d'Hiroshima, face au temple de Miyajima considéré comme l'un des trois plus beaux sites de l'Archipel. Maison de construction récente, mais agencée à l'intérieur dans un mélange de ce que l'on appelle, au Japon, le *western style* et le style japonais. Un escalier monumental conduisait au premier étage où étaient aménagées des salles de réception et des salles à manger traditionnelles avec *tatami* (tables basses) et peintures sur *shoji* (cloisons coulissantes), le tout dans une harmonie rehaussée par l'ouverture sur les temples de Miyajima. Au-dessus, des chambres étaient aménagées pour les invités. En visitant l'usine, le lendemain de notre arrivée et selon un programme minutieusement établi, je fus impressionné non par la technologie des chaînes dont j'avais eu l'occasion de voir des modèles aussi perfectionnés aux usines Renault ou Ford, mais par l'organisation du management et les vues prospectives de la direction. Celle-ci avait installé à Tokyo, dans un immeuble près de Marunouchi, un immense studio équipé couleur pour réaliser les films publicitaires de la firme. On prévoyait d'y adjoindre une liaison hertzienne permanente Tokyo-Hiroshima, qui permettrait à la direction d'assurer ses tâches à vue, depuis Tokyo, soit à une distance de huit cents kilomètres de ses chaînes de montage.

La précision alliée à l'audace m'avait frappé dans les chantiers navals. Chez Ishikawajima-Harima, à Yokohama, on venait de mettre en chantier le plus gros pétrolier du monde pour l'époque, l'*Idemitsu Maru*, jaugeant 300 000 tonnes. La précision de la construction était telle qu'en consultant le cahier des charges et le plan de fabrication on pouvait savoir sans se tromper ce qui se passait sur le chantier. L'audace résidait dans la décision de lancer des super-tankers alors qu'aucune installation portuaire au monde n'était capable de les recevoir, décision prise dans le cadre d'une orientation nationale et d'un accord entre firmes japonaises concurrentes.

La « conversion » au nucléaire : problème de conscience

En électronique, la percée de firmes comme Sony ou Matsushita était déjà acquise. Les Japonais préparaient soigneusement leur plan informatique en suivant attentivement les efforts d'I.B.M.-Japon et de la firme française B.U.L.L. avant sa fusion avec General Electric. Un ingénieur d'I.B.M.-Japon, venu des Etats-Unis, commentait ainsi l'adaptation japonaise à la haute technologie : « Certaines composantes d'ordinateurs sont fabriquées dans le cadre de contrats de sous-traitance à des industries familiales. Bien que manquant d'un outillage ultra-moderne, ces industries parviennent, on ne sait par quel miracle, à respecter les normes de fabrication qui leur sont données, à tel point qu'on n'arrive pas à distinguer les pièces japonaises de celles qui sont fabriquées aux Etats-Unis. » La photographie prenait rang d'industrie nationale et s'imposait sur les marchés mondiaux. La firme Canon se montrait particulièrement « agressive », bien que son optique ne surpassât ni l'optique allemande, ni celle des Etats-Unis, et le fabricant français Robert Angénieux confiait qu'il ne s'inquiétait pas de cette concurrence. Peut-être oubliait-il les méthodes commerciales de plus en plus incisives et efficaces mises au point par les Japonais. Les visiteurs étrangers à l'Archipel regardaient ces produits *made in Japan* comme des produits copiés. Aussi les professionnels furent-ils surpris quelques années après lorsque le Congrès international des brevets, qui se tenait à Tokyo, mit à l'ordre du jour le problème des copieurs de brevets nippons.

Le Japon avait assez d'arguments pour dire : ne nous copiez pas, alors que circulait encore la légende des Japonais champions du plagiat. Un journal japonais titrait déjà en 1968 : « Un ordinateur peut désormais parler en japonais, mais la recherche spatiale connaît encore des difficultés. » Il est exact que l'innovation technologique surprit le Japon non préparé à l'organisation de structures de recherche, à une échelle aussi gigantesque que celle que requièrent la mise au point d'un réacteur atomique, ou l'envoi d'une fusée dans l'espace. Les échecs répétés des fusées Lambda et Mu avaient donné une mauvaise image de marque à une recherche trop dispersée dans une multiplicité d'organismes sans coordination, et ne disposant que de budgets faibles et éparpillés. L'Institut de l'espace et des sciences aéronautiques de l'université de Tokyo avait cependant attiré l'attention du monde scientifique en mettant au point la fusée à quatre étages Lambda 4 S à carburant solide. Je suis allé voir son lancement, à Uchinoura, site du Centre spatial japonais. Situé au sud de l'île du Kyushyu, il est d'un accès difficile. La petite route sinueuse laisse derrière elle l'imposant volcan du Sakurajima, franchit les collines et les rizières pour arriver, au pied d'une immense falaise, dans un village entièrement dédié aux fusées et à l'espace, comme le village de Tokai-Mura au nord de Tokyo l'est à l'atome. L'éclairage public a la forme de fusées et, pour les paysans, l'espace a été intégré dans le folklore. Vers huit heures du matin, nous nous présentons munis de nos laissez-passer, à l'entrée de la base tout en haut de la falaise dominant la mer. Après avoir visité le centre opérationnel, nous descendons vers l'aplomb de la falaise où est située la rampe de lancement. A quelques centaines de mètres derrière, un hangar abrite le satellite météo qui n'est pas encore fixé sur le quatrième étage de la fusée. Déjà les techniciens vêtus de blanc s'affairent autour du satellite, mais, à observer les va-et-vient, on a l'impression d'une aimable improvisation. On visse, pour dévisser quelques secondes après. Lorsqu'on interroge les techniciens : « Alors ça va marcher ?... », ils répondent : « May be » (peut-être). Enfin tout est prêt. Le moment solennel arrive. Le décompte est commencé : la mise à feu se fait correctement et la fusée s'élève dans le ciel : Hourra ! C'est gagné ! Le premier étage s'est détaché comme prévu, puis le deuxième... Tout à coup, c'est la stupeur : un point blanc à peine visible descend à l'horizon, la fusée retombe à la mer avant d'avoir mis le satellite sur orbite...

Le professeur explique ce qu'il appelle le *drame de conscience* de l'université de Tokyo... « Nous n'acceptons pas, me dit-il, que nos recherches puissent servir à des fins militaires. C'est pourquoi nous avons toujours refusé d'adjoindre à nos fusées un système de téléguidage. Il est possible que ce soit là une des causes essentielles de l'échec d'aujourd'hui. » Malheureusement, les fumées blanches de Lambda se doublaient des fumées noires de la corruption. Celui qu'un confrère français avait baptisé « le professeur Nimbus de l'espace » fut destitué, et le gouvernement promit une « réorganisation » de la recherche. Mais la pagaille continua. C'est ainsi que l'antagonisme entre l'Institut de l'espace de l'université de Tokyo et le ministère de la Technologie finit par s'étaler au grand jour, tandis que le ministère des Transports et celui des Télécommunications annonçaient chacun de leur côté des programmes spatiaux concurrents.

En mai 68, le gouvernement japonais remplace le Comité national des activités spatiales par la Commission des activités de l'espace, à laquelle est confiée la responsabilité d'établir un nouveau programme de développement spatial coordonné et orienté vers la mise au point de nouvelles fusées et de nouveaux satellites. L'Agence nationale de développement spatial naît en 1969, complétant le dispositif déjà existant sous l'égide de l'université de Tokyo. La coordination des programmes est cette fois assurée. Une coopération internationale efficace permet aux Nippons de progresser dans les domaines des télécommunications, de la météorologie, de la géodésie, et de participer à des projets aussi importants que celui du vaisseau spatial de la N.A.S.A. En matière de satellites, le Japon a maintenant rattrapé son retard sur l'Europe, en particulier sur la France, tandis qu'il a pris de l'avance en matière de fusées avec le lanceur « Nu » : trente-trois mètres de haut, trois étages. Le premier et le second sont propulsés par un carburant liquide, le troisième par un carburant solide. Le tout pèse quatre-vingt-dix tonnes pour un diamètre maximum de 2,40 m. L'engin peut placer un satellite de cent trente kilos sur une orbite géostationnaire, à une altitude de 35 800 km ; un satellite de 400 kg sur une orbite circulaire, à une altitude de 1 000 km avec une inclinaison de 70° ; un satellite de 800 kg, à la même altitude, avec une inclinaison de 30 degrés. En 1978, les efforts japonais se portaient essentiellement sur la mise au point de satellites scientifiques pour l'observation des particules et des explosions solaires ainsi que des rayons X et des rayons gamma. Des crédits étaient également affectés à des satellites d'application en matière de télécommunications et de météorologie. Tandis que les fusées Mu et Nu font l'objet de nouvelles recherches, le Japon utilise pour certains lancements les installations de la N.A.S.A. et des lanceurs, comme le Thorn-Delta, qui ont fait maintenant leurs preuves.

La situation était encore plus critique dans le domaine de l'atome. Les Japonais avaient importé leur première pile des Etats-Unis. Par la suite, des accords avec la Grande-Bretagne et la France ainsi que certains transferts de technologie leur permirent de développer rapidement le nucléaire jusqu'au moment où ils se trouvèrent confrontés à une conjonction de scrupules écologiques, antimilitaristes et de mouvements contestataires de toutes sortes. En 1968, en particulier, deux formes de discorde ralentissent le développement du « nucléaire » : l'opportunité de la création d'un institut national des particules élémentaires pour la construction d'un accélérateur de particules sophistiqué, et la nouvelle de l'acceptation par la Société de physique du Japon de fonds en provenance de l'armée américaine, pour couvrir les frais d'un congrès international sur la technologie des semiconducteurs. La subvention peu élevée au demeurant, environ dix mille dollars, provoque une enquête qui révèle que 54 chercheurs de 19 universités avaient accepté des subsides de même provenance, totalisant sur les dix années précédentes au minimum deux millions de dollars. La Société de physique du Japon se ressaisit et déclara qu'aucune subvention provenant de l'armée américaine ne serait désormais acceptée. L'Institut japonais de recherche de l'industrie atomique mettait enfin au point, à Tokaï-Mura, le premier réacteur nippon à refroidissement par eau et à uranium enrichi pouvant fournir 50 000 kilowatts. Cependant l'exécution de certains contrats avec des sociétés étrangères comme la firme française Pechiney-Saint-Gobain dut être ajournée, du fait de l'opposition populaire locale, alimentée non seulement par la politique des partis de gauche, mais surtout par une mobilisation du monde rural contre le processus irrémédiable de sa destruction.

Aujourd'hui le choix énergétique du Japon s'est définitivement porté sur le nucléaire. La puissance électrique fournie par les centrales nucléaires s'élevait à la fin de 1978 à près de dix millions de kilowatts, représentant un peu plus de sept pour cent de la puissance électrique totale fournie par toutes les centrales.

Le programme actuel, révisé en baisse, prévoit une fourniture de trente-trois millions de kilowatts en 1985 et de soixante millions en 1990. Pour le mener à bien, les Japonais sont en train de mettre au point une nouvelle technique de réacteur à eau légère. Ils ont choisi leur nouvelle génération de filières : celle du surrégénérateur à neutrons rapides, mais étudient parallèlement l'introduction d'une filière de réacteur à eau lourde. Le problème du cycle de combustibles nucléaires apparaît comme la principale préoccupation. Le Japon a pour objectif d'assurer environ un tiers de son approvisionnement en uranium naturel avec les importations de minerais, développées par des sociétés à participation de capitaux japonais. Pour ce qui est de l'uranium enrichi, on développe actuellement la technique d'ultra-centrifugation, avec pour objectif la construction d'une usine pilote en 1985.

Quant au retraitement du combustible irradié, il est considéré comme l'étape clef du cycle des combustibles. Ici encore, une usine pilote de retraitement est prévue pour 1985. La technologie de la fusion thermonucléaire sera maîtrisée aux alentours de 1985. Les recherches sont poursuivies dans le cadre de l'Agence internationale pour l'énergie atomique, avec la coopération des Etats-Unis.

Le Japon a déjà construit un navire atomique, le *Mutsu*, momentanément désarmé à la suite d'une fuite de radioactivité. Les Japonais étudient en fait la rentabilité des navires atomiques avant d'aller plus loin dans leur programme. Politiquement, leur souci est de ne pas prendre de retard dans ce domaine, conscients de la vocation maritime du pays. Le coût des différents projets de recherche est évalué à quatre-vingt-huit milliards de francs dont le financement est étalé sur dix ans, jusqu'en 1987.

L'envers de la croissance

Jusqu'en 1970 la croissance alla de pair avec des mouvements de révolte, relativement peu cohérents, dont la gauche semblait devoir bénéficier. Lorsque celle-ci eut perdu ses deux motivations : le retour d'Okinawa à la souveraineté japonaise et la fin de la guerre du Vietnam, seul un grand dessein national pouvait désormais mobiliser les forces de la contestation. On crut que Minamata et la pollution des produits de la mer par l'augmentation du taux de mercure allaient cristalliser les résistances. Le mouvement étudiants-paysans contre la mise en service de l'aéroport international de Narita apparaissait comme un début de cette cristallisation. Le prix à payer pour une croissance vertigineuse allait peut-être dépasser celui de la défaite. La révolte écologique allait détruire ce que l'issue de la guerre n'avait pu entamer : le consensus national. L'augmentation du revenu individuel et du bien-être s'accompagnait d'une prise de conscience des servitudes de l'urbanisation et de la modernisation.

« Manifs contrôlées »

Kawasaki et son centre sidérurgique aux portes de Tokyo, coincé dans la zone urbaine entre la capitale et le port de Yokohama, symbolisait ces nouvelles servitudes. Dans une école primaire du quartier des usines, les instituteurs devaient donner aux enfants des masques à gaz lorsque des vents contraires et un temps bouché rabattaient les fumées sur les habitants. A l'un des carrefours de la Kan-Nana Dori, les agents chargés de la circulation devaient rentrer dans le poste toutes les demi-heures pour respirer de l'oxygène. La croissance portait en elle les ferments de sa remise en question, mais la crise de 1971 puis celle de 72-73 allaient rétablir l'équilibre, démontrant combien ces ferments restaient marginaux. Il est parfois difficile de faire la différence entre ce qui est marginal et les courants populaires profonds. Manifester dans la rue a toujours été considéré, au Japon, comme une forme d'expression politique, de défoulement aussi, organisé et parfaitement contrôlé jusque dans ses débordements. Au début de mon séjour, mon étonnement fut alimenté par le premier cortège de protestations qu'il me fut donné de voir. Les hommes et les femmes marchaient en rangs serrés dans la rue, précédés des porteurs de pancarte. C'était un samedi après-midi. Il n'y avait pas grand monde si je compare ce défilé à ceux que j'ai vus par la suite, mais la manifestation regroupait douze personnes de front sur plus de cinq cents mètres. La queue du cortège était composée de jeunes qui se tenaient par les épaules sur un rang, l'un derrière l'autre et qui avançaient en trottinant en zigzag aux cris rythmés de « Wan-Chai... Wan-Chai... », selon la technique de la danse du serpent. Venant de la tête de la manifestation, les slogans d'une voiture haut-parleur se répercutaient le long des rangs serrés et la foule les reprenait. On ne criait que deux ou trois slogans, toujours les mêmes. Une autre voiture haut-parleur, celle de la police, roulait sur le flanc du défilé, tandis que la marche était fermée par une cinquantaine d'agents à casquette. Je demandais des explications : la police est avisée d'avance de la manifestation. On lui a demandé l'autorisation et le parcours a été négocié avec elle. On a aussi prévu le degré d'échauffement et les forces de police sont proportionnées à l'importance et à la virulence des participants. Lorsqu'on ne voit que les agents à casquette, ça n'est pas méchant. C'est déjà plus sérieux si les forces spéciales casquées avec matraques sont déployées. Il s'agissait, ce samedi-là, d'une manifestation des employés de tramway qui, prévoyant la suppression des tramways urbains et l'approuvant, demandaient des garanties de reclassement.

Dès que l'empereur eut proclamé ouverts les Jeux Olympiques, les mouvements de protestation se firent de plus en plus nombreux. Les Japonais manifestent contre les Américains et leur présence sous toutes ses formes au Japon : bases militaires U.S. pour les forces terrestres, aériennes et navales ; relâche, dans les ports japonais, des unités de la VIIe Flotte ; occupation d'Okinawa régie par l'administration américaine. Ainsi le 12 novembre 1967, le premier ministre, M. Sato, se rend à Washington en visite officielle. Deux mille étudiants l'attendent à l'aéroport d'Haneda. Ils sont casqués et armés de gourdins. Ils ont en réserve des cocktails Molotov de fabrication artisanale. Les forces de police ont rabattu les visières en matière plastique transparentes de leur casque. Elles sont équipées de boucliers et de longs bâtons en bois dur. Les étudiants attaquent les premiers et prennent d'assaut un camion de la police. Un jeune manifestant monte au volant et reculant imprudemment écrase sous ses roues un de ses camarades. La police riposte mollement. Bilan : 1 étudiant tué, 200 étudiants et 600 policiers blessés. Le premier ministre prend l'avion pour Washington en exprimant ses regrets pour la mort du jeune étudiant. Le Zengakuren ou Fédération nationale des étudiants japonais regroupe dans 426 associations 690 000 étudiants. Au début de 1968, l'année chaude, trois factions se disputent les faveurs des étudiants :

— la faction Kakumaru qui a pour chef un étudiant de Waseda (une grande université privée de Tokyo), M. Narioka, révolutionnaire marxiste ; elle rassemble 48 000 étudiants partisans de l'action directe ;

— la faction Yoyogi dont le meneur est Takuma, étudiant de Todaï, regroupe 372 000 membres, recrutés surtout dans les universités d'Etat. Elle est rattachée au parti communiste japonais et prône l'action organisée et non l'action directe ;

— la faction Sanpa, qui a pris position contre le

103

P.C.J. et participe également à l'action directe, se divise en trois groupes : la ligue des jeunesses socialistes (Kaiho), la ligue des étudiants socialistes (Kudo) et un noyau marxiste très actif, appelé Cyukaku. Les 184 000 étudiants de Sanpa sont menés par un étudiant actif et dur de l'université d'Etat d'Yokohama. Il s'appelle Akiyama et le gouvernement japonais va entendre parler de lui. Lors du départ du premier ministre Sato pour Washington le 12 novembre 1967, Akiyama se trouve à la tête du mouvement violent et cette affaire lui sert de « grandes manœuvres ». Le 15 janvier 1968, l'*Enterprise*, porte-avions atomique de la VIIᵉ Flotte, jaugeant 91 000 tonnes avec son escorte, est annoncé en visite à Sasebo pour le 18 janvier. Akiyama rassemble ses troupes à l'université privée d'Hoesi où elles passent la nuit. A l'aube du 16, les hommes d'Akiyama se dirigent vers la gare de Tokyo pour prendre le train de Sasebo, base navale nippo-américaine du Kyushyu, près de Nagasaki. L'affrontement a lieu, mais, cette fois, les forces de police ont reçu des ordres de ne pas faire de quartier. Cent trente étudiants sont arrêtés ; trois cents, rameutés par Akiyama, réussissent à prendre le train. Mais la rumeur a précédé les étudiants de *Sanpa*. Ils sont rejoints en route, à *Osaka*, par les étudiants du *Kansai* puis à *Fukuoka*, ville universitaire, par les étudiants du *Kyushyu*. Trois mille étudiants parviennent ainsi à *Sasebo*, malgré la police. Cependant à *Sasebo*, cinq mille sept cents hommes des forces spéciales d'intervention ont été déployés autour de la base américaine. Akiyama décide de faire donner l'assaut. Mais la riposte est très dure, garçons et filles sont sérieusement malmenés et même frappés à terre. Les forces de l'ordre déversent des tonnes d'eau avec des lances à incendie ; à l'eau est mélangé un liquide aveuglant et vomitif. Toute la journée du 18, on se bat dans les rues de *Sasebo*. Par suite d'une mauvaise mer, l'*Enterprise* n'arrive que le 19 à neuf heures trente du matin. La veille, les partis politiques de l'opposition ont rassemblé plus de 50 000 personnes venues de tous les coins de l'Archipel : socialistes, communistes et Komeïto, parti centriste issu de la puissante organisation religieuse de la *Sokkogakai*. Leur manifestation, dans le calme, contraste avec l'action des étudiants. Le 19 au matin, alors que l'*Enterprise* est déjà à quai avec ses deux escorteurs, Akiyama se bat encore mais c'est un baroud d'honneur, il lui reste à peine une dizaine d'hommes valides. A midi, Akiyama prend le train sous le nez de la police, qui ne fait pas un geste pour l'en empêcher, et crie aux forces de l'ordre : « Je reviendrai dans trois jours. » Au même moment, l'écrivain japonais Oda Makoto, président du comité des intellectuels contre la guerre du Vietnam *(Beheiren)*, rame avec quelques-uns de ses camarades sur un frêle esquif au pied du porte-avions géant. A travers un porte-voix, il harangue en anglais les marins américains qui l'écoutent, goguenards, du haut de leur passerelle. « ... Désertez », leur crie-t-il. Il leur montre un petit papier vert qui servira de laissez-passer à ceux qui veulent profiter de l'occasion pour ne pas regagner leur bord. En fait, à treize heures trente les marins et équipages de l'*Enterprise* débarquent dans la ville de Sasebo. Au coin des rues, de charmantes étudiantes leur distribuent le papier vert que leur montrait Oda Makoto. En japonais d'un côté, en anglais de l'autre, on peut lire : « Contre la guerre du Vietnam : si vous voulez déserter, appelez le numéro de téléphone ci-dessous. On vous répondra. Si vous ne savez pas comment téléphoner, présentez ce papier à n'importe quel Japonais, il le fera pour vous. » Les G.I's et les marins prennent le papier qu'on leur tend, le lisent attentivement et machinalement le mettent dans leur poche en disant : *Thank you*. Des banderoles apparaissent, à l'initiative du Parti libéral démocrate (parti de la majorité) : *Welcome US Enterprise*. Les commerçants, voyant que leurs clients débarquent, pavoisent aux couleurs américaines. Le *Rest and recreation tour* (quartier libre) commence. Les bars se remplissent, les filles commencent à faire du strip-tease dans les cabarets, les boutiques de souvenirs lèvent leurs rideaux ou retirent leurs volets, étalent leurs produits, les restaurants font le plein.

Début janvier 1969, la situation se dégrade. Les étudiants d'Akiyama organisent des barricades à l'intérieur des universités. Des professeurs sont pris en otages. On stocke les pavés, on fabrique des cocktails Molotov, on tient des réunions politiques. De temps en temps, on sort en ville pour affronter la police. Le mouvement gagne peu à peu toutes les universités du Japon. C'est le retour d'Okinawa au Japon qui est à l'ordre du jour. La police met au point toute une série de tactiques pour faire face à ces étranges combats de rue. Un soir d'hiver vers dix-huit heures trente, l'avenue qui mène de la Ginza à la gare de Shimbashi, au centre de Tokyo, est bloquée à ses deux extrémités. Côté Ginza, les étudiants casqués en bleu ou en rouge, mouchoirs noués autour du nez, armés de bâtons et de lances, s'avancent en rangs compacts, tandis que de l'autre côté la police avance également. Nous nous trouvons entre les deux camps avec une équipe de télévision. Les choses vont vite : l'affrontement se produit et nous sommes au milieu. Parfaitement repérables, Occidentaux sans casque, personne ne nous touche. Certains étudiants nous évitent même en demandant pardon... La pluie, une pluie diluvienne, se met à tomber et disperse tout le monde. La police a eu le temps de tirer quelques bombes lacrymogènes, et la foule s'écoule en pleurant dans les rues adjacentes. Les forces de l'ordre sont équipées d'un matériel très particulier : herses pour bloquer les rues, que l'on pousse contre les manifestants ; filets qu'on déploie et qu'on jette sur ceux qui avancent en faisant la danse du serpent...

La plus grande bataille se déroule à la mi-janvier, à l'université de Tokyo : 8 500 hommes ont été mobilisés pour dégager la bibliothèque, immense bâtiment au centre du campus, tenue par Akiyama avec trois cents étudiants. Manifestants et forces de l'ordre s'observent. Brandissant des pancartes qui indiquent notre identité, nous demandons à aller voir les étudiants, puis nous traversons le *no man's land*. Une effigie du général de Gaulle grandeur nature, sur contre-plaqué, nous accueille. Sur le képi, l'effigie porte « O.R.T.F. » ; sur les manches : « R.T.L. » et « Europe N° 1 », sur le ventre : un écran de télévision entouré de barbelés. Nous apprenons qu'Akiyama et ses hommes ont reçu quelques semaines auparavant la visite d'anciens combattants de la Sorbonne en Mai 1968. Akiyama fait l'éloge des étudiants français et de leur esprit révolutionnaire international et prolétaire. Quelques heures après notre sortie, la police donnera l'assaut du bâtiment. Il lui faudra plus de vingt-quatre heures pour réduire le petit groupe d'étudiants, ainsi que l'intervention d'hélicoptères lâchant des bombes lacrymogènes sur les terrasses du bâtiment. Cette action restera célèbre dans les annales des combats étudiants, à tel point que l'armée japonaise pour ses exercices antisubversion fera reconstruire une maquette à échelle réelle du bâtiment de l'université, et se placera dans l'hypothèse de ce combat.

Après le retour d'Okinawa au Japon et le renouvellement du traité de sécurité, l'ordre régnera de nouveau sur les campus. La déception qui suit ces heures chaudes créera d'un côté les conditions favorables à un extrémisme marginal de plus en plus violent, celui de l'Armée Rouge, de l'autre un retour à la normale et à l'intégration de la majorité dans les carcans de la société japonaise.

Armée Rouge contre Japan Air Lines

L'Armée Rouge japonaise, créée en 1969, fera parler d'elle, dès avril 1970, en réalisant le premier arraisonnement spectaculaire d'un avion de la Japan Air Lines avec prise d'otages. L'Exposition universelle d'Osaka vient d'ouvrir ses portes. Le Japon vit dans l'euphorie de sa réussite économique lorsque l'affaire des pirates de l'air Samouraï éclate et tient en haleine, trois jours durant, les correspondants de presse du monde entier. Sur le terrain de Fukuoka, dans le sud du Japon, s'engage avec les neuf membres du commando de l'Armée Rouge une négociation qui se termine par un compromis. Les femmes et les enfants sont libérés, mais, en échange, le ministre des Transports du gouvernement Sato a dû accepter de laisser repartir l'avion vers la Corée du Nord. Dès le décollage, la police donne l'ordre au Boeing de ne pas se diriger vers Pyongyang, mais vers Séoul. Dans l'avion, le commando ignore tout. Lorsque le commandant de bord de la Japan Air Lines annonce qu'on arrive en Corée du Nord, les pirates de l'air se réjouissent pensant avoir gagné la partie. Le Boeing roule au sol et les neuf terroristes armés de sabres ne s'aperçoivent de rien. Les services spéciaux sud-coréens ont improvisé une supercherie. L'aéroport de Séoul a été camouflé avec des drapeaux du Nord et un immense portrait de Kim Il Sung. Les services de sécurité de l'aéroport ont endossé des uniformes communistes. Après avoir ouvert la porte de l'avion, les pirates comprennent qu'ils ont été joués et menacent d'exécuter les otages restant entre leurs mains. Après vingt-quatre heures de négociations angoissantes, l'avion repartira, cette fois-ci pour Pyongyang. Tous les passagers ont été relâchés, mais le ministre japonais des Transports a pris leur place comme otage. A leur débarquement en Corée du Nord, le commando ne reçoit pas l'accueil qu'il s'attendait à trouver. Le ministre et le Boeing sont renvoyés dans leur pays, tandis que les neuf sont expédiés dans un camp de rééducation. L'arrestation, au Japon, de leur chef Shiomi achève de décapiter l'organisation. Elle devient alors, comme l'écrira le correspondant du *Monde* à Tokyo, un « mouvement d'exilés qui se reconstitue à Beyrouth et dans les camps palestiniens ». L'attentat de Lodt est déjà loin ; celui de Dacca donnera au mouvement un regain de force avec la libération de cinq activistes et la rançon de six millions de dollars versée par le gouvernement japonais. Mais au Japon, on se souvient surtout de la découverte, en 1972, de ce charnier où gisaient quinze jeunes gens affreusement mutilés. Il s'agissait de militants accusés de tiédeur. Ce massacre n'a jamais été assumé par la Sekigun (Armée Rouge extérieure). Les responsables, une femme, Nagata Hiroko, et un homme, Mori Tsuneo, sont en prison au Japon. Leur libération ne fut jamais demandée par les différents commandos qui se sont manifestés depuis, comme dans l'affaire de l'ambassade de France à La Haye, en septembre 1974.

Les Japonais ont gardé une image négative d'une « révolution » qui allait à l'encontre de leurs sentiments profonds et dont la violence choqua leur conscience, puisqu'elle s'exerçait en dehors des règles ancestrales de l'honneur national. L'Armée Rouge ne se manifeste plus aujourd'hui que de loin en loin, mais son côté « desperado » et marginal revêt un caractère typiquement nippon, qui représente l'envers de la médaille accordant aux Japonais une image de marque grégaire. Certains rapprochements laissent rêveurs. Quelques jours avant son suicide, Mishima Yukio enseignait à ses *tatenokaï* (armée privée) sa doctrine de l'action. « Il faut, disait-il, aller jusqu'au bout d'une action commencée, l'amener à son terme logique. » Akiyama, le chef de la faction extrémiste de Sanpa, à qui je rendais un jour visite dans une imprimerie clandestine de Tokyo, m'affirma sa détermination à peu près dans les mêmes termes.

Quelques sujets d'étonnement

Il faut certes se garder de généralisation et le côté kamikaze des chauffeurs de taxi à Tokyo ou à Kyoto n'est pas de même nature. Et pourtant, à voir la joie de ce jeune chauffeur de Kyoto, qui, m'ayant poliment demandé : « Drive kamikaze, O.K. ? » (Puis-je conduire en style kamikaze ?) reçut de ma part une réponse affirmative, on peut se demander quelle est la part de défoulement, d'échappée, d'envie de liberté, de « jusqu'au-boutisme », de toute action, à quelque niveau

que ce soit et quelles qu'en soient les motivations...
En un quart d'heure, mon chauffeur de taxi avait
brûlé deux feux rouges, emprunté une voie en sens
interdit, fait un nombre incalculable de queues de
poisson, appuyé à fond sur l'accélérateur pour parvenir devant le Ryoanji (Jardin zen de Kyoto) avant
un de ses confrères. Les taxis de Tokyo et de Kyoto
étaient réputés pour leurs imprudences, leur mépris
du code de la route et, à Tokyo, pour leur ignorance
du plan de la capitale, incapables qu'ils étaient de
conduire un client en dehors de secteurs très connus,
comme Tekoku Hotelou (hôtel Impérial), Ginza,
Marunouchi, Shinjuku. Pas question de pouvoir se
rendre sans problème à une adresse, même si elle
avait soigneusement été écrite en japonais. Les choses
n'ont guère évolué en quinze ans. Les chauffeurs de
taxis connaissent toujours aussi peu Tokyo ; par
contre, la sévérité de la police les a fait réfléchir et,
comme ils ne veulent pas perdre leur licence, ils se
sont assagis, du moins lorsqu'ils transportent un
étranger. Mais si on leur dit « Hayaku dozo », on peut
être certain qu'ils ne se feront pas prier pour conduire
« kamikaze ». De toute façon, celui qui se fait transporter est censé dormir. Il en est toujours ainsi dans
les transports en commun.

Voyage pour jeunes couples organisés

Débarquant en janvier 1964 à Myasaki, la perle
tropicale du Japon, dans le Kyushyu, je n'arrivais pas
à trouver le bus régulier qui devait me conduire à mon
hôtel. J'avais beau demander où se trouvait l'arrêt du
bus, je recevais pour toute réponse un sourire avec
un geste de dénégation de la tête. Désespéré, je
m'assois sur ma valise, et contemple l'animation
autour de moi. Il y a devant moi une quinzaine d'autobus alignés et l'un d'eux est forcément le mien. Je suis
en train de commencer à perdre courage lorsqu'une
charmante hôtesse de bleu vêtue, au chapeau « cro-
quignolet » incliné sur l'œil, ridiculement petit comme

seuls savent l'être les chapeaux d'hôtesse, s'avance vers moi :

« *Dozo*.. (s'il vous plaît).

— *Domo Arrigato* (merci beaucoup). » Elle m'invite à la suivre. J'accepte l'invitation.

L'hôtesse me conduit jusqu'au bus qui est situé au bout de la rangée. Il est presque plein, il reste une ou deux places à l'arrière. Le bus démarre. Je m'aperçois tout à coup que tous les passagers sont de jeunes couples et que les femmes portent toutes de grands chapeaux ornés de fleurs, voire de fruits. Je trouve cela bizarre mais sans plus, du moment qu'on me conduit à l'hôtel. Au bout d'un quart d'heure, un peu inquiet, je me lève, je vais vers l'avant et prononce en forme de question le nom de mon hôtel...

« *Aï Aï*... (oui, oui) » répond l'hôtesse. Le chauffeur sourit et le bus continue. Au bout de quarante-cinq minutes, le bus roule toujours ; je suis sérieusement inquiet : Où m'emmène-t-il ? Selon les indications recueillies à Tokyo, de la gare à mon hôtel, il y a environ vingt minutes de taxi et on m'a précisé : c'est un maximum. Je répète donc le nom de mon hôtel.

« *Aï Aï* », reprend l'hôtesse, et avec douceur, gentillesse et fermeté, elle me reconduit à ma place. Elle commente le paysage. Les jeunes couples, ostensiblement, se parlent à voix basse et ne l'écoutent pas. Il y a une heure trente que nous roulons. Seules les femmes sont attentives au ronron de l'hôtesse qui continue de parler sans reprendre son souffle. Les hommes se sont presque tous assoupis en tenant la main de leur compagne. Je suis, quant à moi, résigné. Je me laisse emmener je ne sais où. Nous nous sommes déjà arrêtés deux fois une heure pour visiter un parc d'attractions et pour déjeuner d'un frugal « curry rice ». Le car s'arrête une troisième fois. L'hôtesse descend ma valise du filet et me montre mon hôtel. Nous y sommes enfin. J'aurai dans la soirée le fin mot de mon histoire grâce à l'anglais approximatif de la patronne de l'auberge. Devant mon embarras, l'hôtesse et le chauffeur du bus avaient décidé de m'incorporer à un circuit touristique pour jeunes mariés, en se disant qu'il n'était pas décent de se présenter à neuf heures du matin à l'hôtel. Au Japon, on prend un hôtel à partir de seize heures et jusqu'à dix-huit heures trente ; on en part au plus tard à neuf heures du matin. Il est parfaitement incongru de se présenter en dehors de ces heures, sauf arrangement préalable spécial. Les adieux sont parfois émouvants, lorsque les servantes rassemblées devant la porte en rang d'oignon, revêtues de leur kimono de travail en étoffe rêche, ou du tablier blanc traditionnel boutonné derrière que portent les filles de la campagne, lancent des serpentins dans l'autobus. Tandis que le véhicule s'éloigne, elles tiennent le bout du ruban de papier et se retirent lorsqu'il casse. Cette coutume est de tradition dans les ports pour les bateaux quittant le quai. Les servantes de l'auberge le plus souvent s'inclinent profondément.

Service « lunaire » pour passagers et chauffeurs d'autobus

L'usager des autobus japonais prend sa place sans bruit, sans se soucier des va-et-vient. Au premier kilomètre parcouru, il somnole. L'hôtesse le berce par un flot ininterrompu de paroles. On apprend tout sur la région que l'on traverse, depuis les surfaces cultivées en blé, orge ou riz, jusqu'au nombre d'enfants mâles de l'école primaire du village traversé. Il arrive que l'hôtesse, à bout de souffle, s'arrête. Quelque chose d'insolite vient de se passer. Les Japonais, assoupis dans leur fauteuil, ouvrent un œil. Si l'hôtesse est débutante, elle rougit, bafouille et finit par retrouver le fil. Les plus expérimentées entonnent une chanson traditionnelle. Qu'importe ! Tout est rentré dans l'ordre, le client voyageur peut se rendormir, le ronron recommence, mais tout à coup une phrase répétée deux fois résonne. L'hôtesse annonce : « Mesdames, messieurs, voici la mer... » C'était évident ! Les passagers daignent lever le nez pour admirer. Ils sortent leur appareil photo 24 × 36 de poche à travers la vitre, ils appuient une ou deux fois sur le déclencheur, puis beaucoup s'assoupissent encore après avoir regardé leur montre. Tout le bus est réveillé par un cahot. L'hôtesse a bien annoncé : « Mesdames et messieurs, vous allez ressentir un soubresaut, nous allons traverser un passage à niveau... Nous le traversons... Nous l'avons traversé... merci de bien vouloir accepter ce léger inconvénient dont la Compagnie vous prie de bien vouloir l'excuser... »

Toutes les hôtesses n'en font pas autant, mais la vieille tradition des transports en bus ne se perd pas dans la province. A Nagoya, une société a fait étudier l'influence du cycle lunaire sur l'humeur et l'aptitude à conduire de ses chauffeurs pour constater que les dispositions de chacun varient selon les jours. Il existe même des jours où il vaut mieux ne pas prendre le volant. Un calendrier des congés a été établi en fonction de cette étude. La compagnie a indiqué qu'en dix ans le taux des accidents imputables à son personnel de conduite avait diminué de 30 p. 100. Le transport en bus est très populaire. C'est le bus qui relie les petits villages de campagne, c'est aussi par bus que se font les ramassages scolaires. Il existe bien entendu de nombreuses lignes régulières mais aussi des « bus-charters » innombrables, affrétés par les entreprises, les agences de voyages, des associations ou de simples groupes de particuliers.

En caleçon sur les petites lignes ferroviaires...

Voyager en train est cependant plus commode et plus rapide. C'est aussi le moyen de transport le moins cher, si l'on excepte les lignes du super-express sur le Tokkaïdo Line, appelé Shinkansen. Le train n'est plus ce qu'il était. Avec la modernisation est venue la dépersonnalisation. Sur les petites lignes, autrefois, on se sentait bien chez soi. Les voyageurs n'hésitaient pas à se mettre à l'aise. On pouvait enlever ses chaussures ou même... son pantalon, jouer aux cartes et entretenir une conversation avec ses amis. Le wagon tenait lieu de salon familial. Certains, minutieux, prenaient la précaution d'emporter un cintre pour suspendre leur pantalon et le maintenir au pli. Les femmes se contentaient d'enlever... leurs chaussures. Mais en 1963 les chemins de fer mirent bon ordre à ces manières qui ne coïncidaient pas avec celles du savoir-vivre occidental. Qu'allait penser l'étranger, le *geijin* ? Des recommandations furent donc diffusées par haut-parleur dans les compartiments et ce slogan : « N'enlevez pas votre pantalon dans le train » fut couronné de succès puisque au moment des Jeux Olympiques l'éducation était achevée. Même dans les trains de campagne, les Japonais n'enlevaient plus leurs pantalons. La famille des chemins de fer japonais a su perpétuer chez son personnel des traditions de courtoisie, ainsi que tout un rituel. Le départ d'un train comme le *Shinkansen* à la gare centrale de Tokyo est donné par un chef de train selon des gestes bien précis accompagnés d'un salut de la main. Ce salut lui est rendu par le personnel du train, y compris celui du wagon-restaurant dont les employées sont alignées le long des vitres et se courbent au passage devant le chef de train. Ce salut est le signal du début du service. Les clients peuvent alors venir au bar. Le moderne *Shinkansen*, 220 km/h de moyenne, est équipé d'un téléphone depuis sa création. Le peintre Miró, accompagné d'Aimé Maegt, ne fut pas peu surpris de recevoir, entre Tokyo et Kyoto, la nouvelle « téléphonée » de la mort d'André Breton que je lui communiquai dès sa sortie sur les télex de l'agence France-Presse. La délégation française au congrès mondial d'Interpol, en 1966, fut interviewée pour la Radiodiffusion française par ce même canal. Le chef de la délégation, Michel Hacq, alors directeur général de la Police judiciaire, ne comprenait pas ce qu'on lui voulait et pensait qu'on lui transmettait, par un téléphone intérieur, une communication du bar avec lequel il venait d'avoir des difficultés de monnaie.

Le transport par avion est aujourd'hui tout à fait adopté. Toutes les villes de l'Archipel sont régulièrement desservies par la Compagnie nationale *Japan Air Lines* et principalement par deux compagnies privées : *All Nippon Airways* et *Japan Domestic Air Lines*. Les compagnies aériennes japonaises sont en général clientes de l'industrie aéronautique américaine, mais lorgnent du côté de l'Airbus européen. Le service intérieur de ces compagnies offre en général une qualité de prestations sensiblement supérieure à celle des compagnies homologues d'Europe ou des Etats-Unis. Le personnel commercial, formé à la politesse japonaise, n'est peut-être pas plus efficace, mais reste certainement plus prévenant même à l'heure du transport de masse.

La migration permanente

Les Japonais se déplacent en masse par tradition. Le Japon est en permanence sillonné par des groupes charters qui sont souvent des communautés. Ici c'est une école qui accomplit un voyage culturel de fin d'année scolaire ; là c'est une entreprise ou un secteur d'entreprise. On peut aussi rencontrer des associations, ou plus simplement un groupe de plusieurs familles d'un quartier. Les agences de voyages se chargent de tout, bus ou train, hôtels, hôtesses, guides. On peut voir tous ces groupes dans les temples de Kyoto, sur les quais des gares, à la montagne, à la mer, rassemblés derrière un fanion agité par leurs cornacs comme un signal de ralliement. Ces migrations grégaires permanentes à travers l'Archipel sont un des traits caractéristiques du pays, la manifestation d'un besoin touristique moderne qui s'est développé avec l'augmentation des capacités de transport. On peut lui opposer le caractère casanier des femmes. Il y a quelques années, il n'était pas rare d'entendre des mères de familles tokyoïtes raconter qu'elles ne connaissaient pas ou mal le centre de la capitale. Toutes choses évoluant, la grande migration japonaise à l'intérieur de l'Archipel était en passe de devenir une migration mondiale.

L'Europe et les Etats-Unis avaient fini par s'habituer à ce tourisme japonais grégaire et d'un rapport intéressant, lorsque la crise de 1972 a fait sentir ses effets. Les charters japonais sont alors devenus moins nombreux, mais un mouvement irréversible a été créé. Il n'est donc plus rare de voir des groupes japonais venir, l'hiver, faire du ski sur les pentes des Alpes autrichiennes ou françaises.

Grands magasins

La grande masse nippone n'encombre pas encore les hauts lieux du tourisme aux Etats-Unis ou en Europe. Pour prendre un bain de foule japonaise, il faut aller à Tokyo, à *Osaka* ou dans n'importe quelle grande cité. Le spectacle de la gare de *Shibuya* à la sortie des bureaux est particulièrement hallucinant, l'été, lorsqu'une marée de chemises blanches à col ouvert déferle sur la place, sous l'œil du chien statufié, symbole de la fidélité. Lorsqu'il fait chaud et humide à l'extérieur, il est agréable de venir chercher refuge dans l'un des grands magasins à succursales multiples qui sont devenus aujourd'hui de véritables multinationales. *Mitsukoshi*, le plus ancien magasin de la Ginza, s'est installé aussi bien à New York qu'à Paris. A Tokyo, en 1976, on pouvait y voir, réunis sur plusieurs étages, les productions de l'artisanat de la Côte d'Azur et les œuvres des vingt et un musées de la région de Nice à Saint-Tropez : les compressions de César, les poubelles d'Arman, les formes élégantes de Fahri entourées des couleurs de Klein. Quelques années plus tôt, les grands magasins Seibu avaient déjà organisé une rétrospective des années 1900. Cette firme a établi un bureau à Paris et son dynamique président, Mme Tsutsumi, a investi des capitaux considérables en Europe, contribuant même dans le sud de la France à l'installation d'un casino flottant.

Les Japonais s'attribuent l'invention des grands magasins. L'atmosphère qu'ils ont su y créer représente une attraction indéniable où l'incitation à acheter se mêle à celle de flâner dans un univers artificiel où tous les désirs, toutes les envies peuvent être immédiatement satisfaits. Au pied de chaque escalier mécanique, une charmante Japonaise, vêtue de son kimono chatoyant, s'incline pour vous souhaiter la bienvenue et vous prier de faire attention à la marche tandis qu'une hôtesse, gantée de blanc, essuie d'un coup de chiffon furtif la poussière qui pourrait recouvrir la rampe où vous allez poser votre main. Les préposées à l'ascenseur murmurent à longueur de journée des formules ouatées de remerciements, avant de libérer, à chaque étage, le passage vers les rayons les plus variés. Rien ne manque, ni le toit avec le bar, ni la crèche où les mamans peuvent déposer sans crainte leurs bébés, ni bien sûr les restaurants et les libres-services de sodas, de glaces ou de pâtisseries. Des étages entiers étalent les soies les plus luxueuses et des kimonos pour toutes les bourses. On peut, si on le souhaite, y acheter son kimono de mariage, s'y faire nouer autour de la taille un somptueux obi, ou se faire coiffer comme une geisha de Kyoto après avoir acheté la perruque adéquate, et être prête pour son mariage. Le grand magasin peut même vous prêter sa chapelle spéciale pour célébrer la cérémonie, après avoir mis un prêtre à votre disposition. Dans tous les grands magasins, on peut se faire coiffer, acheter son billet d'avion, envoyer des fleurs à la femme qu'on aime. La caisse enregistreuse n'oublie rien en sortant, mais l'agencement des envies est tel que, si on peut y résister, les grands magasins constituent autant d'archipels nippons modèles réduits dignes d'être visités.

Il est peut-être préférable de flâner dans les rues et de visiter les petites boutiques où l'on obtient la plupart du temps des prix plus avantageux. A Tokyo, le quartier d'Akihabara est réputé pour ses magasins d'électronique. On peut y acheter à des prix sans concurrence tout ce qui est radio, télévision ou chaîne à haute fidélité. Ailleurs, on achètera les kimonos, les perles de culture, les appareils de photographie. On peut marchander dans des pourcentages raisonnables. La foule est partout présente. On ne peut progresser dans la connaissance du Japon qu'à son contact. Il est intéressant de la rencontrer le matin, en deux endroits qui, à des titres divers, présentent un caractère typiquement japonais : le marché aux poissons de *Tsukiji* et la Bourse, à *Nihonbashi*.

L'univers du marché aux poissons

Les Japonais ont sans doute raison de croire que le marché de *Tsukiji* est le plus grand marché aux poissons du monde. Il faut y aller aux premières heures de l'aube pour voir l'activité battre son plein. Plus de 30 000 personnes y circulent chaque matin. Des chalutiers de 3 000 tonnes accostent directement à quai, face à la criée. Les requins sagement alignés ne font plus peur, tandis que les thons sanguinolents sont débités de minute en minute pour finir tels quels, en *sashimi*, dans l'assiette des clients d'un restaurant de la Ginza. Le spectacle le plus triste est celui des baleines. Monstres couchés qui ne se relèveront plus, ils touchent la sensibilité du visiteur moins à cause des campagnes écologiques faites autour de la disparition d'une espèce que parce que le mythe de Jonas évoque l'amitié et la solidarité de l'animal et de l'homme. Tsukiji rappelle aussi, plus prosaïquement, l'importance de la consommation du poisson dans la nourriture japonaise et le problème des pêcheries qui met le Japon dans une position de confrontation non seulement avec ses voisins immédiats comme la Corée, ou l'U.R.S.S., mais même avec les pêcheurs français, anglais ou américains. Une flotte ultra-moderne, équipée pour le traitement immédiat du poisson et son transport sur de longues distances, donne à la pêche japonaise une présence mondiale et une réputation d'écumeur des mers du globe qui, selon certains, seraient littéralement vidées par les pêcheurs japonais. Pris de remords devant leurs hécatombes, il fut un temps où on célébrait des cérémonies religieuses d'expiation, sous les auspices de ceux qui estimaient avoir à se faire pardonner : les organisations professionnelles de la pêche ou du commerce des produits de la mer, ou encore le ministère des Pêcheries. C'est ce qui est arrivé le 22 mars 1932. A *Tsurumi*, dans le grand temple Sojiji appartenant à la secte bouddhiste Soto, ainsi que dans un autre temple près d'*Odawara*, un service bouddhiste fut célébré pour le réconfort des esprits des poissons pris pour nourrir la nation japonaise. Le lendemain, les prêtres de Tsurumi célébrèrent une cérémonie à la mer pour les poissons atteints de mort naturelle.

La construction du marché de Tsukiji remonte à la fin du XVIIe siècle lorsque le *Shogun Ieyasu* s'installa à *Edo*. La mer venait à cette époque jusqu'à la Ginza. Le Shogun donna l'ordre de combler la mer pour permettre l'installation du marché. Pendant la période d'*Edo*, l'arrivée de la bonite sur le marché symbolisait le retour de l'été. Considéré à juste titre comme le plus grand marché du monde, on y vend chaque jour plus de 2 000 tonnes de poissons, maquereaux frais, thon, saumon salé, coquillages, baleine, requin, algues, etc., et plus de 800 tonnes de légumes.

Tsukiji, rendez-vous quotidien, marché central de la plus grande concentration urbaine du monde, ventre rempli par la mer, mêle, dans son enceinte, villes et campagnes, fruits et légumes, viandes et poissons, mais la dominante « poisson » met en évidence l'un des traits les plus caractéristiques de la vie de tous les jours.

Promenade à la Bourse

Un autre rendez-vous quotidien à *Tokyo*, la Bourse : située au pont de *Nihonbashi*, le centre d'Edo, ancien nom de *Tokyo*, elle fait courir tout ce qui dans l'Archipel gravite autour du monde des affaires. Le marché des valeurs est resté durant de longues années hermétiquement fermé sur l'extérieur. Il a fallu la crise mondiale et la forte poussée du *yen* pour internationaliser la Bourse de Tokyo. Aujourd'hui, ses opérations sont attentivement suivies dans le monde entier. Les galeries en forme de promenoir qui surplombent la grande salle sont occupées par le public. Elles voient défiler aussi bien des touristes regroupés derrière une hôtesse brandissant un fanion que des hommes d'affaires japonais ou étrangers. Il y a quelques années, lorsque le dollar s'enrhumait, les autres monnaies éternuaient. Aujourd'hui, bien que le yen ne soit pas une monnaie de réserve, il communique ses humeurs aux monnaies occidentales, attestant ainsi la deuxième place du Japon parmi les pays capitalistes, avant l'Allemagne fédérale.

La Bourse de Tokyo fonctionne dans le cadre d'une organisation différente de celle que l'on connaît dans les autres pays industrialisés. Bien qu'inspiré du modèle américain, son règlement comporte des clauses originales, particulièrement en ce qui concerne les milieux professionnels habilités à exercer leurs activités dans l'enceinte de cette honorable institution. M. Sato, cadre financier de « Nomura Securities » m'explique : « Il n'y a pas à la Bourse de Tokyo de membres à titre individuel. Seules des sociétés peuvent être admises. Elles sont au nombre de 83 pour ce qui concerne l'achat et la vente. Ce sont les membres réguliers. Les compagnies d'agents de change autorisées à servir d'intermédiaires et que l'on appelle *saitori* sont limitées à 12. » Nous parcourons la grande salle d'une section à l'autre. Ici on négocie les valeurs des entreprises de pêcheries, de mines ou de construction, là celles du textile, ailleurs celles des produits alimentaires, de l'électronique, des transports, etc. Douze postes consistent en un comptoir en forme de fer à cheval se faisant face deux par deux, tandis qu'un treizième poste est composé d'un double comptoir. Un nombre indéterminé de postes de transactions sont situés sur podium. Ils sont chargés de traiter les achats et ventes de huit valeurs sélectionnées parmi les plus cotées. La Bourse de Tokyo existe depuis mai 1878. Au début du deuxième conflit mondial, le gouvernement militaire remplaça l'organisation privée par un organisme semi-public. À la fin de la guerre, la liquidation des énormes concentrations industrielles et financières, appelées *zaibatsu*, amena la dissolution de cet organisme qui n'a repris ses activités, dans leur forme actuelle, qu'en mai 1949. Il existe au Japon une dizaine de bourses, mais 95 p. 100 du volume des échanges sont assurés par celles de Tokyo et d'Osaka. Leur rôle n'est cependant pas primordial dans le financement des entreprises qui ne font appel au marché financier que pour moins de 10 p. 100 de leurs besoins. Le marché boursier est donc marginal, bien que très important en volume, puisque Tokyo occupe la troisième position dans le monde, ses transactions journalières la plaçant juste après New York et Londres et bien avant Paris.

Japon de jour, Japon de nuit

Le choix capitaliste du Japon est un choix d'efficacité. Qu'il s'agisse d'un milieu professionnel comme celui de la télévision, du monde des grandes entreprises ou des manifestations concrètes et collectives du peuple japonais, on est frappé par la précision des systèmes et par l'insertion des hommes dans ces mécaniques fonctionnelles, qui sont l'armature du corps social. Mais les soubresauts qui agitent les hommes et les rouages sont de plus en plus perceptibles, ressuscitant de vieux démons en forme de défi, ou créant de nouveaux problèmes. Le comportement du Japon moderne dans l'entreprise, la famille, l'université, la religion traditionnelle, le style de vie ancestral est un comportement d'évasion. Cette rencontre du Japon de jour occidentalisé fait éclater en contrepoint une rupture totale avec le monde occidental par les formes que prend cette évasion dans le travail, le

121

tourisme ou les loisirs. La grande entreprise se cloisonne, la grande famille rurale se scinde, détruisant le village traditionnel, les systèmes d'éducation s'écroulent, les religions fondamentales doivent souvent céder le pas à des sectes, de nouvelles féodalités apparaissent, tandis que s'efface peu à peu la société paternaliste ; pourtant, la réaction de retour aux sources défiée par le courant révolutionnaire parvient à sauvegarder et à maintenir l'essentiel. Le Japon a ainsi trouvé un compromis. On peut se demander, en faisant la dichotomie classique du *Japon de jour Japon de nuit*, si les Japonais ont inventé le Japon de nuit comme un refuge de leur tradition et de leur liberté de choix culturel, ou s'ils ont inventé le Japon de jour comme un moyen commode de recevoir les bénéfices du progrès sans se dépersonnaliser.

Avant-goût du Japon by night

La nuit commence au Japon dès la sortie du bureau, aux alentours de dix-huit heures trente, parfois même avant. Les hommes ne rentrent pas tout de suite chez eux. L'épouse, intendant du ménage, leur a remis le matin avant le départ au travail une petite somme d'argent de poche.

M. Watanabe après ses heures de bureau

Watanabe Satoshi est un modeste fonctionnaire de l'agence du Plan. Il collationne les statistiques concernant l'éducation. Son travail est aride, mais il a une façon de le concevoir qui lui permet de s'évader quelque peu. Il a la possibilité de téléphoner longuement sans se faire remarquer. Aussi, il ne s'en prive pas. A dix-huit heures, il a terminé sa journée. Il ouvre son portefeuille ; sa femme, ce matin, lui a remis mille yen. Il s'aperçoit que le billet est intact. D'habitude il achète un paquet de cigarettes Peace, mais comme aujourd'hui il n'a fumé que les trois cigarettes qui restaient dans son paquet de la veille, il n'a donc pas éprouvé le besoin de descendre dans le hall du ministère chercher un autre paquet au distributeur automatique. Il est lui-même étonné d'avoir si peu fumé.

« Tiens ! se dit-il, j'ai dû être très occupé aujourd'hui... Il faudra que j'essaie de ne plus fumer. » Il va chercher sa veste dans son armoire métallique personnelle. Tout est rangé sur le bureau, rien ne traîne. Il quitte le ministère en marmonnant : « Sayonara, ni premier, ni dernier... » Son chef de service, à l'autre bout de la pièce, fait semblant d'être absorbé dans un document. Puis Watanabe se laisse porter par la foule. Il se dirige, dans le dédale des ruelles dont les enseignes lumineuses font la gaieté, vers un petit bistrot comme il y a en des milliers à Tokyo. Il faut descendre en sous-sol par un escalier étroit et on débouche dans le *sakura*, il faudrait dire le petit *sakura*, un bar devant lequel sont posés six tabourets. Les sièges perchoirs sont déjà occupés. Watanabe se fait une petite place dans un coin. Le zinc ne peut pas accueillir plus de douze personnes, et encore si chacun accepte de se serrer. Watanabe est un habitué. La patronne lui sert d'office un double suntory avec de la glace. Hiroko, la serveuse préférée de Watanabe, est occupée à servir un autre client. Dès qu'elle a terminé, elle vient s'asseoir en face de Watanabe.

« ... Ta journée s'est bien passée ?

— Comme d'habitude. J'ai beaucoup de travail.

— Satoshi-San est un fonctionnaire très important, dit Hiroko en s'adressant à sa patronne. Il va avoir bientôt son deuxième échelon, n'est-ce pas Satoshi-San ! Watanabe, acquiesce. Hiroko part d'un rire sonore en s'éloignant pour servir un client, puis revient :

— Tu as mis une nouvelle cravate, Ne ?

— C'est un cadeau de ma femme...

— Elle a bon goût mais elle a tort parce que tu vas maintenant séduire les jeunes filles...

— Si tu acceptes d'être séduite, cela se pourrait bien.

— Pourquoi pas, mais attention j'aime les hommes minces, alors tu as quelques kilos à perdre. Tu fais du sport ?

— Un peu de footing le dimanche matin. Nous allons au bord de la Tamagawa avec des copains pour taper dans un ballon.

— Si tu m'emmenais avec toi, un dimanche ?

— Pourquoi pas ?... »

Le même dialogue se renouvelle chaque jour, fait de plaisanteries, d'agaceries verbales, d'allusions à une possible rencontre hors du bar, mais depuis maintenant deux ans que Watanabe Satoshi fréquente le *Sakura*, à Shinjuku, il n'a encore jamais donné de rendez-vous à Hiroko. Watanabe regarde sa montre : « Déjà dix-neuf heures... » Il remonte l'escalier vers la surface et reprend son métro pour rentrer chez lui.

Les incongruités du « Nichigeki »

La vie nocturne se poursuit. On se présente dans les restaurants japonais de dix-huit heures trente à dix-neuf heures. La soirée débute ainsi très tôt, les boîtes de nuit accueillent leurs premiers clients dès vingt heures. Les spectacles de music-hall donnent leur dernière représentation à vingt heures trente. Le *Nichigeki* est une énorme bâtisse ronde du centre du quartier de Ginza qui abrite des cinémas, une scène pour ballets et spectacles de music-hall bâtie au septième étage. Dans les années 60 on donnait dans ce music-hall des spectacles désopilants et satiriques, qui faisaient rire jaune toute la colonie occidentale. Les sketches traitaient de la vie sexuelle des religieuses ou de celle de la reine d'Angleterre. Les chrétiens et les bouddhistes y étaient autant égratignés que le féminisme ou l'homosexualité. Le théâtre *Nichigeki* était loin de se douter qu'il allait être l'occasion d'une véritable tempête diplomatique. Lorsque l'ambassadeur de Grande-Bretagne entendit le rapport de son premier secrétaire, il n'en crut pas ses oreilles...

« Vous dites que le prince Philip et la reine Elisabeth font l'amour dans leur chambre de Buckingham reconstituée sur la scène du *Nichigeki*...

— Oui, monsieur. Je dois même ajouter que le prince Philip ressemble à s'y méprendre au prince Philip et la reine Elisabeth à la reine Elisabeth.

— Et ce sont des Japonais qui jouent les rôles ?

— Oui, monsieur !

— Impossible !

— Que voulez-vous dire ?

— Qu'il est impossible qu'un couple japonais puisse ressembler à s'y méprendre à la reine et au prince.

— C'est pourtant la vérité.

— Retenez-moi deux places au *Nichigeki*, ce soir. »

C'est ainsi que son Excellence l'ambassadeur de Grande-Bretagne alla se rendre compte *de visu* de l'outrage fait à la reine. Dès le lendemain, il écrivait une note de protestation au Gaïmusho (ministère des Affaires étrangères). On lui répondit très vite : Le ministre avait fait part de l'émoi de M. l'ambassadeur et de la colonie britannique à Tokyo à son collègue de l'Intérieur. Malheureusement, la législation ne permettait pas d'intervenir, mais on avait tout lieu de penser que les organisateurs seraient navrés d'apprendre qu'ils choquaient leurs amis et clients britanniques. Tout rentrerait bientôt dans l'ordre. Le sketch fut retiré du spectacle quelques jours après. Selon les milieux bien informés, comme on dit dans la presse, ce retrait aurait été effectué de très bonne grâce en échange d'espèces sonnantes.

Tokyo noctambule

Si le Nichigeki ne peut pas ne pas être vu, étant donné sa situation centrale, la vie nocturne se concentre tout autour, dans de nombreux bars. Mais les Japonais aiment le style « Lido » grand spectacle et dans ce genre, aucune boîte ne peut rivaliser avec les établissements d'Akasaka, à moins de cinq minutes en voiture de la Ginza. Encore un quartier situé dans le périmètre de ce Japon clinquant que l'on montre aux étrangers. C'est là que Coccinelle et ses travestis français en rupture de contrat trouvèrent sur les trottoirs une clientèle suffisante pendant une semaine, pour regagner le prix de leur billet d'avion pour Paris. Le *New Latin Quarter* ou le *Copacabana* servent à dîner à 800 ou 1 000 personnes, mettant à la disposition de leur clientèle une compagne prévenante et quelquefois « osée » qui permet aux consommateurs d'apprécier le *night show*. Dans le genre grandiose et futuriste, on ne fait pas mieux que le *Queen Bee*. Dès votre arrivée, vous choisissez le profil de femme que vous aimez, en sélectionnant un modèle incarnant les qualités physiques et intellectuelles de votre femme idéale. Votre choix est immédiatement soumis à un ordinateur, qui à son tour désigne parmi les mille hôtesses du club celle dont le profil correspond à vos désirs exprimés (et parfois inavoués). Il ne vous reste plus qu'à attendre à la table que vous avez réservée un coup de téléphone de l'élue électronique. Elle appelle votre poste, s'annonce, puis apparaît quelques secondes après. Là... vous vous apercevez bien vite que les choix esthétiques d'un ordinateur ne recoupent pas forcément les vôtres, la machine ayant un fâcheux penchant à sous-estimer les qualités physiques, au bénéfice des qualités d'intelligence et d'à-propos.

Dans les rues adjacentes de la grande avenue, de nombreuses maisons de geishas servent, derrière leurs cloisons de papier, une société raffinée. Si vous arrivez à l'heure propice, vous pourrez voir les pousse-pousse, tirés comme autrefois par un homme, s'immobiliser devant le restaurant. Dans la pénombre de la nuit tombante, la geisha, étincelante dans son kimono brodé, coiffée haut avec ses peignes en demi-cerceau, le chignon relevé pour découvrir dans l'entrebâillement du col du kimono une nuque poudrée en pointe, sortira de sa cage avec précaution et pénétrera dans le jardinet devant la maison en sautillant de pierre en pierre. La porte coulissante glissera pour la laisser entrer. Dans la même rue, un peu plus loin, la discothèque, le Byblos, le Mugen, ou plus haut à *Roppongi*, Chez Castel ouvriront aux Japonais les portes d'une atmosphère délicieusement mixte de frottements entre races, entre sexes, entre nations du globe. On jouit là de l'ambiguïté de se croire à Paris ou à New York. Mais la réalité, dès que l'on ressort dans la rue, rappelle que l'on est à Tokyo. Il faut parfois aller plus loin pour découvrir les Japonais. Au coin de Roppongi, on croise tout à coup un petit étalage ambulant éclairé par une lampe à carbure, où l'on peut manger l'*o'Soba* ou l'*udon* (soupes avec des nouilles), et, près de la Ginza, on se heurte dans l'obscurité des trottoirs à de toutes petites tables sur tréteaux, elles aussi éclairées par une lampe à carbure. Des hommes, des femmes, des jeunes, des vieux s'arrêtent, déboursent quelque menue monnaie et se font remettre en échange leur horoscope, parfois consultent le voyant ou la voyante. Les diseurs de bonne aventure sont nombreux à Akasaka le long de la rue bordée de boutiques, au fond de laquelle le promeneur découvre le temple consacré à la déesse Kannon. Les visiteurs ne manquent pas d'aller s'y purifier avec la fumée d'encens dont les bâtonnets sont piqués dans un *kibachi* (chaudron suspendu). Le temple est littéralement entouré par des établissements vendeurs de sexe : strip-tease, cinémas érotiques, bains turcs spéciaux, tandis que les rues sont fréquentées par des groupes de jeunes à moto, des touristes, des Japonais en quête d'aventures ou des curieux. Le pittoresque ne cache pas tout un petit peuple d'artisans, de boutiquiers, de métiers bizarres ou peu courants.

Shinjuku : jour et nuit

Situé à l'autre bout de Tokyo, Shinjuku ne manque pas non plus de ce pittoresque qui est l'apanage de ces quartiers, dès que la nuit est tombée et que les lanternes ont fait leur apparition. Shinjuku incarne parfaitement cette dichotomie du jour et de la nuit. Une partie de Shinjuku, construite depuis à peine dix ans, représente le Japon de jour, tandis que ses vieilles ruelles de l'autre côté de la voie de chemin de fer ne trouvent leur personnalité que la nuit. Côté jour, une immense place en forme de bateau, bordée d'immeubles abritant de grands magasins, est un exemple réussi d'architecture moderne. Les immeubles ne dépassent pas dix étages en surface, mais ils se prolongent sous la terre où grouille une autre ville, avec ses rues, ses garages, ses boutiques, cales d'un navire en escale que l'on charge et décharge sans fin. L'illusion du bateau est complétée par deux cheminées placées au centre de la place, contribuant à son harmonie et à l'aération de la ville souterraine. Le Japonais va, vient, court, pressé, sort du métro, s'y engouffre en masses anonymes contrastant avec l'autre côté, celui de la nuit, l'un se vidant dans l'autre et l'autre semblant se vider dans l'un, selon les heures, vases communiquants de la nuit et du jour, du traditionnel et du moderne, du loisir et du travail, de la flânerie et de l'efficacité.

C'est à Shinjuku qu'ont pris naissance certains spectacles d'avant-garde qui firent la renommée d'auteurs comme Terayama : c'est là, également, que des écrivains consacrés, tel Mishima Yukio, ont présenté leurs audaces, comme *Madame de Sade*, créée plus tard à Paris. Dans les petits théâtres en sous-sol, tout était permis. Un diplomate fort connu demande à son chauffeur japonais de réserver deux places pour l'ambassade de... Il ne donne pas son nom mais le chauffeur zélé, croyant bien faire, demande les places au nom de M. l'ambassadeur. La direction du petit théâtre est en émoi. Le directeur et les ouvreuses, derrière lui, alignées sur le trottoir, attendent à l'heure du spectacle la limousine de l'ambassade. La voici. Le chauffeur ouvre la portière et tout le monde s'incline jusqu'à terre, tandis que le directeur, rouge de confusion, exprime combien il ressent l'honneur qui est fait à son établissement. Les acteurs vont se surpasser. Puis le directeur, suivi des ouvreuses qui encadrent le couple officiel, fait lever deux Japonais assis au premier rang, et y installe à leur place ses invités de marque. La salle est silencieuse. Le diplomate, plein de sang-froid, accepte la situation avec philosophie. Il n'est pas l'ambassadeur et on le prend pour l'ambassadeur, rien de tragique, il lui arrive souvent de représenter l'ambassadeur. Mais dès le premier tableau il se rend compte de l'incongruité de sa position. Deux bonnes sœurs, avec pour seul vêtement leur cornette, dansent sur des croix, et qui plus est se mêlent aux spectateurs pour exécuter leurs figures. L'une d'elles vient ainsi tout naturellement s'asseoir sur les genoux du diplomate. C'est trop... Il ne lui reste qu'à filer dans l'ombre propice d'une scène peu éclairée.

C'est dans les cinémas de Shinjuku que l'on découvre les premières œuvres de Oshima Nagisa dont *Le Journal d'un voleur*, de Shinjuku Oshima, à l'instar d'autres jeunes réalisateurs, n'hésite pas à aller jusqu'au bout du réalisme. Le film tourné à Shinjuku, en 1968, comporte dans sa version japonaise des plans insoutenables pour une sensibilité occidentale, soit par leur violence, soit par leur vulgarité. On y voit ainsi la caméra se promener entre les cuisses d'une femme et la montrer en train d'uriner. Des cinéastes occidentaux comme Pasolini iront aussi loin, peut-être plus. A Shinjuku comme à Shibuya, les cinémas éro-tiques attirent déjà dans les années 60 une clientèle de plus en plus nombreuse. En face, Katchoutcha, dans un décor rustique de vieilles poutres entrelacées et de plates-formes à des niveaux différents, sembla-bles à autant de greniers de ferme, réunit chaque soir les jeunes lycéens et lycéennes de quatorze à vingt ans. Pour une somme modique de quelques dizaines de yen, on a droit à un jus d'orange. On peut emprunter un petit livre qui rassemble musique et paroles de chansons folkloriques du monde entier traduites en Japonais, ou parfois imprimées en version originale. Un orchestre donne le signal, en indiquant la page de la chanson qui va être jouée ; la clientèle d'écolières boutonneuses et d'écoliers rougissants se transforme en une chorale appliquée et studieuse. On l'entend de la rue sans qu'elle parvienne à couvrir le bruit presque cristallin des billes de *Pachinko*... Il y en a dans toutes les rues. Sur le principe des machines à sous, on fait tomber des billes qui parcourent un circuit dans une grille verticale, pénétrant avec leur bruit caractéristique dans des trous de valeur diverse. De temps en temps la « cagnotte » descend. On peut alors échanger son gain contre des tablettes de chocolat ou de petites inutilités sans valeur. Le Pachinko n'est pas cher, mais de nombreux joueurs impénitents sont capables d'y passer plusieurs heures par jour, et d'y perdre une partie de leur modeste salaire.

Yukiko de Kagoshima

La nuit, les Japonais connaissent une sorte de défoulement contrôlé. Nous étions arrivés avec un confrère parisien dans la petite ville du sud du *Kyushyu, Kagoshima*. Un taxi nous conduisit au centre de la ville, dans le quartier des bars et des restaurants.

« Si on essayait celui-ci ?... »

Nous ne risquions rien : c'était une classique maison du steak comme il y en a tant au Japon depuis que les Japonais se nourrissent de viande. Installés à notre comptoir, le cuisinier découpait le steak cru pour le faire griller devant nous avec des pousses de soja, lorsqu'une jeune Japonaise s'approcha et, dans un anglais hésitant, nous demanda :

« Where are you from ? (D'où êtes-vous ?)

— De France. »

Elle appela aussitôt une de ses amies et nous fûmes bientôt très joliment encadrés.

« Que faites-vous maintenant ? » dit la jeune fille tout à fait délurée et pleine d'assurance qui nous avait abordés. Nous n'avions pas d'autre choix que de les suivre. Elles hélèrent un taxi. Rien n'est plus excitant que de se laisser conduire dans une ville inconnue à l'autre bout du monde vers une destination mystérieuse, en galante compagnie. D'autant plus que ces demoiselles n'avaient pas froid aux yeux. Elles faisaient en japonais des réflexions pour le moins équivoques sur nos anatomies respectives, riant aux éclats sans pudeur, lorsque le taxi s'arrêta devant un cabaret dont l'enseigne était faite de trois idéogrammes incompréhensibles pour nous :

« Mon frère est le chef de l'orchestre de jazz de ce cabaret, dit-elle. Je vais vous le présenter. »

On nous introduisit, par les coulisses, sur la scène. La clientèle consommait au bar ou à table, des couples dansaient sur une piste assez petite pour favoriser les intimités. Le chef d'orchestre était aussi le saxophoniste. Yukiko, notre nouvelle amie, lui fit un signe. Il s'arrêta de jouer. Elle lui expliqua brièvement quelque chose. En moins de trois minutes, une table au bord de la piste était évacuée et place nous était faite. Nous avons ainsi dansé jusqu'à une heure avancée de la nuit, le cabaret ne fermant qu'à deux heures grâce à une licence spéciale. Yukiko et mon camarade parisien semblaient s'entendre à merveille. Il lui proposa de la raccompagner. Dans le taxi qui les ramenait, ils sympathisèrent de plus en plus, cela dura près de quarante-cinq minutes. Enfin, on était arrivé. Yukiko, qui s'était un peu laissée aller, arrangea sa robe et sa coiffure, descendit calmement du taxi, adressa quelques mots au chauffeur, prit la main de son « petit Français ». Celui-ci crut son heure (de bonheur japonais) arrivée. Yukiko frappa deux coups à la porte d'un garage et, après avoir embrassé passionnément celui qui se croyait déjà son amant, disparut mystérieusement, la porte du garage se refermant sur elle avant que mon confrère eût le temps de réagir. Nous partions le lendemain après-midi. Vers seize heures, à l'aéroport, nous fûmes surpris de voir arriver Yukiko. Son frère saxophoniste et son amie l'accompagnaient. Ils étaient venus nous dire au revoir et nous laissèrent leurs adresses...

Fuite en avant

Ce premier dimanche d'octobre 1964 ne fut pas comme les autres. Le stade olympique de Tokyo avait fait le plein, ou presque, de ses 80 000 places assises. A vrai dire, s'il n'était pas tout à fait garni et si des sièges restaient vides çà et là, c'est qu'on attendait beaucoup plus d'étrangers et qu'on leur avait réservé des sièges supplémentaires. En tassant un peu le public, peut-être aurait-on pu caser plus de 100 000 spectateurs. A la tribune officielle, l'empereur Hiro-Hito, l'impératrice et le prince héritier viennent de faire leur entrée. Le *Kimigayo* fait alors entendre sa mélodie lancinante pour annoncer le jeune Sakai-Yoshinori, porteur de la flamme, qui pénètre dans le stade. Il en fait le tour puis avec légèreté grimpe l'escalier qui mène à la vasque dépositaire de la flamme sacrée. Sakai est né à Hiroshima en août 1945 et les Japonais l'ont choisi comme symbole du nouveau Japon. Les télévisions crachent leurs images dans un monde indifférent qui attend seulement la compétition sportive. Mais, lorsque la délégation des athlètes japonais entre dans le stade et qu'aux applaudissements succède le délire de la foule, on comprend que quelque chose vient de se passer. Un nouveau Japon a-t-il pris le départ de la compétition de la croissance ou un vieux Japon est-il en train de tirer de cette manifestation internationale, retransmise dans tous les pays du monde par la radio, la télévision et les journaux, l'orgueil d'une revanche ? Pour beaucoup de Japonais, ce jour marqua sans doute la fin de l'humiliation. Quant aux étrangers présents à Tokyo ce jour-là, ils prirent surtout conscience de l'existence d'une volonté nationale dont personne ne pouvait, avec certitude, définir l'objectif. Quelques semaines plus tard, le même stade réunissait encore plus de monde sous l'égide de la *sokkagakai*, l'une des nouvelles religions les plus importantes du Japon. La jeunesse, l'enthousiasme, la discipline et la cohésion de ce rassemblement n'étaient pas sans rappeler un certain état d'esprit japonais qui, dans le passé, avait été responsable de la plus terrible des catastrophes. Le Japon allait-il de nouveau s'abandonner à ses vieux démons ?

Comme la plupart des observateurs étrangers à Tokyo, je me suis posé la question, et je butais sur un étrange paradoxe qui montre bien les *a priori* de l'Occident. Tout refus par le Japon de s'intégrer dans le processus de croissance engagé par l'Occident industrialisé pouvait être interprété comme un retour à l'isolationnisme militariste des mauvais jours. Or, l'adhésion enthousiaste du Japon à ce processus allait apparaître comme l'élément destructeur d'un système de valeurs garant de la loyauté d'un Japon partenaire.

Celui-ci fit plutôt bonne figure, six ans plus tard, lorsque l'empereur proclama l'ouverture de l'Exposition universelle d'Osaka, au début d'avril 1970. Pas un bouton de guêtre ne manquait. Quelques pavillons étrangers eurent l'insigne honneur de recevoir la visite de Sa Majesté, à commencer par le pavillon des Etats-Unis (comment aurait-il pu en être autrement...) avec le fameux « LEM », de retour de la lune, et une exposition de photographies où la superbe modestie des services officiels U.S. présentait, en contraste avec le « LEM », une Amérique moyenne avec ses petits Blancs pauvres et ses Noirs délaissés, ses maisons ordinaires et ses populations livrées au travail, au chômage, aux graves problèmes des nations industrialisées. Sa Majesté visita l'U.R.S.S. ou plutôt le G.O.U.M., ce grand magasin du centre de Moscou, amené avec son bric-à-brac rassemblé autour de la capsule spatiale soviétique, avec ses vendeuses aux seins généreux et ses blonds représentants aux yeux profonds, munis ou non d'une carte du K.G.B. Sa Majesté s'arrêta en République fédérale dont le stand transformé en auditorium abritait Stockhausen, jouait Stockhausen, montrait Stockhausen. La technique fut parfaite et Sa Majesté daigna écouter avec politesse mais, dit-on, peu ouverte à ce genre de musique. Sa Majesté avait encore un petit quart d'heure pour faire un détour par le pavillon voisin, celui de la France, dont la structure gonflable, orgueil de nos architectes, avait dû subir la honte d'une armature rigide pour résister aux vents d'Osaka. On savait que l'escalier mécanique, conduisant dans l'obscurité aux merveilles de notre technologie, pouvait être une épreuve redoutable pour le couple impérial. Aussi l'escalier avait-il été passé à la loupe, et son mécanisme soigneusement ausculté. Rien n'avait été laissé au hasard sauf, toujours dans cette démoniaque obscurité, un coin de tapis en haut de l'escalier qui n'adhérait pas tout à fait au plancher. Ce détail avait même échappé à la sécurité impériale. Mais, grâce soit rendue à Dieu, Sa Majesté leva le pied au bon moment, tandis que l'impératrice passait à côté. La victime désignée, et ça n'était que justice, fut le grand Chambellan.

« Oh ! ça n'est que lui, Dieu merci ! » La Maison impériale se promit ce jour-là de ne jamais plus faire visiter à leurs Majestés des endroits obscurs. Quant à la France, le coup passa bien près et le ministre Louis de Guiringaud, alors ambassadeur de France, sut garder son calme, tandis que René Sanson, commissaire général de la France, n'eut pas du tout l'idée de se faire hara-kiri.

M. Watanabe et la technologie

Les Japonais ont parcouru l'Exposition universelle en allant d'émerveillement en étonnement, à la découverte du monde de demain. Une grande banque japonaise proposait de révolutionner les opérations bancaires quotidiennes en supprimant les formalités de carnets de chèques et de signature, et en simplifiant les procédures d'accueil. Désormais, plus de guichetier. M. Watanabe Takahashi se présente devant ce qui a encore la forme d'un guichet. Mais il n'y a personne derrière la vitre à l'épreuve des balles. M. Watanabe Takahashi se sent bien seul. Il regarde autour de lui. Devant d'autres guichets, d'autres Watanabe sont arrivés comme lui pour retirer une somme d'argent de leur compte courant. Derrière lui, d'autres Watanabe attendent aussi leur tour. M. Watanabe Takahashi a l'habitude de présenter son chèque signé. On ne lui demande jamais son identité : ou il paie avec une carte de crédit, ou il retire de l'argent dans la petite succursale de son quartier où il est parfaitement connu. Les Japonais n'ont d'ailleurs aucune pièce d'identité, si ce n'est leur permis de conduire ou leur passeport s'il y a lieu. M. Watanabe suit les instructions.

« Annoncez votre nom et votre prénom à haute et intelligible voix :

— WATANABE Takahashi.

— Annoncez le numéro de votre compte :

— 650.778 WA-01.

— Annoncez la somme demandée.

— Cent mille yen. »

M. Watanabe Takahashi n'a plus qu'à attendre. Dans les trois minutes qui suivent, une liasse de dix billets de dix mille yen arrive à sa portée... L'ordinateur a identifié en un temps record la voix de M. Watanabe, son numéro de compte et vérifié sa solvabilité. L'ordinateur ne peut pas se tromper, car j'ai essayé de faire comme M. Watanabe en indiquant son numéro de compte et la même somme que lui, mais rien n'est venu.

M. Watanabe Takahashi n'est pas au bout de ses surprises. Il découvre chez Matsushita un appareil de transmission télévisée instantanée, permettant de recevoir son journal à domicile. Par le trottoir roulant sous bulle plastifiée à air conditionné, M. Watanabe va d'un pavillon à l'autre voir se fabriquer le monde qui sera le sien demain. Il y est déjà acquis, le modernisme ne lui fait pas peur ; son seul souci est de se demander s'il gagnera suffisamment d'argent pour ne manquer de rien.

En 1970, avant la crise, le Japon paraissait condamné à la fuite en avant à bord d'une fusée dont le siège, tourné vers l'arrière, ne permet pas de voir ce que l'on vient de quitter, mais de porter au loin son regard sur ce qui apparaît là-bas, dans le passé, comme un anachronisme. M. Watanabe Takahashi a alors un petit pincement de cœur. Il se pose des questions sur le temps et se prend à rêver de l'un de ces trous noirs au-delà de notre univers, où le temps et l'espace ont échangé leurs propriétés. Projeté dans les planètes les plus éloignées, d'un autre système que le système solaire, M. Watanabe aperçoit clairement ce Japon d'autrefois qui le tient par tous les sens. Tout s'y harmonise tellement mieux, à l'inverse de cette tentation du chaos contre laquelle il lutte chaque jour.

Vélo-écologie

Parfois, M. Watanabe réagit. Il a vu, peu à peu, son pouvoir d'achat atteindre le niveau de celui des citoyens de la République fédérale allemande. Il aura bientôt épuisé toutes les joies de la cuisine suréquipée ; il a pu s'offrir une voiture que sa femme conduit sans complexe dans Tokyo, pour aller faire ses courses et rendre visite, l'après-midi, à ses amies. Il y a dix ans qu'il vit comme le citoyen d'un pays riche ; il en est fier. M. Watanabe garde cependant quelques nostalgies. Un jour, au nom de sa santé et de celle de sa femme, il a décidé de donner l'exemple d'une vie écologique. Il a choisi les week-ends « vélo », comme des centaines de milliers de ses compatriotes. Il contribue ainsi à créer une saine émulation autour du slogan : « Mieux que les Hollandais. » Nombreux sont en effet les Japonais qui croient qu'ils vont exorciser les démons de la pollution des tuyaux d'échappement en enfourchant les deux roues. Mais au lieu d'occuper la chaussée, les voici maîtres du trottoir, bousculant parfois les piétons, car là où les autorités n'ont pas eu la possibilité de créer des pistes cyclables, les cyclistes se sont appropriés les passages piétons. Encore un rapport de force ! Les voitures sont restées maîtresses de la rue. Ce sont les piétons qui font donc les frais de la vague écologique. Ah ! quelle joie d'emprunter les contre-allées du parc Meiji, de remonter l'avenue d'*Ha-*

rajuku, en se donnant l'illusion de fournir un effort salutaire, bénéfique aux muscles et aux poumons. Le Japonais qui a commencé à goûter aux joies de la bicyclette. A cent cinquante kilomètres de Tokyo, dans Soucieux de l'ordre public et de la nécessaire canalisation de cette nouvelle mode, quelques esprits astucieux ont entrepris de créer le Centre du sport à bicyclette. A cent cinquante kilomètres de Tokyo, dans les collines vallonnées de la péninsule d'*Izu*, un tracé de voies à travers champs et forêts, dans un site incomparable permettant de jouir de la vue du Pacifique, constitue le royaume exclusif du vélo. Des groupes de cyclotouristes s'y rendent chaque dimanche par bandes de dix à quinze machines, leur *O'Bento* dans la sacoche. Mais la plupart s'y rendent, en une heure et demie environ, par le train. Sur place, on acquitte son droit d'entrée et on se rend aussitôt au magasin de location. On peut choisir entre trois tailles et trois modèles de bicyclette. La location comprend le casque et les chaussures. Lorsqu'on vient pour la première fois, il vaut mieux se mettre au départ, sur la piste des débutants, et prendre une leçon, ou tout au moins écouter quelques conseils. La tour de contrôle, semblable à celle de n'importe quel aéroport, voit tout et entend tout. Elle domine la situation et il ne faut pas s'étonner si, tout à coup, on entend une injonction péremptoire, autant que la langue japonaise le permette : « Attention, roulez à gauche ! » La tour est munie d'un contrôle vidéo lui permettant de surveiller l'ensemble d'un circuit de cinq kilomètres. Les conseils sont donnés... Voici un groupe de débutants qui vient de prendre le départ... Pour les encourager, les haut-parleurs diffusent la Chanson de la bicyclette :

> *Dès l'aube, sans bruit,*
> *nous partons sur la route blanche,*
> *nous pédalons, nous volons,*
> *Ah ! quel plaisir de faire du vélo !...*

On va au centre, en famille, entre amis ou dans le

cadre d'une sortie organisée par l'entreprise. On y vient pour faire plaisir à sa femme, pour la faire maigrir, pour s'oxygéner, bref pour pédaler. Dans le cadre de ce complexe sportif unique au monde se trouve implantée l'université du vélo, autre institution qui n'a pas d'équivalent, dont la finalité est de former des professionnels. Alignés dans un gymnase immense dont les baies vitrées ouvrent sur la verdure, deux cents vélos à pignon fixe sont chevauchés par deux cents élèves, qui, chaque jour, pendant trois ans, se forment à la vitesse et à l'endurance. Au coup de sifflet, chacun fournit l'effort maximum. Les diplômés seront embauchés, après leurs trois années d'études, par les clubs professionnels municipaux. On compte ainsi au Japon 4 000 professionnels de la bicyclette, qui se produisent sur une cinquantaine de vélodromes municipaux.

En sortant du centre, j'aperçois une piste fort encombrée. Enfants et parents s'amusent avec des vélos-gadgets : ici, on propulse la bicyclette en faisant comprimer l'air dans le cadre, par une pression des fesses sur la selle, que l'on enfonce et qu'on laisse alternativement remonter ; là, on fait de l'équilibre avec un vélo à une roue, etc.

Ah ! quel plaisir de faire du vélo ! C'est la nouvelle mode écologique du Japon.

DUALITÉS

LES MYTHES ET LE REEL

Les temps forts de l'histoire

LES temps forts de l'histoire du Japon se retrouvent toujours au point de rencontre de la représentation que les Japonais se font d'eux-mêmes et du réel dont ils sont conscients. L'histoire a donc façonné un peuple pour qui la réalité se situe toujours à la limite du réel et qui mêle constamment le mythe à son histoire, se référant tantôt à l'un, tantôt à l'autre. Le Japon n'a accepté de rentrer en contact avec le monde extérieur qu'en 1868, si l'on excepte la période comprise entre les années 1549, date de l'arrivée dans le *Kyushyu* de saint François Xavier, et 1638, date de l'expulsion des missionnaires et des marchands blancs sans distinction.

Après une expérience d'ouverture sur le monde d'un siècle à peine, devant les assauts du monde extérieur, les brassages, les échanges, la rapidité croissante des mutations, les Japonais voient leur identité culturelle et l'avenir du modèle de société qui leur appartient sérieusement menacés. Ils se posent donc des questions même si, par comparaison avec d'autres nations comme la Chine ou les pays européens, ils ont mieux assumé une certaine continuité de leur histoire. De fait, les Japonais ne manifestent qu'un intérêt limité pour l'histoire en tant que science rigoureuse des faits, car elle a été trop souvent confondue avec la légende par les historiens eux-mêmes. La séparation du mythe et du réel n'est opérée qu'à partir du VIᵉ siècle. En deçà, on trouve l'univers mythique d'un Japon, qui, au moment de sa naissance, sept siècles avant notre ère, était plongé dans les Ténèbres, par suite du dépit d'*Amaterasu,* déesse du soleil. Pour échapper aux sarcasmes et aux railleries de son frère, Amaterasu s'est retirée dans une grotte. Grâce à un complot des dieux, la déesse est finalement attirée hors de la grotte sacrée par un objet qu'on lui fait miroiter comme une divinité supérieure à la sienne : un miroir. Etant sortie au grand jour, elle ne peut plus retourner dans sa retraite car une corde de riz, subrepticement placée derrière elle, l'empêche d'y rentrer. La lumière du soleil éclaire, depuis ce jour, les îles du Soleil-Levant. Deux recueils d'annales, le *Kojiki* dont on fait remonter l'origine à 712 avant J.-C., et le *Nihonshoki* (720 avant J.-C.), sont considérés par les Japonais comme les premiers documents de leur histoire. En réalité, la copie la plus ancienne du *Kojiki,* conservée dans la province de *Saïtama,* au temple de *Shin Fukuji,* date de 1371. Cette confusion instinctivement entretenue au cours des siècles a permis d'accréditer l'idée de l'Empereur-Dieu et de faire remonter à la divinité les origines de l'institution impériale. Mais les Japonais le croient-ils vraiment ? L'ont-ils jamais cru ? A ce propos se manifeste une ambiguïté qui sera présente tout au long de cet ouvrage, parce qu'on ne peut l'éviter si on souhaite rester objectif en parlant du Japon. Comment concilier, par exemple, que les Japonais aient pu considérer, jusqu'à une époque récente (la défaite de 1945), l'empereur comme un Dieu et l'aient révéré comme tel, lorsqu'on constate que le mot Dieu n'existe pas dans la langue japonaise, sauf sous la dénomination de *kami,* qui signifie divinité et s'applique aussi bien aux dieux de la mythologie qu'aux génies animaux comme le renard, ou même minéraux. Le *Kojiki,* formé de quarante-huit volumes divisés en trois parties, traite dans la première partie du Jindai ou dynastie des dieux que les Japonais appellent époque mythologique se terminant en 660 avant J.-C. avec l'avènement du premier empereur du Japon : Jimmu. Ce jour-là, selon les annales, correspondrait au 11 février, une date dont les militaires au pouvoir avant et pendant le deuxième conflit mondial firent un symbole du nationalisme nippon. Abandonnée en 1945, cette date a fait l'objet d'un débat important en 1966, lorsque le gouvernement Sato décida de la rétablir comme fête nationale chômée. Le 11 février reste une fête nationale discrètement fêtée, la grande fête nationale tombant le 29 avril, jour anniversaire de la naissance de l'actuel empereur.

La complexité du calendrier japonais, basé sur les époques correspondant au règne des empereurs, ne permet de déterminer aucune date précise. Les Japonais font donc remonter la filiation impériale à *Jimmu*, premier nom que les historiens japonais classent dans la période historique et non plus mythologique. Jimmu est un nom posthume. L'empereur s'appelait en réalité Kamu-Yamato-Iware-Hiko. Il vivait dans l'île méridionale, le *Kyushu*. Ayant entendu parler de rébellion dans le Japon central, il leva avec son frère une armée, traversa la mer intérieure et arriva à Osaka, à cette époque *Naniwa*. Il débarqua ainsi sur l'île principale de *Honshu* et se dirigea vers la province de *Yamato* où il vint à bout de la résistance d'un potentat local. Le prince Iware-Hiko (Jimmu) s'établit alors à *Kashiwara* où il organisa un gouvernement. Il fut proclamé empereur en 660 avant J.-C. Le premier empereur établissait son autorité sur une ambiguïté. On dit qu'il attaqua ses ennemis en les prenant à revers, disant : « Je suis le descendant du soleil, je ne suis donc pas tenu de combattre face à lui. Je combattrai avec le soleil à mes côtés. »

L'empereur Jimmu, fondateur de l'Empire, mourut à l'heure du dragon (8 h), le 11e jour du cheval, à l'âge de cent vingt-sept ans. Lorsque le calendrier solaire fut adopté au Japon en 1873, ce jour fut déterminé comme étant le 3 avril de l'an 585 avant J.-C. Depuis lors, le calendrier prend un nouveau départ à l'avènement de chaque empereur. L'actuel souverain Hiro-Hito est monté sur le trône en 1926 et a choisi d'appeler son règne celui de *showa* ou paix rayonnante. 1979 représente donc la 54e année de l'ère *showa*. Toutefois, la dénomination du règne de l'empereur, autrement que par son nom propre, date du 36e empereur dans la lignée de Jimmu, l'empereur Kotoku qui appela l'an 645 avant J.-C., première année de son règne, l'ère *Taïka* ou l'époque de la grande innovation. Il ne faudrait pas croire cependant que tout est aussi simple, car les Japonais continuent d'utiliser parallèlement le calendrier lunaire et le calendrier chinois. Chaque année, dans le cadre d'un cycle de douze ans, porte le nom d'un animal. Les mêmes symboles sont utilisés pour les heures et servent de points de référence sur le compas de navigation. On trouve ainsi dans l'ordre : le rat, le bœuf ou le taureau, le tigre, le lapin ou le lièvre, le dragon, le serpent, le cheval, le mouton ou le bélier, le singe, le coq, le chien et le sanglier. Le calendrier officiel utilisé est bien entendu aujourd'hui le calendrier grégorien. Mais dans la vie quotidienne des Japonais, l'ambiguïté est ici également la règle par suite de l'interférence de ces différentes manières d'apprécier le temps et donc l'histoire.

Bien qu'officiellement abandonné, le calendrier lunaire continue d'être utilisé, en particulier dans les campagnes où il rythme les travaux des champs. L'année lunaire est divisée en 24 périodes de 14 à 17 jours, et commence de trois à six semaines après l'année solaire, sans jamais pouvoir la rattraper. Tous les deux ou trois ans, un mois supplémentaire est intercalé.

C'est en 1549 que le Japon rencontra pour la première fois l'Occident. Ce premier contact fut longtemps sous-estimé, tant par les Japonais que par les Européens et les Américains. Ce n'est que très récemment, dans la période de l'après-guerre, que cette rencontre est devenue populaire.

Aux Etats-Unis et en Europe, en 1976-1977, un livre comme *Shogun* de James Caldwell devient un bestseller en contant, sous une forme romancée, la rivalité des missionnaires protestants hollandais et des jésuites portugais dans le Japon féodal, livré aux luttes entre clans adverses. En 1972, le film officiel présenté par le Japon au Festival de Cannes avait pour titre *Le Silence*. Il racontait l'aventure de pères jésuites débarquant clandestinement au Japon, après 1638, date de l'expulsion de tous les missionnaires étrangers.

La période de 1549 à 1638 est marquée par un long martyrologe des chrétiens japonais brûlés ou crucifiés par milliers, d'abord sur ordre du Shogun Hideyoshi, fondateur de la dynastie de Toyotomi, puis à l'instigation du fondateur de la dynastie des Tokugawa, le Shogun Iyeyasu. Le christianisme ne laissera qu'une faible empreinte et en 1638, le Japon se repliera sur lui-même jusqu'en 1868.

Les jésuites ont cependant tracé un sillon culturel minoritaire mais profond, que symbolise de nos jours l'université de Sophia à Tokyo, dont les lauréats occupent en général de hautes fonctions dans les services publics, la politique, l'enseignement, le journalisme.

La deuxième rencontre du Japon avec l'Occident, en revanche, n'a jamais été sous-estimée. C'est le 9 juin 1853 que le commodore Perry se présente avec son escadre en face de la baie de *Kurihama*, près de *Yokosuka*. Le règne de la dynastie des Shogun de Tokugawa touche à sa fin. L'acceptation par le Shogun Yoshinobu du « message de paix » du commodore Perry dont le vaisseau *Plymouth* pointait ses canonnières sur le sol japonais devait hâter le retour du pouvoir à l'empereur au nom de la fermeté et du refus de contact avec les *geijin*, le parti *Joï* conservateur s'opposant ainsi au parti *Kaïkoku* libéral. Quarante-sept ans plus tard, l'amiral F. Rogers, petit-fils du commodore Perry, viendra inaugurer une stèle dédiée à son grand-père.

L'empereur a pris le pouvoir et entre en possession

du château d'*Edo*, l'actuel palais impérial de Tokyo. Une importante mission impériale, la mission Iwakura, a parcouru le monde créant partout des liens que le Japon rendra vite concrets en montrant au monde son humilité devant les grandes réalisations de l'Occident et son aptitude à les faire siennes, entrant ainsi dans un processus irréversible de modernisation. Dans les années 1800, le Japon restait un empire féodal et arriéré. Sous la pression des pays des *Namban* (sauvages du Sud), le Shogunat avait été mis en demeure d'accepter des traités inégaux semblables à ceux qui régissaient déjà les relations des « Puissances » avec la Chine. La honte de ces traités coupe le Japon en deux. Tandis que le parti du Shogun, les *kaïkoku*, se fait une raison en préconisant l'acceptation de l'inévitable, les *joï*, conservateurs, attachés à la tradition du Nippon, préparent la restauration du pouvoir de l'empereur. En 1868 au Japon, c'est une véritable révolution à la japonaise qui survient. En effet, l'empereur qui a appelé son ère *Meiji*, ou « gouvernement éclairé », porté au pouvoir pour chasser les barbares, va hâter « l'occidentalisation » du Japon, à outrance, si bien qu'en moins d'une génération il obtient une révision formelle de tous les traités inégaux.

L'impact de la civilisation occidentale sur les courants d'idées et les institutions est vite atténué par les traditions d'une société homogène et par des forces dont l'influence ne doit pratiquement rien à l'extérieur. A *Nagasaki*, les Hollandais et les Chinois ne posent pas de problèmes majeurs. On dénombre par contre dès ce moment des incidents dans l'île nordique du *Hokkaïdo* et dans les *Kuriles*, entre les visiteurs russes et les colonies japonaises établies là. L'expérience du voisinage d'une aussi grande puissance que la Russie fut presque traumatisante pour le Japon, mais avant 1868 les Japonais craignaient pardessus tout la flotte britannique. Ils se sentaient plus faibles que l'Occident. Ils ne voulaient à aucun prix subir le sort de la Chine.

Pour comprendre le conflit national provoqué par la venue de l'Américain Perry devant *Kurihama*, il faut se reporter à deux documents officiels datés de 1857. Adressés au *Bakufu* (Shogun), l'un est signé par les représentants les plus influents des idées *kaïkoku*, l'autre par le plus puissant membre de la famille au pouvoir, chef de file des *joï*. D'un côté, on lit en substance : « Il faut ouvrir nos ports au commerce avec l'étranger, non pour le profit, mais parce qu'on ne peut faire autrement... Notre but est de préserver nos lois et nos institutions. » De l'autre : « Trois ports sont déjà ouverts et nous n'y pouvons rien. Ces étrangers sont après tout des humains, ils disent chercher l'amitié dans l'intérêt du Japon. Le gouvernement sera sans doute dans l'impossibilité de rejeter leur requête. » Le Shogun resta prudent dans sa politique d'ouverture. Le protocole de Londres de 1862 lui donnera satisfaction en la limitant. Mais l'ambiguïté de son attitude conduira au bombardement de *Shimonoseki* en 1864, puis à celui de *Kagoshima*. Il n'y avait pas, en réalité, opposition entre les deux partis, mais plutôt des nuances semblables aux couleurs de l'arc-en-ciel. Le Japon féodal céda à un véritable encerclement : du Sud vinrent les Anglais, les Hollandais et les Français ; du Nord les Russes ; de l'Est les Américains. La classe intellectuelle était elle-même divisée entre intellectuels nationalistes, les *kokugakusha*, et intellectuels dits de l'école hollandaise, les *kangakuska*. Les premiers défendaient la conception de l'Etat impérial fermé à l'étranger, les autres celle de la modernisation occidentale et le soutien au *Shogunat*. La révolution de *Meiji* a tranché le débat.

A l'occasion du 2 549e anniversaire de la fondation du Japon légendaire, le 11 février 1889, Meiji promulgua une constitution. Il faisait des concessions limitées au modernisme en créant un parlement national, mais en gardant les Affaires étrangères comme domaine réservé. En fait, la nouvelle constitution consacrait un système dans lequel toute une série de conseils devenaient des organes influents de décision.

Le Genro regroupait les hommes politiques les plus âgés. Les ministres formaient un conseil, les chefs militaires un autre. Il y avait encore le conseil privé. Dans cette combinaison, le rôle du premier ministre n'était pas clairement établi, le rôle de la Diète était limité à des interpellations parlementaires, des résolutions, des adresses du Trône, des représentations au gouvernement. Dès ce moment apparaissent deux orientations lourdes de conséquences. Les ministres de l'Armée de terre et de la Marine ne pouvant être respectivement choisis que parmi les généraux et les amiraux, ceux-ci prennent leur distance avec le gouvernement et sont directement rattachés à la Maison impériale.

L'idée d'infaillibilité et d'inviolabilité de l'empereur fait naître la doctrine du *junsoju-no-Kan*, accréditant la thèse des mauvais conseillers entourant l'empereur. Le Japon est froissé par la triple intervention qui l'oblige à rendre à la Chine la presqu'île de *Liao-Tung* conquise après la guerre sino-japonaise de 1894. Cette terre est concédée peu après à la Russie, mais le Japon prendra sa revanche en lançant contre la flotte russe une attaque surprise à Port-Arthur, puis en occupant Mukden, capitale de la Mandchourie, en mars 1905. Plus tard, en 1910, les Japonais achèveront l'annexion de la Corée, accédant ainsi au statut de grande puissance. Le Japon mènera désormais une politique chinoise, fondée sur l'occupation de la Mandchourie et du *Kwangtung*. Sa position se trouvera renforcée par l'alliance avec les Anglais dont les Japonais tireront profit en 1917 en obtenant les concessions allemandes en Chine et la neutralité des Alliés pour imposer à la Chine ce que l'on a appelé les vingt et une demandes de 1915.

A l'intérieur de l'Archipel, de nombreuses sociétés secrètes animées par des groupes d'activistes, anciens samouraï de rang moyen, les *shishi*, exercent une pression directe sur le gouvernement.

Après la première guerre mondiale, on voit le Japon émerger comme un Etat dominé par un pouvoir absolu. L'école marxiste considère le régime impérial comme celui de la domination des propriétaires terriens et des bourgeois et de l'anéantissement du peuple. En fait, deux écoles marxistes présentent une analyse différente de l'histoire. Pour l'école *kozaha*, la révolution socialiste se fera en deux étapes en passant par le capitalisme. Pour l'école *ronoha*, la révolution socialiste doit être immédiate. Il ne peut y avoir de transition. Dans les années 30, le Japon ne peut, selon les marxistes, que réagir en termes de lutte de classes. La caste militaire répond durement à ce défi. Elle provoque l'incident de Mandchourie en 1931 afin de trouver un prétexte à durcir sa position et à renforcer le régime militaire d'occupation en Chine. Elle oblige le gouvernement impérial à refuser successivement les quatre offres de traité de non-agression de l'U.R.S.S. : en 1930, 1931, 1932 et 1933. Le mot d'ordre en politique étrangère est *jishu*, qui signifie : créer sa propre sphère d'influence. Les Etats-Unis ont bien la leur. Ce concept deviendra en 1938 le concept de sphère de coprospérité qui conduira les Japonais de conquête en conquête jusqu'aux confins de l'Asie du Sud-Est. Pour le Japon, les ennemis sont les Russes et les Américains. La crise économique n'a rien arrangé et les Japonais se sont entre-temps retirés de la Société des Nations. L'échec d'un soulèvement d'officiers extrémistes en 1936 n'arrête pas les complots militaristes dont le chef-d'œuvre sera Pearl Harbor. Le Japon mène puis subit une guerre cruelle. Les bombardements de 1945 sur Tokyo, qui firent 200 000 victimes, incendièrent la capitale au point que les populations sortant de leurs maisons en feu, tentèrent d'échapper à la fournaise en se jetant dans la rivière de Tokyo où elles moururent ébouillantées. Le 6 août 1945, ce fut *Hiroshima*, puis le 8 *Nagasaki*. L'empereur se décida alors à rompre le silence dans lequel il vivait enfermé au fond de son bunker du palais impérial où il présidait le Conseil de gouvernement. Voulant ménager les sentiments de honte qui n'allaient pas manquer d'envahir ses sujets, Hiro-Hito ne dit pas : Nous avons perdu une bataille ou la guerre mais déclara stoïquement : ... « Le sort des armes ne nous a pas été favorable... »

Les descendants des *joï* acceptèrent la défaite. Ce sont eux qui ont bâti le Japon contemporain. Les occupants américains sont devenus des alliés. Ceux qui ont refusé l'inévitable se sont suicidés selon le rituel du seppuku. On est ainsi revenu à la même ambiguïté qu'en 1868 : le Japon moderne, allié aux États-Unis, a été mis en place par ceux qui avaient le plus farouchement combattu les Américains.

Les mythes

La « porte » que l'on emprunte pour pénétrer au Japon revêt une grande importance. J'ai eu la chance d'aborder à *Kobé*, ma première escale japonaise, après une approche lente de l'Extrême-Orient dont on commence à s'imprégner aux escales de Bombay et de Colombo. On a une révélation à Singapour, on trouve un nouveau chez-soi à Saigon avant de plonger dans les arcanes les plus secrets de l'immensité chinoise à Hong Kong. Mais *Kobé* et son paysage portuaire ne laisseraient aucun souvenir particulier si, à dix minutes de train à peine, on n'était transporté dans l'univers le plus étranger qui puisse se concevoir, celui de l'ancienne capitale, *Kyoto*. On ne peut aller au Japon sans voir *Kyoto*, de même qu'on ne peut séjourner dans ce pays sans y revenir de temps à autre, afin d'y retrouver une sorte de paradis perdu pour échapper au va-et-vient fracassant de la vie mondaine et des obligations de *Tokyo*, la nouvelle capitale.

En sept ans de séjour, je ne compte plus mes pèlerinages, chacun associé à une rencontre, à une vision de *Kyoto*, à un Japon sans cesse renouvelé, inséparable de mon guide comme le bouddha peut l'être de la pièce de bois dans laquelle il a été sculpté. On ne peut aller à *Kyoto* sans se soumettre à certains rites initiatiques, sous peine de s'exposer à toutes les banalités du Japan Travel Bureau dont les fonctionnaires trop souvent bornés ont fabriqué des stéréotypes de temples shinto, zen, bouddhistes, totalement coupés des hommes, de ceux qui hantent les lieux sacrés et de ceux qui gravitent dans l'espace millénaire de monuments qu'un tourisme stupide transforme en nécropole. En sortant du port de *Kobé*, je n'échappais pas à cette stupidité. Traîné dans un groupe compact d'une vingtaine de geijin américanophones, il me fallut subir l'ânonnement, dépourvu de la moindre fantaisie, d'un Japonais payé pour débiter, dans un haut-parleur à main, l'histoire du temple, en quinze lignes psalmodiées ; la description du temple en quarante lignes invariables de cinquante signes chacune, y compris la ponctuation : en prime, cinq minutes de réponse à des questions posées dans lesquelles notre guide trouvait un mot lui permettant de se raccrocher à quelques textes conçus d'avance et appris par cœur. Il en va ainsi de tous les tourismes, mais, cette impression s'est confirmée plus tard, le tourisme japonais étant sans doute le plus organisé, le plus minutieusement réglé et le plus savamment pédant et ennuyeux de tous ceux dont j'ai fait l'expérience. Aussi n'ai-je retenu que peu de chose de ce premier contact, sinon les images qui ont impressionné ma rétine à travers les vitres d'un superbus à air conditionné.

Des tuiles noires brillantes de pluie, un saule, la rivière où la soie était lavée, mais surtout des pins, toujours des pins debout ou chavirés dans le lac, des pins laissant tomber leurs pommes autour des rochers sur l'or du Pavillon d'or. Kyoto est inséparable du Pavillon d'or, en japonais *Kinkakuji*. Je l'ai aimé l'hiver quand l'or a disparu et que tout ploie sous la neige. Chaque pas dans les sentiers le long du lac laisse une trace d'effraction autour de la maison solitaire. Les touristes envolés cèdent le pas aux rêveurs d'un Japon inviolé, comme autrefois, où l'on ne serait admis que par privilège. Je l'ai photographié l'été, scintillant dans la chaleur matinale, entouré du bruissement des oiseaux, prêt à entrer et à m'installer face au lac pour jouir de la profondeur de l'espace, grâce à l'effet de miroir de la nappe d'eau et, au-delà, par le mystère que fait planer l'horizon du sous-bois. Je l'ai fouillé au printemps parmi les fleurs des arbres, au milieu des groupes d'écoliers en noir et d'écolières en bleu marine dont les cris effrayaient les jeunes bourgeons à peine éclos que l'on voyait tomber sur les berges. L'or du Pavillon ne domine plus la symphonie du printemps de Kyoto. Mais c'est à l'automne qu'il reprend le dessus, mis en valeur par les tapis de feuilles jaunies qui adoucissent la marche.

Kyoto et l'incendie du Pavillon d'or

Au moment de ma première rencontre, l'été finissait et l'automne n'était pas venu. Appuyé à un arbre par-dessus l'étang je regardais le Pavillon d'or, immuable, ne pouvant m'empêcher d'évoquer le fait divers le plus consternant de l'histoire de l'art au Japon : le 1er juillet 1950, un incendie criminel a détruit la merveille que j'avais sous les yeux. Treize ans après, la patine n'avait pas encore fait son œuvre, mais le nouveau Pavillon d'or était déjà très présentable. Je ne pouvais chasser de mon esprit la pensée que j'admirais une copie. Cependant, à cette période de l'année, les écoliers sont rares, les touristes ne sont pas encore là ; à l'heure où le soleil oblique rougit l'or, la méditation est rythmée seulement par les plongeons des grenouilles et leurs coassements, appels préludes au concert de l'obscurité. La copie balayée, la ruine encore fumante, un écrivain japonais refuse de laisser cet acte monstrueux tomber dans l'oubli. Mishima Yukio assume le destin du Pavillon d'or. Au moment de cette promenade, je n'avais pas encore rencontré Mishima, mais c'est plus tard, grâce à lui, que j'ai appris à sentir, à frôler avec plaisir un peuple qui me fut longtemps étranger. En regardant ainsi le Pavillon d'or, je pensais à son roman que j'avais lu sur le bateau. Je me demandais comment ce fait divers avait pu prendre une dimension aussi extraordinaire.

Le roman de Mishima, paru en français en 1961 sous le titre *Le Pavillon d'or,* implique plusieurs dimensions d'approche : étude des mobiles d'un crime, perturbation d'une jeunesse traumatisée par Hiroshima et qui ne retrouve plus sa foi, mythe du beau détruit par le feu et cette obsession du feu que l'on retrouve partout au Japon, du feu destructeur, mais aussi purificateur et générateur de renouveau. Le jeune Mizoguchi, héros du roman, est un homme seul parce que bègue et obsédé par la conscience de sa laideur. Accueilli au monastère de Rokuonji grâce à l'entremise du prieur, il se réconcilie un temps avec un milieu social dans lequel il paraît s'intégrer peu à peu. Mais l'influence et le comportement de son ami Kashiwagi, quelques maladresses, et voilà compromis l'équilibre difficilement atteint. Mizoguchi se retrouve seul et matérialise à la fois sa haine pour ceux qui le rejettent et son ardent désir de leur imposer son existence, par une atteinte au symbole du beau, opposé à sa personnalité qu'il veut symbole du laid, à défaut d'une autre option. Le beau, c'est le Kinkakuji, le Pavillon d'or dont la destruction par le feu vengera sa laideur et la purifiera.

C'est cette analyse de Mizoguchi qu'avait retenue Mishima Yukio, connaisseur s'il en fut des ressorts de l'âme des Japonais. Il faut aller plus loin dans l'analyse, ou plutôt dans la psychanalyse. Ce Mizoguchi, vu par Mishima, est un Japonais. Il sublime à lui seul tous les fantasmes qui agitent l'âme japonaise : complexe physique, complexe du mal-aimé, adorateur du beau, violence et détermination, jusqu'au-boutisme de l'individu privé de son carcan social et rejeté hors de la règle commune.

« ... C'était donc la mer du Japon ! La source de tous mes malheurs, de mes pensées ténébreuses, de ma laideur et de ma force ! Je n'avais présentement affaire qu'aux vagues et au vent du nord ; il n'était pas question du printemps, ni d'après-midi serein, ni de gazon frais tondu. Pourtant, cette nature désolée, plus qu'une pelouse d'après-midi commençant, souriait à mon cœur, s'accordait évidemment à mon existence. Ici je me suffisais à moi-même, rien ne me menaçait. Une idée me traversa soudain... Il faut incendier le Pavillon d'or... »

Le personnage de Mizoguchi et son auteur, Mishima, méritent qu'on s'y attarde. Dix ans après la mort de ce fabuleux romancier, les Japonais s'identifient au mythe de l'auteur et de son héros pris dans un fait divers. Le héros qui fait table rase par le feu et émerge dans sa solitude ; l'auteur solitaire incapable de balayer une civilisation, la sienne, qui a perdu toute signification, acculé à mourir de sa propre main avec l'espoir que son « jusqu'au-boutisme » conjurera un futur impossible à relier à un passé déjà mort. Mishima m'expliquera plus tard Mizoguchi. « D'une part un simulacre d'éternité émanait de la forme humaine si aisément destructible ; inversement, de l'indestructible beauté du Pavillon d'or émanait une possibilité d'anéantissement... Mettant le feu au Pavillon d'or, trésor national depuis les années 1890, je commettrais un acte de pure abolition, de définitif anéantissement qui réduirait la somme de Beauté créée par la main de l'homme... »

L'obsession du feu

J'en étais là de mes réflexions lorsque le guide sonna le rassemblement. Il y avait tant à voir à Kyoto. Tandis que le bus à air conditionné m'emportait avec des Américains vers un autre temple, j'entendais la voix du guide expliquer la crainte et la fascination que le feu exerce sur les Japonais. En voyant toutes ces ruelles bordées de maisons de bois, on ne pouvait que penser à ce risque permanent d'incendie dont quelques-uns, dans l'histoire du Japon, furent de véritables désastres. Au début du mois d'août 1945, durant cinq nuits consécutives de bombardements, avant que soient lancées les bombes atomiques sur *Hiroshima* et *Nagasaki*, Tokyo fut en grande partie détruite par le feu des bombes incendiaires. « Tout cramait, m'a dit un témoin. Les femmes et les enfants se ruaient dans les rues, la plupart transformés en torches vivantes, et ceux qui avaient pu échapper par miracle couraient dans les flammes et la fumée âcre jusqu'à la rivière de Tokyo où ils se jetaient, pour y mourir ébouillantés... » Bilan : 200 000 morts.

Chaque ville, chaque village de l'Archipel ont tous mis en place un dispositif d'alerte contre le feu. Il n'est pas rare de voir se dresser, au-dessus des toits, de petites tours métalliques avec, au sommet, accessible par une échelle, une plate-forme d'où l'on peut éventuellement détecter les foyers d'incendie et sonner une cloche qui sert d'alarme et fait accourir les brigades du feu. L'institution des pompiers professionnels remonte à l'an 1602, date à laquelle *Edo* (le nom que portait Tokyo à l'époque) fut totalement détruite par le feu. C'était onze ans seulement après la construction du château d'*Edo*, l'actuel palais impérial, par le *Shogun Iyeyasu Tokugawa*. En 1657, 100 000 personnes périrent dans un autre gigantesque incendie, connu sous le nom de « grand feu de *Meireki* ». En 1772, 223 rues de la ville furent la proie des flammes. En 1923, le grand tremblement de terre dégénéra aussi en un terrible incendie qui détruisit 366 000 maisons et causa la mort de 60 000 personnes.

De ces catastrophes historiques est née une certaine philosophie du feu, que la tradition populaire appelle « les fleurs d'*Edo* ». Il n'y a pas un jour à Tokyo où les pompiers ne soient appelés à intervenir. Aussi n'est-il pas étonnant de trouver le feu, au même titre que la politique ou les mœurs, au centre de l'art du *Rakugo* qui englobe à la fois les conteurs, les bateleurs de foire, les chansonniers, qu'ils se produisent en public, en famille, à la radio, à la télévision ou par écrit dans les journaux. Dans un théâtre de

Shinjuku, la toile de fond représente un quartier de Tokyo, la nuit, en feu. La cloche appelle les pompiers à toute volée. Tout le quartier voisin se rassemble dans la rue : « Où est-ce ? » demande le *sakanasan* (poissonnier) la tête entourée d'un bandeau blanc, symbole de résolution farouche, et armé d'un couteau (au Japon, on dit un couteau de poissonnier et non de boucher)... « Derrière la gare », répond le marchand d'*o'Soba* en pointant son doigt vers les flammes tandis que le diseur de bonne aventure a quitté son tréteau, éclairé par la lueur vacillante de la lampe à carbure. Tout le quartier est dehors lorsque l'épouse de Minoru, la gérante du bain public, invite chacun à monter sur sa terrasse pour mieux voir... Là, cris de joie : « Ça y est ! Le *departo* (entendez la Japonisation Departement store, ou succursale de grand magasin) a flambé. C'est le tour du marchand de légumes... Et là, les maisons des fonctionnaires de l'agence du logement... Brave, la foule applaudit... Enfin, il y a une justice... Et là... le bain public de *Sakuragi-Cho*... Hourra ! s'écrie la femme de Minoru... mon concurrent est ruiné... » Mais au balcon de Minoru et dans les rues avoisinantes on ne s'est pas aperçu que le feu a gagné du terrain et... tout le monde brûle, puisqu'il faut une justice.

La joie du feu s'exprime dans les fêtes du feu dont la plus spectaculaire se déroule vers la fin du mois de juin, à Nara. Dans la nuit, on embrase toute une colline. Le feu prend lentement à la base ; allumé simultanément tout autour de la montagne, il se propage vers le sommet, tandis que grandit le bruit crépitant de la montée des flammes. Musique pour les yeux, couleurs remplies de sons, j'étais à la recherche du sacré et je venais tout à coup de le découvrir : un sacré lié à la magie quand, autrefois, le feu jaillissait du sommet des montagnes, comme l'eau, car il n'y a pas de séparation entre les deux éléments. Dans la banlieue de Kyoto, j'ai assisté une nuit à la fête d'initiation des garçons. C'était en plein hiver. Sous le signe du feu et à la lueur des torches, des centaines de garçons réunis dans la cour d'un temple, nus, s'aspergeaient copieusement d'eau glacée en rythmant leur danse au son des tambours et des gongs.

A *Nanao*, dans la péninsule de *Noto*, la fête du feu (fin juillet) est liée à la purification dans la mer après que tout eut brûlé, au-dehors et au-dedans. Pour aller de *Kyoto* à *Noto*, il faut passer de l'autre côté, quitter la façade du Pacifique et suivre la dépression alpine comblée par le lac *Biwa*, puis traverser *Fukui*, haut lieu du bouddhisme zen, et *Kanazawa*, vieille ville de samouraï. La péninsule de Noto étale, en pente douce, des rizières bien cultivées jusqu'à la mer du Japon. La densité de population est ici plus faible et, pour la première fois depuis mon arrivée, j'avais l'impression de vivre à la campagne et de la respirer. Un temple *shinto* dominait le village composé d'une cinquantaine de maisons au toit de chaume, plutôt cossues, aux portes coulissantes qui grincent en se refermant sur des corridors mystérieux. Toute la lumière vient de la cour intérieure, largement ouverte sur les champs ; point n'est besoin ici d'agencer un espace qui n'est pas limité. Ce vendredi de juillet, tout était calme à notre arrivée dans le hameau rural de Nanao. Personne dans les champs ; personne au temple, sauf le prêtre *shinto*, à qui nous fîmes nos offrandes en échange de l'autorisation de filmer le Matsuri. La nuit tomba vite, comme à l'accoutumée, et à la lumière d'un cordon d'ampoules tendues au fronton du temple nous vîmes arriver par grappes des enfants, de jeunes écolières, des adolescentes timides, puis des jeunes gens, des femmes et enfin des hommes. Ces derniers, vociférant, transportaient un des leurs dans une sorte de palanquin fleuri, garni d'un immense tonneau de saké. Arrivés devant le temple, chacun alla faire ses dévotions. Se prosternant et se recueillant quelques instants, certains frappaient trois fois dans leurs mains, puis après s'être inclinés allaient déposer leur offrande : quelques yen dans le tronc. Le prêtre revêtu de son kimono de cérémonie récitait quelque invocation au milieu des cierges allumés. Tout à coup, les cris résonnèrent *crescendo* tandis que dans le palanquin immobilisé, devenu bar de circonstance, le préposé au saké servait l'alcool dans des coupelles de bois carré, qu'il avalait lui-même au rythme de une pour douze servies. La consommation d'alcool dégénérait peu à peu et le palanquin vigoureusement empoigné se balançait dangereusement au-dessus des bras, porté mètre par mètre, jusqu'au lieu de la cérémonie. A quelques centaines de mètres, le palanquin arrive à destination, au pied d'un immense bûcher fait de fagots entassés autour d'un mât central, haut d'une vingtaine de mètres. Tout à l'heure, on n'y brûlera aucune sorcière. Ici également on allume les fagots sur le pourtour ; le feu se propage vers le centre puis vers le haut, tandis que le saké chauffe le village entier. Longtemps après que tout sera éteint, et que les ampoules au fronton du temple seront devenues blafardes, nous resterons dans la fraîcheur de la nuit à écouter les bruits décroissants de la fête, à garder dans nos oreilles le son des tambours et le rythme du gong. Au petit matin, les hommes silencieux traverseront la rizière, jusqu'à la mer toute proche où le sel et l'eau laveront toutes les impuretés que le feu aurait épargnées.

Mais on ne peut avoir conscience de l'importance du feu qu'après avoir vécu la nuit du 14 Juillet, dite de l'*O'Bon* ou fête des morts. Non loin de cette maison de campagne où j'avais passé mon premier dimanche japonais, j'avais loué un pied-à-terre sur la plage de *Kurua*. J'y venais souvent au début de mon séjour. Dans le prolongement de la baie de Tokyo, le Pacifique roule, majestueux, au pied du Fuji qui s'enveloppe le plus souvent avec dédain de sa houppelande de brume. *Kurua* est un tout petit point sur cette côte rocheuse dominée par des collines de maquis coupés de cultures maraîchères et de petits bois de pins. Arrêt d'autobus de Zushi à Miura, on passe d'abord devant la maison impériale, résidence d'été de l'empereur, puis devant la maison de thé du prince héritier, entrouverte lorsque la femme de service vient procéder au dépoussiérage hebdomadaire. Juchée sur un promontoire, à l'abri d'un pin, l'élégance de son toit de chaume était pour moi un point de repère pour demander au chauffeur du bus le prochain arrêt. J'étais dans cette maison le premier 15 juillet de mon séjour nippon. Avec quelques amis, nous tentions en vain de trouver le sommeil après, il faut bien l'avouer, une journée de farniente sur une plage dont le mètre carré de sable gris n'avait pas de prix à cette saison. Le tambour lancinant résonnait à nos oreilles, mais je me rappelle combien nous étions intrigués par un bruit très particulier, une sorte de claquement sec ponctuant chaque coup sur le tambour.

... Nous nous sommes levés promptement et quelques secondes plus tard, par la plage, nous rejoignions l'estrade autour de laquelle, rythmant leurs pas en frappant dans leurs mains, les danseurs tournaient inlassablement en rond. En vêtement traditionnel, le bandeau de la « résolution » autour de la tête, leurs pieds étaient chaussés de socques de bois qui, contribuant au rythme, produisaient ce son étrange et oppressant que nous avions entendu de loin. Aux portes et sous les pins, à la lueur des lampions, on distinguait des papiers blancs suspendus, odes aux morts, prêtes à être brûlées le lendemain.

Le 15 juillet, toutes les flammes sont censées attirer l'âme d'un mort que l'on renvoie dans les ténèbres lorsqu'on les éteint le 16. Papiers prières, papiers bonheur, mort imploré, supplié de venir se mélanger aux vivants... vie que l'on renvoie chez les morts comme si l'une ne pouvait exister sans l'autre — flammes ou âmes, ambivalence symbolique.

Le 16 juillet, tandis que je me promenais dans les collines, je tombais sur un petit temple entouré de statuettes sculptées parfois grossièrement, parfois avec art, dans la pierre. Certaines sculptures portaient de petites collerettes rouges. On les appelle des *jizé*. Il y en a dans tous les cimetières. J'observais avec attention ces anges gardiens du panthéon japonais sans en trouver une seule qui ressemblât à l'autre. J'interpellais le prêtre qui était, je m'en aperçus, intarissable. *Jizo* est l'ange gardien des âmes des enfants morts. Selon les révélations de Bouddha, les âmes des enfants vont après leur mort jusqu'au *Sai-No-Kawara* qui est, si l'on veut, le Styx de l'Antiquité grecque. Là, les âmes innocentes sont récupérées par un démon femme, *Shozuka-No-Baba*. Elle prend leurs vêtements aux enfants et les met au travail en leur faisant empiler des pierres qui, soi-disant, leur faciliteront l'arrivée au paradis. Dans le même temps, elle défait l'ouvrage au fur et à mesure. Alors vient *Jizo* plein d'amour et de pitié, il chasse les démons, réconforte les enfants et les cache dans de grandes feuilles. Les petites collerettes rouges ne sont que des morceaux d'étoffe qui permettront à *Jizo* de vêtir les enfants que le démon femelle a déshabillés...

Profitant des bonnes dispositions du prêtre, j'enchaînais sur l'*O'Bon* : « Pendant trois jours, me dit-il, les vivants et les morts sont réunis. Le 13, chaque famille brûle de l'encens sur les tombes et dans la maison, à l'autel des ancêtres. La nuit tombée, on suspend sur ces tombes des lanternes allumées ainsi que des papiers blancs aux portes. On invite alors les esprits des morts à revenir chez eux, non sans avoir pris la précaution de baliser d'une lanterne les pièges avoisinants de la route ou du sentier alentour. Les esprits viennent et on leur parle comme s'ils étaient vivants... Le 14, on dispose sur une table basse quelques portions symboliques des plats que les défunts ont aimés, ainsi que des patates douces, des graines de sésame, du soja et de l'eau... Le 15, des plats de boules de riz sont confectionnés en guise d'adieu pour fêter le départ des âmes pour le *Meido*, le monde céleste de l'obscurité. Des feux d'adieu sont allumés devant les maisons. » Quant à la danse de l'O'Bon à laquelle nous avions assisté la veille, j'appris qu'elle

160

célébrait la libération des âmes de leur purgatoire ouvrant ainsi la porte du Ciel...

La légende du Fuji

Nous étions le 16 juillet et, fait étrange, à l'aube, l'air était débarrassé de toute humidité. Le cône du Fuji était visible de ma chambre, alors qu'on ne l'aperçoit généralement que l'hiver. Presque parfait, il s'élève à 3 778 mètres d'altitude au-dessus de cinq lacs qui le reflètent et l'entourent comme autant de lieux mythiques, d'où l'on peut contempler la montagne sacrée. Il n'y a pas de Japonais qui ne souhaite faire l'ascension du Fuji, au moins une fois dans sa vie. Fuji-San est au Japon ce que La Mecque est à l'Islam. Toute montagne représente un caractère sacré se rattachant au chamanisme, c'est-à-dire aux exercices d'ascétisme qui ne peuvent se pratiquer que dans la montagne. C'est là que par la méditation et un entraînement physique rigoureux certains hommes parviennent à créer le lien entre les vivants et les morts, la terre et le ciel. Cette pratique ascétique, dans le cadre de la montagne, porte le nom de *shugendo*. Elle est liée à une sorte de magie rituelle qui se manifeste au cours des fêtes annuelles et de diverses célébrations destinées à maintenir ou rétablir l'harmonie de l'homme avec la nature. Le Fuji participe de cette communion, ne serait-ce qu'à cause du nombre incalculable de pèlerins qui en font l'ascension en juillet et en août (plus de 100 000 par an). Ce sont les deux mois de l'année où le Fuji perd sa calotte blanche. Une animation fébrile règne sur les pentes du volcan et dans les villages environnants, en particulier à *Gohra* d'où part le tramway qui mène le voyageur à travers la montagne, jusqu'au sommet de *Sounzan*, puis aux rives du lac *Ashi*, plus connu sous le nom de lac d'*Hakone*. On peut arriver au Fuji par six routes, toutes balisées par dix stations permettant à ceux qui ont décidé d'y grimper à pied de reprendre leur souffle. En général, on monte en car jusqu'à la cinquième station. Au-delà, on peut encore franchir deux stations à cheval. Mais vient l'endroit fatidique où le pèlerin, seul, doit fournir un effort individuel pour se hisser sur l'un des sommets d'où il doit avoir vu le soleil se lever.

Le Fuji fut autrefois un volcan en activité. Endormi depuis 1707, personne ne pense qu'il est réellement éteint. Un proverbe local affirme : « Celui qui escalade le Fuji est un homme avisé ; celui qui en fait l'ascension plus d'une fois commet une folie. » La croyance populaire est unanime dans ses appréhensions. Le Fuji exerce une attraction indéniable sur les individus, mais chacun sait jusqu'où il ne doit pas aller trop loin. On monte aisément sur l'un des huit pics qui entourent le cratère, mais on ne connaît personne qui soit descendu à l'intérieur de celui-ci pour l'explorer. Cet antre des dieux, inviolé, a mauvaise réputation. Il y a quelques années, un avion de la B.O.A.C., transgressant les recommandations de la tour de contrôle de Haneda, passa à l'aplomb du cratère pour permettre aux passagers de prendre des photographies. Soudain, l'avion se coupa en deux. Il fallut plusieurs jours pour retrouver les corps méconnaissables disséminés sur les pentes de la montagne.

En novembre 1977, un alpiniste allemand chevronné entreprit l'ascension du Fuji, en dépit de la fermeture officielle, accompagné d'un ami, lui aussi montagnard accompli. Ils atteignirent le sommet par un temps idéal : pas un nuage, température élevée pour la saison. Ils entreprirent de descendre dans le cratère. Ce qui s'est passé ensuite a été reconstitué. En quelques secondes, le temps s'est détérioré. Des rafales de vent ont précipité les deux hommes à terre, sur la glace du lac, se jouant d'eux comme de toupies. On retrouva leur corps trois jours après à plus d'un kilomètre l'un de l'autre, visages tuméfiés et défigurés.

Le caractère religieux du Fuji est issu directement du *Kami* céleste qui vient prendre possession de la terre et dont l'épouse, petite-fille d'*Isanagi* et d'*Isanami*, ancêtres directs de la lignée impériale, devint la déesse du Fuji. Bien que celle-ci ne fit pas partie de la création initiale, le mont Fuji est aujourd'hui adoré par plusieurs sectes dont la plus célèbre est connue sous le nom de *Kakugyô*, mais qu'on appelle aussi *Fujiko*. Selon l'étymologie la plus crédible, le nom *Fuji* serait un mot aïnou, car, dans l'Hokkaïdo, le feu qui jaillit des volcans est adoré sous le nom de *Fuji-Kami*. Bien entendu, l'ensemble de ces adorations s'adresse indirectement au soleil. De plus, selon l'enseignement d'une secte, l'amour du *Kami* du Fuji purifie les hommes de leurs fautes. On trouve ici à l'état original, le mythe de la purification par le feu que symbolise le soleil. Nous sommes donc bien au centre de l'empire du Soleil-Levant...

... On préparait l'événement. Les autorités souhaitaient lui donner un lustre inaccoutumé. Il faisait la une des journaux qui le montraient en photo, pris sous tous les angles... et cela pendant les douze mois que dura sa construction. Un jour, l'un des trois journaux annonça qu'il allait être lancé et qu'il fallait lui trouver un nom, dans le cadre d'un concours ouvert à tous. Un jury de baptême prestigieux fut désigné. Des milliers de lettres arrivèrent de tous les coins de l'Archipel et de toutes les couches de la société. Chacun avait une idée de nom pour le nouveau bateau laboratoire brise-glace qui allait faire flotter les couleurs japonaises au Cercle arctique. Après avoir doctement réfléchi sur les propositions de nom adressées au journal, il fallut désigner l'heureux gagnant. On n'avait que l'embarras du choix entre les noms pouvant convenir à un tel bateau. On choisit finalement le plus commun de tous : *Fuji*. Ainsi naquit le *Fuji Maru*, baptisé du nom le plus commercialisé du Japon. [Du lait concentré « Fuji » à quelques dizaines de villes, cette appellation est devenue symbole de sa source authentiquement japonaise.] Le Fuji, la montagne la plus sacrée, renferme le cœur du pays nippon.

La légende d'Ise

Du Fuji aux sanctuaires sacrés d'*Ise Jingu*, on descend de la montagne vers la mer en longeant cette artère vitale du Japon qu'est la Tokaido, une épine dorsale qui relie Tokyo à Osaka et où est concentrée près de la moitié de la population du pays. C'est le long de cette ligne que l'on passe de la préhistoire à l'histoire sans trop savoir où se trouve l'une par rapport à l'autre, le mythe et le réel se confondant dans la même ambiguïté. Les temples d'*Ise Jingu* sont aujourd'hui le centre de l'organisation du shintoïsme depuis que cette religion d'Etat a perdu son caractère officiel, sans pour cela perdre son caractère sacré. Au contraire, celui-ci ne fait que ressortir davantage à travers la ferveur populaire de cette foule qui passe sous le tori, frappe des mains à l'entrée du temple et va sonner la cloche pour attirer l'attention de la divinité des lieux. A Ise, c'est Amaterasu, la déesse du soleil, que l'on vient invoquer ou, plus exactement, les ancêtres divins de la famille impériale. La construction date, pense-t-on, du Ve ou du VIe siècle. Un temple extérieur, appelé *gekû*, renferme un temple intérieur, appelé *naïgu*, qui est le sanctuaire principal. Périodiquement, les deux sanctuaires sont démontés et reconstruits sur un emplacement voisin, puis réassemblés un peu plus tard à leur place primitive. Cette transplantation des édifices sacrés s'explique par le mythe du cycle vital, qui rend solidaires la vie et la mort.

Le *shintoïsme* se présente comme un auxiliaire de réconciliation entre l'homme et son environnement, tendant à fondre l'esprit et la matière totalement inséparables. Du mythe légendaire du Fuji, l'homme japonais est naturellement conduit au mythe préhistorique des divinités ancestrales puis à celui — daté dans l'histoire — qui gravite autour du bouddhisme. Le mythe à l'échelle humaine devient ici mythe religieux lié au développement de la société.

Le mythe et le réel

Dès que l'on débarque au Japon, à *Kyoto* bien sûr où il faut revenir sans cesse, mais aussi à des étapes moins connues que seul le visiteur persévérant découvrira au détour de la route, on est imprégné de ces mythes, à moins de n'avoir aucune disponibilité d'esprit et de rester sous l'influence d'une image tenace que les Japonais contribuent à laisser voir. Le Japon du béton, champion toutes catégories de la croissance, vaste entreprise surnommée par des Américains *Japan incorporated* ou, si l'on veut, « Société Japon » nous montre certes ses autoroutes suspendues, ses gratte-ciel, ses embouteillages monstres, ses cheminées et sa pollution, mais fait tomber, à la limite des zones urbaines, un rideau de fer qui fait de Tokyo et des grandes villes du Japon des îlots artificiels où les étrangers sont parqués dans leurs hôtels, leurs cabarets et leurs restaurants, ainsi que dans les bureaux d'affaires destinés à les recevoir. Aux yeux de l'Occidental pragmatique, la réalité est autour de lui ; de l'autre côté il y a le mythe.

Tout ce qui est typiquement japonais est soigneusement rangé dans la catégorie du folklore. Pourquoi ne pas découvrir le Japon dans le quartier d'Akasaka, à l'hôtel Hilton. On y trouvera un jardin japonais, une maison japonaise, des chambres japonaises, une cuisine japonaise, des geishas, des hôtesses, des boutiques de souvenirs. On pourra y assister à un mariage japonais, voire à une cérémonie de condoléances, à un service religieux, à un concert de musique japonaise, sans oublier les expositions d'estampes japonaises et les *ikebana*. Dès les premières semaines de mon séjour au Japon, happé par la vie des grands hôtels, j'ai cru qu'il n'existait que ce Japon factice. J'avais élu domicile au siège de la N.H.K. Une dizaine de candidates à mon secrétariat se présentaient à moi depuis quelques jours, mais je n'avais pas encore trouvé la perle bilingue que je cherchais, lorsque je reçus une communication du secrétaire de l'association des éditeurs de journaux, le Nihon Shinbun Kyokai, qui me dit, dans un excellent anglais :

« Voulez-vous assister à notre assemblée annuelle ? Elle se tient cette année à Kanazawa. L'association fera pour vous tous les arrangements. Nous voyagerons par train jusqu'à Kanazawa. Là, après l'assemblée, nous avons prévu une visite de la région... »

La traversée de l'Archipel, de la façade Pacifique à la mer du Japon, est une expérience que j'ai renouvelée de nombreuses fois. Comme à Kyoto, je me suis retrouvé dans un autre Japon. Kanazawa est connu comme l'un des hauts lieux de la culture classique, à l'époque dite de *Kamakura*. Le monastère bouddhiste y possède une fameuse bibliothèque chinoise créée en 1266. Ville de guerriers, la procession annuelle des samouraï en août, donne lieu à une débauche de costumes et de chars qui nous restituent le plus haut Moyen Age. C'est à *Kanazawa* que je découvre, au cours d'une promenade après le dîner, au détour d'une ruelle, une boutique d'antiquaire ouverte malgré l'heure tardive. Je ne lis pas les *kanji* (idéogrammes japonais), aussi il m'est impossible de reconnaître un antiquaire. L'ami japonais qui m'accompagne m'invite à pousser la porte coulissante derrière laquelle une ampoule nue éclaire un plancher surélevé, recouvert du *tatami* paille de riz sur lequel nous nous hissons après nous être déchaussés. Assis à genoux sur nos talons, nous voyons apparaître au fond de la pièce le commerçant, vêtu à l'occidentale, costume foncé, cravate ; agenouillé, il s'incline profondément devant nous en disant : « Je suis très honoré, messieurs, que vous ayez pensé me faire une visite à cette heure tardive. Cela mérite que je m'occupe particulièrement de vous et que je vous montre tous mes trésors. » Puis l'épouse de l'antiquaire apparaît à son tour, vêtue du tablier blanc traditionnel, boutonné derrière, que portent les ménagères chez elles ou dans leur quartier et que revêtent systématiquement toutes les femmes de la campagne. Elle s'incline devant chacun de nous et dépose à nos pieds une tasse de thé vert. Je regarde le cérémonial en m'appliquant à faire la même chose que mes compagnons. Je prends la tasse avec les deux mains. Je l'approche de mes lèvres, et j'aspire consciencieusement le thé vert sans sucre, en faisant du bruit, comme eux, mais discrètement. Je pose ma tasse devant moi. Ma position à genoux, assis sur les talons, commence à devenir inconfortable... Digression, le téléphone sonne... l'antiquaire s'engage dans une interminable conversation. Enfin... *Domo Arrigato... Domo... Domo...* Ouf, c'est fini ! L'antiquaire rentre dans son arrière-boutique, nous laissant seuls. Il revient au bout de quelques minutes et commence à déployer des *byobu* (paravents) de toutes tailles, de toutes époques. Les premiers déployés sont vite repliés, mais peu à peu chaque paravent ouvert reste un peu plus de temps à l'exposition. Mon ami pose des questions brèves. C'est beau, mais je n'y comprends rien. A tout hasard je lui demande de se renseigner sur les prix. Nous n'en sommes pas là et je comprends mon incongruité. Nous quitterons cet antiquaire à vingt-trois heures, heure tardive limite pour le Japon. La beauté du dernier byobu nous a stupéfaits et notre extase a duré un bon quart d'heure. Dans la rue je reviens au prix et j'apprends avec effarement qu'aucune des pièces qu'on nous a montrées ne vaut au-dessous de 500 000 yen, soit à l'époque 7 500 francs (plus de 10 000 F aujourd'hui). Je venais d'apprendre par la même occasion que les Japonais menaient une double vie : une vie active pendant la journée et, le soir, une vie contemplative qui les éloigne de la dure réalité, celle où l'on se doit à l'efficacité, et qui les rapproche du mythe.

Le temple, qui domine la ville, au milieu de son grand parc aux arbres millénaires, accueille beaucoup plus de monde que le nouvel hôtel moderne avec chambres à l'occidentale, dont les huit étages sont remplis plus par curiosité que par nécessité, sauf lorsqu'un congrès comme le nôtre réclame toutes les disponibilités de logement. Ce voyage avec les directeurs de journaux devenait une initiation. L'autobus spécial dans lequel on nous « trimbalait » et dont les soubresauts rythmaient le babillage monocorde de l'hôtesse et les ronflements des habitués de ce genre de périple roulait le long de la mer en direction de *Kyoto*. Au bout d'une heure, la route bifurqua vers l'intérieur des terres. Au milieu de la matinée, notre bus s'engagea dans un immense parc de cèdres au fond duquel différents corps de bâtiments de temples étaient reliés dans tous les sens par des galeries couvertes, mais à l'air libre. Nous étions au cœur même du bouddhisme zen, la seule expression purement japonaise du bouddhisme. On entre ici de plain-pied dans le mythe et dans l'histoire.

Bouddhisme Zen

L'automne laissait sa trace avec un tapis de feuilles mortes jaunissant la terre battue sous les arbres. Au bout de la galerie, j'aperçus, de dos, un moine beaucoup plus grand que les autres, en train de balayer inlassablement les feuilles mortes. Leur tourbillon s'écrasait sans cesse à la place de celles qu'il venait d'enlever. Je l'interpellais en anglais, ayant reconnu un Occidental. Il paraissait jeune. Il me lança : « Je n'ai pas le droit de parler... éloignez-vous... » Je continuais : « Est-ce cela le zen, un perpétuel recommencement de la même tâche ?... » Il hocha la tête, voulant sans doute dire : Décidément, il vaut mieux que tu te taises, tu n'y comprendras jamais rien... Il répondit à mes questions par une autre question : « Qu'est-ce que le zen ?... »

Le *zen* restera longtemps pour moi associé à la forêt de cèdres qui entoure les temples d'*Eihei-Ji*. On est un peu choqué de rencontrer là un vaste édifice moderne et fonctionnel, mais en cheminant le long des corridors largement ouverts sur la forêt, on est introduit dans la salle des méditations de la secte *soto*. C'est là que le grand prêtre va nous inciter à la réflexion zen. Il sait qui nous sommes et ce que nous représentons. Tous les directeurs de journaux du Japon, tous les rédacteurs en chef, les éditorialistes, les représentants de la presse internationale sont là, à genoux, assis sur leurs talons. Au bout d'un quart d'heure, j'ai des crampes. Je ne comprends pas un traître mot du sermon. Je me lève pour filmer la cérémonie... J'ignore comment, mais je me retrouve, dans la seconde qui suit, à ma place, complètement « sonné ». Je n'ai pas vu venir le coup. Un des jeunes moines m'a « balancé » et pourtant je n'ai rien senti... M'a-t-il soulevé pour me remettre à genoux sur le tatami au milieu de mes confrères japonais ? m'a-t-il projeté par-dessus leurs têtes pour me faire rejoindre ma place au cinquième ou sixième rang ? Personne n'a bronché... Mes confrères répètent les soutras, après le moine prêcheur... Tiens ! où est ma caméra Bell and Howel 16... je l'ai perdue dans l'empoignade... Je n'ai pas le temps d'y réfléchir qu'un moine passant derrière moi la dépose à mes pieds par-dessus mon épaule. La cérémonie achevée, on nous conduit dans une autre salle à tatami. Déchaussés, nous sommes conviés à nous asseoir à la japonaise sur un coussin. Devant chacun de nous, un plateau de laque, posé sur une table basse individuelle également en laque, contient de petites soucoupes remplies de nourritures diverses impossibles à identifier pour un Occidental. Dans un bol, je reconnais tout de même le riz blanc qui est ici servi froid, mal cuit, collant et, dans un autre récipient, une soupe tiède au goût aigre et âcre. Je dépouille lentement l'enveloppe de mes baguettes puis j'observe l'ordre d'absorption des plats. Il serait bien incongru, dans nos pays, de commencer son repas par le dessert et de finir par les hors-d'œuvre. Mais ici il semble n'y avoir aucune règle. Les nourritures sont toutes végétariennes et impossibles à avaler. Un moine nous fait une lecture à laquelle je ne comprends rien. Il semble que nous soyons littéralement encadrés, comme pour une mise en condition psychologique. J'apprendrai plus tard l'importance de cette mise en condition. Elle tend à créer en soi-même une harmonie destinée à accroître la réceptivité à la méditation. En sortant du temple, un confrère m'explique la dureté de la règle qui régit les monastères bouddhistes zen. Par certains côtés, elle rappelle celle qui est appliquée par les ordres monastiques catholiques les plus réputés, qu'il s'agisse des trappistes ou des bénédictins. Les jeunes moines se lèvent à trois heures ; à jeun, dans le froid, ils s'acheminent le long des corridors jusqu'à la salle des méditations. Dans une position que les Occidentaux supportent difficilement, ils s'inclinent à faire le vide en eux, à méditer qu'il ne faut pas méditer ; ils lisent les soutras à haute voix jusqu'à épuisement. Lorsque le sommeil les gagne, il leur arrive de se laisser aller. Le texte glisse lentement de leurs doigts, leur tête s'incline à droite, certains ronflent, attirant l'attention du préposé à la discipline. Celui-ci passe dans les rangs armé d'un gourdin, le *kyosaku*, dont il assène un coup sur l'épaule, obligeant la tête coupable à se redresser, le cerveau durci à se laisser de nouveau irriguer ; le mécanisme de la récitation des soutras continue son œuvre d'approfondissement du vide...

Les bus du Congrès de l'association des éditeurs de journaux quittent un à un le parc, à la lisière de la forêt de cèdres d'Eihei-Ji. Dans chaque car, les hôtesses recommencent à babiller sur tout et sur rien, jusqu'à épuisement de leurs récitations, le temps pour chacun de nous de plonger dans un demi-sommeil. Nous gagnerons ainsi Kyoto en contournant le lac Biwa, le plus grand des lacs japonais dont la beauté lui a valu le surnom de « huit merveilles d'Omi », *Omi-Hakkei* en japonais. Selon les poètes japonais, cités par l'écrivain italien Fosco Maraini, les huit merveilles du lac sont : les dernières clartés à *Seta* ; le retour des bateaux à *Yabase* ; la neige au coucher du soleil sur le mont *Hira* ; la pluie nocturne à *Karasaki* ; le vol des canards sauvages à *Katata* ; le son de la cloche du temple de *Mi* au crépuscule ; la lune d'automne à *Ishiyama* ; le soleil et la brise à *Awazu*. Je n'ai pas essayé de retrouver ces huit merveilles, car je ne suis

170

pas certain qu'on puisse y parvenir, mais les dépliants touristiques en vantent de nouvelles pour remplacer celles-ci qui font désormais partie du mythe.

Bouddhisme ésotérique

Les mythes légendaires à l'origine du shintoïsme sont presque tous japonais. Nés sur la terre nippone, ils ont grandi et se sont perpétués dans une composante purement japonaise de la civilisation de l'Archipel. Les mythes historiques, au contraire, sont essentiellement issus des apports chinois et coréens. Ainsi, le zen, en tant que doctrine, restitue une harmonisation des concepts inhérents aux sources des cultures indienne, chinoise et japonaise. Pour ce qui est des attitudes, outre l'héritage de l'Inde bouddhique, on y perçoit en tout premier lieu une manifestation des enseignements confucéens et taoïstes. Ces éléments importés se retrouvent dans les idées véhiculées et adaptées par des moines, tels *Kukaï*, plus connu au Japon sous le nom de Kobo-Daïchi, fondateur de la secte *Shingon*, et *Dengyo Daichi*, fondateur de la secte *Tendai*. D'une part, on donne consistance au bouddhisme dit « ésotérique » qui n'était pas étudié en tant que tel en Chine ; de l'autre, on adapte l'enseignement du maître chinois *Tche-Yi*, promoteur des « Trois Vérités ». Les îles du Soleil-Levant ont adapté et modernisé les vieilles croyances du continent chinois. Cette japonisation de la croyance et de la pensée connaîtra, à partir du IXe siècle, un grand succès au Japon, favorisée par l'installation de la Cour à *Heian-Kyô*, aujourd'hui Kyoto. J'ai découvert et rencontré le *shingon* longtemps après mon arrivée. Le temple de *Muro-Ji*, près de Nara, n'est pas facile d'accès. Il faut traverser une banlieue industrielle interminable et triste, à l'est de Nara. Les agglomérations anonymes se succèdent, compliquées dans leur traversée par de nombreuses bifurcations mal balisées, encombrées de processions de poids lourds. Aussi éprouve-t-on quelque soulagement lorsque les maisons deviennent plus rares, dès le bas de la montagne boisée, au cœur de laquelle on finit par dénicher un petit village au bord d'un torrent. Deux ponts, dont l'un en bois a gardé le style ancien, permettent de passer de l'autre côté où commence la forêt. Là sont construits les bâtiments qui abritent l'administration des temples. On rentre dans le parc et on s'élève progressivement au-dessus du torrent, dans la forêt. Les temples de *Muro-Ji* ont été construits pour abriter les nonnes de la secte shingon dont le monastère construit sur le *Koya-San* ne voulait pas.

Comme au *Koya-San*, le bouddhisme ésotérique s'affirme essentiellement bouddhisme de la nature, véritable temple de l'homme. Il pleuvait sur *Muro-Ji*, ce lundi d'octobre, et on pouvait se croire seul dans les allées et les sentiers, mais on n'est jamais seul au Japon même pour méditer sous un parapluie. A onze heures du matin, la forêt fut tout à coup envahie de cris, de rires et d'une forêt de parapluies. Des écoles de filles et garçons, des centaines de jeunes étudiants accomplissaient l'un de ces innombrables rites qui jalonnent leur vie : celui qui leur fait obligation de se rendre, chaque fois qu'ils le peuvent et durant toute leur vie, aux sources de leur civilisation. Devant le temple central, chacun ne manquera pas de s'incliner, de frapper trois fois dans ses mains avant de s'éloigner vers d'autres temples, d'autres forêts, d'autres mythes. En quittant *Muro-Ji*, il pleuvait encore ce lundi après-midi. Je me dirigeais vers Kobé où un car-ferry pourrait m'emmener un peu au-dessous de cette ceinture du mythe qui enserre la « taille » du Japon. On pourrait imaginer qu'un pan de cette ceinture tombe directement sur le Shikoku, la quatrième île de l'Archipel par son importance, ainsi nommée à cause des quatre régions (*shi* = 4 *koku* = district) qui partageaient l'île autrefois, correspond aujourd'hui aux districts des villes de *Tokushima*, *Ehime*, *Kagawa* et *Kochi*. Les Japonais visitent l'île de *Shikoku* en grande majorité pour se rendre à *Kotohira*, où se trouve l'un des sanctuaires les plus fréquentés du

Japon : le *Kompira-San*. Le pan de la ceinture du mythe qui enserre le Japon tombe ici tout droit en provenance du Fuji et des sanctuaires d'Ise puisqu'il est dédié à *Susano-o-No*, frère de la déesse *Amaterasu*. C'est là un prolongement géographique des mythes légendaires qui ont précédé les croyances historiques sans que celles-ci parviennent à les éliminer et à les supplanter. Il faut gravir des centaines de marches avant d'arriver au sommet du temple. Elles sont bordées d'étalages de souvenirs de toutes sortes, de la carte postale banale à des objets que l'on ne trouve en Europe et en Amérique que dans les magasins de sexe. Les mythes du soleil, du feu, de l'eau ont rencontré la pensée bouddhique pour créer une certaine idée de l'homme et de sa nature spirituelle. Mais les Japonais n'ont jamais pu s'accommoder de l'immatériel et de l'inexplicable sans le rattacher à leurs sens, découvrant bien avant le père Teilhard de Chardin l'intimité de l'esprit et de la matière et l'impossibilité pour l'un d'exister sans l'autre.

Cultes phalliques et fécondité

C'est sans doute la signification profonde qu'il faut rechercher au culte du sexe dont le christianisme a fait un sujet tabou. Dans un petit village, près de *Nagoya,* j'ai été surpris de découvrir, grâce à un ami japonais, un temple que rien n'aurait signalé à mon attention si ce bon ami n'avait insisté pour que je m'y rende. Situé hors des circuits touristiques, *Tagata Jinja* accueille fin mai, début juin des milliers de Japonais venus honorer le phallus, tandis qu'à quelques kilomètres de là, dans un autre temple au flanc d'une colline boisée, on célèbre l'auguste sexe de la femme. Ici, dans un petit lac sacré où surnagent quelques phallus en bois, les femmes stériles viennent chercher, en se baignant, la promesse de leur fécondité.

A la sortie du temple, les prêtres vendent des amulettes fort représentatives du sexe féminin, accompagnées de prières écrites au pinceau et que l'on récitera plus tard chez soi. A *Tagata-Jinja*, la fête prend un tour plus solennel. Le conseil municipal, en habit, s'avance précédé par un orchestre d'instruments traditionnels. Les prêtres shinto revêtus de leurs robes sacrées entourent « l'objet » qui a été sculpté dans la masse d'un très gros arbre et que l'on pousse sur un chariot. Derrière le phallus géant vient le chœur des vierges du village ; elles portent un dais renfermant une statue de plâtre, symbole de la virginité. Puis c'est le tour des veuves en kimono de cérémonie, noir et blanc, qui tiennent dans leurs bras, comme un bébé, un phallus de taille humaine. A la fin de la procession, en costume traditionnel, viennent les jeunes gens, répartis en deux groupes rivaux. Le premier groupe porte un arbre que l'on a déraciné et qui est encore garni de ses feuilles ; l'autre tente de s'emparer de l'arbre, le jeu en forme de procession prend parfois un tour violent, car il est dit que tout adolescent qui aura réussi à tromper la vigilance du groupe gardien de l'arbre et à s'emparer d'une branche si petite soit-elle est assuré de virilité pour l'année en cours. La procession arrive à travers la rizière jusqu'au temple de Tagata. Le phallus est solennellement introduit dans le temple. Dans la cour, les prêtres et les moines vendent des objets commémoratifs, tandis que du haut d'une estrade tombe sur la foule une pluie de *mochi* (pain de riz) que les plus hardis parviennent à saisir. Le phallus géant recevra ainsi la visite de milliers de pèlerins jusqu'à la fête de l'année suivante. Durant trois années consécutives, je me suis rendu à ce *matsuri* dont la renommée n'a cessé de grandir. Il ne faudrait pas croire qu'il s'agit d'une fête isolée ou de quelque phénomène purement local.

Nous nous étions rendus avec une équipe parisienne de la télévision dans l'île de *Sado*. Nous souhaitions surprendre les secrets de ces danses sacrées que l'on nomme Kagura et qui existent à l'état originel dans de nombreux villages. Au détour d'une rizière, un temple de campagne s'offre à nos yeux : il était rempli de phallus soigneusement sculptés par toute la population. Un peu plus loin, dans un village, notre surprise fut grande de voir sur la place une scène de théâtre dressée en permanence. Les responsables insistèrent pour nous offrir, après leur travail, une représentation de marionnettes dont certaines se transmettaient de génération en génération depuis plus de deux cents ans. Nous regardions évoluer ces personnages fantastiques sans comprendre un seul mot du dialogue. Notre reporter d'images filmait souvent en gros plan les marionnettes sous tous les angles possibles. Tout à coup, la marionnette mâle, après avoir interpellé l'assistance, souleva son kimono, découvrant un phallus de belle taille, et se mit à arroser le reporter qui ne s'y attendait pas...

Femmes et esprits de la mer

Au sud de Sado, à la pointe extrême de la péninsule de Noto, le petit port de *Wajima* sur la mer du Japon sert de base arrière à l'île d'*Hekura*, en japonais *Hekurajima*. Elle n'est habitée qu'en été, de juin à septembre, par une population d'*Ama*, communauté dont l'activité essentielle est la pêche et la cueillette des coquillages. Sur la façade Pacifique, les femmes ama ont été rendues populaires auprès des touristes par le roi de la perle au Japon, M. Mikimoto. Dans l'île de *Toba*, au large des sanctuaires sacrés d'Ise, il les a habillées de blanc et les fait plonger, afin de ramener pour le plaisir des touristes des huîtres perlières que l'on ouvrira devant eux. Les femmes ama exercent en réalité un dur métier de pêcheuses de coquillages qui sont vendus pour la consommation. Il s'agit surtout de coquillages à trois trous, appelés *awabi*, dont on peut découvrir une variété similaire en France, en Bretagne, connue sous le nom d'ormeau. Les *Ama* de Wajima émigrent donc chaque année avec leurs familles à quatre heures de navigation, dans cette île désolée d'*Hekura*, faite d'un amas de roches volcaniques. Lorsque j'ai débarqué en plein mois de juillet à *Hekura*, je ne savais pas ce qui nous attendait avec mon équipe de cinéma.

Nous pensions être rejetés à la mer. Ce fut pis, l'indifférence la plus totale nous accueillit. Impossible de trouver un logement ni de prendre un contact sérieux. Les gens nous fuyaient. Même les Japonais qui nous accompagnaient n'arrivaient pas à échanger deux mots. Le commerçant épicier du village finit par accepter de nous héberger. Nous nous retrouvâmes dans la même pièce à quinze garçons et filles, séparés par le voile de nos moustiquaires respectives. Il fallut plusieurs jours pour convaincre les *Ama* de plonger sous l'œil de nos caméras. Ici pas de vêtements blancs. Portant un cache-sexe devant, rien derrière, une ceinture avec un couteau, les jeunes *Ama* traquaient l'*awabi* dans les criques, à des profondeurs de 3 à 15 mètres, munies en tout et pour tout d'un appareil sommaire d'équilibrage de pression des oreilles. Vivant sous un régime pseudo-matriarcal, elles plongent ainsi chaque jour, tandis que leurs époux gardent les enfants et font la cuisine et le ménage. Peu à peu, elles s'habituèrent à vaquer nues devant nous, surtout lorsque je leur eus montré le livre émaillé de photographies que l'écrivain italien Fosco Maraini avait publié dix ans auparavant, sous le titre d'*Hekurajima*. Aucun Européen ne leur avait rendu visite depuis qu'il avait pris ces photographies. Elles reconnurent leur sœur aînée, leur mère, leur cousine. Le livre eut un gros succès dans le village à cause des photos.

Le mythe tient ici à cette migration saisonnière, symbole de la recherche permanente de la terre et de l'eau qui font vivre l'homme, tandis que le réel rappelle par les éléments, souvent déchaînés, les obstacles qu'il dresse sur la voie de l'accomplissement individuel. Le mythe des *Ama*, c'est un peu aussi le mythe de Sisyphe. Lorsque le typhon approche, *Hekura* est tout à coup isolée, seule, enfermant en elle quelques hommes et femmes dont la méditation consiste à faire le vide en eux pour mieux survivre.

Un autre pan de la ceinture mythique de l'Archipel se prolonge vers le sud au-delà d'Hiroshima, jusqu'à *Miyajima*. On l'appelle aussi *Itsuku Shima*. En venant d'Hiroshima, il faut parcourir une vingtaine de kilomètres en direction du sud-ouest, avant d'arriver à Miyajimaguchi. De la rive on aperçoit le grand sanctuaire flottant, renommé pour être l'un des trois plus beaux paysages du Japon. L'ensemble des sanctuaires shintoïstes, reliés entre eux par des galeries couvertes sur pilotis, sont consacrés aux trois filles de Susano-o, le frère de la déesse *Amaterasu*. A marée haute, le torii principal, portique d'entrée du temple, est dans l'eau tandis que la mer affleure au niveau des galeries donnant l'impression que les temples flottent. Ces sanctuaires existaient déjà aux environs de l'an 800, comme l'attestent les documents, mais ils ont été reconstruits plusieurs fois au cours des siècles. Ils renferment la plus ancienne scène de théâtre nô du Japon. A la mi-juillet les fêtes de l'*O'Bon* y sont célébrées, avec un éclat particulier, par un défilé nocturne de bateaux et l'illumination des innombrables lanternes suspendues.

Le réel

Au Japon, la réalité est d'abord physique et la violence du milieu naturel saute aux yeux. Ma première visite dans le Hokkaïdo eut lieu quelques mois après mon arrivée. L'hiver était presque achevé mais le printemps pas tout à fait là. J'étais arrivé par avion à *Sapporo*, la capitale de l'île du Nord où se sont tenus les Jeux Olympiques d'hiver de 1972. Dure cité nordique, Sapporo est habitée par une population particulièrement hospitalière, mais la visite de la ville ne requérant pas plus d'une journée, je repartais dès le lendemain, en train, pour *Asahigawa*, ville du centre de l'île, rendez-vous d'une assez vaste plaine très froide, au pied du massif du *Daisetsuzan*. La gare d'*Asahigawa*, exposée aux vents sibériens, me fit souhaiter que s'abrégeât l'attente de ma correspondance. Mais les souhaits ne sont pas toujours exaucés et ce n'est qu'après plusieurs heures de piétinements en battant la semelle que le compartiment d'une micheline nous accueillit pour nous mener à *Biei*. De la gare, on entre dans la forêt de cèdres qui défile à travers les vitres du bus.

Terres de feu

En quarante-cinq minutes on est au pied du mont *Tokachi*, volcan en activité dont on aperçoit les fumerolles au-dessus de la forêt, bien avant d'arriver à la station thermale de Shirogane-Onsen. L'unique auberge, qui n'a plus accueilli de visiteur occidental depuis onze ans, nous reçoit avec courtoisie et déférence.

Durant trois jours, skis sur le dos, nous grimperons les flancs du *Tokachi* jusqu'au refuge, d'où chaque après-midi à seize heures un vieil homme vêtu de blanc sonne la cloche qui appelle à redescendre. Dès qu'on l'entend, on dévale la pente, tandis que sous nos pieds de sourdes explosions nous rappellent que le *Tokachi* est bien vivant. Le propriétaire de l'auberge a toujours bien connu le volcan capricieux, tantôt menaçant comme sous le coup d'une colère subite, réveillant les voisins en pleine nuit par des grondements, ou même de très fortes explosions, tantôt assagi, ne lançant même pas une fumée blanche dans le ciel. Il y a plus célèbre que lui au Japon, mais sa position au centre de l'île du Nord lui confère une aura particulière.

On ne peut pas évoquer un par un tous les volcans du Japon, mais on peut essayer de baliser du nord au sud le chemin de la violence des éléments. En descendant du Tokachi, il faut marquer une pause à l'extrémité nord de l'île centrale du *Honshu*, dans la péninsule de *Shimokita*. Là se dresse la montagne *Osore*, ou montagne des sorcières, qui renferme le paysage le plus démoniaque du Japon. Le volcan en activité de la montagne Osore représente assez bien le concept de l'interprétation constante du mythe et du réel. Le décor : un lac de cratère de six à sept kilomètres de pourtour ; la lave a coulé et coule jusqu'aux bords. Plus on s'éloigne vers le sommet du cratère, plus apparaissent dans la roche volcanique des failles qui laissent passer les fumées du foyer central du volcan, tandis que çà et là, sous les pieds, resurgissent des eaux en ébullition. Puis la lave s'arrête et la forêt ceint, telle une couronne royale, tout le bord supérieur du cratère jusqu'à mi-pente. A l'automne, la couronne forestière prend toutes les couleurs, le rouge de l'érable et le vert des sapins, le blanc des hêtres et le jaune des châtaigniers. Au bord du lac, des temples bouddhistes ; au-delà, des tas de pierres. On les a posées les unes sur les autres de manière à figurer des lanternes, en japonais *ishi doro*, symbole de l'âme des morts. Des *jizō*, anges gardiens des enfants morts et des âmes en détresse, se dressent ici et là, figés et fantastiques, tantôt en pleine lumière, tantôt voilés comme des ombres par les fumées du volcan. Les pèlerins vont et viennent parmi les pierres, et s'arrêtent parfois en compagnie d'un médium pour invoquer l'âme de leurs morts et entrer en communication avec eux. Chaque année, vers la fin juin, des centaines de médiums, en général des femmes aveugles, remontent tout l'Archipel avec un nombre considérable de pèlerins venus chercher là une communication privilégiée avec l'au-delà. Lorsque je me suis rendu dans cet étrange lieu, la tempête faisait rage, le vent soufflait en rafales. Le toit d'un temple fut emporté sous mes yeux. Violence et désolation contrastaient en ce jour de novembre avec le stoïcisme des pèlerins japonais qui n'était égalé que par le flegme des photographes devant les éléments furieux.

L'île d'*Oshima*, proche de la baie de *Tokyo*, au large de la péninsule d'Izu, est dominée par un autre volcan en activité. On peut monter à pied ou à dos de mulet jusqu'au bord du cratère. Des barbelés signalent la zone dangereuse, mais les éruptions ne sont pas rares ; en toute saison, on est assuré d'entendre des explosions et des grondements et d'assister à des projections de laves. Le volcan le plus violent, et sans doute le plus majestueux, est situé à l'extrême sud du *Kyushyu*, au large de la ville de *Kagoshima*, dans la petite île de Sakurajima. La première éruption connue date de l'an 716, et depuis, le volcan a répandu sa lave aux alentours une bonne trentaine de fois.

Il y a au Japon une vingtaine de volcans qui, à un moment ou à un autre de l'histoire, ont connu des éruptions violentes. Ce voisinage dangereux que la nature impose à l'homme nippon nous apparaît comme un défi, mais il ne semble pas que les habitants de l'Archipel aient encore songé à le relever. C'est peut-être le seul défi perpétuellement renouvelé, face auquel ce peuple n'a mobilisé ni sa technologie, ni son imagination pour tenter d'échapper à une logique de l'absurde : construire en sachant que l'œuvre sera détruite, vivre contre la mort et lui opposer la vie alimentant ainsi un cycle sans fin.

Terres instables

Ce comportement persiste aujourd'hui chaque fois que la terre tremble. En 1967, le village de *Matsushiro,* dans les Alpes japonaises, à quelques kilomètres de la ville de *Nagano*, a été la victime d'un phénomène naturel jamais vu. Cela commença à l'aube, un jour, une heure environ avant le lever du soleil. Un grondement soudain courut sous la terre, Michiko, professeur d'anglais à *Nagano*, était venu rendre visite à sa mère et à son frère cadet âgé de vingt-cinq ans, récemment engagé dans les forces de police de la circulation routière. Sa plus jeune sœur, âgée de douze ans, dormait dans son *futon* (matelas recouvert d'un sac de couchage) à même le *tatami*, entre sa sœur aînée et sa mère. Son frère dormait au bout de la pièce et s'était couché dans le sens transversal. Le grondement s'amplifia en quelques secondes. On aurait dit qu'un poids lourd de plusieurs dizaines de tonnes venait de s'arrêter devant la porte. Les cloisons se mirent à vibrer, les lampes se balancèrent au plafond. Chacun fut brutalement réveillé, avec une sensation de vertige. S'enveloppant rapidement dans un *yucata* de coton, toute la famille sortit dans la rue où le spectacle était hallucinant. On voyait nettement les murs des maisons osciller dans la nuit éclairée par la pleine lune. Le bruit décrut lentement, le silence se rétablit. Le ciel paraissait figé. Puis tout redevint normal. Pas pour longtemps. Le grondement se fit entendre de nouveau. Il y eût ainsi une dizaine de secousses, avant l'aube. Ce n'était qu'un début. L'observatoire sismologique de *Matsushiro* enregistra 30 000 secousses en un an, à Matsushiro, dont l'amplitude moyenne (pour deux ou trois fois par jour) atteignait 3 à 5 d'intensité sur l'échelle de Richter. Les maisons du village qui se fendaient une à une durent être étayées. Les bâtiments publics furent évacués et reconstruits en matériau ultra-léger. Dans les écoles, on apprit aux enfants les gestes de première urgence : éteindre les chauffages, se munir d'un coussin et sortir en courant, en se protégeant la nuque. Dans chaque famille, la maîtresse de maison préparait chaque soir une bouteille Thermos remplie de lait chaud, quelques fruits et un peu de riz blanc cuit.

Au bout d'un an, presque jour pour jour, la terre ne trembla plus. Je suis retourné à *Matsushiro* à plusieurs reprises, pour y faire des séjours de trois à huit jours. Chaque fois la même chose recommençait : tremblements de terre, et nous nous retrouvions avec les habitants du village, dehors, dans la nuit finissante, à guetter dans le ciel un apaisement aux violences de la terre. A Tokyo, un tremblement de terre me surprit un jour dans mon bureau au cinquième étage d'un immeuble d'Akasaka. Sans avoir eu le temps de réaliser ce qui arrivait, je fus violemment projeté à l'autre bout de la pièce, sans dommage il est vrai. Les Japonais ont appris à vivre avec ces phénomènes, qui n'ont rien d'exceptionnel. Aussi sont-ils intégrés dans la civilisation. Un proverbe local dit : « Les tremblements de terre, la foudre, les inondations, lc feu et son père, voilà lcs cinq sujets de frayeur d'un Japonais. »

Le premier tremblement de terre recensé dans l'histoire de l'Archipel est celui qui donna naissance au mont Fuji et, conséquemment, à la dépression du lac *Biwa*, en 286 avant J.-C. Depuis, les tremblements de terre qui ont tourné au cataclysme ne se comptent plus.

Le 1er septembre 1923, à onze heures cinquante-huit du matin, le grand tremblement de terre du *Kanto*, ainsi le nomme-t-on, tua plus de 60 000 personnes, détruisant par le feu ou l'écroulement 366 262 maisons de la capitale, selon les statistiques officielles.

La légende dit qu'un énorme poisson-chat vit sous terre et provoque un séisme chaque fois qu'il bouge. Il est contenu dans les entrailles de l'Archipel par une pierre située dans l'enceinte du temple de *Kashima*, dans la province d'*Hitachi*, à cent cinquante kilomètres au nord de Tokyo sur la côte Pacifique. Afin de toucher la tête du poisson, un seigneur du clan de *Mito* tenta de déraciner la pierre, mais ne put y parvenir tant elle s'enfonce profondément dans le sol. La mémoire de ce tremblement de terre est conservée dans un temple qui contient les ossements de 30 000 victimes, déposés dans des barils. Deux statues de Bouddha confectionnées avec des os calcinés sont exposées dans l'enceinte du mémorial et attirent chaque année, le 1er septembre, une foule nombreuse et recueillie.

Terres inondées

La violence du milieu naturel se manifeste par une autre calamité relativement fréquente : les *typhons*. Ils portent des noms poétiques de femmes. Etant donné qu'ils sont détectés par les services de la météorologie, la population des villes est tenue informée de leur progression et de leur intensité par la radio et la télévision. Les vents, souvent accompagnés de pluie, sont canalisés dans des spirales concentriques souvent très larges. On peut ainsi se trouver à la périphérie d'un typhon et ne ressentir que l'équivalent d'un vent de force 3 ou 4 avec quelques gouttes de pluie, mais on peut aussi se trouver dans l' « œil » du typhon. A Tokyo, dès que la radio donne l'alerte, les employeurs congédient leurs salariés. Les rues se vident, la circulation s'arrête, le vent se met à souffler en rafales, tandis qu'une rumeur monte de la ville. Des coups sourds résonnent de partout. Le bruit lancinant croît. Ce sont les commerçants du Tokyo traditionnel qui, pour se protéger, clouent leurs volets de bois. Le ciel s'obscurcit peu à peu. Les dégâts matériels sont souvent considérables. Les pertes en vies humaines dues aux seuls typhons, s'élèvent en moyenne à plus de mille victimes par an.

Les *raz de marée* sont plus rares et accompagnent en général les tremblements de terre. Ils contribuent à mettre en relief le caractère profondément inhospitalier de la nature et le prix de la douceur de saisons intermédiaires éphémères : l'époque des cerisiers en fleur qui ne dure souvent qu'un seul jour, ou celle des érables en fleur qui rougissent les montagnes à l'automne. Ainsi les hommes sont-ils rompus aux dures réalités du jour et remplis d'espoir dès que tombe la nuit.

Les Japonais sont particulièrement sensibles au changement des saisons, ce qui n'a rien d'exceptionnel, sauf que l'homme ressent ici plus qu'ailleurs le caractère violent de tout ce qui l'entoure. Géographiquement situé au bord d'un précipice, là où le continent asiatique s'abîme profondément dans l'océan Pacifique, les tremblements de terre consécutifs à cette situation, conjugués avec les mutations de l'atmosphère, des couleurs, l'alternance de variétés de végétaux, donnent aux rapports de l'homme nippon avec la nature cette dimension de modestie, absente des relations de l'homme européen ou américain avec son environnement.

DUALITÉS

LE PUZZLE

L'héritage de Saïgo et d'Okubo

JOUER au puzzle est un des passe-temps favoris de tout
habitant de l'Archipel, qu'il soit étranger ou japonais.
Chacun a le sien. On en réunit les éléments un par un
et on les assemble de mille et une façons au hasard
des pièces que l'on rencontre, de celles que l'on fabrique soi-même, ou encore de celles qu'on emprunte.
Mais il ne s'agit pas de n'importe quel puzzle. Il s'agit
de reconstituer, à partir d'éléments disparates, un pays
dans toutes ses composantes, celles qui caractérisent
le Japon dans la vie quotidienne, les institutions, la
civilisation, l'histoire. Rien de plus naturel pour un
étranger, que d'essayer de jouer au puzzle du pays qui
l'accueille ou auquel il s'intéresse. Les Américains se
posent beaucoup de questions sur les Français et
inversement, les Anglo-Saxons ont chacun leur vue des
pays latins, les pays industrialisés la leur des pays en
voie de développement. Le jeu du puzzle connaît une
grande vogue. Ici, cependant, on va plus loin. Les
Japonais ne jouent pas au puzzle « France » ou « Etats-
Unis » ou « Brésil », sinon occasionnellement et en
fonction d'intérêts précis. Les Japonais jouent au
puzzle *Japon*. Un narcissisme frénétique parcourt l'ensemble du pays. Les Français se moquent en général
de ce que l'on pense d'eux à l'étranger. Ils sont tellement persuadés de détenir la vérité culinaire ou amoureuse qu'ils continuent de parcourir le monde sans se
poser de questions sur eux-mêmes, sans complexe
aucun. Les Américains sont convaincus d'appartenir

au pays le plus libre, le plus démocratique, le plus fort, le plus riche, mais à l'opposé des Français et comme les Japonais ils sont très sensibles à l'opinion que l'on se fait d'eux, à l'extérieur de leurs frontières. Chez les Japonais, ce souci traduit une véritable crise d'identité, une angoisse du « qui sommes-nous ? D'où venons-nous ? ». Une appréhension du « où allons-nous ? », celui de Français comme Marcel Giuglaris ou Robert Guillain, deux confrères qui ont beaucoup écrit et poursuivent leur patient assemblage ; celui d'Américains comme James Morley ou Zbinew Brzinsky, professeurs à Columbia University, celui du journaliste anglais Henry Scott Stokes, spécialiste de Mishima, et bien d'autres d'un intérêt évident, qu'il s'agisse de puzzles compliqués d'orientalistes distingués ou de jeux moins sophistiqués, dont certains ne se sont révélés que dans le cadre de cocktails ou de dîners en ville. Le mien s'ajoutera à tous les autres, mais d'emblée tous ces puzzles, si variés soient-ils, présentent un point commun : il leur manque une pièce maîtresse dont l'absence donne à l'œuvre un aspect *inachevé*, même quand il s'agit des puzzles « Japon » entre les mains des Japonais. L'observation de soi n'a de valeur que lorsqu'elle est lucide, critique et humoristique. Celle de Suzuki Takashi possède toutes ces qualités d'autant plus qu'elle ne poursuit d'autre objectif que la stimulation intellectuelle, à travers une espèce de provocation permanente.

Durant les événements de Mai 1968 en France, Suzuki Takashi se trouvait à Paris en voyage d'affaires, aussi dès son retour fut-il très sollicité par la colonie diplomatique française pour participer à des dîners, chacun voulant bénéficier de la version d'un témoin oculaire. Au cours de l'une de ces soirées, aux alentours du 14 juillet, une dame bien intentionnée pose la première question que l'on attendait :

« Alors monsieur Suzuki, cette révolution, comment était-ce ?

— ... Je ne sais pas, madame, je suis japonais et il m'est très difficile d'apprécier un événement typiquement français... Je puis cependant vous dire que j'ai trouvé les pavés de la capitale française vraiment très lourds... »

Je ne me rappelle plus qui m'a présenté à Suzuki Takashi. Ce fut je crois au début de mon séjour ; l'écrivain Maurice Mourier, alors jeune attaché culturel, et sa femme, Pascaline, récemment reçue à l'agrégation, l'avaient invité avec moi dans leur petite maison japonaise de Gotemba. Grand, maigre, habillé par Cardin, Suzuki paraissait un peu plus de la cinquantaine. Dix ans après, il avait à peine changé. On lui prêtait déjà soixante-dix ans. Alerte, voltairien, il avait une multiplicité de cartes de visite lui permettant de s'insinuer, avec une égale compétence et une grande distinction, dans les milieux les plus divers de la société. Il devait à son appartenance au club très fermé des Anciens de l'université de *Keio* de très nombreuses relations. Par lui, on pouvait entrer en contact aussi bien avec le ministre de la Justice ou le chef de la Police qu'avec les plus hippies des intellectuels ou les étudiants les plus extrémistes de la ville. Officiellement, c'était un peintre de talent dont les œuvres lancées par Mathieu se vendaient déjà cher au Japon. Tout aussi officiellement, il présidait une société Royal KK, dont la ligne d'activités se situait dans l'importation au Japon de films étrangers pour le cinéma ou la télévision, et la vente dans le monde de productions cinématographiques ou télévisuelles japonaises. Il était l'animateur du Comité de l'élégance française, professait l'esthétique dans une université de Kyoto et divertissait ses nuits d'insomnies à faire des mathématiques de très haut niveau. Membre du Comité des intellectuels contre la guerre du Vietnam, il défilait consciencieusement le samedi aux côtés de l'écrivain Oda Makoto ou du sculpteur philosophe Okamoto Taro. Suzuki Takashi appartenait à cette famille de pensée des libéraux japonais, qui a toujours exprimé l'un des courants les plus profonds de l'Archipel, mais a constamment favorisé et prêté main-forte à la politique conservatrice.

Les traumatismes de l'histoire

Suzuki Takashi m'a aidé à comprendre comment le Japon a toujours vécu une grande contradiction nationale, vouée ainsi à faire figure de victime de toutes les ambiguïtés et à subir une sorte de destin du « mal-aimé ». Cette contradiction vue de l'intérieur et à travers quelques grands moments de l'histoire du Japon des temps modernes apparaît dès la restauration de Meiji en 1868.

L'ouverture de 1868

La restauration de *Meiji* s'accomplit avec les *samouraï*, gardiens de la tradition et de l'honneur. Au nom de ces valeurs, ils chassent le *Shogun* et restituent le pouvoir à l'empereur. Le Shogunat a trahi en acceptant, après les bombardements de *Kagoshima* en 1863 et de *Shimonoseki* en 1864, les traités iniques imposés par les puissances occidentales. Or, celles-ci apportent au Japon une idéologie subversive contraire au *sakoku*, doctrine de complète fermeture du Japon à l'étranger. Il convient donc de chasser les étrangers. Les *samouraï* lancent le slogan *sonno joï* : « Chassons les barbares et révérons l'empereur ! », mais parallèlement, leurs leaders sont confrontés aux problèmes posés par la transformation d'un Etat féodal archaïque en une nation moderne. Leur décision de moderniser le Japon en acceptant de faire du commerce avec les puissances occidentales, Etats-Unis, Grande-Bretagne, Pays-Bas et France, les remplit de honte. Les méthodes traditionnelles sont inadaptées pour faire face aux exigences d'une situation nouvelle. Les épées des *samouraï* et le *bushidô*, code d'honneur *samouraï*, sont incapables de contenir l'invasion des étrangers ; cela trouble profondément tous ceux qui ont renversé le *Shogun* et les divise en factions irréconciliables qui vont s'affronter sur le terrain, à propos de ce que l'on va appeler le *seikan-ron*, c'est-à-dire l'argument pour

ou contre l'annexion de la Corée. Les deux protago-
nistes de cet « argument » portent deux noms célèbres
dans l'histoire du Japon : Saïgo Takamori et Okubo
Toshimishi. On les a successivement appelés « chefs
des partis de la *conquête* et de *l'anticonquête* », « parti
de la guerre » et « parti de la paix », « action impériale » et « faction nationale », « groupe féodal » et
« groupe capitaliste ». Ces diverses appellations donnent une idée des clivages japonais, à condition de ne
pas oublier que ces deux groupes sont d'origine *samouraï*, qu'ils ont tous deux pris part à la restauration de
l'empereur. La lutte des deux factions prit les allures
d'une guerre civile qui se traduisit par la révolte du
clan des *satsuma*, parmi lesquels Saïgo Takamori,
déçu de la nouvelle politique, s'était retiré. Saïgo est
resté dans l'histoire le prototype du samouraï intran-
sigeant. Ayant accepté de soutenir la révolte de la
classe des *shizoku*, ces samouraï qui avaient été incapables de s'adapter à la modernisation du Japon,
Saïgo perdit la partie en 1877. Ayant mesuré les conséquences d'une révolution qu'il avait contribué à faire
naître, mais dont il ne reconnaissait pas les fruits, et
qui le désavouait, il se suicida par *seppuku* (véritable
nom du hara-kiri). Okubo, son rival, appartenait au
même clan des satsuma, implanté dans l'extrême sud
du Japon. Il représentait la voie réformatrice qui
l'emportait provisoirement sur les tenants de la
société féodale. Celle-ci recevra une compensation,
lorsque les successeurs de Saïgo et ceux d'Okubo
trouveront un compromis. Le *seikan-ron* connaîtra un
dénouement en 1910 dans l'annexion définitive de la
Corée.

Une immense majorité de Japonais se reconnaît
aujourd'hui à travers Saïgo ou à travers Okubo. Cet
héritage dualiste du Japon moderne détermine très
précisément des clivages relativement étroits qui
donnent à la société son homogénéité, mais aussi son
intransigeance et son apparence de « club » avec les
admis et les exclus. Pour Suzuki Takashi, libéral réformateur de la tendance Okubo, la structure de la

société japonaise moderne ne diffère que très peu de celle mise en place dans les années qui ont suivi la révolution de *Meiji* en 1868.

« Lorsque vous observez la société japonaise, me dit Suzuki, vous perdez de vue la question essentielle : pourquoi le Japon avec son handicap énergétique a-t-il traversé la crise sans trop de dommages ? Comment l'a-t-il surmontée ? Par quel miracle en a-t-il émergé comme la deuxième puissance économique mondiale après les Etats-Unis ?... Bien entendu on peut épiloguer sur l'emploi à vie, la faiblesse des structures syndicales, la mentalité de l'ouvrier, mais tout cela fait partie du détail. Ce qui compte, c'est la force qui se dégage du regroupement des Japonais au sein d'une institution : la famille, l'entreprise, la nation. C'est dans le groupe que le Japonais puise son imagination et ses capacités d'innovation. Cela n'a pas changé depuis 1868. C'est une question de mentalité...

« Si je partage un ensemble en quatre parties en traçant une verticale et une horizontale perpendiculaire, votre logique vous conduit à voir aussitôt chacune des parties en tant qu'entité. C'est clair et net, tandis que pour moi le fait de diviser un ensemble en quatre parties est une opération commode, une méthode d'approche qui n'altère pas l'ensemble. D'ailleurs, la division correspond-elle à la réalité ? C'est la question qu'il faut se poser. Un ensemble, c'est en général comme un morceau de caoutchouc ou un nougat de Montélimar. Vous voyez bien que la réalité est ambiguë... Il est évident que votre révolution de 1789 n'a rien à voir avec celle de 1868, la nôtre... »

Cette appréciation sur la société japonaise donnée par un ami, réformateur dans la tradition du Japon samouraï, appelle en contrepartie le témoignage d'un conservateur traditionaliste, héritier direct de l'esprit de Saïgo Takamori : Mishima Yukio qui, avec Suzuki Takashi, me donna la clef de l'une des portes les plus riches du Japon.

« Il faudrait que la révolution se fasse toujours dans la tradition... » Il y a dans cette réflexion de

Mishima une conclusion directe à la révolution de Meiji. Faite par les samouraï, elle a sacrifié ses promoteurs à la modernisation du pays... « Au Japon, il y a trois classes, les marchands, les paysans et les samouraï : je travaille comme un paysan, mais je garde l'esprit des samouraï... » Cette citation de Mishima nous montre à la fois l'ambiguïté et la crise de l'identité japonaise.

Une partie des samouraï de 1868, ceux qui suivirent Okubo, se sont reconvertis avec succès dans la caste méprisée des marchands. Les autres au contraire, de retour sur leurs terres, souvent obligés de louer leurs services aux paysans, sont peu à peu devenus la classe la plus pauvre, et dans le mouvement de transformation de la société des hommes oubliés et dédaignés. Les valeurs d'honneur, de chevalerie, de fidélité perdirent quelque peu de leur signification dans une société en pleine modernisation, dont les infrastructures de production et de consommation se mettaient graduellement en place, à l'image de l'Occident. Le japonologue américain Edwin O. Reischauer, parle de « Révolution contre Tradition ». Il est vrai que la Révolution de *Meiji* a été faite au nom de la tradition militaire et guerrière qui ne trouvait pas immédiatement son compte dans la réforme des structures d'un Etat féodal qui cessa de l'être par l'abolition des privilèges des samouraï. Mais la revanche de la « tradition » ne sera pas longue à s'accomplir, puisque, quelques années après que Saïgo s'est donné la mort par seppuku, le Japon entamera sa course vers l'expansion impérialiste et le règne des militaires. Plus tard, grâce au « compromis » avec les libéraux réformistes, ils parachèveront leur victoire par l'annexion de la Corée. Même dans l'esprit des réformateurs comme Okubo, la modernisation du Japon devait commencer par celle de l'armée, idée partagée par toutes les couches sociales du pays et que résume un slogan populaire de l'époque : *Fukoku Kyohei* (un pays riche et une armée forte).

La première partie de ce programme sera fortement compromise dans la conjoncture économique internationale des années 30. La célèbre dépression de l'entre-deux-guerres a durement touché le Japon. Les militaires les plus revanchards, ceux qui avaient réglé son compte à la Corée en 1910 et qui voulaient en finir avec la Chine, en profitent pour jeter le discrédit sur les politiciens et même sur l'état-major. Tandis qu'au Japon des sociétés secrètes organisent des commandos d'assassinats et tentent de faire pression sur l'opinion, l'armée japonaise de Mandchourie crée l'irréversible en provoquant délibérément l'incident du 18 septembre 1931.

Des officiers nippons sabotent un tronçon du chemin de fer de Mandchourie. Ils accusent les Chinois d'être les instigateurs du coup et saisissent ce prétexte pour conquérir la Mandchourie par les armes.

Les militaires pratiquent ainsi la politique du « fait accompli » qui aboutit à la création de l'État fantoche du *Mandchoukouo*, en 1932, dont Pu-Yi, à la dévotion des Japonais, est proclamé empereur. La Société des Nations ayant condamné l'intervention nippone, le Japon s'en retire.

Cela ne suffit pas aux factions extrémistes. De très jeunes officiers contribuent à instaurer un climat de violence et à galvaniser le sentiment nationaliste des populations. Le recours à l'action directe devient la règle.

Mishima Yukio réussira à réveiller une certaine nostalgie « samouraï » en portant à l'écran cette action de galvanisation qui aboutira à la reprise en main de l'armée, après la conjuration du 26 février 1936 que les Japonais appellent « l'incident du 26-2 ». Le film qui relate cet événement eut un certain retentissement au Festival du court métrage de Tours en 1966 ; son titre : *Yukoku*, c'est-à-dire « le Patriotisme ». Le 26 février 1936, un groupe de jeunes officiers entraîne dans la révolte la première division de Tokyo et assassine, en quelques heures, le ministre des Finances, le garde du Sceau privé, deux anciens premiers ministres et l'un des trois généraux en chef de l'armée. Le grand chambellan et un amiral sont grièvement blessés. Un autre amiral et le premier ministre en exercice parviennent à s'enfuir, ce dernier parce que les conjurés assassineront par méprise son beau-frère. Mais le coup d'Etat est manqué et les officiers, n'ayant pas réussi à maîtriser la Garde impériale et à prendre sa place, sont durement châtiés. L'un d'entre eux — un lieutenant — rentre chez lui après l'échec du putsch. Il informe son épouse qui en tire aussitôt toutes les conséquences. L'homme et la femme déroulent un parchemin et tracent lentement au pinceau les idéogrammes du testament. Puis avec solennité, ils se déshabillent et font l'amour une dernière fois. L'épouse prépare soigneusement les instruments du *seppuku* et s'apprête à assister son mari et à se donner le coup de grâce avec la dague traditionnelle qu'elle porte toujours sur elle. La cérémonie se déroule selon le rituel. L'officier s'est enfoncé l'épée dans le ventre à la profondeur voulue. Il incise lentement. Lorsqu'il arrive au terme de son acte et au paroxysme de la souffrance, sa femme l'aide à mourir en lui tranchant la tête puis s'enfonce le poignard dans le cœur. Aucun détail ne nous est épargné dans ce film de trente minutes, sans une parole. Mishima y joue le rôle de l'officier. A Tours, la sensibilité du Jury et du public ne résista pas. La majorité quitta la salle.

J'avais vu ce film dans un cinéma en sous-sol près de la *Ginza*, à Tokyo. J'avais été frappé par le silence des spectateurs. Les Japonais sont allés voir *Yukoku* comme on assiste à une cérémonie religieuse. Mishima avait, ce jour-là, réveillé chez ses concitoyens une certaine idée perdue de la nation japonaise. Plus tard, Mishima refera les mêmes gestes que ceux qu'il avait accomplis devant la caméra, non sans grandeur, mais en laissant une impression de dérisoire. Devant les troupes d'autodéfense du quartier général d'*Ichigaya*, il avait tenté de lancer un appel à la jeunesse japonaise et notamment aux jeunes engagés formant le noyau de base de la nouvelle armée nippone. L'exaltation des valeurs samouraï, celles qui avaient guidé la révolte des jeunes officiers lors de l'incident du *Ni-Ni-Roku*, c'est-à-dire du 22 juin 1936, ne lui attirèrent qu'incompréhension et quolibets. En se suicidant par seppuku devant le général Masuda et dans le bureau de celui-ci, Mishima donna une très belle preuve de son attachement aux valeurs patriotiques qu'il défendait, mais fit aussi par son geste la démonstration de l'indifférence de la jeunesse à l'égard de la tradition guerrière la plus enracinée.

Entre-temps, la défaite, l'humiliation et la bombe atomique sont passées par là, écrasant un peu plus « l'esprit de Saïgo », et paraissant donner aux réformateurs de Meiji, aux libéraux d'Okubo, la bonne conscience du bon choix des samouraï, qui ont épousé le progrès, et non la mauvaise conscience de la trahison des samouraï qui se sont faits marchands.

Cependant, dans l'histoire, les traumatismes restent, s'accumulent et on ne mesure souvent leurs conséquences qu'après plusieurs générations. Herman Kahn, le futurologue américain, parle de *third generation effect*, d'effet de la troisième génération. Il semble bien que la montée de l'esprit samouraï, et l'abus de sa transformation en idéologie nationale dominante, la catastrophe qui s'ensuivit, aient lancé la deuxième génération, celle qui vint à l'âge adulte de 1945 à 1965 dans une contestation globale et systématique, elle-même repoussée, de 1975 à l'an 2000, par une troisième génération, à la recherche désespérée d'une identité perdue.

Il n'est pas certain que la recherche d'un nouveau système s'oriente vers un retour aux valeurs traditionnelles. Le suicide tragique de Mishima a soulevé, même chez ses amis, à l'exception de la petite armée privée qui l'entourait, plus de stupéfaction et de compassion que d'adhésion. Les réactions des jeunes militaires d'active qui ont entendu la harangue de l'écrivain et son cri : *Tenno Heïka Banzaï*, Longue vie

à l'empereur !, ne lui ont valu pour toute réponse que quelques interjections peu amènes :
— Descends de là !
— Arrête de jouer au héros !
— Nous ne te suivons pas !
— Espèce de fou !
— Sortez-le de là !

6 août 1945...

Le dernier traumastisme de l'histoire du Japon moderne a largement dépassé les frontières de l'Archipel. Il a créé un tel vide qu'il n'est pas étonnant que la première réaction ait consisté à tourner le dos aux causes de la catastrophe lucidement analysées. Lors des cérémonies qui ont marqué le vingtième « anniversaire » de la bombe, à *Hiroshima*, nous avions décidé de couvrir l'événement avec un magazine de quinze minutes. Nous n'avions aucune idée de ce que nous allions mettre dans le film qui devait être projeté au cours d'une soirée consacrée au Japon par le réalisateur Hubert Knapp. Nous nous trouvions au point zéro, c'est-à-dire au-dessous de l'endroit exact où la bombe fit explosion, à l'aplomb du dôme de la Chambre de commerce, dit bureau de la promotion industrielle, dont les ruines sont conservées comme témoignage. Autour du squelette calciné du bâtiment, le Parc mémorial de la paix a remplacé le centre de l'ancienne *Hiroshima* totalement rasé. Il y a beaucoup de monde, ce 6 août 1965 dans le parc. On y entend toutes les langues car des délégations sont venues du monde entier. La télévision nationale japonaise a eu l'idée de reconstituer avec maquettes et dessins, et à l'aide de témoignages, le centre urbain d'*Hiroshima* tel qu'il était au moment de l'explosion. C'est ainsi que l'unique rescapé du point zéro raconte :
« J'étais chef de service au bureau de la promotion industrielle, et nous commencions à travailler à huit heures. Ma secrétaire avait l'habitude d'aller chercher au sous-sol les dossiers que je devais traiter

dans la journée. Chaque soir, ainsi que le prescrivait le règlement, tous les dossiers étaient rangés de nouveau au sous-sol. Ce 6 août 1945, il me sembla que rien n'était normal. Il était 8 h 10 et ma secrétaire, d'habitude très ponctuelle, n'était pas encore là. Elle arriva à 8 h 14 et, fait inhabituel, ne s'excusa même pas. Lorsque je commençai à lui demander des explications, la priant de descendre chercher les dossiers, elle me répondit d'y aller moi-même. Cela ne s'était jamais vu. D'ailleurs tout le monde paraissait nerveux. Je suis donc descendu au sous-sol, très préoccupé de l'attitude de ma collaboratrice.

« Les dossiers étaient au deuxième sous-sol. Tandis que je me préparais à chercher les papiers, j'entendis dans le lointain un bourdonnement que je reconnus être celui d'un avion, puis la sirène se mit à mugir pour donner l'alerte. Hiroshima n'avait encore jamais été bombardée... Ensuite, je ne me souviens plus de rien. Je me suis réveillé plus tard... tous les papiers étaient éparpillés. J'étais entouré de gravats et de débris de meubles. Il faisait noir. Je remontai en titubant à la surface. Tout était rasé, mis à nu, les arbres, et les hommes qui erraient comme des fantômes, que je devinais plutôt que je ne les voyais. Je marchai quelques mètres au milieu des ruines et descendis jusqu'à la rivière. Aussi loin que mon regard pouvait porter, on ne voyait que ruines. Alors, je pris quelques pierres et les lançai dans l'eau. La ville autour de moi était étrangement silencieuse. »

Ce témoignage est à rapprocher du journal d'un médecin japonais, publié aux Etats-Unis par l'université de Caroline du Nord, en 1955. Le docteur Hachiya Michihiko était le directeur de l'hôpital du ministère des Communications d'Hiroshima. C'était un hôpital de 125 lits, adjacent aux bureaux du ministère et dont les employés étaient les bénéficiaires. La maison du docteur Hachiya était située à quelques centaines de mètres de l'hôpital :

« ... Soudain, un éclair de forte intensité me secoua, puis un autre. On se souvient bien des petits détails et je me rappelle parfaitement comment une lanterne de pierre dans le jardin s'éclaira avec éclat —, et je me demandai alors si cette lumière provenait d'un éclair de magnésium ou des étincelles d'un trolleybus passant dans la rue... A ma grande surprise, je découvris que j'étais complètement nu... Tout le côté droit de mon corps était entaillé et saignait... »

Le docteur Hachiya décrit ensuite ses blessures au genou, aux lèvres, ses douleurs, ses appels à sa femme qui émerge des ruines et leur tentative pour se rendre à l'hôpital distant de quelques centaines de mètres :

« ... Je m'arrêtai pour me reposer. Peu à peu, les choses autour de moi prenaient forme. Les gens passaient comme des ombres, quelques-uns semblables à des fantômes ambulants. D'autres avançaient malgré leurs souffrances, ressemblant à des épouvantails tenant leurs bras éloignés du corps, les avant-bras et les mains pendants, désarticulés. Tous ces gens me laissaient perplexe, lorsque je réalisai soudain qu'ils étaient brûlés et qu'ils maintenaient leurs bras à distance pour éviter les frictions douloureuses. Une femme nue portant un bébé nu passa devant moi... Puis je vis un homme nu, alors seulement me vint l'idée qu'un phénomène étrange les avait déshabillés comme moi-même... »

En évoquant ce journal, vingt ans après l'événement du 6 août, on pouvait aisément comprendre l'étendue du traumatisme d'un peuple dont le souvenir n'était pas seulement ravivé par des monuments ou par ces mille grues de papiers suspendues aux arbres par les écoliers d'Hiroshima, symbole de paix et de bonheur. Le 6 août 1965, tandis que le soir tombait sur le Parc mémorial de la paix, les écoliers en uniforme noir à col Mao et les écolières aux jupes plissées bleu marine, aux blouses bleues à col marin, ressemblaient par le jeu de l'obscurité du souvenir à ces *fantômes ambulants* du docteur Hachiya. Quelques centaines de mètres plus loin, dans de petites chambres modernes et propres de l'hôpital, une trentaine d'« atomisés » étaient morts dans le courant de l'année précédente et cela vingt ans après. Mais, près du cénotaphe où sont inscrits les noms des victimes dont la liste s'allonge chaque année, il faut, pour rester objectif, évoquer la postface du journal du docteur Hachiya...

« Le docteur Lodge était un jeune médecin officier. Il vint chaque jour pendant un mois examiner les malades. Bien que nous ne parlions pas la même langue, nous nous comprenions. C'était un gentleman et toute mon équipe et tous mes malades se mirent à le considérer avec amitié. Il n'y a pas de frontières où il y a sympathie et compréhension...

« Le colonel John R. Halk junior venait aussi me rendre visite assez fréquemment. Son quartier général était à Kure. Je pense qu'il était le chirurgien-chef : il était grand, certainement le plus grand de tous les Occidentaux que j'ai rencontrés... Ces deux médecins balayèrent crainte et hostilité de nos cœurs et nous laissèrent pleins d'espoirs... »

Cette attitude généreuse et réaliste est un legs de l'histoire, comme peut l'être l'attitude des kamikazes, volontaires pour aller s'écraser sur les ponts des bateaux de guerre américains.

L'héritage du réalisme souvent empreint de grandeur et de générosité et l'héritage du mythe que les Japonais ne peuvent pas ne pas assumer coexistent difficilement. Leur point de rencontre est aussi le plus souvent celui du sacré et du profane. On peut matérialiser ce point de rencontre sur la carte des îles, car c'est lui qui détermine le centre spirituel et symbolique du Japon. D'*Ise*, sur la façade du Pacifique à *Sado*, sur la mer du Japon, le pays paraît drapé dans les plis d'une ceinture de mythes dont la boucle serait le *Fuji* et qui laisserait tomber deux pans l'un sur le *Shikoku*, l'autre jusqu'au sud du *Honshu*. Cette ceinture suit à peu près le tracé des parallèles du mythe, de même que l'on peut, par opposition, mettre en évidence les méridiens du réel. Du *Hokkaïdo*, l'île septentrionale au *Kyushyu*, l'île méridionale, il suffit de suivre l'implantation nord-sud des volcans qui parsèment l'Archipel, ou en langage de géographe ce que l'on appelle les grandes divisions tectoniques. Elles démarquent approximativement le « cercle de feu du Pacifique ». Le point de rencontre de ces « méridiens du réel » et des « parallèles du mythe » se situe géographiquement sur l'emplacement et autour de la « Fossa Magna » où l'on retrouve une frange culturelle et de rayonnement spirituel le plus dense, phénomène qui n'est pas dû au hasard.

Mythes et réalisme
ou Saïgo contre Okubo

Les traumatismes de l'histoire de l'Archipel éclairent la compréhension du puzzle « Japon ». Le puzzle « Mishima » nous fait appréhender le Japon des *samouraï*, tel qu'il existe au fond du cœur de chaque citoyen japonais. Selon Mishima, l'esprit des héritiers de Saïgo symbolise l'âme du pays, mais les *samouraï* des années 1980, qui ont le courage de vivre l'idéal qu'ils portent, sont aujourd'hui une minorité bafouée et trompée. Il est temps qu'elle se ressaisisse par un retour aux sources. Il faut reprendre le slogan de la révolution de *Meiji : Sonno joï* : « Révérons l'empereur et chassons les barbares ! » Il faut libérer les Japonais des sujétions de la civilisation occidentale et revenir au système de valeurs du *budô*, règle d'honneur et de conduite des samouraï. Il est plus important de restaurer la nation japonaise que de la moderniser. On ne peut pas à la fois être des guerriers et des marchands. Les samouraï n'ont pas tant été trahis par les marchands que par d'autres samouraï convertis au commerce. Le puzzle « *Suzuki* » part des mêmes données. Okubo représentait à l'origine la même classe que Saïgo et le même clan, celui des Satsuma, féodalité du sud du Kyushyu, l'île méridionale. Les réformateurs de Meiji n'ont finalement traité avec l'Occident que parce que les circonstances l'imposaient. La modernisation du Japon leur est due. Le Japon s'est mis à l'école occidentale pour des raisons pratiques et pour être efficace. Peu importe donc d'avoir à faire des emprunts, tant que le compromis ne touche pas à l'essentiel. Une place est ainsi faite à l'étranger, mais elle ne doit pas interférer dans la vie intérieure des Japonais. Il faut la délimiter soigneusement dans tous les secteurs de l'activité, voire géographiquement.

Chaque individu de ce pays sent confusément en lui la force de ces deux courants représentés par Mishima et Suzuki. Il essaie tant bien que mal de les faire coexister. Saïgo, c'est le mythe, une espèce de refuge intellectuel et moral, c'est l'idéal et l'art, l'éthique et l'esthétique ; c'est le Japon qui voit la nuit, libre de toutes contraintes et le Japon du chez-soi, qui s'abrite derrière les *shoji* (cloisons de papier) : le Japon que l'on montre dans les films, sur les scènes de théâtre, mais aussi le Japon rural qui échappe aux servitudes de la civilisation.

Okubo, c'est le réel, le pratique, l'efficace, l'économie, la production, l'entreprise ; c'est le Japon de jour hiérarchisé et encadré pour produire, le Japon du travail, des transports ultra-rapides, des records que l'on montre à tous ; c'est aussi le Japon des partis et des syndicats, des « manifs » et des revendications...

Mais comme dans toute coexistence, il y a inter-pénétration. Le mythe entre parfois dans le réel comme celui-ci se mêle au mythe. L'art suprême des Japonais est de savoir faire la distinction.

Mythe et réalité dans la littérature

L'interpénétration du mythique et du réel nous est sensible à travers l'art : littérature, cinéma, peinture, théâtre, musique. Les courants traditionnels partici-pent effectivement d'une certaine forme de rêve fan-tastique, tandis que les courants contemporains se laissent imprégner des préoccupations réalistes des apports occidentaux. Ces dichotomies ne rendent pas forcément compte d'une réalité japonaise : Japon de nuit/tradition/rêve, Japon de jour/modernisation/concret sont des connotations permettant un cheminement. Le professeur Abe Yoshio, il y a quelques années, avait pour la revue *Esprit* tenté de dégager une approche de l'identité culturelle japonaise. Constatant une analyse historique répandue, il montre ses compatriotes enfermés dans le schéma de l'universalité de la civilisation occidentale rationnelle, par opposition au particularisme irrationnel de la civilisation japonaise dont l'importance serait négligée. Et si en fait cette prétendue universalité occidentale n'était qu'un particularisme ayant bénéficié d'une diffusion universelle ? La contestation du schéma généralement admis vient de ce qu'il semble représenter un progrès en fonction d'une minimisation graduelle du schéma japonais. « Le schéma Occidental/universel/avancé et Japonais/particulier/attardé a été sous-jacent à tout choix culturel tendant à remplacer un élément indigène par un élément occidental. Ce sentiment et ce schéma ont été à l'origine d'un complexe d'infériorité que l'on contracte souvent vis-à-vis du modèle... » C'est contre cette conséquence d'un stéréotype trop largement répandu que s'élève Mishima Yukio, donnant au schéma en question encore plus de vigueur et de force depuis que l'Occident n'est plus pour le Japon une tentation mais une nécessité. Il suffit de se reporter à la hargne que peut soulever dans certains milieux américano-européens la réussite de l'élève « Japon », à propos de laquelle l'ancien ambassadeur-ministre François Missoffe formulait cette mise en garde : « Ne faisons pas du Japon le bouc émissaire de nos inefficacités. »

Mishima Yukio

Le schéma Occidental/rationnel/universel devrait-il être révisé et devenir Japonais/rationnel/universel ?

Pour Mishima Yukio, cité par le critique Takemoto Tadeo, « ... il y a bien des mouvements au Japon qui veulent tisser des liens entre ce qui est local et ce qui est étranger. Mais n'est-ce pas là un travail de marchands de souvenirs ?... » Mishima Yukio s'élève par là contre une certaine interprétation pseudo-gauchisante de l'histoire du Japon, qui remet en cause une interprétation historique officielle à travers de nouvelles exégèses du *Kojiki* et du *Nihonshoki*, compilations historiques du VIIIe siècle retraçant l'histoire du Japon depuis les origines. Les mythes shintô, présentant les empereurs japonais comme des dieux descendus du ciel et leurs vaincus comme des dieux locaux déchus, ne seraient en réalité qu'une forme imagée des envahisseurs conquérant des populations agricoles sédentaires parce que mieux organisés que celle-ci. Ceci ne fait pas l'affaire d'une thèse officielle à laquelle les Japonais font appel chaque fois qu'ils ressentent le besoin de se conforter dans leur identité culturelle originale. En ce sens, la lutte de Mishima pour le maintien des mythes lui fait exprimer la nécessité d'un système culturel impérial. Mishima peut valablement représenter le courant culturel traditionnel dans son interprétation la plus conforme au caractère japonais, tel qu'il a été façonné durant plusieurs siècles par le *sakoku* (complète autarcie).

« Je suis, m'a-t-il déclaré lors d'une rencontre approfondie, dans sa maison de style espagnol du quartier d'Omori, un écrivain japonais très sérieux. Je n'aime pas la littérature. C'est un peu comme un don juan qui n'aimerait pas les femmes... »

En une autre occasion, je le verrai accomplir un de ces « rites » auxquels il avait décidé de se soumettre dans le plan qu'il avait tracé de son œuvre. Durant l'été 1969, il était venu dîner à la maison avec sa femme Yoko. Des amis tahitiens et tahitiennes de passage se mirent à danser le tamouré. Intéressé, il se fit donner la leçon de cette danse qui lui permettait d'exprimer à la fois sa violence et une certaine ambiguïté de ses désirs sexuels. Ce soir-là, il me confia qu'il allait couronner son œuvre par un monument littéraire résumant sa vie, sa pensée, ce à quoi il s'était consacré. L'œuvre s'intitulerait : *La Mer de la Fertilité*. A la même époque, Mishima écrivait à différents amis : « J'ai divisé ma vie en quatre fleuves : le fleuve des livres, le fleuve du théâtre, le fleuve du corps et le fleuve de l'action, et ces quatre fleuves se déversent dans la mer de la fertilité. » Ma première rencontre avec lui, à la fin de l'année 1965, touchait au « fleuve du corps ». Le centre sportif et de loisirs de Korakuen est très connu à Tokyo. Il est situé à proximité des gares d'*Ochanomizu* et d'*Ichigaya*. Dans les sous-sols au niveau du macadam, une immense salle de gymnastique plutôt sombre, sans fioritures mais très bien équipée, reçoit des hommes de tous âges et de toutes professions et issus d'un milieu plutôt populaire. Je m'étais fait inscrire dans cette salle en sachant que j'y rencontrerais Mishima deux fois par semaine.

Connaissant son goût pour le culturisme, je travaillai consciencieusement les haltères, espérant le voir surgir à côté de moi, par hasard. Durant deux semaines, il ne vint pas ; il voyageait sans doute. La troisième semaine, je polissai sérieusement ma musculature ventrale par des abdominaux répétés lorsqu'un professeur de français de l'Institut franco-japonais vint m'interrompre. Mishima était là, derrière lui, en culotte de sport, torse nu, tel que je l'avais vu sur de nombreuses photographies parues dans la presse. Il ne lui manquait que le bandeau de la résolution autour de la tête. L'œil vif, un visage assez plat, cet homme petit et plutôt laid rayonnait d'intelligence et d'assurance. « *How do you do, monsieur Courdy ?* » La poignée de main était dure et énergique. Notre conversation fut assez brève, mais nous étions convenus de nous retrouver au *Foreign Correspondent's Club* de Tokyo. Situé à Marunouchi, près de la gare centrale, ce club est le refuge de tous les correspondants de presse, qu'ils soient résidents ou de passage. Là se concocte l'actualité de tout l'Extrême-Orient. De là partent les rumeurs les plus incroyables, comme les spéculations les plus hasardeuses. Les journalistes en sont membres de droit, mais toutes les ambassades, ambassadeurs en tête, y font inscrire un ou plusieurs de leurs membres, ceux en particulier qui font profession du renseignement. Le *Foreign Correspondent's Club* est donc le rendez-vous des journalistes, des diplomates, des barbouzes du monde entier ainsi que de nombreux officiels japonais qui trouvent dans ce lieu un outil commode pour la diffusion de leurs informations dans le monde. Ce cercle parfaitement organisé et administré par un bureau de journalistes élus a une tradition depuis le proconsulat de Mac-Arthur à Tokyo. Il a connu un succès considérable pendant la guerre de Corée, de 1950 à 1953, servant de base arrière aux correspondants de guerre. On trouve à sa tête quelques figures connues comme John Roderick, célèbre par son interview de Mao à Hennan, ou Al Cullisson. Mais le manager grâce à qui les affaires marchent, l'homme qui a l'œil à tout et partout, c'est M. Wachida. Depuis de longues années, il dirige avec compétence et fermeté le personnel du club. Sans lui, rien ne se fait et surtout pas une élection. Les présidents passent, mais lui reste avec talent et le sourire permanent, providence des journalistes débutant dans leur carrière japonaise.

C'est donc dans ce cadre que je retrouvai Mishima Yukio, après qu'il fut venu dîner dans ma maison de Shimouna avec Suzuki Takashi. La rencontre de mes deux « mentors » n'avait pas été très chaleureuse : Okubo appartenait au même clan que Saïgo mais on a vu que les deux hommes ne s'aimaient pas... Suzuki Takashi considérait Mishima comme un fasciste. Il y avait apparemment une contradiction entre cette opinion et l'acceptation par Suzuki de la traduction officielle du *Kojiki* et du *Nihonshoki*, donc de la version mythique de l'histoire du Japon, de même qu'il y avait contradiction, chez Mishima, entre son action en faveur d'une « culture impériale » et sa relative adhésion au progrès occidental et à une certaine société de consommation à l'américaine. C'était en avril 1966. Mishima avait accepté comme le faisaient de nombreuses personnalités japonaises ou étrangères, de passage à Tokyo, de venir répondre aux questions de la presse. A une question sur le suicide rituel par *seppuku,* Mishima répondit en substance : « La sincérité des Occidentaux est difficilement crédible car elle ne se voit pas. A l'époque féodale, on croyait que le siège de la sincérité se situait au niveau des intestins. Donc pour montrer notre sincérité, nous devions ouvrir notre abdomen et la mettre en évidence. Elle était le symbole de la volonté du samouraï qui savait que c'était la manière la plus douloureuse de mourir. Mais elle prouvait le courage. Cette méthode de suicide est une invention japonaise que les étrangers ne peuvent pas copier. »

Quelques jours plus tard, Mishima me déclarait personnellement en réponse à la même question : « Il y a deux formes de suicide, celui des forts et celui des faibles. J'admire le premier et je hais l'autre. »

L'œuvre de Mishima est typiquement japonaise et représentative de ce mélange du mythe et du réel à la confluence du sacré et du profane. Le fleuve de l'action qui faisait partie de son plan de vie se termina pour lui par son *seppuku* du 25 novembre 1970. J'étais à New York. J'avais quitté le Japon le 17 juillet et je m'étais inscrit à l'université de Columbia où, depuis le début de septembre, je participai à des séminaires sur le Japon et la Chine dans le cadre d'un programme de la fondation Ford, destiné aux journalistes professionnels anciens ou futurs correspondants à l'étranger. Il était environ quatre heures du matin aux Etats-Unis. A Paris dix heures. Mon confrère Philippe Labro, qui a lu les dépêches annonçant le suicide, me réveille. Je vis alors un cauchemar éveillé. Il me pose des questions sur le sens de ce suicide. Je réponds machinalement à Labro. Je découvrirai ce que j'ai dit, le lendemain, en achetant *France-Soir,* sous cet intertitre : « J'appelle Courdy à New York. » A sept heures, Anne-Marie, mon épouse, me réveille de nouveau : elle ne savait rien et vient de tout apprendre par la télévision. C.B.S. et N.B.C. diffusent des images du suicide filmé par la télévision japonaise. On y voit la tête de Mishima qui a roulé sur le tapis aux pieds du général Masuda, après le coup de sabre de Morita, l'ami et le premier des *tatenokaï* (son armée privée) qui se suicidera aussitôt après. Ces images horribles sont encore dans nos mémoires et je ne suis pas près d'oublier la journée qui a suivi, me traînant à l'université, obsédé par ce suicide comme je l'avais été vingt ans auparavant par un autre qui me touchait de très près. Je préfère me rappeler le fleuve de l'écriture de Mishima, charriant ses personnages fascinants, Japonais et Japonaises insérés dans le Japon vivant où coexistent, comme chez les hommes, réalités du présent et fantasmes du passé, rêves d'aujourd'hui et spéculations de demain. Kazu et Noguchi, les deux héros de son roman *Après le banquet*, sont, dans ce sens, porteurs de leur identité japonaise. Kazu, la femme, patronne du restaurant l'Ermitage, reçoit des hommes d'affaires dont elle connaît les secrets, des politiciens dont elle connaît les turpitudes. C'est une femme d'affaires avisée, enfermée dans le vieux Japon par son éducation, sa fonction et son comportement de femme, ainsi que par sa sensibilité à la beauté de la nature comme aux mythes d'essence religieuse, tel celui des cérémonies du « Puisage de l'eau » au temple *Nigatsu-Dô*, à *Nara*. Mais l'ancien Japon est peut-être beaucoup mieux mis en évidence par des gestes aussi poétiques que l'inscription — à l'intérieur du *kimono* qu'elle porte pour voyager avec l'homme qu'elle aime — d'un poème dont les idéogrammes rappelleront son nom : Noguchi.

« Qu'est-ce donc ? demande Noguchi tout en dénouant sa cravate.

— C'est un *hokku*[1] de Sogi. J'ai demandé à un calligraphe de me l'écrire pour ce voyage. C'est déjà le printemps, vous savez... »

---

1. Hokku ou Haiku ou Hakai : poèmes en trois vers de 5-7-5 syllabes.

Kazu n'ajoute pas que c'était le marchand de tissus qui lui avait le premier suggéré ce hokku de Sogi...

« Même si je dois attendre,
Que je sache seulement,
O fleurs du printemps ! » lut Noguchi.

Noguchi cessa de dénouer sa cravate et regarda longuement le poème en silence. Kazu jugea belle sa main sèche pleine de veines gonflées.

« Evidemment », dit-il enfin. Il n'ajouta rien. A l'aube, l'homme de plus de soixante ans et la femme qui en avait cinquante, dormaient dans le même lit.

Lui, Noguchi, amateur de livres occidentaux, lisant couramment l'allemand, raide dans ses idées réformatrices et presque progressistes, mais aussi figé qu'un conservateur au sujet des femmes et de leur rôle dans la société, réaliste dans son comportement quotidien, mais avec une certaine manière de ne pas avoir les pieds sur terre, lui et elle, Kazu et Noguchi, incarnent (selon ce qu'en a dit Mishima lui-même) un Japon contemporain à facettes qui est moins basé sur une autonomie que sur des compromis permanents avec la tradition, l'éducation, l'histoire, les événements, la vie quotidienne. Un homme politique se reconnut dans le personnage de Noguchi : Arita Hachiro, ancien ministre des Affaires étrangères. Sa famille et ses amis furent choqués, et, contrairement à la coutume japonaise, l'intéressé, qui s'estimait diffamé, intenta un procès pour atteinte à vie privée. Mishima fut condamné à une amende. Ce n'est que beaucoup plus tard qu'il se réconcilia avec la famille Arita.

Le drame de ces compromis est illustré par l'écrivain dans l'un des romans qui a le plus contribué à le faire connaître hors des frontières du Japon : *Confessions d'un masque*. A cette occasion, on l'a comparé à André Gide, Mishima se sentit flatté tout en m'avouant que cette comparaison ne lui paraissait pas tout à fait fondée. Il préférait se comparer à Raymond Radiguet qui avait été à l'origine de sa vocation d'écrivain. « J'ai eu la révélation de cette vocation en lisant

Le Bal du comte d'Orgel. » Il écrivit d'abord des nouvelles. Mishima était très attentif à l'impact de son
œuvre, aussi sa déception fut-elle grande devant
l'accueil glacial qui fut réservé à un de ses romans,
peut-être un peu trop long, et dont il attendait beaucoup : *La Maison de Kyoko.* Rien ne pouvait compenser cet échec, lui semblait-il, même le succès obtenu
par *Après le banquet* ou *Le Pavillon d'or.* Pendant
deux ans, il fut question de lui pour le prix Nobel.
En 1967, Miguel Angel Asturias le devança et en 1968
les jurés suédois choisirent finalement Kawabata, au
bénéfice de la séniorité. A cette date, Mishima est
devenu un écrivain nettement engagé. Il publia *Les
Chevaux fous* et *Neige de printemps,* puis annonça
la tétralogie qui devait couronner son œuvre : *La Mer
de la Fertilité,* image d'une région désertique sur la
lune.

Le 20 juillet 1969, à seize heures E.D.T., nous étions le
21 juillet douze heures à Tokyo : Amstrong venait de
poser le pied sur la Lune, Aldrin le suivait peu après. Je
me trouvai avec mon équipe de télévision devant l'immeuble Sony, à l'entrée de Ginza, essayant de recueillir les réactions des passants japonais qui regardaient
l'événement sur les écrans que la société avait installés sur le trottoir devant son immeuble, encadrant un
vaste aquarium. A un moment, le sol de la Lune se
refléta dans l'eau de l'aquarium et Mishima eût pu
imaginer, comme il savait le faire, une mer de la
Tranquillité différente de celle qu'Amstrong et Aldrin
étaient en train de découvrir. Je me précipitai au
téléphone, il me paraissait seul avoir la dimension de
commenter un tel événement. Je donnai en vain plusieurs coups de téléphone. Je le découvris quelques
heures plus tard. Il parlait d'abondance, fasciné par
l'événement.

« Lorsqu'une vierge a été forcée, elle a perdu sa
nature de vierge et par conséquent a changé de nature.
J'ai l'impression que l'on a assassiné quelque chose,
comme un rêve que l'on tue en se réveillant. Le rêve
est mort désormais. Je plaindrais les hommes si j'en

avais le temps, mais je plains surtout la Lune d'avoir ainsi été forcée. »

Lorsque j'ai quitté Mishima et le Japon en juillet 1970, nous n'avions pas trouvé un moment pour nous rencontrer. Nous étions en froid car j'avais mis publiquement en doute, dans un débat organisé par lui pour un magazine, sa sincérité à propos de la formation de Tatenokaï, son armée privée. Il l'avait habillée de somptueux uniformes, ridicules et dignes d'une opérette. J'avais affirmé voir là non une expression de patriotisme, mais, une fois de plus, un narcissisme exacerbé. J'avais ajouté qu'il ne pouvait s'agir que des complexes d'un homme vieillissant qui souhaitait se refléter dans des corps d'athlètes jeunes et virils. Quelques jours avant mon départ, je fus étonné de recevoir un long coup de téléphone au cours duquel il me dit :

« J'apprends que vous quittez le Japon, je voulais vous témoigner ma gratitude pour m'avoir donné l'occasion d'apprendre le tamouré... »

Quatre mois après, presque jour pour jour, il choisissait sa mort. J'ai regretté d'avoir méconnu la valeur de son engagement. J'aurais dû ne pas m'y tromper. Peut-être est-il exact qu'il n'existe pas de sincérité en Occident, comme il l'a dit un jour. Il faudrait, pour compléter le puzzle, aller plus loin. Exprimant une préoccupation importante des Japonais, le critique Takemoto Tadeo s'est fait l'écho de l'angoisse de Mishima : « Je sens en moi un profond appel du sacré qui a besoin de l'existence d'une qualité suprême. Il serait un peu restrictif de penser qu'il n'y a dans cette recherche qu'un souhait de retour à une autorité impériale même de filiation divine. L'absence de métaphysique se fait sentir actuellement dans une civilisation de comportements. Mishima, plus réceptif à ces problèmes que la plupart de ses concitoyens, exprimait avant tout une quête de Dieu, partout présent, mais si profondément absent des cœurs. Ce néant a façonné l'inquiétude d'un peuple. »

Ce samouraï-paysan de la littérature japonaise que fut Akutagawa n'était pas le premier écrivain à se suicider. Ils sont dix à avoir mis fin à leurs jours au cours de ce siècle, le dernier n'étant autre que le prix Nobel *Kawabata Yasunari*. Parmi ceux dont le nom a franchi les frontières de l'Occident, celui d'*Akutagawa Ryunosuke* a une résonance particulière. Il se suicida, par absorption de cyanure, le 24 juillet 1927, en expliquant qu'il avait une « vague inquiétude ». Il écrivit de nombreuses nouvelles, dont certaines très connues en Europe et aux Etats-Unis, comme *Rashomon*. De ce texte d'Akutagawa, le cinéaste japonais *Kurusawa Akiro* a tiré le film du même nom. En renouant avec la tradition japonaise du conte, Akutagawa raccommode les fils qui unissent la littérature à une vérité plus subtile que celle qui s'exprime dans les œuvres réalistes. Quelle est la vérité à propos de la mort de Takehiro ? Celle du brigand Tajômaru qui avoue être l'auteur du meurtre après le viol de sa femme, celle de la femme qui dit avoir assassiné son mari et tenté de se tuer pour ne pas survivre à la honte d'avoir été violée, ou bien celle de la sorcière qui « crache l'esprit du défunt » annonçant qu'il s'est suicidé parce que sa jeune épouse non seulement a survécu au viol, mais y a pris du plaisir... Akutagawa exprime par son écriture et le choix de ses sujets à la fois un certain scepticisme spirituel qui se manifeste dans l'impossible vérité de *Rashomon* et une perfection esthétique caractérisant le fond de la mentalité japonaise. L'inquiétude métaphysique ne transparaît pas dans l'œuvre, mais on peut se demander si la nature de la « vague inquiétude » qui le conduit au suicide ne s'apparentait pas à la recherche de la vérité introuvable.

Kawabata Yasunari s'est suicidé deux ans après Mishima. Prix Nobel de littérature, il puise plus que tout autre sa sensibilté dans le Japon dont il communique en poète la poésie de la nature et du peuple. Je n'ai pas connu Kawabata, sinon par les articles que la presse japonaise a publiés de temps en temps à son sujet. Lorsque le prix Nobel lui a été décerné, Mishima voulut être le premier à le féliciter, d'autant plus qu'il espérait secrètement devenir le lauréat. Kawabata était le président du *Pen Club* japonais, une organisation qui avait choqué un autre grand écrivain, Arthur Koestler, pour son refus de prendre position dans l'affaire Pasternak, interdit d'aller recevoir son prix Nobel à Stockholm. On murmurait à Tokyo que Mishima aurait eu le prix si le Pen Club n'avait pas, à l'insu de son président, effectué une démarche pour le lui faire attribuer. D'autres rumeurs faisaient état d'une démarche de Mishima lui-même. Kawabata avait en effet beaucoup encouragé Mishima à ses débuts. Celui-ci avait une obligation envers celui qui pouvait être considéré comme son maître. De toutes les œuvres de Kawabata, *La Danseuse d'Izu, Pays de neige, Le Grondement de la montagne, Les Belles Endormies* sont les plus connues en Occident, mais d'autres écrits comme *Senbazuru* (Les Mille Cocottes) connaîtront des éditions complétées dans la période d'après-guerre, bien que Kawabata, très affecté par la défaite du Japon, eût déclaré qu'il n'écrivait plus que des élégies [1]. Il me semble cependant que son roman *Kyoto* [2] mérite qu'on s'y intéresse particulièrement.

En relisant Kawabata, on a peine à imaginer le pont qui a permis à la littérature japonaise de passer de la « rive droite » à la « rive gauche », c'est-à-dire de la culture traditionnelle à une « nouvelle culture ». C'est tout un processus d'intégration d'éléments étrangers domestiqués un à un, mais auxquels on interdit de s'implanter en colonisateurs. L'ambiguïté de Mishima réside dans une espèce de complexe de colonisé culturel, doublé d'un sentiment de culpabilité que Kawabata et la jeune école d'écrivains sortis

1. Préface de *Pays de Neige* (Albin Michel).
2. *Kyoto* (Albin Michel), traduit par Philippe Pons.

de l'ombre de la défaite ont partagé. Encore faut-il préciser que depuis Meiji, l'intégration fut douloureuse et plus difficile à assumer par le monde intellectuel que par celui des affaires. Akutagawa ne faisait-il pas déjà partie de cette génération de Japonais tourmentés devant les problèmes posés à leur pays par une « nouvelle civilisation » hybride.

Tanizaki

L'écrivain *Tanizaki Junichiro* semble avoir assez bien réussi à passer le fleuve au cours de cette première moitié du XXᵉ siècle. Il est mort en 1965, année clef de la modernisation après le départ donné par l'empereur à un nouveau Japon, en octobre 1964, lorsqu'il ouvrit solennellement les Jeux Olympiques de Tokyo. Tanizaki se rattache typiquement à une tradition esthétique du Japon. Il en fait même profession de foi. Il sait communiquer à ses lecteurs l'art de vivre japonais, ce qui ne l'empêche pas d'intégrer dans cet art de vivre quelques éléments proprement occidentaux : Deux sœurs jumelles deviennent orphelines dans leur enfance. Une fois jeunes filles, elles se retrouvent, après que chacune eut été recueillie dans des familles de milieu social différent. Elles décident de se quitter et de ne plus se revoir. Derrière Chieko et Naeko, c'est Kyoto, l'ancienne capitale, qui vit, donc le Japon. La grande fête annuelle de Gion se déroule comme un film sous la plume de Tanizaki : « On construit les chars la veille, mais la fête débute vraiment avec le « lavage des palanquins », le 10 juillet. Cette cérémonie a lieu à hauteur du pont de *Shijô*, le long de la rivière *Kamo*. « Laver », c'est beaucoup dire : l'officiant du sanctuaire *shintô* se contente de tremper dans l'eau une branche de *sakaki* et en asperge les palanquins. Ensuite, le onze, le *chigo*, se rend au sanctuaire de *Gion*. C'est lui qui prendra place sur « le char à la grande hallebarde ». Monté sur un cheval, portant la haute coiffure des nobles et revêtu de leur tunique, il va, accompagné d'une escorte, y recevoir la dignité du « cinquième rang ». Au-dessus du « cinquième rang », en effet, l'accès du Palais vous est ouvert... »

La précision de la description rappelle la minutie de Mishima. C'est là une qualité propre aux authentiques écrivains japonais, dont l'écriture se soucie de la véracité du détail tout en se laissant aller à la poésie de l'image évoquée par les mots. Kawabata a de la poésie à revendre. *Pays de neige* nous restitue avec finesse les paysages du nord du Japon, dans une écriture qui s'apparente à la peinture d'un *kakemono* (rouleau peint) suspendu dans le *tokonoma* (alcôve autour de laquelle s'ordonne l'agencement intérieur de la pièce japonaise).

... « Il vit Yoko sur une natte de paille au bord de la route, en train de battre les haricots secs dans la lumière du soleil. Des cosses sèches, les grains sautaient devant elle comme des gouttes de lumière. Elle ne devait sans doute pas le voir sous le foulard qui lui enserrait le visage. A genoux, le buste droit et les jambes légèrement écartées, portant le gros *hakama* des montagnards, elle s'accompagnait d'un chant pour frapper sur les cosses étalées devant elle : un chant de sa voix si claire et si profonde qu'elle vous pénétrait de tristesse, cette voix mystérieusement évocatrice qui vous remuait comme si elle fut venue d'on ne sait où :

> *La demoiselle et le cricri, le papillon,*
> *Le criquet, la cigale et le grillon*
> *Enchantent les montagnes.*

« Quel envol immense, celui qui se lève du cèdre dans le vent du soir ! comme dit le poète. Du bouquet de cèdres que pouvait voir Shimamura de sa fenêtre, de nouveau, des bataillons de libellules s'échappaient, tourbillonnant et dansant aux approches du soir dans

215

une frénésie croissante, pris de fièvre et de hâte, eût-on dit... »

Le héros du *Journal d'un vieux fou* se rend au *Kabuki*, de *Shinjuku*, dans une Hillman conduite par un chauffeur. Il fait cadeau à sa belle-fille, Satsuko, d'une écharpe de soie Cardin, le menu du petit déjeuner est occidental. Tanizaki distille ainsi des éléments occidentaux de confort qu'il met à la disposition de mentalités japonaises. Mais l'Occident reste à l'extérieur. Sans prétendre à une universalité japonaise, à aucun moment il ne laisse supposer qu'il croit à une universalité occidentale. Les relations qu'il établit entre ses personnages dans la *Confession impudique* n'auraient aucun sens dans une société occidentale : relations du couple articulées autour d'un troisième personnage, l'étudiant Kimura, combinaison permettant de mettre dans chaque scène l'un des acteurs en position de « voyeur ».

Vue de l'extérieur, la littérature japonaise n'apparaît donc nullement colonisée. Les intellectuels japonais s'alarment à tort en éprouvant des craintes d'aliénation culturelle injustifiées. Ils sont sans doute pris au piège d'une transposition abusive : Le Japon s'est mis volontairement dans une situation de compétition avec l'Europe, avec les Etats-Unis, avec le reste du monde. La devise de la croissance : faire mieux que... dépasser... être les premiers recouvre les domaines de la technologie, de l'économie, de l'expansion matérielle. Il faudrait admettre, pour que les craintes des intellectuels soient justifiées, que le « spirituel » a été déployé et que le schéma modernisation/occidentalisation a déraciné le vieux Japon et définitivement assimilé au folklore les sources de la civilisation de l'Archipel. Formuler cette hypothèse, c'est admettre que le vrai Japon s'est concentré dans des espaces géographiquement restreints, comme certains quartiers modernes de Tokyo ou d'Osaka, et se limite socialement à des couches de population travaillant ou habitant dans ces zones, où l'opulence et la réussite matérielle éblouissent le visiteur. « Derrière le masque, j'aime me cacher », disait Mishima. On confond souvent le masque et la réalité qu'il recouvre. Il convient de ne pas s'y tromper. Le théâtre, le cinéma, l'art pictural savent doser l'importance respective des deux comportements de la dualité japonaise.

Mythe et réalité dans le théâtre

La révolution de Meiji avait créé une confusion, et le fameux schéma dualiste du Japon apparaissait déséquilibré : mythe/réalité, tradition/occidentalisation, celle-là assimilée à « retard », celle-ci à « progrès », sacré/profane révélaient des médailles bizarres, au recto flambant neuf, au verso usées.

Le mythe relégué, la tradition oubliée, le sacré négligé, on vit apparaître un théâtre japonais dit « moderne », quoique un peu falot, appelé *shingeki*. La scène réaliste du théâtre occidental au début du siècle a pris la place du théâtre traditionnel japonais, condamnant son esthétique et plus particulièrement le *kabuki*, considéré comme une forme de théâtre réactionnaire et, après 1945, comme un théâtre fasciste. Or, ça n'est pas le moindre paradoxe de la jeune génération d'auteurs et de metteurs en scène, l'avant-garde japonaise a relu le répertoire de *kabuki* dont elle a intégré l'univers théâtral, ses mythes et le jeu des acteurs à des préoccupations purement contemporaines, afin de faire découvrir au spectateur ce que tout Japonais porte au plus profond de lui-même. Les universitaires japonais qualifient cette mythologie d'« imaginaire collectif » ou encore d'« inconscient collectif ». Watanabe Moriaki, professeur de littérature à l'université de Tokyo, spécialiste de Paul Claudel, écrit que ce nouveau langage théâtral « permet de détecter les archives de l'infrastructure psychique des Japonais ».

Le kabuki et son héritage

Le *kabuki* nous intéresse en tant que traduction mythique d'une réalité japonaise. A Tokyo, aujourd'hui, deux théâtres donnent des spectacles de *kabuki* : le vieux *kabuki-za* avec sa façade traditionnelle qui le ferait prendre pour un temple, proche de la Ginza, malgré une machinerie scénique moins sophistiquée que celle du théâtre national moderne, restitue une atmosphère plus authentiquement japonaise. Le théâtre national moderne quant à lui, situé de l'autre côté du parc d'*Hibiya*, face aux fossés est du palais impérial, permet des mises en scène de plus grande envergure. Le spectacle classique du *kabuki* se présente comme une dramaturgie alternant les scènes dialoguées, la danse, le chant, la musique dans une création entièrement originale, le répertoire immuable étant littéralement renouvelé et transformé par le jeu des acteurs. Ce sont tous des acteurs hommes, même ceux qui jouent les rôles de femmes. Tanizaki Junichiro dans le *Journal d'un vieux fou* commence ainsi son récit : ... « Ce soir, je suis allé au *kabuki* de *Shinjuku*. Le programme affichait un acte de Sukeroku qui était la seule pièce que je tenais à voir. Kanya, dans le rôle de Sukeroku, ne m'intéressait pas, mais Tossho jouait le rôle d'Agemaki et je savais qu'il ferait une magnifique courtisane. Je partis avec ma femme et Satsuko. Jokichi vint de son bureau pour se joindre à nous. Ma femme et moi étions les seuls à connaître la pièce. Satsuko ne l'avait jamais vue. Ma femme pensait qu'elle l'avait vue, jouée par Danjuro, mais elle n'en était pas sûre. « Il y a de longues années de cela, j'ai dû la voir une fois ou deux avec Uzaemon », me dit-elle. Quant à moi, je me rappelais bien l'avoir vue jouer par Danjuro. Je crois que c'était vers 1897 quand j'avais treize ou quatorze ans... C'était la première fois que Danjuro jouait Sukeroku. Il est mort en 1903. Le rôle d'Agemaki était tenu par Uzaemon qui n'avait pas encore pris le nom de Fukusuke. Nous habitions alors le quartier de *Honjo*. Je n'ai pas oublié une vitrine d'un célèbre marchand d'estampes (comment s'appelait-il donc ?) où l'on voyait un triptyque représentant Sukeroku, Ikyû (son rival) et Agemaki. Je crois que c'était la première fois que Kanya jouait le rôle et j'étais sûr que son jeu ne me dirait rien. Depuis quelque temps, tous les acteurs jouent Sukeroku en couvrant leurs jambes avec des maillots collants. Quelquefois, le collant fait des plis et tout l'effet s'évanouit. Ils devraient simplement poudrer leurs jambes et les laisser nues.

« Tossho, dans le rôle d'Agemaki, me plut beaucoup. A lui seul, il valait la peine d'être revu. D'autres auraient pu s'acquitter mieux de ce rôle, mais il y avait longtemps que je n'avais vu une Agemaki si admirable. Je n'ai pas de goût pour l'homosexualité, mais, depuis quelque temps, je me sens étrangement attiré par les jeunes acteurs du *kabuki*, qui jouent des rôles de femmes. Mais à la scène seulement. Il faut que leurs visages soient maquillés et qu'ils portent des costumes féminins... »

Sukeroku est précisément l'une des pièces de *kabuki* les plus populaires au Japon. Sukeroku, champion du droit des gens, s'oppose à l'oppression du pouvoir personnifiée par Ikyû. Or, Ikyû, le *samouraï*, est mortellement ridiculisé par Sukeroku, l'homme du peuple, à Yoshiwara, l'ancien quartier très célèbre des maisons closes de Tokyo, où tout le monde, riche ou pauvre, noble ou roturier, est traité sur un pied d'égalité. Mais l'attirance populaire pour cette pièce n'est pas seulement due au sujet. L'utilisation scénique de ce que l'on appelle « le chemin des fleurs », en japonais *hanamiti*, ravit le public. Il s'agit d'un passage que les acteurs empruntent pour entrer en scène et qui se trouve dans le décor du côté gauche. Ce passage est parfois doublé d'un autre plus étroit, sur le côté opposé, que l'on appelle *kari-hanamiti*. Le *kabuki* comporte toute une machinerie de scène qui lui est particulière. La scène tournante permettant de changer instantanément de décor, de passer de l'intérieur à l'extérieur, fut inventée au Japon et utilisée au kabuki dès le XVIIIe siècle. Claquoirs en bois sont systématiquement utilisés pour ponctuer les dialogues ou les déclarations. Des musiciens et chanteurs occupent toujours un coin de la scène, vêtus de costumes traditionnels du Moyen Age, ils ne sont pas maquillés tandis qu'à côté d'eux se tient le récitant derrière une sorte de petit lutrin. Il lit son texte d'une manière déclamatoire. Parfois, les musiciens jouent derrière un rideau de bambou situé sur le côté de la scène. En face, on place automatiquement une sorte de boîte à musique que les Japonais appellent *geza* et qui passe souvent inaperçue. Cet instrument est utilisé par quelques musiciens très spécialisés. C'est le *shamisen*, instrument à cordes semblable extérieurement à une petite guitare, qui fait office de chef d'orchestre. La boîte à musique donne le signal de l'entrée et de la sortie des acteurs et ponctue tous les effets musicaux. Elle peut aussi « bruiter » pour restituer les bruits de l'eau, de la pluie, des cloches. Lorsque la pièce l'exige, on utilise un orchestre, en particulier lorsque le scénario implique une danse. En matière de jeu des acteurs, il faut noter l'usage du *mie*. Il s'agit pour l'acteur de dramatiser son jeu et de l'accentuer en stoppant son geste et en gardant la pose. C'est un peu l'équivalent théâtral de l'arrêt sur image du cinéma ou de la télévision.

Parmi les éléments importants du kabuki, il ne faut pas oublier le souffleur, le *kurogo*. Il est vêtu de noir, le visage masqué. Sa silhouette est toujours visible derrière l'acteur. Près du souffleur, il faut encore noter le *kôken*. Lorsqu'il y a lieu, il transporte, pour le rôle principal, le mobilier, essentiellement composé d'une chaise. Lorsqu'il est sur scène, on peut voir son visage.

Selon Watanabe Moriaki, le *kabuki* moderne est

marqué par « deux exigences contradictoires, l'une débouchant sur la relecture du répertoire et du jeu à la lumière des vérités rationnelles de la psychologie moderne, et l'autre sur la réincarnation de la tradition esthétique du kabuki d'Edo... » Mais son dynamisme est littéralement paralysé par une organisation professionnelle de type féodal et, selon Watanabe, par une monopolisation qui est le fait d'une seule compagnie de spectacle. Cela n'empêche pas le jeune théâtre japonais de puiser aux sources. Certains, comme *Kara Jûrô*, remontent aux sources mythiques ; d'autres, comme *Suzuki Tadashi*, au kabuki du XVIIIe siècle, moment où il connaît son apogée esthétique.

Kara Jûrô, né en 1941, a eu l'idée d'adopter une formule de spectacle ambulant comme autrefois en Europe et au Japon, en promenant une tente rouge pour rappeler la « matrice originelle » qui donne naissance à un théâtre de la cruauté.

Kara est cependant un poète, et son théâtre est rempli d'objets symboliques... « Yeux de libellules géantes argentées, collectionnées par une belle petite mendiante ; voiture à bras qui s'envole au-dessus de l'incendie de Tokyo... »

Suzuki Tadashi, né en 1939, directeur du petit théâtre de Waseda, a débuté dans le théâtre universitaire des années 1960, marqué par la lutte contre le traité de sécurité nippo-américain. Il mêle à ses tableaux dramatiques des extraits de l'un des plus célèbres auteurs de kabuki, Namboku Tsuruya (1755-1829), dont la spécialité était la vie quotidienne à l'époque d'Edo. Typiquement japonais, rempli d'objets usuels typiques comme le « couteau à poisson » qui taille comme un rasoir, le décor de Suzuki est volontairement misérable. Cela lui permet de faire revivre une « esthétique de la tuerie » qui est le fondement même de la dramaturgie de Namboku.

Le théâtre d'avant-garde au Japon est dans tous les cas prisonnier du mythe de l'origine. C'est ainsi que Terayama Shuji, déjà célèbre il y a quinze ans (né en 1934), a créé à ses débuts des pièces d'inspiration folklorique prenant la suite d'autres auteurs contemporains comme Kinoshita ou Tanaka Chikao. Terayama a également trempé sa plume dans les encres de l'écriture politique à la mode dans les années 1960.

A cette rubrique, il faut inscrire d'autres noms comme *Shimizu Kunio* (né en 1936), ou Sato Makoto (né en 1943), *Fukuda Yoshiyuki* (né en 1931) ; tous ces auteurs gardent un côté romantique pour illustrer les problèmes posés au Japon par la modernisation, l'érotisme et la violence. C'étaient bien là les trois préoccupations de Mishima Yukio lorsqu'il jouait sur scène le rôle de saint Sébastien martyr, ou celui de l'officier du coup d'État Ni Ni Roku qui se suicide par *seppuku*. « Je tire, disait-il, mon inspiration de mon Eros ou plus exactement de notre tradition qui est au cœur de mon Eros comme un serpent caché au fond d'une source... J'aime être appelé non un homme d'extrême droite, mais un traditionaliste. La tradition meurt au Japon. J'ai décidé de créer une armée pour sauver la tradition... Nous n'avons aucune force capable de protéger une idée indépendante... C'est pour cela que j'ai créé une armée. Elle se compose de cent étudiants... Ce sont ceux qui n'ont pas voulu s'engager à gauche et se sont sentis seuls. Moi j'aime la solitude et je la déteste. Mon écriture est solitaire et je n'ai ni l'intention ni le désir d'influencer qui que ce soit. Je ne suis pas responsable des conséquences que peuvent avoir mes écrits. Lorsque Goethe a écrit *Werther*, de nombreux jeunes se sont suicidés à l'exemple de Werther. Est-ce une raison pour rendre Goethe responsable de ces suicides ?... »

C'est ainsi que dans cette interview accordée à Gilbert Lauzun, journaliste aux Nations Unies, Mishima, quelques mois avant sa mort, réaffirmait ses trois préoccupations inhérentes à l'âme japonaise.

Le nô

C'est par amour de la tradition que Mishima composa ses fameux *nô* modernes en déclarant qu'ils se rattachaient à la tradition du nô du XVᵉ siècle. Le nô est une forme théâtrale plus enracinée au Japon que le *kabuki*. Il s'agit d'un théâtre de masques où l'émotion ne doit pas transparaître dans la mobilité du visage mais dans le geste, le maintien et l'ensemble du langage corporel. Théâtre mystique lié au bouddhisme, le répertoire comprend environ trois cents pièces. Les masques sculptés dans le bois sont figés dans un caractère bien précis : la vieille femme, le vieillard, l'homme et la femme d'âge mûr, le jeune homme, la jeune femme, l'aveugle, la divinité bonne, la divinité puissante, la divinité terrible, le surnaturel, le monstre, l'animal sauvage...

Les pièces se répartissent en six groupes :

— Les pièces des dieux ou *kami-mono*, dont le thème essentiel consiste à rendre hommage au courage et au rang d'une divinité. On appelle aussi ces nô, ceux du « deuxième acteur » car au début de la pièce, c'est le deuxième acteur qui entre en scène le premier, habillé en prêtre *shintô*.

— Les pièces de guerriers ou *shura-mono*. Ce sont des récits de batailles racontés par des nobles ou des samouraï qui ont pris l'apparence de roturiers et qui révèlent leur vraie identité dans la dernière scène.

— Les pièces de perruques ou de femmes, dites *kazura-mono*. Ici les rôles féminins sont tenus par des hommes. Le sujet introduit une jeune femme qui danse, parfois aussi une vieille ou l'esprit d'une plante.

— Les pièces de fous sont basées en général sur la folie du rôle principal, plus souvent une femme qu'un homme. Ainsi la pièce *Sakura-Gawa* est l'histoire d'une mère qui devient folle après avoir perdu son enfant.

— Les pièces universelles dont la caractéristique est d'être plutôt dramatique, alors que les autres groupes se rattachent de préférence au genre épique ou lyrique.

— Les pièces finales mettent en scène tout le surnaturel comme les démons, les lions, les orangs-outangs qui apparaissent dans le cadre d'une chorégraphie particulière.

Dans un spectacle de nô, les différentes pièces, dont le jeu scénique vaut par sa lenteur et sa perfection, sont entrecoupées de ce que l'on appelle des *kyogen*, sortes de bouffons qui de temps en temps viennent permettre au spectateur de relâcher sa tension d'esprit, jouant le même rôle que les pièces satiriques introduites dans l'ancienne tragédie grecque. Le nô a perdu beaucoup de clientèle. Des cris d'alarme ont été lancés au Japon : le *nô* meurt... puis la désaffection qui avait duré trente ans, a cessé. Le *nô* a retrouvé un public. On peut regretter qu'il ne remplisse plus comme autrefois une fonction sociale. Il était de bon ton d'être vu au spectacle de nô, mais aujourd'hui le *nô* a ses « fans » qui le vivent comme une cérémonie. Quelques Européens ont même rejoint les amateurs japonais et les tournées du nô aux Etats-Unis et en Europe, qui furent naguère des fiascos, arrivent maintenant à rassembler un public étranger connaisseur.

Voici un exemple de spectacle de nô donné en représentation en Europe par une troupe de Kobé, financée par le maire de cette ville et le journal *Kobe Shinbun*. *Hajitomi*, titre de la première pièce, désigne le demi-volet ajouré que le principal personnage féminin ouvre en se levant. C'est une pièce inspirée par l'œuvre de base de la littérature japonaise : le *Genji Monogatari*. Le conte de Genji qui fut écrit en 1001 par Murasaki Shikibu, dame d'honneur de la cour impériale et qui raconta les aventures amoureuses du prince Genji.

Ici, une jeune femme vient offrir des fleurs blanches au bonze du temple d'*Unrin-In* de *Murasakino*, à Kyoto, afin qu'il célèbre l'office de l'offrande des fleurs à Bouddha comme il a l'habitude de le faire durant l'été. On est en fin de saison. Le bonze demande le nom des fleurs. « Ce sont, dit-elle, des fleurs nocturnes de gourde. » Le bonze lui demande son nom. Elle répond qu'elle habite Gojô et disparaît en lui laissant les fleurs. Intrigué, le bonze se rend à Gojô le soir. Il y trouve une maison délabrée couverte de fleurs blanches de gourde. La jeune femme se montre en soulevant le demi-volet ajouré et raconte les amours de Yûgao (fleur nocturne de gourde et maîtresse de la maison) avec le prince Genji. Elle danse alors en signe d'une passion discrète et d'un amour désintéressé. A l'aube, la jeune femme disparaît de la maison. Le bonze se réveille. Cette pièce se rattache au groupe des *kazura-mono*, ou pièces de femmes.

Un autre exemple de *nô* joué dans le cadre du même spectacle nous est donné avec *Kanawa* (Le Trépied de fer) Conformément à l'oracle, une femme, abandonnée par son mari, rend visite au temple shintô de *Kubuné*, après minuit, vêtue de rouge, maquillée de rouge, et coiffée d'un trépied de fer surmonté de bougies allumées. La furie au cœur, elle veut faire mourir par maléfice son mari infidèle et sa rivale. Chaque nuit, le mari fait des cauchemars. Aussi, inquiet il va consulter l'astrologue Abe-No-Seimei. Celui-ci lui annonce une mort imminente. Effrayé, le mari demande à être exorcisé. L'esprit de sa femme lui apparaît alors sous la forme d'un diable qui tente de l'emporter. Mais le diable est chassé par les exorcistes. Ce drame, qui fait appel à la démonologie, entre dans la catégorie des pièces finales.

Parmi les *kyogen*, intermèdes comiques, *Kaminari* est sans doute le plus satirique. Le dieu de la foudre tombe à côté d'un passant qui est médecin. Le dieu maladroit se fait mal en tombant et demande au médecin de le soigner. Celui-ci le traite aussitôt par l'acupuncture, mais le dieu gémit de douleur.

Les pièces pour être vues sont plus exportables que les pièces pour être entendues, mais, dans les deux cas, la ponctuation musicale est très importante.

Bunraku et Takarazuka, Gagaku et Kagura

L'art théâtral japonais traditionnel doit aussi compter avec le *bunraku*, surtout celui d'Osaka, ce théâtre de marionnettes qui, à la fin du XVIIe siècle, présentait des pièces d'un auteur célèbre, Chikamatsu Monzaemon. La déclamation du texte est assurée par un récitant, tandis que les poupées prennent vie grâce à des manipulateurs costumés en noir et visibles par le public. Les pièces jouées aujourd'hui sont des drames de mœurs ou des pièces historiques. Elles relatent des conflits typiques de la société aristocratique d'Edo, conflits passionnels le plus souvent.

En réaction au théâtre classique, le *takarazuka* est un théâtre mineur qui attire les foules et dans lequel tous les rôles, y compris les rôles masculins, sont tenus par des femmes. Il s'agit plutôt d'un music-hall fondé en 1919. Il n'est peut-être pas essentiel de s'attarder sur de pâles copies scéniques de Broadway ou du Lido de Paris, mais le music-hall *takarazuka* est lié au village de Takarazuka, une sorte d'Hollywood du music-hall à la japonaise, situé à une trentaine de kilomètres d'Osaka. Station thermale réputée pour ses eaux radioactives, la ville est un immense parc d'amusements avec manèges et fête foraine, ordonné autour des bâtiments du music-hall. On y rencontre des hommes mais peu, et il s'agit en principe de professeurs de danse, de chant, de musique ou d'instruments. Invité par l'un d'eux, je fus guidé en voiture à travers les rues bordées de maisons de bois abritant ces « demoiselles ». On les recrute dès l'âge le plus tendre. Chaque maison loge un échantillon d'âge donné : autant de pensionnats modèles où la règle très stricte ne permet pas aux hommes de venir troubler celles qui sont les « vulnérables » : les adolescentes. Dans une maison pour filles de quatorze à dix-sept ans, on suit un programme scolaire, mais l'entraînement à la danse est si intensif, si fatigant que dès la tombée de la nuit les rues sont vides. Plus de musique, plus de cris, seul le théâtre qui donne un spectacle en soirée connaît une animation. Bien peu de jeunes filles ont suffisamment de talent pour se créer un nom, mais le takarazuka comprend de nombreuses troupes hiérarchisées dont les plus douées sont programmées dans des tournées, en Europe et aux Etats-Unis. Comme au *kabuki*, où l'homosexualité masculine est inhérente à certains rôles, au *takarazuka* un certain « lesbianisme » prévaut chez certains rôles, dont la célébrité est autant le fruit du talent que du scandale. Patrick Le Nestour, spécialiste du théâtre classique japonais et animateur du groupe d'études sur les moyens d'expression scénique au Japon, a dressé un tableau synoptique comparatif des différents arts, basé sur six critères : le lieu scénique et le mode d'expression ; les acteurs dans leur participation visuelle ou sonore ; les différents styles ; les genres de troupe ; le public ; les formes d'art annexes à chacun des modes d'expression. Ce travail comparatif inclut des modes d'expression qui font plutôt appel à la musique ou à la danse qu'au théâtre proprement dit, mais où le visuel joue sans aucun doute le rôle le plus important.

Le *gagaku* est une musique pour les yeux qu'il faut avoir vu jouer au palais impérial de Tokyo. Deux fois par an, à neuf heures du matin, le palais impérial ouvre ses portes aux mille invités privilégiés et pour les Japonais c'est un grand privilège d'être admis au concert de printemps ou au concert d'automne. La salle de concerts est glaciale, parfaitement inconfortable, mais lorsque les orchestres de droite et de gauche sont montés sur leur podium, les yeux et les oreilles n'en peuvent plus de bouger. Un état d'excitation s'empare du spectateur. Les instruments à vent, hautbois cylindrique, orgue à bouche, flûte traversière, alternent ou s'harmonisent avec des instruments à cordes frappées : luth piriforme, cithare sur table ; ou avec des instruments à percussion : tambour en forme de sablier, petit et gros gong. Cette musique visuelle, qui propage l'harmonie ou la confrontation, accompagne des rites de mariage shintô ou de cérémonies bouddhistes pour donner par exemple une « combinaison sonore » avec la récitation des sutras. Le *ennen* est plus directement lié aux rites *shintô*. Les acteurs appartiennent à une communauté religieuse et les pièces se jouent une fois l'an, à date fixe mais variable selon les endroits, généralement aujourd'hui dans le « Japon classique », à Nikko par exemple. De telles cérémonies ont été représentées à partir du XIIe siècle, puis ont connu un déclin au XVe siècle, avec la baisse sensible de l'influence des grands temples.

Le *kagura*, également lié au rite *shintô*, est une sorte de nô populaire qui se joue dans les enceintes de temples ou dans certains villages traditionnels dont la troupe est composée des habitants du lieu. C'est une sorte de communion profane donnant lieu à tout un ensemble de divertissements une fois l'an, que l'on peut retrouver dans l'Europe du Moyen Age et dont les vestiges subsistent dans le monde rural, en Europe, à travers les fêtes annuelles de villages dont certaines n'ont pas tout à fait perdu leur caractère sacré.

Les choix des œuvres et des noms cités ici, pour la littérature et le théâtre, sont subjectifs, arbitraires et partiels. Il en est de même pour le cinéma ou l'art. Mais ces choix trouvent leur justification parce qu'ils m'ont paru les plus représentatifs en termes de définition de la civilisation du Japon, et d'expression de la société japonaise contemporaine.

Mythe et réalité du cinéma

Le cinéma japonais produit toujours un choc, lorsqu'on le rencontre pour la première fois. Cela ne devrait pas nous étonner, lorsqu'on connaît le sens de la beauté et son importance au Japon. La jeune génération du cinéma japonais possède des qualités de brillant et manifeste parfois un génie prometteur. Cependant, débridée, indisciplinée, elle sacrifie la rigueur exigée par les chefs-d'œuvre aux débordements, parfois d'un goût douteux, permettant de pousser la recherche jusqu'au bout. C'est encore là un « jusqu'au-boutisme » très particulier aux Japonais. Plus que dans tout autre art, il exprime les conflits de l'Éros, « cachés au fond de soi, comme le serpent au fond de la source », ceux de la tradition avec le modernisme, ceux du mythe avec le réel. Mais ce cinéma entre en crise dans les années 1960. Les grandes firmes qui ont fait les beaux jours du grand Mizoguchi ferment leurs portes une à une. En 1966, il y avait déjà un tiers de spectateurs de moins que dix ans auparavant. La même année, la statistique recensait 30 millions d'entrées de moins dans les cinémas qu'en 1965. En 1966, toujours pour la première fois depuis longtemps, il n'y eut aucun film japonais présenté dans les festivals étrangers, qu'il s'agisse de Venise, Berlin ou Cannes. Trois incidents sont révélateurs de la situation du cinéma japonais à cette époque. Les organisateurs du festival de Berlin de 1965 avaient accepté un film japonais. Mais les autorités nippones, sans se soucier des professionnels concernés, déclarèrent le film de nature érotique, si bien qu'en 1966 les professionnels, en signe de protestation, refusèrent d'envoyer un film à Berlin. Trois films japonais, soumis au Jury de Venise cette année-là, furent disqualifiés. A Cannes, les organisateurs furent tout aussi sévères en déclarant : « Les films japonais ne possèdent pas, cette année, les qualités qui nous ont tant émus dans les films japonais présentés les années précédentes. »

Le plus célèbre réalisateur du Japon, *Kurosawa Akira*, joue alors le quitte ou double d'accepter les propositions qui lui sont faites par des maisons de production étrangères. Il considère son travail comme une sorte de mission en engageant sa propre société de production dans des coproductions. Mais cette société n'a pas l'envergure de la *Toho* avec laquelle Kurosawa a fait cinq films au cours des années qui précèdent.

Barberousse, tourné en trois ans, attendra plus de dix ans avant d'être reconnu et acclamé à l'étranger. C'est avec Zanuck et la Metro Goldwin Meyer que Kurosawa finit par traiter et entamer la réalisation d'un film qui, s'il avait été terminé par lui, aurait pu devenir un des « best-sellers » mondiaux : *Tora-Tora*, basé sur l'histoire de l'attaque de Pearl Harbor par les Japonais en 1941. A cause de l'indélicatesse de l'un de ses assistants qui falsifie sa signature, Kurosawa se fâche avec Zanuck. Celui-ci continue le film et le sort avec un autre metteur en scène.

Les cinq grandes compagnies cinématographiques japonaises, *Shochiku, Toho, Daiei, To-ei et Nikkatsu*, voient leurs studios désertés par la jeune génération de metteurs en scène qui deviennent indépendants. Parmi eux : *Oshima Nagisa*, qui fera sensation à Cannes en 1977 avec *L'Empire des sens* et conquit le public en 1978 avec *L'Empire de la passion* ; Teshigahara Hiroshi, fils de Sofu célèbre dans le monde entier par ses écoles d'Ikebana. Auteur-réalisateur, en 1965, de *Visage d'un autre*, Teshigahara révèle un cinéma psychanalytique à travers l'histoire d'un homme qui usurpe l'identité d'un autre en prenant son apparence physique grâce à la chirurgie esthétique et à un masque.

En 1963, Teshigahara avait fait sensation avec *Sunano-Ona* (La Femme de sable), conte philosophique qui retiendra l'attention de l'Europe et des Etats-Unis ; ce même public qui avait déjà salué comme un chef-d'œuvre *L'Ile nue* consacra à l'étranger le nom de Kaneto Shindo.

Pour survivre, on n'hésite pas à tomber dans le « porno ». Les grandes compagnies comptent aussi sur les films de Yakuza. Les héros de ces films sont des bandes de hors-la-loi qui sillonnaient le Japon aux XVIe et XVIIe siècles. Organisées dans le cadre d'une hiérarchie sévère, elles ont leur code d'honneur. Elles pillent, rançonnent tout en défendant parfois le faible et l'opprimé contre les abus des seigneurs. Mais, en général, elles terrorisent les paysans dont elles saccagent les récoltes, violent les filles, pillent les biens, brûlent les maisons. Au même moment, de jeunes réalisateurs indépendants gagnent la faveur d'un certain public avec un cinéma engagé se réclamant de la nouvelle gauche. C'est le cas d'Ogawa Sinsuke dont les activités sont reprises par Higashi Yoichi. Ces metteurs en scène et producteurs trouvent leur inspiration dans les thèmes de la contestation.

Après l'action entreprise à Sasebo contre le débarquement des marins de l'*Enterprise* et l'incitation à déserter à ceux qui finirent par mettre pied à terre quand la manifestation eut été dispersée, les contestataires japonais avaient accueilli sept déserteurs américains. Ils furent logés durant quelques jours chez des amis sûrs, en changeant de domicile tous les soirs. Les journalistes furent bientôt sur leurs traces. Une équipe de cinéma enregistra alors une sorte de conférence de presse qui fut diffusée dans le monde entier et parvint aux télévisions européennes par l'intermédiaire de Radio Moscou. La télévision soviétique avait cédé les films gratuitement, tandis que les cinéastes japonais essayaient de les vendre aux Américains. Les sept déserteurs furent acheminés hors du Japon sur l'un des bateaux soviétiques assurant la ligne régulière Tokyo-Kabarosk. Ils demandèrent ensuite et obtinrent de passer en Suède. Le film de leur séjour au Japon ne représentait pas une tentative sérieuse de cinéma engagé. En revanche, la série d'Higashi, dont *Sanrizuka* (Les Habitants du deuxième bastion) est le troisième volet, est une œuvre longuement mûrie par une équipe de cinéma qui a vécu plusieurs mois avec les paysans avant de tourner un seul mètre de pellicule.

Cette série fleuve raconte l'histoire des paysans de Narita en lutte contre la police pour empêcher la construction du nouvel aéroport international de Tokyo. Même expérience pour les auteurs du film *Minamata* dont le sujet est la pollution de la baie par le mercure déversé par les usines Chisso et l'empoisonnement lent de la population qui consomme les poissons pêchés dans cette baie. Dans le même style la Nihon documentalist Union produisait *Motoshin Kakarannu* : traduisez « Pas besoin de fonds de départ... », montage de dialogues avec les prostituées des bas-fonds de Naha, la capitale d'Okinawa à l'époque où les Américains avaient encore la charge de l'administration de l'île.

Mais Ogawa et Higashi sont aujourd'hui depuis longtemps dépassés. De très jeunes metteurs en scène qui n'ont pas « fait leurs classes » dans les cinq grandes compagnies, venus du « film universitaire », s'associent pour produire des films qui touchent le grand public. C'est le cas d'Adachi Masao, élève de l'université de Nihon. Un certain cinéma pauvre méprise les techniques sophistiquées, fabriquant des films à petit budget. Malheureusement, son inspiration est courte et ne trouve que peu d'aliments et un écho très limité. Le public préfère les films dits « roses » comme ceux de Wakamatsu Koji, films à dominante pornographique.

Oshima Nagisa

Un nom portait cependant en germe le génie cinématographique : celui d'*Oshima Nagisa*. Mon premier contact avec l'œuvre d'Oshima date de la sortie de *Journal d'un voleur de Shinjuku* en 1966. Je connaissais l'un des acteurs, mais j'avais surtout entendu parler des audaces cinématographiques du réalisateur.

Je fus surtout frappé par la découverte d'un Japon insoupçonné. Cette découverte allait s'approfondir avec quelques autres titres : *La cérémonie, L'Empire des sens, L'Empire de la passion.*

La Cérémonie retrace la vie de la famille Sakurada, approximativement de 1945 à 1970. On ne se perd pas dans le détail. Les membres de la famille sont présentés et évoluent à travers les cérémonies marquantes de la vie familiale : naissances, mariages, enterrements. Oshima, cinéaste révolutionnaire, ne peut que constater la permanence et l'enracinement de la tradition patriarcale et paternaliste du *ié* (clan familial) malgré la guerre, malgré l'adoption de doctrines politiques importées comme le communisme, malgré l'évolution des mœurs (le grand-père exige de faire l'amour avec sa belle-fille qui se soumet). C'est, en un certain sens, un constat de permanence de la nation japonaise et de sa hiérarchisation traditionnelle.

Avec *L'Empire des sens*, selon Oshima lui-même, il s'agit d'un homme et d'une femme qui confondent leur existence réelle avec leurs pulsions sexuelles les plus profondes, créant de toutes pièces un monde de volupté qui les unit jusqu'à la mort volontaire du héros.

Quant à *L'Empire de la passion*, c'est aussi une histoire d'amour et de mort : Un conducteur de pousse-pousse vieillissant est marié à une femme belle, encore jeune, qui répond aux avances d'un jeune homme. L'amant tue le mari et avec l'aide de la femme jette son corps au fond d'un vieux puits. Mais le crime hante les amants et le fantôme de la victime apparaît à la femme et aux gens du village. L'amant revient sur les lieux du crime. L'homme et la femme ne pourront pas échapper à la justice des hommes.

Dans sa réponse à une question d'un journaliste, à propos de ce film, lors du festival de Cannes de 1978, Oshima montre ce qu'il y a de japonais dans son œuvre... « Les amants vous paraissent jetés en enfer par leur pulsion sexuelle, mais selon moi c'est le grondement de la terre, le murmure du vent, le bruissement des arbres, le chant des oiseaux et des insectes, bref c'est la nature entière qui guide le couple dans sa descente aux enfers... L'art japonais traditionnel, qu'il s'agisse du *kabuki* ou du *Kodan*, en appelle souvent à la présence des fantômes. A vrai dire, la plupart de ces récits nous sont venus de Chine et ont été ensuite transformés pour servir de support à des histoires de vengeance édifiantes. Le fantôme de mon film est bien différent. Il est né du folklore que le peuple japonais a su conserver et perpétuer de génération en génération. C'est un fantôme authentique et typiquement populaire, comme on en a rarement vu à la scène ou à l'écran. Pour *Seki* et *Toyoji*, comme pour les gens du village, il ne relève pas de l'imaginaire : Ils le « voient » réellement et entrent de plain-pied dans l'univers surnaturel. Cependant, les spectateurs d'aujourd'hui, j'en suis conscient, ne verront le fantôme qu'en faisant appel à leur imagination. »

Kurosawa

Deux « grands » ont en fait révélé le vrai cinéma japonais : *Kurosawa* et *Mizoguchi*. Il faudrait y ajouter, pour être juste, *Kinoshita*, *Ozu*, *Kinugasa*, *Uchida*.

C'est en 1951 que *Kurosawa* reçut le Lion d'or de Venise pour *Rashomon*. Il n'en fut pas tellement satisfait, Rashomon ne lui paraissant pas être une œuvre majeure. Kurosawa s'était vu imposer le scénario par le producteur, alors qu'il ne l'aimait pas. La filmographie de Kurosawa est suffisamment abondante par ailleurs pour qu'on accepte de le croire, lorsqu'il affirme que ce film n'est représentatif ni de son œuvre, ni du Japon, même si nous l'avons aimé.

Parmi les films récents postérieurs à 1970, le plus représentatif de Kurosawa n'est pas *Derzu Ursala* ; coproduction nippo-soviétique dont on ne sait ce qu'il faut admirer le plus, de la photographie des espaces sibériens, du jeu des acteurs ou du sens de l'épique du metteur en scène. Cette fresque étrangère consacre un talent, mais ne révèle pas l'âme de Kurosawa. Aujourd'hui, chaque film tourné par lui peut être regardé comme un événement cinématographique. Cependant, aucun ne l'explique mieux que *Dodeskaden*, tant sa vue perçante du paupérisme japonais correspond chez lui à la fois à un désespoir devant une réalité souvent dure, et à une tendresse pour les plus humbles et les plus déshérités. Quant au fameux *Sept Samouraï*, il ne faudrait pas s'y tromper : ce film, en montrant des paysans bornés obligés d'avoir recours à la classe des guerriers, donne l'image d'un Kurosawa réaliste et soucieux de montrer à ses compatriotes leur stupidité. Peinture dichotomique de la société japonaise de l'après-guerre, les Japonais ne peuvent être que des samouraï ou des porcs. Toutefois, une interprétation aussi péremptoire doit être corrigée et nuancée si on veut expliquer l'idiot de *Dodeskaden*, l'enfant, et le clochard symboles du dénuement, englobés dans l'amour de l'artiste pour l'homme, facteur émotionnel de son génie.

Kinoshita, « produit » des grandes compagnies, ancien assistant à la *Toho*, est un explorateur. Il tente sa chance et réussit dans tous les genres. Dans son opéra de légende *Narayama*, il nous restitue une certaine idée du Japon. Les chansons de la montagne de

Nara révéleront plus tard, au lendemain de la guerre, le talent d'un jeune écrivain, *Fukasawa*.

Au théâtre, la jeune troupe moderne du *Red Bouddha* avait choisi de mettre en scène cette légende populaire pour donner un éclairage sur le Japon contemporain.

Dans un hameau rural, sur la montagne de Nara, vivent des paysans simples et si pauvres qu'il n'y a pas suffisamment de nourriture pour tous. Afin de préserver l'équilibre économique du clan, les vieux décident de mourir à soixante-cinq ans afin de limiter le nombre de bouches à nourrir. Ils se font porter sur la montagne de Nara, tout en haut, dans un lieu froid où règnent les esprits. Prisonniers de la neige, ils meurent tandis qu'en bas la vie continue. Aucune légende populaire ne marque autant que celle-là l'interdépendance et la nécessaire solidarité des Japonais, expliquant l'esprit de corps dans la vie de tous les jours.

Kinugasa, ancien acteur, avait milité pour que les travestis soient remplacés par des actrices, avant de revendiquer l'autonomie du cinéma en tant qu'art. Il est l'auteur d'un film basé sur une légende populaire révélatrice, elle aussi, d'un certain Japon : *La Légende des 47 rônin* (un *ronin* est un *samouraï* qui a perdu son maître), hommage et glorification du courage et de la fidélité au-delà de la mort.

Dans la cour du temple de *Sengaku-Ji*, les 47 rônin reposent sous la protection de la foule japonaise qui vient leur rendre visite les jours de fête. En 1701, Asano Naganori, seigneur d'Ako, tire l'épée dans l'enceinte du palais shogunal contre Kira Yoshinaka qui l'avait offensé. Il reçoit l'ordre de se suicider. Les *samouraï* qui l'entourent décident de le venger. Après s'être fait oublier, ils attaquent par surprise la résidence de Kira, le tuent, et placent sa tête dans la tombe d'Asano. Ils reçoivent à leur tour l'ordre de se faire seppuku.

Cette légende mise en scène au *kabuki* a été reprise encore plus récemment par le cinéaste Kobayashi dans son film *Hara-Kiri*.

Mizoguchi

Il ne peut exister de panorama, même très incomplet, sur le cinéma japonais, sans *Mizoguchi Kenji*. Il avait été tenté, lui aussi, en 1941, par cette légende et avait tourné *Genroku Chushingura* (les 47 Rônin), mais les spécialistes du cinéma japonais sont unanimes pour dire que ce film et le précédent *La Vie d'un acteur*, tourné en 1941, marquent le début de onze années de creux artistique. Mizoguchi se ressaisira en 1952 avec *La Vie d'Oharu, femme galante*, qu'il considérait lui-même comme son chef-d'œuvre. Suivront en 1953 *Les contes de la lune vague* et *Les Musiciens de Gion*. En 1954, *Chikamatsu Monogatari*, le conte de Chikamatsu, dont le titre français est *Les Amants crucifiés*, remporte le Lion d'argent du festival de Venise. Il faut citer également, en 1956, *Rue de la honte*, portrait de prostituées qui obtint un énorme succès au Japon au moment où on discutait au Parlement de la suppression de la prostitution. Selon M. Tsuji — producteur des principaux chefs-d'œuvre de Mizoguchi — interviewé par Michel Mesnil, le plus grand des metteurs en scène japonais contemporains n'avait pas au Japon les faveurs de la critique. Les grosses recettes de ses films se sont faites à l'étranger.

Michel Mesnil, spécialiste de Mizoguchi, le décrit comme un homme seul présent dans chacun de ses films par le combat ardent qu'il a mené contre l'injustice, les préjugés, la méchanceté, mais avec détachement, distance dans le regard et jugement implacable que ses compatriotes lui pardonnaient difficilement.

Le cinéma japonais est un des refuges de l'anti-conformisme. En cela, il exprime, mieux que tout autre art, le drame vécu d'une société japonaise prisonnière de ses fantasmes et incapable de les extérioriser. Jamais les mythes japonais n'ont eu l'occasion de se manifester avec autant de force, jamais non plus ce peuple ne s'est vu assener autant de vérités sur lui-même. Le cinéma japonais, que l'on accuse parfois de sadisme, est plutôt masochiste. Si le Japon ne s'explique pas à partir des mœurs de la masse japonaise, comme le soutient le sociologue Yanagida Kunio, il faut donc voir l'œuvre de Kurosawa non comme une fresque de la tendresse humaine, mais plutôt comme une peinture d'une réalité pitoyable, celle d'un peuple de « porcs ». Un jeune écrivain de l'après-guerre, Ishihara Shintaro, est l'auteur d'une œuvre dramatique : *Que vivent les loups et meurent les porcs*, dans laquelle le loup représente le solitaire et le porc le peuple, mû par un instinct grégaire. Un tel excès de masochisme déforme la réalité en lui donnant comme contenu les pulsions « freudiennes » d'une minorité d'intellectuels considérés comme des voyeurs. Le cinéaste Imamura Shohei, qui a consacré deux ans à l'étude des problèmes sociaux des paysans, pense que ceux-ci, malgré Meiji et malgré Hiroshima, en sont toujours au même point qu'il y a deux mille ans. Cette vision serait celle de Kurosawa. Elle permettrait d'interpréter une certaine thématique sexuelle d'un cinéma japonais hanté par l'inceste. Cependant, les dix dernières années ont vu se manifester comme une sorte de conséquence de cet univers sexuel moyenâgeux, le désir d'un univers sexuel libéré. C'est ainsi que Wakamatsu Koji qui pose les problèmes sexuels en termes de rapports sociaux essaie de nous montrer comment un fanatisme de droite, qui plonge garçons et filles dans l'attirance d'une mort tragique, résiste peu aux orgies sexuelles. Ce film de 1971, intitulé *Une femme qui vient de mourir* est une parodie du suicide de Mishima. Un autre film de la même époque montre un garçon et une fille qui se libèrent de l'obsession de la mort par l'amour. Le sexe est un remède contre « les névroses sociales », comme le souligne le critique Sato Tadao à propos de Wakamatsu. Espoir donc, mais aussi angoisse, le cinéma japonais est sans aucun doute l'art qui nous renvoie le mieux l'image de la jeunesse japonaise.

Mythe et réalité dans la peinture

Il a fallu curieusement le traumatisme de 1945 pour que le Japon trouve la voie de la liberté d'expression, qu'il s'agisse de la liberté politique, religieuse, de la liberté de pensée ou de la liberté artistique. L'art traditionnel fut toujours lié en effet au pouvoir, et les rapports étroits entre la structure de l'art et celle de la société ne sont pas dus au hasard lorsque commence en 1615, la période la plus florissante de l'art pictural japonais qui se manifeste sous la forme de l'*ukiyo-e*. Cette expression empruntée au bouddhisme pour exprimer la nature transitoire de la vie incarne l'art japonais pendant près de trois cents ans, coïncidant avec la période historique, dite d'*Edo*, la dernière avant la restauration de Meiji en 1868. On peut traduire *ukiyo-e* par « images d'un monde flottant ». Il existe plusieurs interprétations de cette traduction, mais il serait un peu restrictif de se limiter au concept du caractère éphémère de la vie, ou plus encore à celui de peinture des plaisirs. L'*ukiyo-e* au même titre que la littérature est profondément enraciné dans la civilisation du Japon. *Utamaro*, *Hokusaï*, *Korin* sont des maîtres spécifiquement japonais, dont l'art ne peut être confondu ni avec celui né d'un héritage chinois ou coréen, ni avec une inspiration religieuse venue du continent. Après avoir été méprisé, l'ukiyo-e a enfin connu un retentissement universel, à partir du milieu du XVIIIe siècle.

C'est à cette époque que le *bakufu* (nom désignant le gouvernement du Shogun) installe une censure des « matières imprimées ». L'un des deux gouverneurs d'Edo fut chargé de veiller à ce que rien de prémédité ne puisse discréditer le gouvernement, et que la moralité publique soit toujours sauvegardée. Le gouverneur fut également rendu responsable de la protection de la propriété artistique. Il reçut le pouvoir d'infliger aux contrevenants toute une série de peines graduées, allant de l'avertissement à l'exil, pour une période donnée, en passant par l'avertissement sévère, l'amende, la confiscation des œuvres interdites, l'assignation à résidence, avec ou sans menottes aux mains, et l'emprisonnement. Auteurs, artistes, graveurs, imprimeurs et éditeurs et même les censeurs, lorsque leur négligence fut prouvée, furent sévèrement punis. La procédure paraissait simple : l'éditeur était tenu, avant gravure et tirage, de soumettre le dessin original de l'artiste au censeur le plus proche. Si celui-ci avait un doute, il devait en référer au bureau de censure du gouverneur. La décision était communiquée alors à l'éditeur. Mais le contournement de la loi par certains éditeurs et la négligence de certains censeurs amenèrent l'autorité à durcir sa sévérité en publiant quelques édits restrictifs. Il faut se rappeler que toute la production artistique du Japon, depuis les origines, n'était pas une production libre, mais confiée à des *bé* ou corporations familiales, héréditaires, jouissant d'une notoriété sociale importante et organisées selon le même modèle que les autres professions d'artisans. On possède une preuve écrite de l'existence d'une corporation d'artistes peintres qui date du règne de l'empereur Yû-Ryaku (457-479). Il invitait alors des familles d'artisans de Corée et de Chine à venir exercer leur métier au Japon. La conception d'hérédité, dans une famille d'artistes, s'étendait aux enfants adoptés ou aux conjoints. On pouvait ainsi entrer dans la corporation des graveurs ou des peintres par l'adoption ou le mariage. Mais la contrepartie de la protection du pouvoir accordée à ces *bé* pour l'exercice de leur art était la soumission au mécène protecteur ; chaque fois que celui-ci changeait, les familles d'artistes se pliaient à une nouvelle éthique ou à une nouvelle esthétique en fonction des désirs de leur commanditaire.

C'est ainsi que la première période de l'histoire du Japon, la période de *Nara* qui commence en 710 et va jusqu'en 794, coïncide avec la création d'un pouvoir centralisé qui institue le bouddhisme religion d'Etat. Il existe à la cour de *Nara* un bureau de la peinture. L'art lui est entièrement soumis par le bouddhisme.

Les artistes reproduisent des scènes de la vie de Bouddha, comme la légende de la tigresse affamée dont le thème se retrouve en Asie Centrale et en Chine : un prince se jette en pâture à une tigresse et à ses sept petits mourant de faim. Le *Hôriuji*, à Nara, est le dépositaire de ce qui reste des merveilles de cette période. Cependant l'âge d'or de la peinture japonaise se situe à l'époque suivante, l'époque *Heian* du IXe au XIIe siècle avec ce que l'on appelle le *yamato-e*. Cet art, qui fait appel au trait fort pour dessiner les contours, reprend des thèmes profanes, comme les quatre saisons, les sites fameux, les travaux saisonniers, mais se développe surtout grâce à l'influence du bouddhisme ésotérique. Les moines doivent connaître la peinture. Le *yamato-e* n'en devient pas moins une peinture de cour narrative, chaque histoire comme dans les « *Rouleaux de Genji* » étant couchée sur un papier roulé et divisé par scènes dont la longueur correspond à la longueur de papier déroulé que l'on peut embrasser d'un seul regard. Deux styles différents apparaissent à travers les œuvres, dont l'un, par le dessin à l'encre de Chine, marque le début de la tradition du dessin humoristique japonais. En 1644, la Chine tombe sous la coupe de la dynastie mandchoue des *Ts'ing*, événement qui amène au Japon de nombreux émigrés chinois. Ceux-ci favorisent l'introduction dans l'Archipel d'une peinture raffinée, empreinte de maniérisme, en réaction, parce que l'œuvre d'artistes non professionnels, contre les écoles et les académies représentées par l'école de *Tosa* ou l'académie de *Kano*.

Le Shogunat des *Tokugawa* fondé en 1603 avait réussi à rétablir à partir de 1615 un gouvernement centralisé, basé sur les privilèges des aristocrates et des militaires. Une loi fixait une hiérarchie précise des trois grandes classes : paysans, artisans, marchands. La conduite des seigneurs, les costumes des samouraï, tout était contrôlé par la censure. Seigneurs et militaires recevaient des revenus, fixés sous forme d'attributions annuelles de riz. Les paysans, regroupés par clans de cinq familles, se surveillaient les uns les autres, étant rendus responsables de l'accomplissement correct de leurs devoirs. Les citadins étaient contrôlés par des systèmes de corporations. Les voyages à l'étranger étaient interdits, le christianisme, religion étrangère, proscrit. L'art participait directement de cette organisation politico-policière.

Comment se développa dans un tel climat l'ukiyo-e, et surtout comment un art, aussi « encadré » et contrôlé pour servir les objectifs des classes au pouvoir, devint-il rapidement un art populaire, presque un art de masses, tant son impact était grand dans les villes ? Selon Lubor Hajek, on ne peut l'expliquer que parce que les liens entre l'art et la vie intellectuelle et culturelle étaient plus forts que les liens de l'art avec le pouvoir, quel qu'il fût. L'art était assez puissant pour exercer la même attraction que le pouvoir ou l'argent.

Cette période fut marquée par une longue série d'affrontements entre la police et l'art, car celui-ci servit parfois le pouvoir mais jamais la police. Les thèmes de l'*ukiyo-e* sont liés à la représentation d'un style de vie touchant aux loisirs, mais en réalité vont plus loin que la simple photographie instantanée de scènes quotidiennes de la vie d'acteurs en vogue, ou des passe-temps de la société japonaise. Les portraits d'acteurs ou de très belles femmes de l'époque nous restituent un art théâtral et ont valeur de documents. De plus, en réaction contre la poésie amoureuse traditionnelle, un peu mièvre, les portraits de geishas célèbres, comparables à ceux de nos actrices préférées, furent peints dans un environnement qui dut paraître scandaleux, celui d'*Yoshiwara*. Il s'agit du quartier réservé des plaisirs qui joua un grand rôle à Tokyo du XVIIIᵉ siècle à nos jours. Les estampes sont aussi souvent légendées : geisha Une telle, de telle maison, Masako, putain dans tel bordel, etc. avec adresse et tarif. De nombreuses estampes sont ainsi vouées aux sujets érotiques. *Asai Ryoi* (Contes du monde mouvant), paru à Kyoto en 1661, donne une explication naturiste du monde de l'*ukiyo-e*... « Vivre le moment présent, uniquement, savoir n'être attentif qu'à la beauté de la lune ou de la neige, aux cerisiers en fleur, aux feuilles de l'érable, chanter, boire, être heureux de se laisser flotter et porter simplement, répondre au regard fixe du malheur par une souveraine indifférence, refuser tout découragement, et, tel un fétu, s'abandonner au courant de la rivière, tel est le monde éphémère et mouvant... Cette création artistique apparaît donc liée à la nature, à sa vitalité, à celle de l'homme qui s'identifie naturellement à la puissance sexuelle. Cela n'est pas nouveau et vient du plus profond de la tradition japonaise. L'éclosion d'une création artistique empreinte de sexe vers 1640, date à laquelle apparaissent les premières peintures de courtisanes, s'explique par le courant philosophique et religieux dérivé du *shintô*. Le *Kojiki* et le *Nihonji*, les deux premières compilations de l'histoire du Japon, décrivent la création des mondes par les divinités dans une langue tout à fait réaliste, comme en témoigne ce dialogue du couple *Izanagi - Izanami* :

« Comment est fait ton corps ?

— Il se développe de partout sauf en un endroit... Et le tien ?

— Le mien, comme le tien, se développe de partout, mais particulièrement en un endroit. Ne serait-il pas bien de placer cette partie de mon corps en excès dans cette partie du tien en retrait ? Nous pourrions ainsi créer de nouveaux pays... »

Toute la mythologie japonaise est empreinte de sexualité, ce qui explique la persistance du culte phallique aujourd'hui encore très répandu dans le monde rural. Au XVIIᵉ siècle, l'estampe érotique va trouver deux sources d'inspiration : le *kabuki* et les maisons vertes.

Le *kabuki* truculent, fantastique, violent, exaltant des amours passionnelles dont on retrouve les caractères dans les sujets et le style des gravures, et les maisons vertes dont Edmond de Goncourt a décrit les charmes. A *Yoshiwara*, dans un faubourg d'*Asakusa*, elles sont au nombre de cinquante à l'intérieur d'une enceinte où sont réunies non pas les filles livrées à la prostitution, telles qu'on les voit aujourd'hui dans certains quartiers de Hambourg ou d'Amsterdam, mais de véritables courtisanes dont on retrouve la trace dès le VIIe siècle. Selon Edmond de Goncourt, « les filles d'Yoshima » sont élevées comme des princesses. Dès l'enfance, on leur donne l'éducation complète. On leur apprend la lecture, l'écriture, les arts, la musique, le thé, le parfum (le jeu des parfums ressemble au jeu du thé : on compose des parfums qu'on brûle et il faut deviner à l'odeur ces parfums). Elles sont tout à fait comme des princesses élevées au fond des palais. Alors pourquoi regarder à une dépense de trois mille rio ? (un rio de Kobé vaut une livre sterling)... Or, entre ces *daimiyo*, ces seigneurs lettrés et ces femmes qui ont reçu une éducation de grandes courtisanes, le contact des deux épidermes n'avait pas lieu immédiatement... Trois visites étaient presque indispensables pour arriver à l'intimité : la première visite n'est qu'une introduction galante auprès de la femme ; la seconde qui est le redoublement de la première, avec l'octroi de quelques privautés ; enfin la troisième visite, appelée visite de « la connaissance mûre ».

Yoshiwara a joué un grand rôle dans la cité d'Edo, car c'est là que naquit et se développa une culture dont le Japon a intégré les composantes jusque dans la vie quotidienne de ses citoyens. La création de ce quartier réservé avait été autorisée en 1617 par le *shogun*. Celui-ci, soucieux de se ménager un moyen de pression sur les notables de province, obligeait les seigneurs vassaux à passer une année sur deux auprès de lui, à Edo. Soldats, employés de commerce, gens de maison vivaient à Edo en célibataires, d'où une disproportion assez grande dans la capitale entre le nombre d'hommes et de femmes. *Yoshiwara* fut donc d'abord fréquenté par des guerriers, des seigneurs fortunés, de riches marchands, des entrepreneurs de

charpente. Les filles venaient de la campagne. Leur
intronisation, en robe de mariée, donnait lieu à une
sorte de procession à travers le quartier réservé, suivie
de grandes réjouissances. Dans ce milieu de plaisir, où
régnait une étiquette comme dans toute institution
japonaise, les prostituées les plus accomplies devenaient courtisanes de haut rang, *tayu*, célèbres dans
tout le Japon. Peu à peu, cependant, la clientèle
d'*Yoshiwara* n'était plus la même. Guerriers et seigneurs étaient remplacés par des marchands enrichis.
Ce fut la fin du règne des courtisanes d'*Yoshiwara*.
D'autres quartiers réservés se créèrent, fréquentés par
les classes moyennes. Les pensionnaires de ces quartiers, remplies du souvenir et des légendes d'*Yoshiwara* et de son rituel, essayèrent bien de le faire revivre. Ce fut l'époque de ce que l'on a appelé l'*iki*, une
sorte d'ambiguïté mentale, comme seuls les Japonais
savent en créer. La mode de l'*iki* s'imposa très vite
dans les quartiers des plaisirs et survit aujourd'hui
dans le Tôkyo *by night*. Il était de bon ton d'être *iki*.
Il vaut mieux, si l'on fréquente assidûment les boîtes
de nuit de la capitale japonaise, apprendre les manières *iki*, comportement esthétique se rapportant aux
choses du sexe. Les trois visites indispensables pour
obtenir les faveurs d'une dame d'*Yoshiwara* à la belle
époque relevaient de cet esthétisme particulier. Pour
arriver au but à la manière *iki*, il fallait persévérer
avec retenue, faire preuve de passion sans le montrer,
tout en faisant sentir par son attitude que l'on n'était
pas « indifférent ». Bientôt il y eut un art *iki*, une
peinture *iki*, qui reflète bien l'*ukiyo-e* du XVIIIᵉ siècle,
certains drames du *kabuki* ou la musique du *shamisen*.

L'*ukiyo-e*, où l'érotisme apparaît comme une source
d'inspiration essentielle, a gagné une renommée mondiale grâce à quelques noms dont l'œuvre à elle seule
recouvre toutes les subtilités d'un art trop longtemps
enfoui, soit par les Japonais eux-mêmes, soucieux de
ne pas donner d'eux une image choquante par rapport
aux valeurs des civilisations *geijin étrangères*, soit par

les Européens ou les Américains découvrant au Japon une liberté de mœurs définie selon un autre code que le leur. C'est *Utamaro*, le plus célèbre en Occident, qui avait retenu l'attention d'Edmond de Goncourt. A propos des gravures de l'artiste, on lit : « ... la peinture érotique de ce peuple est à étudier pour les fanatiques du dessin, par la fougue, la furie de ces copulations, comme encolérées ; par le culbutis de ces ruts renversant les paravents d'une chambre ; par les emmêlements des corps fondus ensemble ; par les nervosités jouisseuses de bras, à la fois attirant et repoussant le coït ; par l'épilepsie de ces pieds aux doigts tordus, battant l'air ; par ces baisers bouche à bouche dévorateurs ; par ces pâmoisons de femmes, la tête renversée à terre avec la petite mort sur leur visage, aux yeux clos, sous leurs paupières fardées ; enfin, par cette force, cette puissance de la linéature qui fait du dessin d'une verge un dessin égal à la main du musée du Louvre attribuée à Michel-Ange. »

Contemporain d'Utamaro, *Toyokuni* est recherché par les amateurs de portraits. Ce sont en effet les portraits d'acteurs qui l'ont rendu célèbre, mais il faudrait signaler d'autres grands noms comme Shunkô, Shunei, Sharaku, Shundô, Toyohiro, et beaucoup d'autres.

A la fin du XVIIIᵉ siècle et au début du XIXᵉ apparaît *Hokusaï* auquel la finesse du trait confère une sorte de marque de fabrique. Il commence sa carrière par des portraits d'acteurs, mais, très vite, montre qu'il s'intéressait plus au public qu'à la scène comme en témoigne une gravure intitulée : *Théâtre kabuki du théâtre Sakaïchô*. Dans une série appelée *Trente-six vues du Fuji*, Hokusaï découvre ses talents de paysagiste. La plus célèbre de ses gravures montre le Fuji émergeant au milieu des vagues déferlantes sur la plage de Kanagawa. Les noms de *Kuniyoshi* et surtout *Hiroshige* sont également familiers des collectionneurs. Hiroshige manifeste son grand talent de paysagiste dans la série fort connue des cinquante-trois stations de la ligne du Tokaïdo ainsi que dans un triptyque dépeignant la procession de femmes au temple de *Benten* dans l'île d'Enoshima où on ne pouvait accéder qu'à marée basse, au siècle dernier.

L'école de *Kôrin*, plus académique, se distingue par la représentation très élaborée des fleurs et des plantes. « Il faut parler de l'art décoratif de Kôrin, mais la vraie valeur artistique du peintre tient à ceci que, sur le papier, la soie ou la laque, il les laisse librement chanter leur propre beauté ou garder délibérément leur silence naturel... Dans ses plus belles œuvres, il les a représentées jouant en solo... » Noguchi Yone, poète japonais, indique là un des fondements de l'esthétique japonaise hérité du *zen* : le prix irremplaçable du dépouillement qui met en valeur l'unique objet ou le détail central de l'œuvre artistique. Rikyû, maître de thé célèbre du XVIe siècle, avait un jardin rempli de volubilis, « visages extasiés de l'aurore d'été ». Le Taïko, prince guerrier, ayant entendu parler de ces volubilis, voulut rendre visite à Rikyû de bon matin. Au jour fixé, le maître de thé ordonna à ses serviteurs d'arracher et de jeter tous les volubilis hors du jardin, sauf un. Il fit balayer et laver les degrés de pierre de l'allée du jardin, et attendit l'arrivée du prince. Celui-ci, voyant qu'aucun visage de volubilis respirant la lumière du soleil ne venait réjouir ses yeux, entra dans un grand courroux. Le sourcil froncé, il demanda à Rikyû où il plantait les fleurs dont il était si fier. Rikyû ne répondit pas et le Taïko fut obligé de pénétrer dans la maison, bien que de mauvaise grâce. Soudain, là, dans le *tokonoma*, « un seul visage joyeux de volubilis éclatant au milieu de la chambre enveloppée de ténèbres, charmant et délicat comme un arc-en-ciel oublié, ou comme les lèvres d'un ange entrouvertes en leur ravissement, souhaita la bienvenue au puissant prince... » Selon Noguchi Yone, cette attitude esthétique de Rikyû est exactement « l'attitude de Kôrin dans son art envers les plantes fleuries comme envers les arbres ».

L'école de *Kôrin* et de *Sôtatsu*, dont le pinceau savait extirper de toute réalité le symbole ou si l'on veut l'essence, fut précédée par l'école de *Kano*, une dynastie de peintres dont les œuvres peuvent être considérées comme les ancêtres de l'estampe. *Kano Eitoku*, le plus fameux de la lignée, sortit bien vite du cadre étroit de la gravure, de la peinture sur soie ou de la décoration de laques pour assurer les fresques grandioses d'immenses salles de réception du château d'*Azuchi* d'abord, puis de celui d'*Osaka*. L'art de *Kano Eitoku* utilisait les feuilles d'or rehaussant ses peintures toutes empreintes d'une certaine majesté. L'école officielle de *Tosa* pâlissait déjà dans le cadre de la cour impériale et s'affadissait.

De *Nara* à *Meiji*, douze siècles d'histoire recluse ont bâti le creuset d'un art original, réaliste et plein de rêve, qui doit tout à la Chine, mais dont l'expression rend compte de l'originalité japonaise, tantôt plus dure, plus puissante, plus cruelle, plus dépouillée, tantôt plus douce, plus édulcorée, plus complexe. La peinture contemporaine japonaise qui doit tout à l'Occident n'a pas encore su forger le creuset d'un art contemporain original comme l'avait fait la peinture traditionnelle du Japon par rapport à la peinture chinoise. Mais qu'est-ce que l'art contemporain peut signifier pour un Japonais ? Pour Suzuki : « Rien, l'abstrait est balayé... » Peintre d'inspiration bouddhiste, Suzuki révère spécialement la déesse *Kannon* dont le visage obsédant transparaît dans un champ de roseaux, ou dans une composition florale. Sans ce visage, la toile évoquerait un *Mathieu* ambigu, hésitant éternellement à franchir le Rubicon des barbouilleurs par crainte d'être pris pour un des leurs. Suzuki est un abstrait qui s'ignore ; dans ce sens, il illustre le drame de l'artiste japonais pris entre son choix d'artiste et sa répulsion de Japonais à prendre parti, par hantise de parti pris, fût-il artistique. L'art du compromis ignore l'art tout court, à moins que le refus de compromis ne conduise à la notoriété, ou à l'asile psychiatrique.

Sculpture

Pour *Okamoto Taro,* né en 1911, c'est la notoriété. Nous nous étions rencontrés au Japon. Il avait accepté de venir dîner chez moi avec quelques intellectuels japonais pour y rencontrer l'homme politique académicien Edgar Faure. A l'heure du digestif, Edgar Faure, dissertant brillamment comme à son habitude de l'engagement américain au Vietnam, remarqua avec agacement un petit Japonais assis sur un coussin devant lui, en train de ronfler. Il s'interrompit pour demander : « Qui est-ce ?... » Tous les amis japonais éclatèrent de rire tandis que Okamoto Taro, réveillé en sursaut, se leva et quitta la maison « à l'anglaise ». Dans les années 1930, Okamoto était à Paris où il rencontrait Breton, Miró, Picasso, Max Ernst... Il revient au Japon en 1940 pour être envoyé comme soldat en Chine. En 1952, il expose en France puis aux Etats-Unis. Il a la nostalgie du Japon ancien qu'il a fait revivre dans son livre *La Tradition japonaise.*

Il publie, dans le même esprit, *Le Japon revu, Le Japon oublié, Le Japon mystérieux.* A Tokyo, étonnement et perplexité saisissent de nombreux passants lorsque sur le côté sud de la place de *Sukiyabashi,* à l'entrée de la *Ginza,* apparut *L'Horloge de la jeunesse.* Okamoto Taro, sculpteur connu, philosophe connu, écrivain connu, a l'habitude de dire : « Salvador Dali est l'Okamoto Taro du Japon. » Ce goût immodéré pour « la modestie » se retrouve dans les proportions de ce monument nabot, morceau de tour cassée, au socle effilé, flanqué de cornes de buffles ou peut-être d'aurochs, Okamoto Taro ayant pensé peut-être illustrer Brassens dont il admire les chansons. Le Japonais moyen s'arrêtait, hochait la tête : « *Sodès né !* » puis jetait un coup d'œil furtif sur sa montre, comparait son heure à celle de l'horloge et passait son chemin. Okamoto Taro ne dédaigne pas de mystifier, mais ne veut pas qu'on le dise. Il souhaite être pris au sérieux même avec ses cornes. Aujourd'hui, à Sukiyabashi, on passe ou on flâne, indifférent à cette horloge bizarre. Elle a fini par s'intégrer dans un paysage qui tire son originalité du mouvement, d'un flux et d'un reflux rythmés par les changements de feux du trafic. Okamoto Taro réalisa par la suite la tour du soleil, centre de l'Exposition universelle internationale d'Osaka, en 1970.

Comme la peinture, la sculpture moderne au Japon cherche ses références. Elle s'est mise à l'étude très sérieusement et de nombreux artistes japonais vivent à l'heure actuelle en Amérique et en Europe, à l'école des Occidentaux. Plus de mille peintres et sculpteurs japonais sont installés à Paris. Aucun n'a atteint une notoriété significative. Le drame de l'art contemporain japonais réside dans l'impuissance de ses artistes à trouver ce fameux compromis créateur, dans la fusion de la tradition japonaise, avec l'une ou l'autre des écoles artistiques occidentales, faute d'avoir su assimiler avec génie l'art occidental, comme cela s'est passé pour la musique. Il en est de même de la sculpture moderne, maintenant bien implantée au Japon tout en restant à la recherche d'une inspiration japonaise, d'un souffle japonais, qui n'ont pas encore été trouvés. Le parc de Nino Daira, près de Hakone, qui est devenu depuis 1969 un musée de la sculpture en plein air, en est une preuve. En 1890, avait été créée l'académie impériale des arts, mais l'affrontement entre traditionalistes et « école occidentale » ne permettait pas de dégager un courant artistique significatif. L'influence de Rodin marqua cette période dont le sculpteur le plus représentatif fut *Takamura Kotarö*, mort en 1956. A l'époque d'Edo, donc avant l'ouverture du Japon à l'Occident, la sculpture, surtout au début du XVIIIe siècle, traduit l'influence chinoise de la dynastie des Ming. Quelques œuvres représentant des divinités bouddhiques ou shintoïstes rappellent les noms de *Mokujiki Myôman* ou de maître *Zen Shoûn Genkei*. La sculpture shintô s'est développée dans les périodes précédentes : *Kamakura* et *Heian*. Jusqu'à Meiji, des écoles de sculpteurs étaient d'ailleurs entretenues et protégées dans les temples.

Mais la grande sculpture japonaise reste liée à la période de *Nara*. Les œuvres sont façonnées grâce à une technique japonaise du laque, parfaitement maîtrisée, ou de l'argile. Au temple *Toshodaïji* à *Nara*, on peut ainsi admirer le portrait de Ganjin, la plus ancienne effigie de laque connue. Fondateur du temple en 759, ce prêtre chinois aurait servi de modèle à l'un de ses élèves quelques jours seulement avant sa mort. Toujours à *Nara*, au *Todaïji*, à l'entrée sud, on peut admirer les *Kongôrikishi*, gardiens à demi nus exécutés en terre cuite en 1203, reconstitution (à l'époque de Kamakura) des trésors brûlés de la vieille capitale de Nara.

Sculpture : « art des trois dimensions »,
Peinture : « art des deux dimensions »
écrivent en forme de message Danielle et Vadim Elisseeff, parce que rien dans la communication ne remplace cette double clef, que sont l'image et le signe.

Calligraphie

Cela est si évident que le seul art qui ne subisse nullement les atteintes du temps, gardant son impact populaire, conciliant les préoccupations d'aujourd'hui avec le style d'hier, est la calligraphie. Il existe de nombreuses écoles de calligraphie dans tout le Japon et il n'est pas rare que pour marquer des cérémonies (mariages, enterrements) ou pour dresser solennellement des actes — une donation, une adoption — on fasse venir un calligraphe.

Il prépare soigneusement ses instruments, son encre, ses pinceaux qu'il étale sur le *tatami*, puis déroule avec précaution son papier japonais, qui boira d'encre juste ce qu'il faut pour assurer l'épaisseur voulue du trait. Le maître exécute des dizaines de brouillons, puis tout à coup, sentant qu'il a la main, il trace à grands coups de pinceau son poème, ou le message qu'on lui a donné. D'une seule traite, il arrive au bout de chaque *kanji*. A la fin, il sort de sa poche le sceau, avec lequel il va authentifier son œuvre, grandiose dans sa sobriété, complexe dans sa simplicité, pure et dépouillée, expressive de l'art *zen*. Une sorte de pensée à deux niveaux s'exprime ainsi : d'abord au niveau de la visualisation communicative de l'émotion esthétique, puis à celui de la signification du signe, qui permet d'entrer en communication avec la pensée de l'artiste ou de son inspirateur. *Kanno Hachiro*, peintre japonais réfugié à Paris, a abandonné la toile et a repris les pinceaux de bambou et l'encre de Chine. Il a expliqué à la sino-japonologue Delphine Baudry qu'il ne s'agit pas d'un retour conscient et délibéré vers la tradition japonaise : « L'absence de couleurs n'est pas une limitation, car on peut suggérer toutes les couleurs par les diverses nuances du noir et du blanc. » Or, Kanno Hachiro, traçant au pinceau ses poèmes, exploite consciemment des thèmes authentiquement japonais comme celui de la lune effaçant ou créant son ombre. Kanno Hachiro, tant par son inspiration que par sa technique, retrouve le Japon dont il s'est exilé volontairement en 1968. Le Japon traditionnel demeure le refuge, devant la naissance perpétuellement avortée d'un art contemporain original, authentiquement japonais. Les artistes japonais, dans quelque discipline que ce soit, font preuve de sérieux dans l'acquisition et l'exploitation des techniques, mais sans doute aussi de timidité pour s'affirmer, à moins que ne domine le respect de la chose enseignée, telle qu'on la leur a transmise. Ce scrupule n'est pas seul responsable de l'impuissance d'un art japonais spécifique à s'affirmer. Ce fameux sens du compromis, qui a facilité l'ouverture d'une voie typiquement japonaise en politique, en économie, en sociologie et en général dans toutes les sciences dites « humaines », a failli dans tous les domaines de l'art. On pouvait s'en apercevoir le 4 octobre 1978 à l'occasion de la célébration du 90e anniversaire de la

Geijustu Daïgaku, l'Ecole des beaux-arts et le Conservatoire de musique de Tokyo, connu sous le nom d'école de Ueno, quartier de la capitale où se trouvent les bâtiments de cette université de l'art moderne et de la musique. C'est l'édit impérial du 4 octobre 1887 qui a créé l'Ecole des beaux-arts de Tokyo. Or, cette création faisait suite à un rapport du comité d'études pour l'enseignement de l'art tel qu'il se pratiquait en Europe et aux Etats-Unis. Dans ce comité siégeait un conseiller italien très écouté : Ernest Francisco Fenollosa qui avait étudié les beaux-arts au Japon, puis avait été engagé comme professeur par le gouvernement japonais. L'enseignement fut donc à l'origine marqué par l'influence occidentale, doublée par une influence académique personnifiée cette fois par un peintre traditionaliste, *Kano Hogaï.* Cependant, la peinture occidentale ne fut enseignée que quelques années plus tard, les deux premiers directeurs de l'école soutenant que son adoption détruirait l'apport japonais traditionnel. On peut d'ailleurs se demander si cette première hésitation, contrairement à ce qui s'est passé en musique, n'est pas à l'origine de l'incertitude et de l'ambiguïté des artistes japonais, écartelés entre leur propre héritage et l'influence prépondérante des écoles occidentales, et donc incapables de synthèse.

Musique

Le Conservatoire de musique de Tokyo est né également de l'édit impérial du 4 octobre 1887. Dès 1882, on avait instauré un système d'enseignement copié sur les systèmes d'éducation musicale à l'étranger. Après la création du conservatoire, priorité fut donnée à la musique occidentale. L'enseignement de la musique japonaise ne fut admis qu'en 1936. On n'écrira jamais assez le miracle que représente l'adoption dans l'enthousiasme, par tout un peuple, de la musique classique occidentale. J'ai eu personnellement l'occasion d'appréhender ce phénomène lors d'un premier séjour de l'Orchestre national de la Radiodiffusion-télévision française au Japon, dont le directeur, le chef d'orchestre Maurice Leroux, découvrait le public avec le prestigieux Charles Münch. Il effectuait sa dernière grande sortie à l'étranger. Couvé par les siens, agacé parfois de la protection qui l'entourait, mais avec douceur et sans jamais manifester d'impatience, aimé de tous, il serrait les mains qui se tendaient vers lui, à la sortie des concerts, signait des autographes, répondait aux interviews. Un soir, au cours d'une réception dans le jardin de ma maison japonaise de Kakinokizaka, tandis qu'à la lueur des lanternes japonaises, tout ce que Tokyo compte de noms dans la musique contemporaine était venu l'honorer, il me confia : « Je n'ai jamais vu un public aussi attentif et aussi connaisseur. Ici on retrouve un nouveau souffle. »

Le même phénomène s'est reproduit en juillet 1978 lors d'une triomphale tournée de l'Orchestre national de Radio-France. C'est l'engouement du public japonais pour la musique classique occidentale qui a sans nul doute contribué à l'éclosion de talentueux compositeurs comme *Takemitsu, Mayuzumi, Ishii*, ou de chefs de renommée mondiale comme *Ozawa*. Ces serviteurs de la grande musique, après s'être appliqués à produire des œuvres dans la plus stricte tradition dodécaphonique, connaissent, comme les peintres ou les sculpteurs, le doute quant aux racines de leur inspiration. Par des modifications techniques d'écriture, ils pensent être aujourd'hui bien près de la création d'œuvres originales authentiquement japonaises. Celles-ci seraient un exemple de compromis réussi. Dans le périodique *Les Nouvelles littéraires*, Ishii s'exprime sur ce problème : « ... Ces œuvres récentes vont dans le sens d'une résistance à la simplification de la musique, qui est la tendance mondiale actuelle, ainsi qu'à l'uniformisation qu'a entraînée la musique dodécaphonique. Mais ce n'est pas tout. Ces œuvres, les miennes y compris, manifestent un phénomène musical nouveau, qu'à mon avis on ne trouvait absolument pas jusqu'à présent dans la musique de l'Europe occidentale. De quoi s'agit-il donc ? C'est de toute évidence du sentiment de la durée. Dans ce sentiment de la durée qui imprègne les œuvres en question et qui s'y manifeste par la performance du rythme, par des crescendos ou des diminuendos interminables, par des ostinatos s'accompagnant de variations subtiles, on peut percevoir un lien étroit avec la musique traditionnelle du Japon ou de l'Extrême-Orient en général. Il y a là, toutefois, une dimension qui dépasse de simples rencontres comme celles de l'Orient et l'Occident, de l'irrationnel et du rationnel, de l'illogique et du logique, et qui me donne le sentiment qu'un style nouveau est en train de naître... »

Takemitsu Toru croit lui aussi à l'avenir d'une musique japonaise spécifique, en se plaignant que la musique contemporaine classique ne soit pas jouée au Japon. « C'est, déclare-t-il, à Paris, au journal *Le Monde,* à l'occasion du festival d'automne 78, le problème de l'existence d'une musique contemporaine, face à la musique de consommation, qui me paraît le plus préoccupant et cela ne concerne pas seulement le Japon... »

Si musique de consommation il y a, il faut parler de la pop musique. Le phénomène est maintenant visible dans la rue. Partout où il y a concentration de magasins on trouve des boutiques de disques dont la plupart vendent des disques importés « au nom de l'amitié internationale », mais en contribuant à l'équilibre de la balance des paiements. Les disques d'importation voient leurs ventes encouragées. Leur prix est en effet inférieur à celui des disques fabriqués au Japon. Plus de cent mille unités sont ainsi vendues chaque mois. L'industrie japonaise du disque connaît, quant à elle, un net ralentissement, par suite du très petit nombre de « tubes » enregistrés au Japon depuis plusieurs années. Certes, les deux sœurs duettistes *Pink Lady* connaissent toujours le même succès. *Nagissa no Sindobado* (*Simbad le marin*) avait été vendu à 950 000 exemplaires et avait rapporté 12 millions de dollars, mais cet exploit ne s'est jamais reproduit. Le chanteur le plus en vogue aujourd'hui, *Noguchi Goro*, se produisait à la fin de 1978 au Nissei Theatre dans un *one man show* attendu par tous les adolescents. Habituellement accueilli par des cris stridents d'écolières hystériques et des mouvements de foule allant jusqu'au bris de fauteuils, le critique musical du journal *Asahi* remarquait le calme inhabituel des spectateurs, intimidés sans doute, écrivait-il, par la majesté d'une salle, située face au palais impérial, de l'autre côté du parc d'Hibiya... « Lorsque Noguchi a fait ses débuts, il y a sept ans, écrit l'*Asahi*, il avait à peine quinze ans et faisait partie de ces « talents sans talent », qui peuplent chaque jour les écrans de télévision... Mais Noguchi a mûri dans l'intervalle, passant de costumes de scène voyants et de gestes grimaçants à une expression artistique reposant uniquement sur son talent de chanteur... Nous aimons qu'il soit vêtu comme un jeune énergique et viril, et non comme s'il était invité à un bal. Nous apprécions qu'il ne se livre pas à des contorsions violentes ni à des effets scéniques sophistiqués... » Là aussi l'influence occidentale est prépondérante et il est assez significatif que l'album le plus vendu de Noguchi ait été enregistré chez Polydor à Los Angeles avec le guitariste Lee Ritenour. La palme reste cependant à la pop importée en la personne de Bob Dylan. Pendant dix ans, les Japonais négocièrent sa venue. Il arriva enfin en février 1978 pour une tournée de dix spectacles, dont le prix de un million et demi de dollars fut largement couvert par les « fans ». On n'avait jamais rien vu de tel depuis les Beatles et les Rolling Stones. En 1977, la plus grande récompense de musique populaire avait été attribuée à *Sawada Kenji*, surnommé le « Mick Jagger » japonais. Mais sur la base de la pop musique étrangère, on voit se créer une musique populaire japonaise dont les nouveaux pionniers s'appellent *Inoue, Yoshida, Ogura...* Ceux-ci n'arrivent pourtant pas à détrôner les chanteurs étrangers, comme Olivia Newton John et les Bay City Rollers qui dominaient en 1977 et 1978 le marché du 33 tours.

Parmi les engouements à la mode depuis plus de dix ans et dont la vogue n'a pas cessé, le Japon bat tous les records du « phénomène disco ».

A *Ginza, Akasaka, Roppongi, Shibuya, Shinjuku*, les discothèques pullulent d'autant plus que leur clientèle s'est élargie. On n'y trouve plus seulement les seize à vingt-cinq ans, on y rencontre couramment la cinquantaine grisonnante, les soixante et plus. Les clubs les plus fréquentés sont souvent la copie conforme de telle discothèque de Paris comme Byblos ou Castel, de Londres ou de New York. Au début, il y a eu un fossé de générations : oreilles de plus de vingt-cinq ans s'abstenir. Puis on s'habitue aux excès de décibels, même lorsqu'on est le P.-D.G. de Sony. Au Japon, on va plus loin que partout ailleurs ; c'est pourquoi, alors qu'en Europe ou aux Etats-Unis on se contente de 60 à 70 décibels, à Tokyo on est passé allégrement à 80 et même 90. Certains éditorialistes japonais ont carrément mis le phénomène des discothèques au nombre des nuisances des bruits qui ne sont pas indispensables, et partent en guerre en arguant que la surdité précoce des jeunes, due au phénomène disco, revient très cher à la communauté. L'endroit « in » pour adultes vêtus décemment et qui aiment danser s'appelait, il y a quelques mois à peine, Samba au 5e étage du Roppongi Square Building. Les jeans et les tee-shirts n'y sont pas admis. Autre endroit à la mode, le Nepenta où, dit votre journal habituel, on voit de plus en plus d'étrangers. Si on aime se coucher tôt, le *Toho Kaïkan* à *Shinjuku* rassemble 850 clients au 4e étage dans une immense salle où l'on mange et on boit à volonté pour un prix fixe.

Public jeune pour les concerts classiques, public jeune pour la musique pop, public jeune pour le jazz ou le rock, public jeune dans les discothèques, tel est le paradoxe d'un pays démographiquement vieillissant, où à chaque pas on rencontre la jeunesse. Faut-il appeler mythe les statistiques et réel ce flot ininterrompu dans lequel on est enroulé, à *Shibuya* ou à *Shinjuku* ? Où se situe le vrai Japon ? A travers l'engouement pour la musique, qu'il s'agisse du rythme ou de la mélodie, j'ai toujours intuitivement perçu une nouvelle dualité « Japon », comme une autre médaille, dont le verso serait devenu recto et inversement. Dans l'approche du citoyen ordinaire, intégré dans le système, on perçoit aisément le Japon de jour, celui de l'efficacité, de l'école occidentale, et le Japon de nuit, où le même homme se transforme en retrouvant les sources traditionnelles de sa culture et de tout le contexte émotionnel qu'il cache au fond de lui-même. Le rythme domine le jour, laissant peu à peu la mélodie l'effacer, dès que tombe la nuit. La médaille de la jeunesse m'est apparue différemment. A l'efficacité du jour, proposée par un modèle de société rejeté, se substituait dans la période de croissance vertigineuse, la contestation révolutionnaire d'inspiration occidentale elle aussi. Quelques années ont suffi pour faire douter de tous les systèmes de valeur importés, et créer un vide. Peu à peu apparut un Japon de jour imprégné de mélodie, ressortissant à la tradition mais plutôt par résignation, ainsi qu'un Japon de nuit, où contrairement à celui des aînés le rythme prend une place prépondérante. La jeunesse japonaise, oubliant la mélodie qu'on lui a enseignée, vit, le soir, dans un monde où l'enjeu n'est pas l'efficacité. Il n'y a d'ailleurs pas d'enjeu du tout, mais seulement l'expression de l'oubli dans l'étourdissement et d'un certain nihilisme, comme pour tuer le temps. En cela, la jeunesse japonaise ne serait-elle déjà plus japonaise ?

RÉALITÉS

LE JAPONAIS CHEZ LUI

Défi au système familial traditionnel

L'AFFECTIVITÉ japonaise favoriserait plutôt une certaine nostalgie de cette époque révolue où le père de famille de la génération la plus ancienne faisait office de patriarche régentant fils et belles-filles, filles et petits-fils, ainsi que bien entendu son épouse. Il tenait son autorité directement de l'Empereur-Dieu. Il l'exerçait dans le cadre du shintoïsme dont l'unité de base restait la cellule familiale au sens large, comptabilisée en unités dont le signe extérieur était la maison commune. Trois ou quatre générations vivaient ensemble, selon des règles séculaires acceptées par tous. Le *ié*, ou clan familial, a toujours été le fondement de l'ordre social. Tout individu japonais se définit par rapport à deux critères : le cadre et la fonction. *Cadre* signifie localisation, qu'il s'agisse d'un village ou d'une ville, d'une société, d'une université ; *fonction* indique profession ou qualification et sert de référence personnelle.

L'usage veut qu'au Japon, dès qu'on rencontre quelqu'un, on se fasse connaître à lui, non en déclinant son nom, mais en lui tendant sa carte de visite. Votre interlocuteur se doit de l'examiner avec soin, de la placer dans son portefeuille, puis de vous tendre la sienne que vous examinerez soigneusement à votre tour. Chacun de vous sera alors en mesure de juger du rang social de l'autre. Le salut mutuel que l'on s'adresse ensuite, par inclinaison de la tête, exprime le degré de considération que l'on s'accorde. On peut lire une carte de visite de deux façons : à l'occidentale : on jettera un coup d'œil sur le nom pour le principe ; à la japonaise : on remarquera d'abord le nom de la société à laquelle son interlocuteur appartient. Le cadre, ici la firme pour laquelle on travaille, a plus d'importance que la fonction, en l'espèce le poste que l'on occupe dans cette firme. Il est plus important de souligner que l'on appartient à la société des automobiles Mazda que d'indiquer qu'on en est le directeur général, quoique dans ce cas la fonction soit assez importante pour figurer sous le nom. Bien souvent, les Japonais occupant une fonction subalterne font imprimer leur nom en petits caractères, en dessous du signe de leur société mis en évidence. Il importe moins d'avoir le « PHD » que de faire connaître de quelle université on est diplômé, surtout lorsqu'il s'agit de Todai, de Kyodaï ou d'universités privées aussi prestigieuses que Keio ou Waseda.

Le ié, fondement de l'ordre social

Le concept de *ié* se dessine à tous les niveaux de la société. Par extension, il exprime aujourd'hui la réalité du groupe auquel appartient tout individu, donc le « cadre » servant de critère à son identification. D'origine rurale, le ié est aujourd'hui un groupe social composé de membres de la même famille, voire souvent d'individus venus de l'extérieur, par l'adoption, l'embauche artisanale, des circonstances exceptionnelles comme la guerre ou un accident, parfois le hasard. Ce groupe social s'appuie sur une unité de résidence et la plupart du temps sur une organisation de gestion. Il est utile de savoir que les relations interpersonnelles au sein du groupe sont plus importantes que tout autre type de relations humaines. C'est la raison pour laquelle une belle-fille, venue de l'extérieur, prendra dans le ié une place plus importante que la fille qui a quitté la maison familiale pour se marier. De même le frère qui s'est bâti une nouvelle maison pour fonder un foyer deviendra plus étranger que le gendre venu s'établir dans la maison de ses beaux-parents.

Ce concept de système familial, lié à des préceptes moraux datant de la féodalité, est en voie de disparition en tant qu'institution, tout en restant moralement enraciné au cœur de l'individu. Il existe dans la société une loi familiale qui, au-delà des péripéties et des accidents modifiant la composition ou altérant l'unité du groupe, contribue à tisser des liens souvent complexes que la mort elle-même n'efface pas.

« Mon père est mort d'une attaque cardiaque et ma mère s'est remariée avec un Italien qu'elle a connu lors d'un voyage en Europe. L'âme de mon père n'a pas été fâchée de la décision de ma mère de se remarier. Mon père aurait approuvé sa réincarnation dans un Florentin, car il a toujours aimé l'Italie et en particulier Florence. Il avait l'habitude de dire : « La mort « n'est pas la fin de la vie. Elle en est la suite logique. « Sinon comment croire en la justice. » Depuis que mon père a été incinéré, il y a six mois, notre famille s'est transformée. Mon frère est revenu à Tokyo pour travailler. Nous continuons notre route... » Ainsi me parle, tout naturellement, un ami japonais.

Aucun homme, aucune famille ne meurt vraiment, quels que soient les changements intervenant dans son environnement...

...Mme M. est une jeune et charmante Japonaise. Je l'ai connue dans une période de bain parfumé et je ne peux que l'associer à d'aimables souvenirs. Elle a bien voulu exécuter pour moi la cérémonie du thé. Je suis entré dans sa maison, où elle m'a reçu avec son mari. Puis un jour elle a déménagé, changé d'emploi et je ne l'ai plus revue pendant plusieurs années. Par hasard, dans la rue, quelques mois avant mon départ définitif du Japon, je la rencontre. Elle n'a pas changé. Elle sourit. Je ne l'ai jamais vue autrement que souriant. Nous faisons chacun le point de notre vie. C'est alors que je me rappelle que depuis notre dernière rencontre elle est devenue mère de famille. J'en avais été informé par un collègue qui la connaissait. Je m'enquiers donc de l'enfant.

« Comment va votre bébé ?

— Il est mort...

— Je regrette », dis-je vivement, conscient d'avoir maladroitement réveillé un pénible souvenir. Elle devine mon embarras et ajoute, sans cesser de sourire...

« Ça ne fait rien, j'en aurai un autre... La vie continue... »

La disparition progressive du ié dans sa forme traditionnelle tient d'abord à la modification de son environnement. Le ié disparaît en même temps que le monde rural dont il est issu. Les individus peuvent garder leur romantisme, la société qui les entoure n'en poursuit pas moins une inexorable mutation. Il est aujourd'hui de plus en plus difficile, dans l'environnement urbain, d'expérimenter la vision poétique d'une maison japonaise en bois perdue dans un jardin au cœur des quartiers de Shibuya et de Meguro, naguère agrémentés de petites maisons entourées de jardins. Là où certaines de ces maisons ont réussi à survivre, des immeubles de plusieurs dizaines d'étages cachent le soleil aux résidents traditionnels, au point que dans ces quartiers des associations militent pour le droit de bénéficier des rayons du soleil.

Mme U. est une vieille dame qui a réussi à préserver sa vieille maison de bois de la démolition. Au cours de ces dix dernières années, Mme U. a régulièrement reçu des offres d'achat de nombreux promoteurs immobiliers, désireux de détruire sa vieille maison pour bâtir à sa place un immeuble. Un jour ou l'autre, Mme U. ne pourra plus résister. Si elle meurt, son fils sera tenté de vendre. S'il résiste à cette tentation, nul doute que son petit-fils y succombera. Mme U. fut autrefois une geisha appréciée. Elle aime s'asseoir dans son jardin semé de roches sacrées. Le gazon ras et vert entoure un lac miniature dans lequel s'écoule une cascade au milieu des roseaux et des pins. Pour accéder à la pièce d'eau, des pierres posées çà et là n'attendent qu'un faux pas pour perdre votre âme et celles de vos proches, alertées par les notes plaintives du *shamisen*, dont Mme U. pince les cordes à la tombée de la nuit. Dans le minuscule lac, quelques carpes et poissons rouges tournent en rond, symboles d'immortalité, capacité de la vie à se renouveler plutôt qu'à conserver, inchangé et en l'état, les hommes et les choses. Bien qu'on puisse acheter aujourd'hui à Tokyo des carpes n'importe où, et qu'on puisse en avoir installées dans des aquariums au 40e étage des gratte-ciel de la capitale, il est difficile d'imaginer que le rythme de vie du ié traditionnel puisse survivre dans le cadre d'un appartement moderne de 60 m². Dans les zones rurales, l'unité de résidence contribuait à maintenir la cohésion des membres du clan. Cette cohésion était renforcée par le type de relations qui prévalait entre les membres de la famille, et par l'espace qui était en général suffisant pour assurer le confort de deux à quatre générations. Chaque membre de la famille avait un rang assigné ; l'ordre de préséance allait systématiquement du plus âgé au plus jeune. Le ié rural revit dans sa réalité, à travers une nouvelle de l'écrivain Fukasawa qui raconte la légende d'*O'Rin*. O'Rin est veuve. Elle vit dans le village au pied de la montage de Nara avec la famille de son fils aîné. Le village est pauvre. Les familles qui le composent ont à peine de quoi manger à leur faim. Aussi, pas de bouches inutiles, car une loi orale dicte aux plus âgés l'obligation de partir pour l'autre monde. Cela se passe en général à soixante-cinq ans. O'Rin vient précisément de les atteindre même si, en regardant jouer son petit-fils, elle se dit qu'elle ne les paraît pas. Elle a encore toutes ses dents. Mais elle va bientôt décider de partir et n'ignore pas qu'elle va faire de la peine à tous. Aussi se casse-t-elle volontairement les dents pour paraître plus âgée et laisser moins de regrets. Au jour dit, choisi d'un commun accord avec son fils, sa belle-fille lui prépare son dernier repas. Elle va ensuite embrasser ses petits-enfants qui dorment, elle passe le pas de la porte et grimpe sur le dos de son fils. Il l'emmène là-haut dans la montagne où, dans la neige, avec les Kami, son corps ira se fondre avec la nature tandis qu'au village, en bas dans la vallée, la vie continuera sous la protection des esprits...

On dit au Japon que la tradition se perd et se meurt sous la poussée d'un modernisme dévastateur. Mais il ne semble pas que ce soit là un dilemme crucial, qui puisse mettre en péril l'avenir du système familial. Malgré le processus d'urbanisation intense, on doit constater que les structures de la famille traditionnelle ont été miraculeusement préservées. Le ié est aujourd'hui encore l'institution de base de la société japonaise. Durant une première phase, les clans familiaux, en changeant d'occupation et en passant d'activités rurales à des tâches de ville, gardèrent leurs structures et ne firent que déménager de la campagne à la périphérie des cités. Le ié put d'autant plus s'y perpétuer que le concept de ville, au Japon, diffère sensiblement de celui de l'Europe. Tokyo et Osaka restent encore un conglomérat de multiples villages, une mosaïque de ié, plus apparente dans les banlieues et les faubourgs qu'au centre des agglomérations. La véritable transformation est apparue lorsque les ié ont commencé à se disloquer, sous la poussée de l'habitat vertical. Les Japonais ont bien essayé de perpétuer, dans leur appartement, l'ordonnance intérieure de la maison traditionnelle, avec le *tokonoma*, les *tatami*, les *shoji*. Mais la cohabitation des générations s'est très vite avérée impossible pour des raisons d'espace tandis que les relations entre voisins de palier posèrent, selon le code japonais des relations interpersonnelles, un problème particulier qui n'existait pas lorsque le voisin habitait dans une maison individuelle, délimitée par un bout de terrain même modeste. Mais cette difficulté ayant été résolue, on peut aujourd'hui voir des jeunes ménages vivre chez eux dans des immeubles et grands ensembles, comme ont toujours vécu leurs parents et grands-parents. On retire encore ses chaussures à l'entrée de l'appartement. On s'assoit et on dort sur le tatami. Des portes coulissantes et des cloisons en papier ouvrant sur un jardin fait pour donner l'illusion de la profondeur et de l'infini, changent la dimension de l'environnement vue par un être humain au ras du sol. La révolution d'un système comme celui qui régit la famille va cependant bien au-delà d'un style de vie. Le chef de famille, tout en conservant l'affection et la loyauté des siens, a vu peu à peu disparaître le sentiment d'obligation et de devoir qui lui était dû. Le fossé entre générations est devenu une relation plus forte même qu'aux Etats-Unis. Si Tokyo n'a jamais été une capitale « hippie » ou « punk », à l'instar de Katmandu, Bangkok, Londres ou New York, les *futen* (hippies japonais) qui se réunissaient naguère autour de la gare de Shinjuku ont rencontré l'incompréhension totale de leurs compatriotes. Stanley Kubrick n'aurait jamais pu tourner *Orange mécanique* au Japon sans commettre une invraisemblance. L'affaire des tortures de l'Armée Rouge, dans son camp d'entraînement montagnard, l'attentat de Lodt et en général tous les «coups» de l'Armée Rouge ont été ressentis par cent millions de Japonais comme une bavure exceptionnelle de leur civilisation.

Le défi à la famille a été malgré tout le résultat de la révolte des laissés-pour-compte du progrès, qu'il s'agisse des jeunes, de certains secteurs de la société exclus de la prospérité ou d'une large frange d'actifs touchés par la réduction massive du monde rural (60 p. 100 de la population en 1945, 16 p. 100 aujourd'hui) qui n'ont pu retrouver dans le contexte urbain les conditions d'une vie décente. Il fut bien vite compris qu'une telle situation de paupérisation à la périphérie des cités ne pouvait que conduire, de tension en tension, à la révolution. Les bénéficiaires de l'urbanisation, surtout les industriels, trouvèrent une parade dans les années 60. Ils reprirent à leur compte, au sein de leurs entreprises, l'autorité que le père de famille ne pouvait plus exercer. C'est ainsi qu'on assiste à une sorte de reconstitution des ié dans les usines : ici, c'est l'embauche de tous les membres d'une même famille ; là, c'est du travail donné à toute une section démobilisée de l'armée impériale, et que l'on reconstitue au sein de l'entreprise avec son ancienne hiérarchie. Partout c'est l'emploi à vie offert sous réserve de loyauté totale au chef d'entreprise devenu père de famille. Cette approche paternaliste allait être toutefois sérieusement mise à mal, par l'expansion de la croissance des entreprises clefs et de leur dimension, qui supprimait *de facto* toute possibilité de gestion autre que technocratique.

Pour comprendre le défi au système familial, il faut aller à *Enoshima*. C'est une petite île située à soixante-quinze kilomètres au sud-ouest de Tokyo. Au début du siècle, c'était une station balnéaire célèbre. Pas un Tokyoïte, prenant un week-end de congé, ne manquait de visiter Enoshima, de passer la nuit du samedi à l'hôtel et de rentrer dans la capitale le dimanche soir. Dans les années 20, aller à Enoshima représentait un amusement très excitant, d'autant plus qu'on pouvait prendre le train sur le trajet de la première ligne de chemin de fer construite au Japon : Tokyo-Yokohama-Fujisawa. Aujourd'hui, l'île n'est plus une île puisqu'on y accède par un pont. Une longue rue, bordée d'hôtels « à l'heure » et de magasins souvenirs, mène au sommet de la colline où un bois de pins a été quelque peu dévasté pour laisser la place à un luna park. La plage a été rétrécie par la construction d'un port de plaisance. Mais il faut aller à Enoshima. On peut y observer de nombreux couples japonais, flânant dans les boutiques, puis rentrant pour passer une heure ou deux dans une chambre d'hôtel. A l'hôtel des... « Fleurs de pruniers », on est particulièrement bien reçu. On se déchausse, on passe à la réception, on est conduit le long de corridors sans fin vers un havre de paix comportant, pour les chambres au tarif fort (1 200 yen l'heure), un *o'furo* particulier (bain japonais). Le *futon* est étendu sur le *tatami*. Les *shoji* sont tirés ; sous un oreiller en porcelaine, délicate attention, on a placé quelques « Kleenex ». Tout est exactement comme il y a cinquante ans ; sauf qu'Enoshima ne remplit plus le rôle social qu'il jouait autrefois. Un voyage dans l'île consacrait, il y a vingt ans seulement, la réaction naturelle des jeunes couples japonais, contraints à la chasteté, dans le cadre du ié, du fait de l'absence de toute possibilité d'isolement. Tous les membres du ié étant conscients de ce besoin, on allait donc à Enoshima ou dans beaucoup d'autres endroits semblables, en vertu d'une sorte de convention tacite.

Aujourd'hui, les sentiments qui amènent un jeune couple dans un hôtel d'Enoshima sont d'une autre nature. Il ne s'agit plus de respecter la règle tacite de vie en commun du ié, mais simplement d'aller s'oxygéner après une semaine de travail ou d'échapper pour quelques heures à l'inadaptation des logements urbains. Le déclin de l'autorité paternelle, base du système, coïncide avec un changement de la structure démographique qui voit un accroissement des vieilles générations au détriment des jeunes. Les jeunes préfèrent désormais vivre seuls. Les relations homme-femme changent, par suite d'une libéralisation des mœurs sexuelles et de la condition de la femme, qui de plus en plus souvent travaille.

La famille à « deux étages »

Le ié s'identifie aujourd'hui à la famille « à deux étages ». Ce vieux concept de l'ancien Japon, d'abord défié par la mutation de l'environnement, maison, espace, jardin, a cependant pu survivre à cette mutation. Cela est évident dans l'architecture d'intérieur et d'extérieur. Comment a-t-on pu intégrer du jour au lendemain l'architecture et l'habitat modernes dans le paysage rural ou urbain, à côté de la vieille maison de bois traditionnelle ? On retrouve là encore le principe japonais de la dualité et de la coexistence. L'architecture et l'habitat expriment une fois de plus le fond de la mentalité des Japonais. L'homme japonais né peut pas être placé dans une alternative. Il n'aime pas ceci *ou* cela. Il aime peut-être ceci *et* peut-être cela. Rappelons-nous le moine incendiaire du Pavillon d'Or. Dans le fait divers aussi bien que dans le roman de Mishima, Mizoguchi aime la beauté symbolisée par le Pavillon d'Or, puisqu'il réalise, en rentrant comme novice au temple dont dépend ce sublime monument, un rêve de jeunesse obsédant : celui de la beauté. Mais, en même temps, il hait la beauté : c'est l'explication qu'il donne de son geste d'incendiaire du Pavillon d'Or. Par rapport au sentiment esthétique, on peut même aller plus loin dans une analyse de l'inconscient : Mizoguchi aime la beauté dont il rêve. Mais dès qu'elle devient palpable, concrète, il la hait.

Espace public et espace privé :
deux types de comportement

Sans aller jusqu'à prétendre que les Japonais aiment le rêve et haïssent le réel, il faut bien admettre que leur penchant naturel est de préférer le rêve à la réalité. Cela se traduit dans la maison traditionnelle et, là où il existe, dans l'habitat moderne. On pouvait penser en effet que Tokyo, deux fois détruite en un siècle, d'abord en 1923 par le grand tremblement de terre du Kanto, puis en août 1945 par les bombes incendiaires américaines, aurait profité des circonstances pour se voir reconstruite d'après un plan d'urbanisme et selon les canons de l'architecture la plus moderne. Si cela s'était fait, on n'éprouverait pas dès le premier contact avec Tokyo l'impression fâcheuse de circuler à travers les rues d'un immense bidonville. Cette première impression superficielle mérite toutefois d'être corrigée par le concept d'espace privé et d'espace public, ainsi que par le raffinement de la maison japonaise dont André Corboz, professeur à l'école d'architecture de l'université de Montréal, n'hésite pas à écrire : « ... La maison nippone traditionnelle stupéfie par sa « modernité ». Les Européens l'utilisent d'abord comme une source plastique : aux aplats des impressionnistes correspondent un quart de siècle plus tard le raffinement dans la division et la distribution des surfaces puisque chez les architectes d'allégeance rationaliste qui, bientôt, derrière les caractéristiques géométriques et graphiques, découvrent des principes de composition modulaire et le haut degré de standardisation d'un système beaucoup plus qu'ingénieux... »

Le concept espace public/espace privé exprime la dualité des deux grands modes d'environnement entre lesquels tout Japonais évolue : d'une part, celui de la réalité quotidienne, donc de la vie dans une « société d'obligation », qu'il faut bien partager avec les autres ; d'autre part, celui du rêve, c'est-à-dire de la vie dans une société librement choisie, où des obligations existent, certes, mais qui, dans cet espace, ne sont plus imposées, et recueillent l'adhésion de l'individu. A chacun de ces deux domaines correspondent donc deux espaces juxtaposés : celui qui est « public », l'espace anonyme de la rue, des transports en commun que l'on utilise avec résignation, parce qu'on y est obligé et qui, paradoxalement, développe une libéralisation des comportements : on peut, dans la rue ou dans le métro, faire ce qu'on veut, jeter par terre des papiers gras ou des bouteilles de Coca-Cola, ne pas se préoccuper des passants, etc. ; celui qui est « privé », l'espace de la maison, celui de l'entreprise, un espace auquel on consent et à l'intérieur duquel on applique les règles d'une tradition séculaire d'esthétique.

En visitant les chantiers navals d'Ishikawajima-Harima, à Yokohama, je me trouvais sur les quais au milieu de la ferraille vers 13 h, lorsque sonna la pause casse-croûte. Je suivis par curiosité un groupe d'une dizaine de manœuvres qui venaient de finir de manipuler des poutrelles métalliques. Leur *o'bento* à la main (boîte-repas contenant du riz assaisonné de graines de sésame, une portion d'omelette, quelques légumes rehaussés de *pickles* — cornichons aigres-doux — et de navets ou concombres macérés), ils disparurent au milieu d'un tas de déchets de tôle. En m'approchant, quelle ne fut pas ma stupéfaction de les voir assis sur une natte déployée, entourés de trois côtés par une cloison de ferraille masquée par des arbustes et même un *bonsaï* (arbuste nain). Leur niche-jardin avait été orientée vers le quai, où était amarré le bateau en construction. Dans leur position assise, rien de vulgaire : ils formaient un havre paisible, face à un bateau appelé à partir. Le silence s'était fait sur le chantier, et ces dix ouvriers bavardaient sans éclat, à voix presque basse, comparant, ce jour-là, les mérites de leur bistrot habituel respectif, où ils iraient passer quelques minutes de dépaysement après leur travail, avant de regagner leur maison.

La maison japonaise n'a pas beaucoup changé depuis le XIIIᵉ siècle, au moment où la classe des *samouraï* devient la classe privilégiée et où le *zen* prévaut comme éthique de comportement. La maison du samouraï copia peu à peu la maison d'habitation des prêtres zen et au XIVᵉ siècle naît un style d'habitation dont l'agencement intérieur se définit par :

— le *toko* : alcôve centrale de la pièce ;

— le *tana* : niche arrangée près du toko et pourvue d'étagères ;

— le *shoin* : baie ouverte sur l'extérieur, face à laquelle on dispose une tablette permettant d'écrire ou de lire ;

— le *genkan* : sorte de porche qui conduit à la porte d'entrée.

Ce style de maison, appelé *shoin zukuri*, succédait au style plus somptueux des résidences de l'époque Heian, mais différait, malgré sa simplicité, des maisons de ferme traditionnelles, par la sophistication plus poussée de l'arrangement de l'espace intérieur et le volume de l'espace enclos. Au XVIᵉ siècle, on bâtit à Edo (ancien nom de Tokyo) plus simplement, et sur un espace plus restreint. Aujourd'hui, quel que soit le volume occupé, on retrouve les proportions de cet habitat ancien qui a cependant évolué avec ce que l'on a appelé le style *sukiya* — ou pavillon associé à un jardin —, et dont on peut visiter le modèle, à Kyoto, en parcourant le complexe de la villa impériale *Katsura*.

Il existe dans le monde quelques endroits privilégiés où l'on ressent la plénitude de la beauté. C'est le choc de Chichen-Itza, dans le Yucatan, lorsque du haut de la pyramide Maya on contemple la forêt éventrée, il y a des millénaires, par les temples d'un peuple pacifique ; c'est la vue, du haut d'une Stupa, du cours du fleuve Irawadi, en Birmanie, au milieu des temples de la plaine infinie de Pagan ; c'est l'émerveillement à couper le souffle qui saisit le visiteur d'Angkor, lorsque, la nuit, à la lueur des torches, les figures sculptées du Bayon vous transpercent de leur regard qui passe à travers les murailles et les arbres de la forêt. A Katsura, c'est cette même plénitude qu'on ressent, mais en moins stupéfiant, en moins grandiose, parce que mieux adaptée à l'échelle de l'homme. C'est le lieu où le beau pénètre l'individu, au point de transformer l'inquiétude en sérénité. On y retrouve l'harmonie, on y éprouve l'apaisement de tous les conflits, ceux qui confrontent l'homme à son entourage comme ceux qui l'opposent à lui-même. Il n'y aurait pas de style japonais sans cette harmonie de la maison avec le paysage intimement faits l'un pour l'autre. Ce lien harmonieux espace-habitat est très sensible dans le style des maisons de thé qui sont aussi des pavillons, donc des *sukiya*, mais qui, étant bâtis dans des espaces plus restreints, sont de dimensions plus modestes. J'ai vécu à Tokyo dans une maison japonaise traditionnelle. Dès l'entrée, on est frappé par les longs corridors en plancher grinçant qui entourent les pièces fermées par des cloisons coulissantes en papier collé sur des linteaux de bois très légers et soigneusement quadrillés. Pour s'ouvrir sur l'extérieur, il suffit de tirer les shoji et là apparaît l'espace extérieur, aménagé pour être vu de l'intérieur au ras du sol. Une profondeur de quelques mètres donne l'illusion de plusieurs dizaines, grâce à une technique de décrochement optique qui permet au regard d'achever sa contemplation circulaire, sur une pièce d'eau réfléchissante. Le bruit qui accompagne la vision est tout aussi important. C'est pourquoi les Japonais n'ont jamais manqué de se ménager de petites cascades et la complicité de quelques oiseaux.

Cette maison idyllique, outre qu'elle n'est plus à la portée de la grande majorité, comporte quelques inconvénients sur lesquels il faut savoir passer, comme l'absence totale de chauffage. Comme il est obligatoire de se déchausser à l'entrée, le *tatami* est plutôt froid l'hiver. Il s'agit d'un cadre de bois de quinze centimètres de hauteur, bourré de paille hachée et recouvert d'une natte de jonc tissé très fin, bordée d'un galon marron foncé. Deux tatami équivalent à une surface de 3,3 m². Entre les deux guerres, les résidences traditionnelles de Tokyo s'adjoignirent une pièce en dur avec un sol carrelé, généralement de tommettes rouges à l'ancienne, servant de salle à manger et de garde-meubles. Ce fut là une concession de mauvais goût à la manière de vivre occidentale. La maison bâtie sur des pilotis à environ quatre-vingts centimètres du sol réagit sans trop de dommages aux tremblements de terre, mais les sanitaires y sont rudimentaires, inexistants à l'étage, et les pièces souvent traversées de courants d'air. L'inconfort est l'envers de l'esthétique. Pour le pallier, le Japonais ne quitte jamais la ceinture de flanelle et porte maillot de corps isotherme et caleçons longs. Les vêtements d'hiver sont molletonnés. Un trou au milieu de la pièce, recouvert d'une table basse, permet de s'asseoir au ras du sol et au niveau de la table, tout en bénéficiant des services calorifiques que rend la couverture chauffante, adaptée aux bords de la table.

Les pièces sont fonctionnelles parce que modulables, et de plus affectées à de multiples usages : salle de séjour, salle à manger, chambre à coucher. Le soir venu, la maîtresse de maison tire ou fait tirer les matelas des placards et les étale pour la nuit. Le matin, ils sont repliés et remis dans leur rangement.

Ces habitudes n'ont pas été perdues lors du passage de la maison à « l'apparto » ou appartement de 40 à 80 m² en moyenne dans un grand ensemble. Ceux-ci offrent un confort identique à celui que l'on trouve dans les habitations à loyer modéré des banlieues des grandes villes industrielles. Mais les Japonais se plaignent de manquer de logements. Comme ce qui est rare est automatiquement cher, les loyers d'immeubles, même éloignés du centre, ne sont pas à la portée de tous. Les coûts de construction ne sont pas responsables de l'inflation des prix. C'est le terrain qui, au centre de Tokyo, vaut dix fois plus cher qu'à Paris ou à New York. A Tokyo, comme partout au Japon, on construit sur des terrains dont le propriétaire a fait au promoteur immobilier une cession à bail pour quinze, vingt, vingt-cinq ou trente ans. Les loyers n'en sont pas moins hors de prix, en particulier dans certains quartiers que seuls des étrangers occupant de confortables situations peuvent se permettre d'habiter. Je connais, à Azabu, les loyers de l'ordre de deux et trois mille dollars par mois, pour une surface de 150 à 200 m² (soit 10 000 F à 15 000 F mensuels).

Cette situation affecte notamment les jeunes. Ils doivent se contenter des solutions d'habitat mises en place par leurs entreprises. Celles-ci ont en effet construit des dortoirs pour célibataires des deux sexes. Les jeunes couples logent à deux heures de transport en commun du centre. L'habitat vertical permet sans doute de conserver une pièce à tatami, mais les rapports avec le voisinage, très codifiés, donnent lieu à des imbroglios typiquement nippons. J'ai vu un couple calculer ses heures d'entrée et de sortie en fonction de celles de son voisin, pour éviter de le rencontrer et donc de le gêner. Le cas est fréquent dans les « mansion ». La crise de l'habitat ne pourrait être résolue que par la mise en œuvre d'un plan de construction d'immeubles généralisé dans toute la capitale. Mais Tokyo ne comporte des buildings et des gratte-ciel

275

que dans quelques quartiers qui représentent à peine 20 p. 100 de la ville. L'habitat horizontal et en bois a la vie dure.

Vivre dans un quartier excentré de Tokyo est une expérience de contact humain très enrichissante, dès lors que l'on a été admis dans la petite communauté. Tout le monde connaît tout le monde, et chaque quartier est un village. Un chiffre donne une idée du morcellement de la propriété foncière. On compte, à Tokyo, plus de onze millions de propriétaires pour treize millions d'habitants. Des tentatives de concentration immobilières ont donné dans certains quartiers des résultats spectaculaires, mais en général la concentration n'a pas été possible. De nombreux petits propriétaires ont préféré se transformer en promoteurs et édifier leur propre petit immeuble. Les emplacements sont si exigus, parfois, qu'à Akasaka on peut voir un immeuble de huit étages, bâti sur une surface au sol de 20 à 25 m² seulement. Il y a une pièce par étage. Ces immeubles sont loués très cher à des sociétés japonaises de tous ordres, qui ont la faculté d'apparaître et de disparaître avec une rapidité stupéfiante. Les propriétaires de ces immeubles ont parfois bâti seulement les murs, et négocié les finitions par contrat avec leur futur locataire. Certaines sociétés acceptent même de faire, à leurs frais, les façades et la décoration souvent luxueuses des parties communes de l'immeuble, sous réserve que celui-ci porte le nom de la société. Souvent, on peut ainsi se repérer dans Tokyo par rapport à l'immeuble Mitsubishi, Mitsui, etc. ou d'autres dont les noms sautent moins évidemment aux yeux d'un Occidental parce qu'indiqués en *kanji* (idéogrammes).

L'habitat vertical a aussi envahi les banlieues, car de nombreuses sociétés de premier plan ont fait un gros effort pour loger leur personnel. M. Horiguchi, contremaître aux chantiers navals dIshikawajima-Harima, vit à trente minutes de son travail dans un immeuble construit par la société, et réservé à son personnel. Les blocs d'immeubles sont partagés en appartements

276

de deux-trois pièces, regroupant sur le même palier ou dans le même bloc des employés occupant dans l'entreprise une situation identique. L'homogénéité du groupe est ainsi directement préservée. Cette méthode a été contestée par de nombreux sociologues au nom de l'égalité sociale. Toutefois, dans un pays dont la société est précisément basée sur la hiérarchie, il y aurait eu hypocrisie à pratiquer autrement.

Le deux-trois pièces de M. Horiguchi ouvre, au rez-de-chaussée, sur un immeuble jardin très sophistiqué. Le sol de la pièce de séjour est un plancher, mais au fond de celle-ci un décrochement assez important est recouvert du tatami, et peut figurer un tokonoma. Lorqu'on prend le thé fenêtres ouvertes en tournant le dos au tokonoma, donc assis à la place d'honneur, le regard au ras du jardin s'enfonce dans un dédale de verdure dont le mérite est de donner l'illusion de la profondeur. M. Horiguchi peut donc estimer que son espace est rigoureusement préservé dans des conditions de vie moderne, comportant tout l'arsenal de gadgets qu'une maîtresse de maison peut souhaiter. M. Horiguchi possède bien entendu un poste de télévision en couleur qui est surtout utilisé par sa femme aux heures creuses de la matinée et par ses deux enfants à partir de seize heures, au moment où ils reviennent de l'école. Des collègues de M. Horiguchi sont moins favorisés. Ils habitent à l'étage, et là le problème de l'espace n'est plus le même. Si les immeubles sont bien détachés les uns des autres et non alignés symétriquement face à face, il n'en demeure pas moins que les familles vivant dans ces logements ont perdu leur espace et leur environnement traditionnel.

Le Japonais et son jardin

Le jardin revêt une grande importance pour les Japonais. On peut mesurer celle-ci au prix qu'on paie

277

les services d'un jardinier de métier. J'ai en mémoire le désespoir des promoteurs du premier restaurant japonais installé à Paris dans les années 60. Ils avaient demandé à un jardinier japonais de venir installer un petit jardin zen de sable et de rochers de 50m² environ, qui eût rappelé le très célèbre Kare-Sansui du temple de Ryoanji, à Kyoto. Pendant plusieurs mois le jardinier ratissa consciencieusement le gravier. Chaque matin, il passait plusieurs heures, lorsqu'il y avait du soleil, à orienter les rochers sur le sable, un par un et millimètre par millimètre. Au bout d'un an, il déclara qu'il renonçait et qu'il n'y arriverait jamais. Il repartit, laissant son jardin inachevé...

Le jardin représente l'effort d'aménagement de l'espace qui touche le plus directement à l'homme. Comme au Japon l'espace est chichement mesuré, il est indispensable de recréer autour des individus la nature qui a tendance à disparaître du fait des conditions de surpeuplement de l'espace habitable. Un premier type de jardins japonais s'attache donc à recomposer la vie avec des arbres, des pierres, de l'eau, dans le respect des formes d'un environnement naturel qui, dans la partie habitable, sont en général douces, en demi-teintes, à l'opposé des vertiges du grand Cañyon du Colorado ou des chutes du Niagara ou de l'immensité de la steppe sibérienne. Les jardins de la villa impériale Katsura sont un modèle du jardin japonais paysagé. Adaptation à l'environnement signifie aussi miniaturisation. L'homme japonais a ainsi porté à la perfection l'art d'associer une représentation miniature à la réalité : une petite chute d'eau figure une grande cascade, un monticule de terre une montagne. Toutefois, le perfectionnisme atteint à l'abstraction avec un autre type de jardin : le *jardin zen*. Ici une délimitation à angles droits, tel le mur du jardin zen du Ryoanji à Kyoto, peut représenter un espace illimité, de même que le sable ratissé peut évoquer la mer. M. Iijima Tohru, ancien professeur d'horticulture à l'université de Chiba et spécialiste en arrangement de pierres, explique que le rôle d'un jardin est de procurer un sentiment de prolongement et d'harmonie. « La nature, dit-il, se crée siècle après siècle, les jardiniers apprécient donc les matériaux anciens : vieilles pierres, vieux arbres, rochers ayant subi l'érosion des tempêtes, etc. De plus, ajoute-t-il, la nature élimine la ligne droite, l'illusion de nature ne peut donc être obtenue que par des lignes courbes. »

Ce besoin d'harmonie et de prolongement de l'homme dans la nature est révélateur de la psychologie du Japonais, physiquement limité dans son espace et son environnement, et perpétuellement confronté avec ce qui l'entoure. On comprend mieux, dès lors, la recherche de cet au-delà des barrières encerclant l'individu, et le penchant naturel de celui-ci pour tout ce qui peut éviter la confrontation ou le conflit toujours présents. Qu'il soit celui de la miniature, copie du modèle que l'on souhaiterait autour de soi, ou celui de l'abstraction, prolongement harmonieux de l'homme dans son rêve, tentative d'humanisation, le jardin japonais n'existe que dans la dualité historique du Japon. Japon mythique, il s'insère dans le réel d'un environnement dangereusement endommagé dont la sauvegarde ne peut pas être assurée par un arsenal législatif. Là comme ailleurs il faut un changement des mentalités. La maison, l'espace et le jardin, porteurs de l'harmonie, sont tributaires d'un habitat rénové.

L'habitat vertical n'a été un succès dans aucun pays industrialisé. Son développement a coïncidé avec un accroissement de l'insécurité, l'apparition de fléaux sociaux comme la drogue, la floraison d'un état d'esprit de rejet, des valeurs de négativité, et de désespoir. L'anonymat a libéré de nombreux Japonais de leurs obligations traditionnelles de voisinage, rendant parfois difficiles, sinon pénibles, les rapports humains au sein d'un groupe d'immeubles, dans les trains ou même parfois dans la rue. L'homme japonais a besoin de références de comportement. Il ne connaît son « étiquette » que dans un certain nombre de circonstances qui lui sont familières, mais toute situation nouvelle l'oblige à trouver un nouveau rituel de comportement. Celui-ci n'existe pas encore dans les grands immeubles ou dans leurs parties communes. Il y a tout un art de vivre à réapprendre, dès qu'on quitte le cadre traditionnel de son chez-soi ou dès qu'on se meut en dehors d'un cadre de vie traditionnel comme le jardin japonais. Pourquoi un Japonais laisse-t-il des tonnes de papiers gras, de bouteilles de bière ou de boîtes de conserve sur ses plages, alors que tous les jardins japonais sont religieusement visités et que c'est avec précaution et respect qu'on y marche, qu'on s'y assoit sur un banc, qu'on y médite, qu'on y retrouve la paix ?

La condition des femmes

C'est encore chez lui, cependant, que l'homme japonais recherche le plus volontiers le calme et la sérénité. Le défi au système familial traditionnel est apparu graduellement, depuis 1945, dans le cadre de la modification des rapports entre hommes et femmes ou, plus spécifiquement, dans les familles entre maris et épouses. Jusqu'au moment de la guerre, l'homme a incontestablement régné, tout au moins au vu et au su des gens. La femme japonaise a traditionnellement tenu la maison, élevé les enfants, marché à quelques pas derrière son époux dans la rue, déjeuné ou dîné seule après l'avoir servi, lui et ses amis. Voilà pour la *face*. Elle était sauve et il ne serait jamais venu à l'esprit de quiconque qu'une femme mariée pût tromper son mari. Dans le ié, l'adultère était difficilement concevable étant donné l'exiguïté de l'espace, la présence vigilante des voisins, le manque d'occasions d'échapper à la tutelle du milieu familial, à l'occasion d'un voyage par exemple. Pourtant, cela arrivait. Le cinéaste japonais Oshima dans son film *L'Empire de la passion*, décrit très bien comment, à l'époque d'Edo, dans un village, une femme jeune prend un amant avec qui elle assassine ensuite son mari. Mais au-delà de cette manifestation d'indépendance qui a toujours caractérisé la femme japonaise, il convient de préciser une réalité beaucoup plus significative de la place de la femme dans la famille. Elle reste aujourd'hui comme hier la gestionnaire du budget familial. Lorsque M. Horiguchi, contremaître aux chantiers navals d'Ishikawajima-Harima, touche sa paie, il la remet intégralement à sa femme qui lui redistribue son argent de poche, chaque jour, avant qu'il parte travailler. Il ne faut donc pas se fier aux apparences. Mais depuis 1945, nombreuses ont été les femmes mises dans l'obligation d'assumer les responsabilités du mari mort ou disparu, c'est-à-dire de travailler. On touche ici à l'une des injustices des plus criantes de la société japonaise, car si les femmes ont amélioré leur statut au sein de la famille et acquis une nouvelle liberté et une véritable émancipation, au contraire, par rapport à tous les autres groupes sociaux, il y a eu stagnation, sinon régression de leurs conditions de travail. La main-d'œuvre féminine subit en particulier une discrimination qui vient de loin.

Dans une enquête fort documentée, une journaliste française schématise ainsi leur situation sociale : Interdit (ou presque) aux femmes :
— le statut régulier de travailleur ;
— l'ancienneté ;
— les emplois hautement rémunérés ;
— les allocations liées au coût de la vie : indemnités de logement, aide financière pour les études des enfants, allocations familiales, le tout représentant environ 4 p. 100 des gains réguliers...

Réservés en « priorité » aux femmes :
— les emplois temporaires ;
— le travail dans les petites entreprises ;
— le bas des grilles de salaires ;
— les études abrégées.

Il est vrai que la tradition a légué un préjugé hostile au travail des femmes, sauf pour certains travaux subalternes. Il y a eu cependant, à travers tout le pays, une crise de féminisme qui a amené des femmes à la médecine, au barreau, au journalisme, à la direction d'entreprises. Un dernier bastion leur a résisté : la politique. Mais ont-elles fait le nécessaire pour forcer les portes du pouvoir ? Que pensent-elles de leur sort ? La place des femmes dans nos sociétés modernes est jugée à partir de critères qui ne s'appliquent pas obligatoirement à la mentalité japonaise : la place qualitative et quantitative des femmes dans le monde du travail ; l'égalité des rémunérations ; la liberté de disposer de leur vie et de leur corps, donc l'égalité des sexes devant le problème des enfants.

Les Japonais n'ont jamais refusé de faire entrer les femmes dans le monde du travail. Le succès de leur économie, dû à la qualité de certaines de leurs productions, comme les transistors et les circuits intégrés, est le résultat direct du travail féminin. Quantitativement, le marché du travail japonais absorbe une main-d'œuvre féminine plus importante que les marchés européens et américains, à l'encontre d'une tradition bien établie avant la guerre. Dans le cercle restreint de la famille, les hommes répugnent à voir leur femme partir au travail, comme eux, le matin. Ils considèrent que si le travail est source d'aliénation pour l'homme, il serait paradoxal d'en faire une source de liberté pour la femme. Qualitativement, les plus hauts postes et dans tous les cas la majorité des postes « cadres » sont tenus par des hommes. Cette situation n'est pas spéciale au Japon, qui la partage avec tous les pays européens, y compris les pays de l'Est. L'égalité des rémunérations reste au Japon un objectif à atteindre, même si légalement la loi oblige l'employeur à donner à travail égal salaire égal. L'inégalité vient souvent des conditions particulières d'embauche. La femme peut souvent être embauchée en même temps que plusieurs autres membres de la famille, dont le mari. Le patron s'engage alors à assurer à vie un revenu familial.

Le travail de beaucoup de femmes s'insère donc dans la pratique traditionnelle d'une société paternaliste et dans les mécanismes d'une économie qui n'obéit pas, dans ses règles internes, aux lois des économies classiques capitalistes. La place de la femme dans la société japonaise peut beaucoup mieux être appréciée, de l'extérieur, lorsqu'on se rend compte de sa véritable liberté sociale. Les femmes, même mariées, sont dans la rue. On peut les voir emprunter les transports en commun, flâner seules dans les magasins, aller au cinéma, au théâtre avec leurs amies, bref mener une vie indépendante de celle de leur mari. Cette indépendance réelle, autrefois cachée, se reflète ouvertement aujourd'hui à la fois dans la sexualité et dans le comportement vis-à-vis de la maternité.

L'attitude japonaise à l'égard de la *sexualité* a toujours été tolérante, y compris pour ce qu'on appelle les déviations, comme l'homosexualité. L'écrivain Mishima Yukio m'a dit, au cours d'une interview : « L'homosexualité fait partie de la tradition japonaise. Ce sont les missionnaires américains qui ont perturbé cette tradition au XIXe siècle. » Une troupe de travestis français fort connue, se trouvant à Tokyo en rupture de contrat, se vendit aux enchères sur les trottoirs d'Akasaka, à des prix défiant toute concurrence, afin de pouvoir acheter leur billet d'avion de retour.

Les Japonaises, bien que fort discrètement, manifestent un penchant prononcé pour ce qui va de la romance parfois tragique au simple passe-temps agréable, et cela sans aucun frein ni tabou. Trois rencontres au moins sont nécessaires avant de parvenir à une certaine intimité, mais une fois franchie la barrière du « protocole », les relations sexuelles se font et se défont simplement, du moins en ce qui concerne les femmes. Le romantisme et une propension à se déclarer propriétaire de « l'objet » sont des attitudes plutôt masculines. La liberté sexuelle de la femme japonaise ne souffre aucune comparaison dans le monde.

Elle va de pair avec sa liberté à l'égard de la *maternité*. Au lendemain de la guerre, l'usage des contraceptifs s'est répandu dans tous les pays, puis l'avortement, dû à une circonstance historique. L'occupant américain ne fut pas mal accueilli, d'autant que le Japon venait de souffrir d'une hémorragie humaine sans précédent. Mais le rejet des bâtards G. I's américains, par la société japonaise, rendit les femmes plus prudentes. En conséquence, l'avortement se généralisa. Depuis les années 50, il est devenu une simple formalité. Après trente ans de pratique, les médecins japonais commencent cependant à se poser des questions. Côté officiel, on est préoccupé par la chute de la natalité et ses conséquences pour l'avenir du pays. Le corps médical, quant à lui, s'aperçoit que dans les faits l'avortement tient lieu de méthode de contraception. Le docteur Sugiyama, l'un des 13 000 médecins titulaires d'une licence pour pratiquer l'avortement, a déclaré à des confrères américains, dans une interview : « 40 p. 100 de mes clientes ont recours à l'avortement comme méthode de contraception. La moyenne d'entre elles a subi deux ou trois interventions, mais il n'est pas rare de rencontrer des femmes qui en sont à leur dixième avortement. En un mois, j'ai pratiqué 80 avortements et fait naître seulement 40 enfants. En matière d'expérience et de technique d'avortement les Etats-Unis sont sous-développés et le Japon est un pays développé. » ... Plus de 99 p. 100 des cas d'avortements sont dus à la présence de trois ou quatre enfants dans les ménages. Le nombre d'enfants n'est pas classé, par le ministère de la Santé, dans les motifs suffisants pour avorter, mais la plupart des médecins font passer ce motif dans la rubrique : « santé de la mère », qui habilite les praticiens à pratiquer l'avortement. On est loin de la règle stricte du ié, qui voulait qu'une épouse stérile fût répudiée, et supportât le déshonneur de cet état.

La revanche de la femme japonaise s'étale partout. Si l'on tient compte de la dualité permanente de la civilisation, la femme règne incontestablement dans le Japon de nuit, et en grande partie dans le Japon de jour. Elle est, il ne faut pas l'oublier, à l'origine du mythe des mythes, qui a donné naissance à la lignée impériale : le mythe d'Amaterasu, déesse du soleil. Elle est le rêve, au terme d'une journée de travail, dans des bars qui remplissent une fonction sociale. Elle garde sa suprématie au foyer, dans la réalité de la gestion de ses ressources. Elle est partout présente : consommatrice choyée par la publicité et le monde du commerce, inspiratrice de tous les arts, dans lesquels elle symbolise la vie. Il est vrai qu'il faut sauver la face de la force et son mythe, dans un pays où la caste des guerriers reste la classe privilégiée.

Ici, la femme n'est pas en reste puisque les *dojo* (clubs d'arts martiaux) regroupent aujourd'hui autant de femmes que d'hommes dans toutes les disciplines. Cependant, les femmes voient le problème de leur « marginalité » se poser avec plus d'acuité que les hommes. L'individu japonais, à un moment ou un autre de sa vie, se demande si oui ou non il va s'intégrer au système. Cela veut dire vivre dans le cadre du ié, comme autrefois, accepter l'épouse ou le mari choisi par les parents, et avoir des enfants dont un garçon au moins, les élever, et surtout subir le rituel familial.

Un samedi matin j'avais rendez-vous avec Mishima Yukio dans un bar d'Akasaka, lorsque après un quart d'heure de conversation, il se lève, regarde sa montre et me dit : « Excusez-moi, je dois m'en aller. C'est l'heure, comme tous les samedis, de ma visite protocolaire à mes beaux-parents. » Le samedi était en effet consacré par l'écrivain à ses devoirs de respect familial, auquel il n'aurait jamais eu l'idée de se soustraire. Les femmes qui ne vivent pas chez leurs beaux-parents, les hommes qui ont quitté leur maison rendent régulièrement visite à leurs parents et beaux-parents, selon une coutume bien établie.

La marginalité d'une femme, signifiant qu'elle ne fait plus partie du système, la livre à toutes sortes de brimades sociales dans les milieux traditionnels. Mais la femme marginale trouve des compensations. Aujourd'hui, à Tokyo, à Osaka, dans n'importe quel grand centre, elle peut envisager de vivre seule, de sortir seule, de mener une vie totalement indépendante. Les femmes seules hantent les salons de réceptions des grands hôtels, les cocktails, les cafés, et même les dîners en ville, sans compter les théâtres, les cinémas et même les cabarets. Il ne s'agit pas seulement d'une réaction d'émancipation, mais d'une tolérance de la coexistence d'un comportement moderne avec les attitudes anciennes.

Lorsque j'ai rencontré Sachiko T., elle avait un âge incertain pour moi. J'ai mis très longtemps à situer une Japonaise dans sa tranche d'âge, à cinq ans près. Elle avait trente-cinq ans, peut-être quarante ans. Je l'ai abordée dans une de ces réceptions géantes, comme seules les multinationales japonaises savent en offrir. Dans le grand salon Heian de l'hôtel Okura, un millier de personnes environ se pressaient autour des tables garnies de langoustes, de saucisses et de plats du pays, que l'on servait à des comptoirs aux quatre coins de la salle. Je venais du comptoir de *sashimi* (poisson cru) et me dirigeai vers celui de la *tempura* (poisson frit). Elle faisait le chemin inverse, mais sans regarder devant elle, ce qui fit qu'elle buta sur moi et renversa mon verre plein. Prise d'un fou rire, elle sortit un mouchoir de son sac pour essuyer mon veston qui n'avait rien, sans penser à son corsage trempé de whisky. « Cette réception porte la poisse », me dit-elle. Puis, très naturellement, elle m'entraîna dehors et me demanda si j'étais libre pour l'emmener dîner. N'ayant rien prévu, l'heure étant trop tardive pour aller ailleurs que dans un restaurant proche, nous nous sommes rendus au dernier étage de l'immeuble Sony près de la Ginza, face au parc de Sukiya-bashi. Quoique les lumières tamisées fussent propices aux confidences, elle n'en finissait pas de rire et sentir l'odeur du whisky qui imprégnait son corsage. Nous n'avions échangé que trois mots en une heure. Je me souvenais du conseil d'un ami japonais : « Surtout ne parlez pas trop, évitez de faire des phrases, c'est un signe de manque de virilité. » J'avais donc répondu à la japonaise par une éructation : « Ahaaà !! », en faisant venir le son du fond de la gorge et j'avais ajouté après une pause : « *Sodeska !* Ah bien !... ». J'éructais depuis le début de la soirée, lorsque à brûle-pourpoint, elle planta son œil malicieux dans le mien en disant : « Que pensez-vous d'une femme japonaise qui s'offre un mâle ? Est-ce possible ? Rassurez-vous, je ne fais aucune allusion à notre tête-à-tête. Nous, les femmes d'affaires, nous sommes des femmes seules, il faut bien se débrouiller. » J'eus envie de rétorquer : « Ah ! vous êtes une femme d'affaires ! », mais je m'en gardai bien. Après un silence, elle poursuivit : « ... Savez-vous qu'à Tokyo depuis l'Expo 70, il existe des bars dont la clientèle exclusivement féminine est accueillie par de jeunes hommes qui jouent le rôle d'« entraîneuses ». Avec un peu d'argent, il est très facile à une dame de soixante ans de partir avec un jeune de vingt-cinq ou trente ans. Les hôtesses « hommes » français et allemands ont beaucoup de succès. Mais les Français ont toujours beaucoup de succès... Au fait, nous ne nous sommes pas présentés, je trouve cela inconvenant... » Je me levai sur ces paroles, m'inclinai à la japonaise en lui tendant ma carte de visite puis me rassis aussitôt en face d'elle. Elle repartit d'un rire inextinguible et articula : « *You are crazy...* » Rien ne pouvait l'arrêter. Sans m'en être aperçu, je lui avais remis la carte de visite d'un Japonais rencontré au cours du cocktail. Après avoir bu un café, elle me pria de la raccompagner jusqu'à une station de taxis. Dans la rue, elle se serra frileusement en prenant mon bras et je lui proposais de la ramener chez elle avec ma voiture. Avant que j'aie eu le temps de faire un geste, elle me sauta au cou et m'embrassa en me murmurant à l'oreille : « Je m'appelle Sachiko. » Je n'avais pas eu le temps de réagir. Elle s'était engouffrée dans un taxi.

Quelques jours plus tard, je reçus une carte postale de Londres signée Sachiko, en voyage d'affaires à

Londres. La carte mentionnait un numéro de téléphone à Tokyo. Dès le lendemain, j'appelais ce numéro. Une secrétaire me répondit en parfait anglais : « Mlle Sachiko n'est pas à Tokyo en ce moment. Voulez-vous laisser votre nom et votre numéro de téléphone... » La même réponse me fut donnée trois ou quatre fois et je me lassais d'appeler puis, un jour, sa voix résonna au bout du fil. Nous prîmes rendez-vous le soir même, à Shinjuku. Je me promettais bien de percer ce jour-là le mystère des affaires et celui de la femme. Au moment de partir pour mon rendez-vous, Sachiko me rappelle : « Je suis fatiguée, il faut que je rentre chez moi... Mais si vous voulez me raccompagner, passez me prendre à mon bureau... » Elle m'avait expliqué et c'était facile à trouver. Elle attendait sur le trottoir. Elle monta à côté de moi et me guida. Je ne savais absolument pas où j'allais. Elle n'avait pas l'air spécialement accablée. Elle paraissait au contraire en pleine forme. Ce soir-là, j'eus une révélation de la « marginalité ». Sa confession était exemplaire, mais comme dans tous les témoignages, le témoin se ménage quelque peu et a tendance à embellir son propre rôle.

« Mes parents sont très riches, mais au grand désespoir de mon père, je n'ai pas de frère, seulement trois sœurs. J'ai donc repris son affaire d'import-export (*shoshu*) car il est trop vieux, mais au prix de mille difficultés et dans l'hostilité générale des cadres de la société. Cinq chefs de service ont présenté leur démission pour faire pression sur moi, mais j'ai gagné, car, contrairement à leur attente, j'ai accepté leur démission. Tout mouvement de rébellion a été stoppé net. Mon père s'est alors mis dans la tête de me marier. Ils ont arrangé une première rencontre avec un imbécile qui montrait son dentier en permanence, en croyant sourire. J'ai fait scandale en déclarant que je préférais de bons amants à un mauvais mari. Mon père décida alors de ne plus me voir. Cela dure depuis trois ans. En cachette, ma mère vient de temps en temps au bureau ou ici m'apporter quelques friandises. La société marche bien, c'est l'essentiel. Mais je ne pourrai me réconcilier avec mon père que si je me marie.

— Pourquoi ne l'envisagez-vous pas ?

— Jamais, je suis trop vieille, j'aime trop ma liberté, et pourtant si c'était à refaire, j'écouterais mon père. Je crois qu'il a raison parce que je ne suis pas heureuse... »

Ainsi, Sachiko avait honte de sa liberté, choix délibéré de non-conformisme. Mais ce sentiment d'être libre parce qu'encore belle et désirable surgissait du fond de sa lucidité. Combien de temps encore avant de tomber dans la solitude ? Elle la regardait avec terreur se profiler comme une sorte de revanche de cette société qu'elle avait rejetée.

... Lorsque j'ai quitté le Japon, les affaires de Sachiko prospéraient. Elle n'était presque plus jamais à Tokyo et une ou deux fois encore, j'ai reçu d'elle une carte postée des États-Unis.

... Le modèle féminin des années 60 fut la princesse Michiko épouse aujourd'hui du prince Akihito. Elle était roturière. Elle épousa le futur empereur, il y avait quelque chose de changé dans l'empire. Hélas ! ce fut un rêve pour magazine du cœur. Michiko devenue la princesse Michiko, jeune fille aux allures libres, se retrouva vite, dans le carcan du protocole, ce qu'un journal féminin japonais a appelé « une marionnette ». Le mythe Michiko disparut, comme il était venu, dès sa première maternité, et Michiko S., qui collectionnait les photos de son idole, cracha un jour par terre et se mit à militer dans les rangs du Zengakuren gauchiste.

Gauchisme, écologie et féminisme ont toujours fait bon ménage. Le féminisme militant de Michiko comportait bien ces ingrédients classiques, mais elle y ajoutait sa rancœur de constater qu'une fois de plus son modèle était tombé dans le piège. C'est en effet le lot de tout étudiant non conformiste, militant ou non, de rentrer dans le rang dès qu'il lui faut chercher un emploi, et d'y rester sagement. Michiko jurait qu'on ne l'y prendrait pas, comme son modèle la princesse. Ce fameux jour où 300 étudiants s'étaient barricadés dans la bibliothèque de l'université de Todai pour tenir tête à 10 000 policiers, j'avais réussi à m'approcher avec un drapeau blanc de la porte que les policiers devaient prendre d'assaut vingt-quatre heures plus tard. Ce fut elle qui vint m'ouvrir. En nous faisant rentrer, elle reprit rapidement l'effigie du général de Gaulle laissée devant la porte. Elle avait été emmenée à Tokyo après Mai 68 par des gauchistes français, et c'est à l'abri de cet auguste symbole qu'elle accepta de répondre à mes questions. J'avais avec elle un problème de vocabulaire. Elle ponctuait ses phrases d'un « merde » retentissant en anglais : « *tchitt* ». Elle avait l'air d'éternuer un peu trop fort, mais c'était sa façon à elle de marquer son dégoût...

« J'appartiens à l'université de Nihon et j'étudie l'audiovisuel ou plutôt j'étudiais, car, depuis deux mois, nous avons barricadé le campus et les cours ont cessé. Les salauds de flics attendaient à la sortie, mais on les a bien eus... Par des jardins, d'une maison à l'autre, nous avons réussi à échapper à leur encerclement pour venir prêter main-forte à nos amis à Todai.

— Qu'avez-vous l'intention de faire ?

— Maintenant ? Me battre. Demain ? Me battre... après je m'en fous.

— Avez-vous un ami ?

— C'est bien le moment de me demander ça... » Elle se mit à rire. « Bien sûr, je couche avec les garçons, si c'est ça que vous voulez dire.

— Avez-vous l'intention de vous marier un jour ?

— Votre question est idiote, pour qui me prenez-vous ? »

Là-dessus arriva un étudiant casqué et masqué, qui lui donna un ordre. Sans dire au revoir, elle me tourne le dos et va rejoindre son poste derrière une meurtrière aménagée avec des livres...

Kumiko S. ne comprenait pas le comportement de ses camarades d'université. Elle suivait des cours à l'université des langues étrangères, mais j'avoue n'avoir jamais compris de quelle université il s'agissait : publique ou privée, célèbre ou méconnue. Elle parlait couramment le français et l'anglais et étudiait le russe avec acharnement. Kumiko ne se posait aucune question sur son avenir. Fille d'une famille riche, elle n'hésitait pas à se faire accompagner par le chauffeur soit en ville pour faire des emplettes, soit au cinéma à la dernière séance, de bonne heure il est vrai puisqu'à Tokyo, elle est fixée à dix-neuf heures trente. Elle habitait dans le quartier d'Yotsuya une somptueuse demeure moderne, donnant de plain-pied sur une piscine. La première fois que je fus invité chez elle, ma surprise fut grande de voir une décoration signée des grands Impressionnistes, ainsi que quelques Flamands. Le moderne s'arrêtait à Picasso. J'étais étonné de trouver dans une maison bourgeoise richement meublée à l'européenne, ce qui est rare au Japon, un goût aussi marqué pour des reproductions de peintres célèbres en Occident. Puis, en m'approchant, je constatais qu'il s'agissait d'originaux. La maison était donc un musée. Je comprenais mieux les réactions de Kumiko.

« J'en ai assez, me dit-elle un jour, de ce cadre étriqué. Mon père achète n'importe quel tableau pourvu qu'il porte la signature d'un grand maître. »

Elle était venue me rendre visite à mon bureau pour recueillir quelques renseignements bibliographiques sur la France. Je l'avais reçue à la demande de son professeur de français. Puis, un jour, Kumiko me téléphone. Elle voulait me voir toutes affaires cessantes. Elle arriva essoufflée à mon bureau et, après s'être assurée que personne ne l'écoutait, elle me confia à voix basse :

« Je quitte Tokyo demain, je vais à Paris... Mes parents n'en savent rien, surtout n'en parlez pas.

Voici mon adresse. Je me suis adressée à une agence de voyages et ils m'ont retenu une chambre à l'hôtel du Palais-Royal...

— Qu'allez-vous faire là-bas toute seule ?

— Quitter Tokyo et quitter ma famille.

— Grands dieux ! pourquoi donc ?

— Mon père m'a annoncé que j'allais me marier...

— Avec qui ?

— Je ne veux pas le savoir et surtout je ne veux pas rencontrer mon fiancé.

— Il est peut-être très bien et il vous plaira...

— C'est toujours ce qu'on se dit, puis c'est la grande déception, mais c'est trop tard.

— Vous ne voulez pas vous marier ?

— Bien sûr que si, mais je veux présenter moi-même mon fiancé à mes parents.

— Qu'est-ce qui vous en empêche ?

— Les jeunes Japonais sont trop timides, et ils n'osent pas faire la cour, ou alors tellement maladroits qu'ils finissent par vous énerver. La seule façon d'épouser un Japonais, c'est sans doute la manière traditionnelle. Personne ne leur a enseigné à faire la cour. Ma mère m'a avoué que mon père ne l'avait jamais touchée avant leur mariage et que durant les dix premières années il n'a pas prononcé plus de dix mots par jour pour s'adresser à elle. »

Kumiko est partie à Paris comme prévu, mais elle est revenue plus vite que prévu, moins d'un mois après. Elle a été ravie de son voyage mais elle a épousé l'homme que son père lui destinait et qu'elle ne connaissait pas. Je ne l'ai jamais revue, mais j'ai tout lieu de supposer qu'elle a « arrangé » sa vie et qu'elle est heureuse, comme l'est Emiko.

Emiko travaillait comme secrétaire dans un grand journal. J'appelais souvent son patron et nous avions de laborieuses conversations au téléphone. Je lui déclarais un jour, en guise de boutade :

« Vous avez une très jolie voix... Voulez-vous me montrer ce qu'elle cache ?

— Je sors à dix-huit heures. Si vous voulez me voir, venez me chercher !

— Comment vous reconnaître ?

— C'est facile, c'est moi qui vous reconnaîtrai. J'ai cet avantage sur vous, je vous ai déjà vu... »

A six heures, me voici à la sortie des bureaux du journal, faisant les cent pas. Elle arrive derrière moi et me prend le bras. Nous fîmes ainsi quelques pas jusqu'à un *coffee shop* minuscule. Je ne savais pas comment entamer la conversation. Ce fut elle qui commença :

« Vous n'êtes pas marié ? Vous ne portez pas de bague.

— Est-il nécessaire d'en porter une pour être marié ?

— Au Japon, oui. Alors je peux considérer que vous n'êtes pas marié.

— Et vous ?

— Moi, je suis fiancée... Je crois que mon père a trouvé un bon parti pour moi. Je le vois de temps en temps, à la maison... Nous sommes sortis ensemble pour la première fois dimanche dernier... Il m'a emmené à Hayama... Vous connaissez ?

— Oui, très bien, mais ça n'est pas la saison et je pense que vous ne vous êtes pas baignée.

— Non, nous avons déjeuné dans un club, puis nous avons fait une partie de golf miniature. Nous nous sommes promenés en bord de mer et nous sommes rentrés sagement à sept heures. Ma mère nous avait préparé à dîner. Mais il a refusé et il est rentré.

— C'était bien ?

— Oui. Toru-San ne parle pas beaucoup. Toru, c'est son prénom... mais il a une *sport car* et conduit très bien... Et puis il connaît beaucoup de choses dans le cinéma.

— Quel métier exerce-t-il ?

— Il travaille au service du marketing, chez Matsushita. C'est un poste d'avenir.

— Je suis content pour vous, Emiko...

— Je vous ennuie avec mes problèmes », ajouta-t-elle après un silence en prenant ma main.

Elle avait du charme. Je l'invitais à dîner. Elle ne répondit pas, mais se précipita au téléphone puis revint en me déclarant textuellement :

« C'est O.K. »

Quelques semaines après, Emiko m'avoua avoir inventé son fiancé de toutes pièces, mais qu'elle était accablée parce que son mensonge devenait réalité. Elle allait se marier pour de bon, cette fois. Elle se maria et je suppose qu'elle aussi s'en est trouvée heureuse, car je n'ai plus entendu parler d'elle...

Yuki-San est une bonne épouse et une bonne mère de famille, sans profession. De famille modeste, elle avait épousé un commerçant qui tenait, sous les arcades d'un grand hôtel de Tokyo, une boutique de souvenirs pour touristes, autrement dit un bric-à-brac esthétiquement douteux. J'habitais l'hôtel à cette époque et chaque matin je descendais acheter dans sa boutique mon journal japonais de langue anglaise. Yuki avait le sourire avenant et comme à neuf heures elle n'avait pratiquement pas de client, elle engageait avec moi une conversation parfois drôle qui aurait pu durer toute la matinée si je m'étais écouté. Yuki avait un employé que je n'avais jamais remarqué, car il se tenait toujours dans l'arrière-boutique. Un jour, Yuki me demanda à brûle-pourpoint :

« Pouvez-vous me faire visiter les studios de T.V. de la N.H.K. ?

— Je vais essayer d'organiser cela. »

Je n'y pensais plus lorsque l'occasion se présenta. J'appelais Yuki au téléphone et lui donnais rendez-vous... Elle se promena émerveillée de la salle des magnétoscopes à celle des ordinateurs et fut très impressionnée par le studio robot où les caméras programmées sur un ordinateur travaillent sans cadreur. La visite dura une heure puis Yuki me quitta brusquement. Elle devait absolument rentrer à son magasin. Trois mois plus tard, elle me téléphona pour me prier de dîner chez elle. Elle habitait près d'Yokohama, une extraordinaire maison traditionnelle. Une jeune servante vint m'ouvrir et m'introduisit dans un salon à *tatami* totalement nu, d'une grande beauté, qui était malheureusement éclairé trop crûment par une ampoule blanche qui pendait au bout d'un fil. Je m'assis à la japonaise, sur un coussin de terre, et observai tous les détails. Les *shoji* étaient fermés. Elle arriva presque aussitôt après que la servante eut versé le thé vert, *o'cha*. Elle s'assit de l'autre côté de la table basse et but lentement avec moi la boisson brûlante un peu pâteuse. Je ne l'avais jamais vue en kimono, ni coiffée les cheveux relevés pour dégager la nuque poudrée de blanc, en pointe comme le font les geishas.

« Une Japonaise n'invite jamais un homme chez elle, surtout lorsque son mari n'est pas là.

— Que voulez-vous dire ?

— Que je contreviens à tous les usages en vous recevant ici et que je ne sais pas ce que vous allez penser de moi... »

Je m'en tirai en aspirant mon thé avec un peu de bruit, ce qui n'est nullement impoli puisque les Japonais le font beaucoup. Elle poursuivit :

« Vous savez, en réalité je suis veuve... J'ai bien un homme dans ma vie, mais c'est intermittent. C'est celui que vous avez vu plusieurs fois au magasin. Nous sommes associés, lui et moi, ou plutôt il était associé avec mon mari. Il a beaucoup hésité avant de s'engager avec moi, mais il n'avait pas la possibilité de tout racheter. Alors, il a préféré me garder... Ça me convenait aussi, car je ne pouvais pas continuer l'affaire seule. J'aurais été obligée de vendre... Je suis contente que vous ayez accepté mon invitation. J'avais peur que vous vous récusiez. Une femme seule au Japon est vraiment très seule. Mes parents sont trop vieux pour être une compagnie. Mes beaux-parents sont morts. J'avais une amie qui venait souvent partager ma solitude, mais elle s'est mariée sur le tard avec un vieillard... riche.

— Et vous ? Vous vous marierez de nouveau, peut-être...

— Les chances passent avec les années. Mon mari m'en a beaucoup voulu parce que je refusais d'avoir des enfants. Aujourd'hui, c'est trop tard... »

Elle reprit :

« Je vais voyager. J'ai entendu dire qu'il y avait des « charters » très bon marché pour l'Europe, environ 200 000 yen. Je vais me renseigner... Oui, c'est ça, il faut que je voyage, ce pays me donne le cafard... »

Yuki parlait très correctement un anglais très fluide... Elle ajouta, avec amertume : « *After all,* je suis une femme libre, *né ?* » (« Après tout, je suis une femme libre, n'est-ce pas ? »)

La servante fit glisser les portes coulissantes à ma droite et le petit salon se métamorphosa en une grande salle à manger de réception de 60 m². Une autre table basse en laque était dressée avec toutes sortes de plats japonais. J'étais déjà habitué à la cuisine japonaise. Il avait fallu plusieurs mois d'efforts pour affiner mon goût et manger autre chose que le *tempura* (poisson pané frit). J'avalais sans difficulté le poisson cru ; il m'arrivait même, de temps en temps, d'entrer dans un restaurant spécialisé dans le *sashimi* (poisson cru). Je commençais à être fasciné par cette cuisine pour les yeux. L'art de la présentation des plats est tel que la seule vue d'une table japonaise met en route le mécanisme de sécrétion du suc gastrique. Ce soir-là, je fus abasourdi. Mon regard fut tout de suite attiré par une énorme demi-langouste reconstituée dans chaque assiette. Pour chacun de nous, une quinzaine de petites assiettes, plats ou raviers, ronds, carrés, ovales, au bord lisse ou dentelé, bleus ou blancs, décorés çà et là par des idéogrammes; étaient remplis de nourritures inconnues de moi lorsque j'étais en Europe. J'étais certes déjà accoutumé à leur vue, mais c'était la première fois que je voyais un tel festin de coloris. Je ne connaissais cependant ni leur nom ni leur nature. Yuki se fit une joie de me guider à travers tous les récipients. J'étais surtout préoccupé par l'ordre dans lequel je devais aborder le picorage avec mes baguettes.

« Il vaut mieux manger les hors-d'œuvre... dit-elle en riant. Vous pouvez commencer par les *tsukemono*, concombres et navets macérés, puis continuer avec le *himono* : c'est un maquereau séché, débarrassé de ses arêtes, coupé en deux et salé, et goûter au passage le *tofu*. C'est de la pâte de haricots servie froide, qu'il faut assaisonner avec du soja. Ah ! voilà des tranches de *kamaboko* ; c'est un gâteau de poisson blanc qu'il faut assaisonner avec du soja renforcé de raifort.

— Et là, dans ce bol, ces lamelles rougeoyantes ?

— Nous appelons cela *kimpira*, une racine frite mélangée avec des carottes, assaisonnée de sucre, de soja et de poivre rouge. Dans le bol, là, toute fumante, c'est *misoshiru* une soupe avec des morceaux de poisson bouilli, assaisonnée de *miso*, pâte de haricots fermentés, puis quelques légumes et un peu de *tofu*.

— Et ce coquillage ?

— On l'appelle *sazae*, coquillage en forme de couronne. On l'a sorti de sa coquille, fait bouillir, replacé dedans et assaisonné avec un peu de soja et du saké. Je vous ai fait servir également un peu de *sashimi*. Mais vous connaissez déjà. C'est du thon rose. C'est très tendre. Puis je vous ai réservé une surprise. C'est un plat de saison, que vous ne connaissez sans doute pas, mais que vous aimerez, j'en suis certaine. »

Yuki avait pris place face à moi, comme un homme, tandis que la servante venait remplir ma coupe de saké, sans me laisser le temps de respirer. J'étais toujours servi le premier et j'avais beau insister pour faire servir d'abord Yuki, Masako (c'était le nom de la servante) ne m'écoutait pas. De temps en temps, Yuki lui faisait une réflexion et Masako se lançait dans une longue tirade que je ne comprenais pas. Agenouillée près de sa maîtresse, elles avaient l'air complices. Nul doute qu'elles parlaient de moi, car dès que je la regardais Masako rougissait. Elle vint près de moi me servir la énième coupe de saké, lorsque Yuki me dit :

« Masako aimerait bien en prendre un peu aussi. »

Je regardais autour de moi, mais il n'y avait aucun récipient disponible pour Masako.

« Mais vous devez lui offrir votre coupe », reprit Yuki...

Je servis Masako qui but, lava les bords de la coupe dans un rince-doigts puis me la tendit, en me servant une nouvelle fois. Je la regardai droit dans les yeux. Elle rougit deux fois plus et je remarquai qu'elle était jolie et malicieuse... Personne ne disait mot... l'ange passait...

« Alors, et cette surprise ?

— Vous aimez les huîtres ? dit Yuki. Je crois que les Français les mangent crues... Bien que la saison ne soit pas encore très avancée, j'en ai fait venir spéciale-ment pour vous... »

Masako réapparut avec un plat qu'elle posa sur la table.

« Encore un autre plat avant les huîtres ? Mais je ne pourrai plus goûter aux huîtres ! En France, on mange les huîtres en hors-d'œuvre et non comme plat ou comme dessert.

— Mais ce sont les huîtres, dit Yuki un peu pincée... On appelle ce plat *dote-nabe*. Les huîtres ont été cuites dans une casserole spéciale en terre, avec du *miso* doux. Elles reposent sur des feuilles de chrysanthème... Non, ce n'est pas de la décoration, vous pouvez les goûter. Elles sont aussi très bonnes. Masako vous a également apporté dans ce bol un œuf cru. Mélangez le jaune et le blanc, il vous servira à assaisonner le tout... »

Je réclamais moi-même une autre coupe de saké en faisant un clin d'œil à Masako ; je lui en offris une autre par la même occasion.

... Après, je ne sais plus ce qui s'est passé. Je me suis retrouvé le lendemain matin, couché sur un *futon* dans la même pièce, enveloppé dans un *yukata* (kimono de coton pour la nuit), mes vêtements soi-gneusement rangés sur un diable... J'avais vraiment trop bu de saké et je jurai, mais un peu tard, qu'on ne m'y prendrait plus...

Le saké est une boisson traître. Un alcool qui titre à 14°, qui doit être bu chaud et qui coule dans le gosier en procurant un bien-être inégalé. C'est d'abord la torpeur, puis la langueur. On avale toujours une coupe supplémentaire pour reprendre des forces. On sent la langue qui se délie. Même les Japonais se mettent à parler, mais cela ne dure que quelques secondes... De coup de fouet en coup de fouet, soudain c'est le coup de barre !

Aimer la cuisine japonaise

Depuis mon aventure chez Yuki-San, j'ai fait des dizaines de banquets japonais. Mon goût s'est peu à peu formé à ces goûts indéfinissables, où le salé et le sucré se mélangent avec l'amer que relève un zeste de piquant. La nourriture végétarienne, base de la cuisine des temples, est assez curieuse. On peut la déguster chez les moines zen d'Eihei-Ji ou dans quelques restaurants originaux de Tokyo. L'*unagi* (l'anguille) exige que l'on aille dans des restaurants spécialisés ; il s'agit de préparations à toutes sortes de sauces, dont beaucoup de Japonais sont très friands. Cependant, un poisson à lui seul mobilise des écoles de cuisiniers et des restaurants spécialisés. C'est le cas du célèbre *fugu*, le poisson qui tue si par malheur il a été mal vidé. Un journal japonais a mené dans les années 70 une campagne sévère afin que la licence de cuisinier de *fugu* ne soit plus accordée à n'importe qui. Le journal se plaignait du laxisme des examinateurs et demandait une revalorisation du diplôme. Dans les jours précédents, on avait constaté quelques décès dus à des empoisonnements par le fugu.

La cuisine familiale japonaise est en général frugale et très simple. A la campagne, on se contente souvent soit d'un plat à base de riz ou de nouilles, auquel on a mélangé quelques morceaux de poulet ou de porc, soit d'un riz au curry, une soupe et quelques concombres ou navets macérés. Les jours de fête, on prépare les *sushi* (boulettes de riz avec morceau de poisson ou de crabe cru ou cuit, enrobée d'une feuille d'algue), le *tofu* et parfois des plats plus compliqués ou plus coûteux comme le *tempura*, le *shabu-shabu* (une sorte de fondue), chacun faisant cuire sa viande dans un bouillon de légumes, ou le *sukiyaki*, légumes frais cuits dans une sauce à base de soja et de saké.

La cérémonie du thé

Quel que soit le repas offert, il n'y a pas d'hospitalité sans thé vert. Le mythe du thé est sans doute celui qui est le plus lié à la vie quotidienne. Bodhidharma, fondateur du zen, fut atteint d'une fatigue telle que ses paupières s'abaissaient seules sur ses yeux : il venait de méditer durant neuf ans. Il se coupa les paupières et les jeta sur le sol. Un arbre à thé poussa alors à cet endroit. Les disciples de Bodhidharma, venus l'écouter, prirent l'habitude de faire infuser les feuilles de l'arbre dans de l'eau bouillante, car cela les aidait dans leur méditation.

Les Japonais ont créé autour de ce mythe tout un cérémonial évocateur de paix, de détente et de franchise, entre interlocuteurs qui boivent le thé ensemble. Afin de célébrer le rite, les classes privilégiées prirent l'habitude de consacrer une pièce de la maison traditionnelle à la cérémonie du thé, tandis que l'empereur et les seigneurs allaient prendre le thé dans des pavillons particuliers situés au milieu de leurs jardins. Lorsqu'on rentre dans une maison ou même lorsqu'on attend dans un bureau administratif, lorsqu'on pénètre dans un café, le thé est immédiatement servi. Il n'y a pas de cérémonie. En revanche, lorsqu'un Japonais veut particulièrement honorer l'un de ses amis, ou lorsqu'un groupe veut honorer ses invités, on organise le *cha-no-yu*, ou cérémonie du thé. Les Japonaises ont appris à conduire le rite du thé avec précision. Cela fait partie de leur éducation. Le thé est préparé en silence, selon des gestes minutieux et inchangés. Il est bu religieusement, après que les participants ont tourné trois fois leur bol avant d'y porter les lèvres. La cérémonie du thé est une occasion de recueillement intérieur, une préparation à l'harmonie qui doit régner entre amis qui se rencontrent, ou entre partenaires qui ont à dialoguer. L'influence du zen est manifeste dans cette coutume à laquelle les Japonais tiennent beaucoup et qui est loin d'être reléguée au musée du folklore pour charters de vieilles américaines.

J'ai été invité à la cérémonie du thé moins de trois mois après mon arrivée au Japon. Une consœur japonaise m'avait prié de venir prendre le thé chez elle, un samedi après-midi, dans un quartier de Tokyo un peu excentré. Elle habitait avec son mari une maison traditionnelle, dont l'entrée se cachait sous un auvent au sommet d'un escalier en pente très douce, formant une courbe dans la verdure. Notre hôtesse nous attendait revêtue de son kimono de cérémonie, tandis que son époux avait également passé le vêtement traditionnel : un kimono bleu foncé fermé d'une ceinture noire. Après avoir ôté mes chaussures, je fus invité à passer dans une pièce à tatami, vide, à l'exception d'un diable où était accroché un kimono foncé qui m'était destiné. Lorsque j'apparus dans ma nouvelle personnalité, Mme S. me dit : « Je vous ai demandé de passer un kimono, car je vais vous faire la cérémonie du thé. » Elle nous fit asseoir, son mari et moi, le dos au *tokonoma*, puis procéda comme le lui avait enseigné le *sosho* (maître de thé professionnel). Elle ouvrit le *cha-ire* (boîte à thé), non sans avoir auparavant déposé autour d'elle un bol pour chacun de nous. Puis elle prit le *chashaku* (cuillère de bambou), avec laquelle elle versa la poudre de thé pour la transférer dans un bol de céramique. Pendant ce temps, l'eau chauffait sur le *furo* (brasier de charbon transportable). Ayant versé l'eau chaude, elle se mit à mélanger poudre et eau avec un fouet de bambou, jusqu'à obtenir un breuvage vert assez épais. Avec le *chakin*, petite pièce d'étoffe, elle essuya les bords de la poterie contenant le thé, puis en versa dans chacun des bols, prenant chaque fois la précaution d'essuyer de nouveau les bords du récipient. La coutume veut que l'on tourne le bol devant soi avant de boire, puis qu'on le dépose avec précaution après avoir bu. Avant et après, il s'agit d'un geste destiné à admirer l'objet, qu'il soit en laque ou en céramique, toujours très beau et très pur, dans sa forme comme dans sa couleur. Je me rappelle avoir souffert cet après-midi, d'abord pour garder mon sérieux, ensuite pour rester immobile dans la position « assis sur les talons » pendant la durée de la cérémonie.

Par la suite, sans adhérer à cette discipline d'incitation à la méditation, j'ai admis que l'on puisse user de cet adjuvant permettant d'atteindre les objectifs du bouddhisme zen. Toutefois, il ne m'a jamais semblé que dans ce rituel, les Japonais allaient au-delà d'un esthétisme formel propre à libérer l'esprit, à le détacher de toute contingence, donc à le rendre disponible.

Ikebana ou la magie des fleurs

Autre manifestation d'esthétisme dont toute l'éducation japonaise est empreinte : l'*ikebana*, ou *arrangement des fleurs*. Plus de trois cents écoles apprennent à la femme japonaise comment composer un bouquet selon la tradition. Le paradoxe veut que les maîtres les plus renommés d'*ikebana* soient des hommes. L'un des plus célèbres, Sofu Teshigahara, est arrivé à un tel degré de perfection que, figeant la fleur ou l'arbre, sa sculpture, mondialement reconnue, a été l'aboutissement d'une communion intense de l'homme avec la nature. *Sofu*, c'est sous ce prénom qu'on le connaît, imbu de lui-même et conscient de son génie, entrant un jour dans une ambassade occidentale, s'arrêta sur le perron pour admirer ses propres œuvres dont on avait fait l'achat, et s'écria : « Sofu *here*, Sofu *there*, Sofu *anywhere*! » (Sofu ici, Sofu là, partout on voit Sofu). Puis content de lui, il avait franchi la porte d'entrée pour saluer son hôte ambassadeur. Dans les années 70, il avait gagné tellement d'argent qu'il eut quelques démêlés avec le fisc qui en fit une sorte de bouc émissaire, en publiant ses revenus réels. Cela n'a altéré en rien son succès. La vogue de l'*ikebana* dans la société nippone se maintient, et les écoles qui l'enseignent manqueraient plutôt de professeurs que d'élèves. Pour expliquer ce goût ancestral, puisque l'arrangement de fleurs fut créé au XVe siècle, il faut se reporter à la terminologie utilisée dans la langue japonaise pour caractériser aussi bien la cérémonie du thé que l'arrangement de fleurs : passe-temps distingué, en japonais : *furyu no asobi*. Dans l'esprit des Japonais, cela n'a rien à voir ni avec le golf, ni avec le tennis, ni même avec le théâtre ou le cinéma. Il s'agit en réalité de quelque chose de plus profond : un art de vivre que la féodalité japonaise a inventé pour faire un contrepoids au *bushidô*, c'est-à-dire à l'art de mourir. On retrouve ici à la fois la dualité, base de la civilisation, et le principe de coexistence et de situation non conflictuelle.

Le terme *furyu* s'applique donc à tous les comportements japonais de douceur, de temps de vivre, d'esthétique. C'est le cas de l'art des jardins, de l'art des objets usuels de la maison, de tout ce qui est signe d'amour et de paix. Cet art de vivre a été inauguré et maintenu par les plus célèbres samouraï de l'époque féodale. Un arbre ou une plante ayant poussé haut et droit avec des branches et des feuilles et se propageant harmonieusement dans quatre directions est considéré en Occident comme un symbole de la perfection par lui-même. C'est le cas par exemple du sapin de montagne, dont la symétrie cartésienne correspond à un certain esprit logique épris de rationalité. Au Japon, c'est le contraire, la symétrie est commune tandis que l'asymétrie atteint un degré de qualité plus apprécié. Si on apprend les objets usuels de la table, on s'aperçoit qu'en Europe, ou en Amérique, les assiettes sont en général rondes ou ovales, mais toujours d'une forme géométrique pure. Au Japon, il existe une infinité de formes et de couleurs, une infinie variété de matières. Cela ne veut pas dire que les Japonais n'apprécient pas ce qui est symétrique : en matière d'arrangement de fleurs, on l'appelle *sin*. L'asymétrie est appelée *so*. Entre les deux, la voie intermédiaire porte le nom de *gyo*. Ce sont là les trois formes de base de l'ikebana. Cette distinction n'a plus cours aujourd'hui, depuis que l'art est devenu populaire, notamment depuis l'abolition des classes, au moment de la restauration de Meiji, en 1868.

L'ikebana trouve naturellement sa place à l'intérieur de la maison, dans ce coin privilégié que l'on appelle le *tokonoma*. Les écoles d'ikebana enseignent aujourd'hui deux disciplines : l'une formelle est fondée sur le principe « ciel, homme, terre. » On l'appelle *yo*, ou style masculin. Si on utilise une seule branche, la tige principale qui s'élève vers le haut symbolise le ciel. On incurve une pousse ou une branche sur le côté droit : elle est censée représenter l'homme. On laissera en bas une autre branche du côté gauche que l'on incurvera légèrement au bout vers le haut : elle symbolisera la terre. Dans le style « féminin », discipline basée plutôt sur la plante ou la fleur, les trois éléments « ciel, homme, terre » peuvent être représentés par trois branches différentes ne provenant pas nécessairement de la même espèce. On les place très proches l'une de l'autre ; ainsi un bambou symbolisera le ciel, une branche de pin l'homme et une branche de « fleurs de prunier » la terre. Dans un ikebana, il y a toujours un nombre impair de branches ou de pousses, car les nombres impairs sont considérés comme porteurs de chance. Certains nombres sont particulièrement bannis, comme le nombre 4. De nombreux immeubles n'ont pas de quatrième étage, soit que le bouton d'ascenseur ne soit pas marqué, soit qu'il porte le nombre 5. On ne verra donc jamais d'ikebana, avec quatre branches ou quatre éléments. L'ikebana doit s'entendre dans un sens large, puisqu'on utilise des pousses, des branchages, des fleurs de fruit, des arbres sans fleurs et pas seulement des fleurs, car, ainsi que le dit un proverbe :

> Le ciel et la terre sont des fleurs
> Comme le sont les dieux et Bouddha
> Tandis que l'âme de ces fleurs
> Vit au cœur même de l'homme.

Un calendrier floral consacre le Japon comme pays des fleurs. Ainsi, janvier reste le mois du pin qui se marie au bambou pour décorer l'entrée des maisons au moment du Nouvel An, symbolisant longue vie et vertu. Février est le mois du prunier dont les fleurs blanches, rouges ou violettes gardent la force de résister aux températures les plus froides de l'année. En mars, la pêche devient la reine. Avril ramène la fête du printemps avec les célèbres fleurs de cerisiers. L'azalée embaume les jours de mai, l'iris ceux de juin ; les fleurs de lotus s'épanouissent en juillet. En août, nul ne peut apprécier la beauté de l'été sans avoir contemplé en se levant les vives couleurs de *asagao*, la « gloire du matin », bleues, pourpres, rouges, blanches, jaunes qui ont inspiré tant de *haïku* (courts poèmes de 17 syllabes). Septembre est célèbre par ses *nanakusa*, les sept fleurs qui poussent même à l'état sauvage dans tous les jardins. Octobre est plutôt reconnu à ses fruits dont le plus populaire est le kaki orange, fruit du plaqueminier. Mais aux premiers froids de novembre, le chrysanthème, symbole impérial, fleurit les demeures dans des variétés fort nombreuses. Décembre n'a pas accordé sa préférence au camélia, mais lui partage ses faveurs avec le bambou et le *sasa*, un tapis de végétation qui pousse même après le feu et à l'ombre des arbres, tandis que les fleurs de thé toutes blanches s'apprêtent à supporter l'hiver.

Le mariage

Ainsi va la vie familiale, au rythme des fleurs comme des saisons, dans un environnement destructeur et conservateur de la tradition à la fois, en vertu du principe bien établi de la dualité, spécifique du Japon. Femme libre et asservie, la femme japonaise se réveille, lorsqu'elle doit s'assumer elle-même. Cependant, même dans le cadre traditionnel on voit aujourd'hui se dessiner une évolution traduite en chiffres par le ministère de la Santé du Japon. Sur 4 000 couples mariés le même jour, dont l'âge moyen était de vingt-quatre ans pour les femmes et de vingt-sept ans pour les hommes, plus de 60 p. 100 s'étaient mariés sans avoir recours à un intermédiaire. 70 p. 100 habitaient seuls ; 13 p. 100 seulement chez les parents du marié en général ; les autres vivaient chez des parents plus éloignés, oncles ou cousins. Cette statistique encourageante est contrebalancée par l'immobilisme des rapports mari et femme. Selon le même sondage, à la question : Quel est votre centre d'intérêt essentiel ? 50 p. 100 des femmes mariées ont répondu : enfants, travail ou loisirs ; 3 p. 100 seulement ayant parlé de leur mari. A la même question, 4 p. 100 des hommes seulement ont cité leur femme.

Le mariage reste donc fondé sur les rapports parents/enfants. Il ne faudrait pas hâtivement en déduire que la famille diminuée, réduite à « un étage », avec souvent un nombre de membres ne dépassant pas trois ou quatre, et le couple moyen n'ayant qu'un enfant ou deux poursuit la voie traditionnelle. Cet état de fait change la nature des rapports mari-femme, parents-enfants. Le couple japonais connaît les mêmes périls que le couple occidental, comme le montrent les statistiques de divorce. La nature des rapports parents-enfants s'en trouve modifiée, même si le concept de famille repose sur ces rapports. L'impensable adultère est devenu courant. Les belles-filles ont souvent des problèmes avec les belles-mères, les enfants se sentent différents de leurs parents. Tout ceci serait banal si le vieux fond de la tradition ne venait culpabiliser les individus et les inciter à rechercher à l'extérieur du clan familial réduit, modèle 80, des valeurs qui ne s'y trouvent plus. L'entreprise a tenté de se substituer à la famille, comme l'ont fait dans les communautés urbaines tous les groupes formés en vue d'un objectif commun. Les adultes des deux sexes et les jeunes retrouvent un environnement familial au *dojo* (club) de judo, de karaté ou de kendo, à l'école, à l'université, dans le cercle restreint de quelque secte religieuse, à l'école d'ikebana, partout où des hommes, des femmes, des jeunes se rassemblent pour faire quelque chose en commun. Chacun retrouve une place dans une hiérarchie, une règle, un comportement type très précis, un code. Le Japonais apprendra ainsi à se comporter non indépendamment de l'autre, mais par rapport à lui. Socialement encadré, il n'en sera que plus détendu et plus heureux.

Le fossé des générations

Dans cette transformation permanente et rapide de son environnement, l'homme japonais est instinctivement poussé à rechercher tout ce qui subsiste de son héritage moral et culturel, puisant en lui-même la force de créer de nouveau ce que le temps essaierait d'effacer. Le fossé des générations, que l'on avait cru irrémédiable et profond dans les années 60, se réduit à une adaptation des jeunes à de nouvelles conditions de vie, d'habitat, de transport, de travail, de loisirs. De nouveaux types de relations à l'extérieur de la famille, calqués sur le modèle familial, donc sur un modèle presque exclusivement vertical. La hiérarchisation systématique assigne aux enfants le dernier rang, mais ça n'est pas le moindre paradoxe de voir les derniers passer les premiers, les plus exposés devenir les plus protégés.

Aucun pays au monde ne consacre plus de soins, plus d'efforts à ses enfants que le Japon, véritable paradis de l'enfance et de la préadolescence.

Je venais d'emménager dans ma nouvelle maison japonaise de Shimouna. Le matin, comme le veut la coutume, j'avais acheté une dizaine de boîtes de *sembei* (biscuits aux algues) et j'avais chargé notre jeune aide familiale japonaise d'aller porter chacune des boîtes chez mes proches voisins, avec une carte de visite. Mon épouse reçut aussitôt dans l'après-midi la visite d'une Japonaise dont le jardin jouxtait le nôtre. Elle avait aperçu nos enfants et nous proposait de parler de mon fils au directeur de l'école maternelle. C'est ainsi que Louis-Alexandre, trois ans et demi, entra au jardin d'enfants — *yo-chi-en* en japonais. En uniforme bleu marine, petit chapeau rond et cartable jaune, il n'avait pas trop de mal à se fondre dans le groupe. Mais dès qu'il enlevait son chapeau, ce qui lui arrivait, sa tête blonde tranchait crûment sur tous les crânes noirs de ses nouveaux amis. Elles étaient une quinzaine de femmes à s'occuper d'une centaine d'enfants de trois à cinq ans. Comme partout, la cour de récréation se prolongeait par un préau sous lequel les enfants pouvaient jouer par temps de pluie — ce qui est courant là-bas. Toute la journée, les institutrices se relayaient pour assumer de nombreux jeux éducatifs. Rien dans tout cela ne distingue une école maternelle japonaise de ses homologues occidentales, sauf peut-être deux caractéristiques originales : les maîtres n'élèvent jamais la voix, les enfants sont respectueux de l'autorité, et ne désobéissent que par inadvertance. On ne les suppose jamais coupables. Il est donc plus facile de les remettre ainsi sur le droit chemin. A cette heureuse époque, mon fils aimait aller à l'école.

Conformément à une dualité qu'on pourrait croire génétique, les enfants japonais obéissent et commandent à la fois, car rien ne leur est refusé. Chaque année, le cinquième jour du cinquième mois, on célèbre depuis des siècles le festival des Garçons, le *tango-*

no-nekku, ou premier jour du cheval. Cet animal a l'honneur de symboliser les attributs de virilité, de courage et de force que l'on souhaite aux enfants mâles. Ce festival est aussi appelé festival de l'Iris, dont les longues feuilles d'une certaine variété évoquent la lame d'une épée. Le 5 mai, dans chaque maison du Japon où habite un enfant de sexe masculin, on hisse, le long d'un mât dépassant le toit de la maison, des carpes en papier huilé ou en étoffe, qui peuvent se gonfler au vent comme une manche à air sur un terrain d'aviation. Le nombre de carpes au mât indique le nombre de garçons, tandis que la grosseur des carpes est hiérarchisée selon l'âge de chacun : une grosse carpe pour un adolescent, une toute petite carpe pour un bébé. La carpe a la faculté de surnager dans les courants les plus violents. Elle est connue pour sa détermination à surmonter les obstacles, à se débattre jusqu'à épuisement lorsqu'elle est prise à l'hameçon. Elle est donc considérée comme un exemple d'ambition, de force, et de volonté.

Pour les filles existe le festival de la Poupée qui a lieu également chaque année, mais un peu plus tôt, le troisième jour du troisième mois, soit le 31 mars. Lorsqu'une fille naît, ses parents achètent un lot de poupées, tandis que leurs amis leur en offrent en cadeau. Ces poupées s'ajoutent souvent à celles dont on a hérité de ses parents. Elles sont conservées de génération en génération et sont sorties de leur boîte le jour du festival. Exposées dans la salle de séjour, dans le *tokonoma,* elles sont offertes à l'admiration de la famille et surtout des petites filles que l'on habille à cette occasion en kimono traditionnel et que l'on farde. Des fleurs de pêcher entourent les poupées, comme symbole de bonheur dans le mariage.

Les garçons sont évidemment plus attendus que les filles dans un foyer japonais. La légende s'en mêle : comment en serait-il autrement. La plus populaire est celle de Momotaro ou l'enfant de la pêche. « Il y a bien longtemps vivait un honnête bûcheron qui allait chaque jour dans la forêt, rassembler des fagots tandis que sa femme descendait jusqu'à la rivière laver le linge. Elle aperçut soudain, dans le courant, un objet qui flottait. L'attirant vers elle avec un bâton, elle réussit à le prendre et à son grand étonnement s'aperçut qu'elle tenait une grosse pêche. Elle la rapporta à la maison pour l'offrir à son mari. La posant devant lui, elle la coupe en deux faisant apparaître un bébé. Ils l'appelèrent Momotaro. Devenu grand, Momotaro, grand ami des animaux, conquit la terre, et le trésor des ogres avec l'aide d'un chien, d'un singe et d'un faisan, et il devint riche et puissant. » Les exploits de Momotaro enchantent les petits Japonais. Ses aventures sont contées à la télévision et dans les bandes dessinées. La tête de Momotaro décore toutes les expositions qui se tiennent le jour de la fête des garçons.

Le couple japonais vit au rythme de ces festivals, qui le réunissent autour de ses enfants. Mères et pères restent encore aujourd'hui motivés par le souci de transmettre à leur descendance ce qu'ils ont gardé de plus sacré, malgré la rupture formelle du ié : la piété filiale ou *koko*. Le ko fait partie de ces obligations qu'un Japonais porte en lui de la naissance à la mort, ce système de relations interpersonnelles étant une composante de la « carte d'identité » d'une civilisation totalement originale.

Autre élément trop souvent méprisé de cette « carte d'identité » : les coutumes vivantes et les superstitions. Dans les écoles de formation aux contacts avec les étrangers, les employés du *Japan Travel Bureau* ont appris à parler de « folklore » dès qu'une coutume ou une fête leur paraît ne pas correspondre aux canons du comportement occidental.

Pour une famille japonaise d'aujourd'hui l'absence de toute règle prévaut dans des situations de la vie moderne que la tradition n'a pas prévues. Dans certains cas, on a transposé sans efforts ; les samouraï de l'automobile pilotent leurs chevaux-vapeur en toute courtoisie. En ce qui concerne la circulation par l'avion ou le train, il a fallu créer un précédent. Des règles de conduite sont en train de s'établir. Le métro est plus propre et on y trouve une foule plus polie aujourd'hui qu'il y a dix ans.

Dans le cadre de la famille, comment la tradition aurait-elle pu prévoir que les jeunes ménages vivraient seuls, que les règles de bon voisinage des appartements d'un grand ensemble seraient différentes de celles régissant les rapports de deux maisons voisines ? Celles-ci ont un espace bien délimité qui sert de localisation géographique d'un clan familial. La question s'est donc posée de savoir si le concept du ié pouvait se retrouver au niveau de plusieurs familles, venues d'horizons différents, vivant sur un espace géographiquement délimité. Sur ce point, une mutation tend à s'opérer. Il y a une dizaine d'années, il était difficile de faire cohabiter des familles dans un immeuble à appartements, sans que se crée entre elles tout un réseau d'obligations traditionnelles. Les jeunes ménages japonais d'aujourd'hui adoptent peu à peu une autre mentalité. Leur préférence va vers l'anonymat, comme à Paris ou à New York. Il y a bien d'autres signes de ces mutations qui ne peuvent s'opérer que sur plusieurs générations. Les jeunes couples marchent côte à côte dans la rue, promènent ensemble leurs enfants le dimanche, les hommes fréquentent moins les bars et les hôtesses après leur travail. Ils rentrent directement chez eux pour prendre leur bain (le *furo*). Leurs épouses dînent avec eux. Ils regardent ensuite leur programme de télévision ou lisent leur journal.

Cette mutation ne constitue pas à proprement parler un changement de mentalité. Elle a des causes conjoncturelles évidentes. D'une part le jeune ménage a de nombreuses traites à payer pour éponger les gadgets de la société de consommation, et, au Japon, cela ne se limite pas au réfrigérateur, à la machine à laver ou au récepteur de télévision couleur. Donc moins d'argent se trouve disponible pour les loisirs du mari. D'autre part, la crise économique, qui se fait sentir depuis 1975, en multipliant les faillites des petites entreprises, en créant des chômeurs pour la première fois dans l'histoire du Japon, en réduisant les revenus des salariés, à tous les niveaux, dans les grandes entreprises, a favorisé indirectement l'abandon par l'homme de certaines coutumes ancestrales, le partage plus équitable des responsabilités, l'indépendance de la femme mariée vis-à-vis de sa belle famille ou même de ses propres parents.

Coutumes et superstitions

Si certaines habitudes sont peu à peu abandonnées, il y a en revanche chez les Occidentaux, une sorte d'exorcisation du « métro, boulot, dodo », par un regain des croyances et des superstitions. C'est ainsi qu'il existe traditionnellement des superstitions concernant la direction : *kogaku*. L'horizon est divisé en douze directions, chacune portant le nom d'un animal, singe, cheval, dragon, serpent, etc., de même que chaque jour comporte ses directions bénéfiques et maléfiques. Lorsque la direction « dragon-serpent » est déclarée maléfique, il sera prudent de ne pas l'emprunter, de remettre son voyage ou de la contourner. La direction du nord-est est toujours maléfique. On l'appelle *kimon* ou porte du diable. D'autres superstitions ont trait à la physiognomonie : c'est ainsi qu'on montrera les photographies de sa future femme à un spécialiste et qu'on lui demandera son avis. Ou bien des parents consulteront un homme de l'art pour qu'il détermine les aptitudes de leur enfant à partir de sa physionomie. De même que chacun a la sienne propre (*ninso*), chaque maison a son *kaso*, sa bonne ou mauvaise fortune. On mange des gâteaux de pâte de riz *mochi*, car *mochi* peut aussi signifier *avoir*, au sens de posséder la fortune. On mange des œufs séchés de hareng *kazunoko*, car ce mot veut dire aussi : beaucoup d'enfants. Quant aux haricots que l'on appelle *mame*, ils sont synonymes de bonne santé. Le pin ou *chitose* veut dire mille ans de vie et le bambou, *yorozuyo*, dix mille. Si vous êtes invité chez un Japonais, il sera plus poli de reprendre un deuxième bol de riz blanc, car un seul bol est un symbole d'offrande à l'esprit d'un mort. De la superstition à la coutume la frontière est ténue.

Sept jours après la naissance de l'enfant, on le baptise en présence des parents, des amis et des voisins. En lui donnant son nom, on lui rase le crâne, au 32e jour si c'est un garçon, au 33e si c'est une fille. On le revêt d'un petit kimono de cérémonie et la grand-mère ou la nourrice l'emmène au temple pour prier, afin qu'il grandisse dans la force et la santé. Au 120e jour, dès que la première dent est apparue, on procède à la cérémonie du premier repas. Sur une petite table, on a placé un bol de riz, une tasse de thé, des baguettes... La mère tient l'enfant assis devant elle à la table et essaie de lui inculquer le geste des baguettes que l'on porte à sa bouche. Le premier anniversaire de la naissance donne toujours lieu à un banquet.

L'adoption est une coutume très répandue au Japon depuis des siècles, car une extinction du nom a toujours été considérée comme un grand malheur.

« Allô ! M. Kawakami, s'il vous plaît... »

Je n'avais pas téléphoné depuis longtemps à ce jeune Japonais qui exerçait les fonctions de chef du secrétariat du patron d'un grand journal... La standardiste répond qu'elle ne connaît pas M. Kawakami. J'insiste, sûr de mon fait, mais on me répond par des dénégations embarrassées. Puis j'entends une voix d'homme : « ... *Moshi, moshi...* » (Allô ! en japonais). Je répète le nom... Silence embarrassé au bout du fil, puis conciliabule. Enfin, après un moment, la voix d'homme me dit en anglais : « Je vous passe M. Kubota... » Je recommence à expliquer que je veux parler à M. Kawakami, prêt à m'énerver, lorsque M. Kubota en excellent français m'explique : « Excusez-moi, je viens de me marier et je m'appelle maintenant M. Kubota. C'est le nom de ma femme et je l'ai pris, car ma belle-famille m'a adopté... »

Il arrive souvent qu'une famille sans enfant mâle adopte ainsi son futur gendre qui est désormais considéré comme le fils. On peut être adopté à tout âge. Il arrive que de vieux couples sans enfants adoptent un jeune couple qui accepte de prendre leur nom et qui recueillera leur héritage.

Le voisinage crée des liens subtils auxquels sont liées des coutumes non moins délicates et parfois compliquées. Il n'est pas rare de recevoir de son voisin ou de sa voisine un plateau de fruits, des champignons frais, un gâteau fait « maison ». Il parvient à son destinataire dans un panier recouvert d'une étoffe de soie ou sur un plateau. Lorsqu'on rend le plateau, on fera bien d'y placer soit une boîte d'allumettes, soit un *hanshi*, papier de soie spécial pour écrire. Si on rend le plateau ou le panier vide, cela signifie qu'on se soucie peu de recevoir quoi que ce soit de son voisin, et donc d'avoir de bonnes relations avec lui... Il n'est pas exact de laisser croire, comme le font trop souvent les agences de voyages, qu'on ne donne pas de pourboire au Japon. La coutume voulait autrefois que dans les auberges japonaises, en plus du prix fixé pour le service rendu, on ajoutât dans une enveloppe fermée un supplément au bon vouloir du client. Cette coutume appelée *chadaï* (ou argent pour le thé) a été remplacée par un prix fixe, mais les « cadeaux » en pourboire ne sont pas rares. Lorsqu'on assiste à un mariage, à un enterrement, à certaines fêtes familiales, il est convenable de déposer une enveloppe contenant une offrande. L'enveloppe peut être achetée spécialement décorée. Autrefois on l'entourait d'un ruban, aujourd'hui on a trouvé plus commode d'imprimer le ruban sur le papier. De toute façon, on ne doit jamais donner d'argent de la main à la main, même si dans les grands hôtels, « l'occupation » américaine a fait prendre de mauvaises habitudes.

La fête familiale par excellence est la *fête du Nouvel An*, le *shogatsu*.

On en commence la préparation dès le mois de décembre avec un nettoyage méticuleux de la maison. On décore ensuite l'entrée par un assemblage de pins et de bambous entrelacés d'une corde de paille tressée, mêlée à un large ruban de papier japonais, le tout accroché aux poutres du toit. Les femmes préparent les plats spéciaux du Nouvel An, les *mochi* par exemple ou les *osechi* (légumes) que l'on trouve tout préparés aujourd'hui dans les magasins. Le 28 décembre est le dernier jour de travail de l'année. Les bureaux et les usines ferment. Le 31 décembre, sur le coup de minuit, les cloches des temples bouddhistes se mettent à carillonner 108 fois. Ce chiffre précis marque les 108 péchés de l'homme, dont les prières vont le purifier. Minuit, c'est aussi le 31, le signal du départ des familles pour les sanctuaires. C'est le jour où on essaie de formuler tous les projets de l'année. Dès le matin du premier janvier, on s'offre mutuellement les vœux. Les enfants jouent au cerf-volant, les adultes au jaquet ou au trictrac. Des cadeaux sont faits aux enfants tandis que les femmes profitent des fêtes pour revêtir leurs plus beaux kimonos. Le *shogatsu* est avec l'*O'Bon* la plus grande fête familiale de l'année. La fête s'éteint le septième jour, date à laquelle on brûle la décoration des maisons après avoir fêté la veille, à travers tout le pays, le jour des pompiers qui fait l'objet de démonstrations particulièrement spectaculaires à Tokyo.

Croyances

Shintoïsme

A l'intérieur des maisons japonaises, il n'est pas rare de voir dans la pièce principale, une ou plusieurs photographies posées sur un autel autour de petits récipients contenant quelques grains de riz, du saké ou une orange. C'est l'autel shintô. Lors des cérémonies familiales, on vient se recueillir devant lui. On y place les urnes funéraires, pendant un an, avant de les porter au cimetière. Lorsque le deuil est terminé, on y conserve la photographie de celui ou de ceux qui ont disparu et que l'on a aimés ou honorés. C'est donc l'autel des ancêtres. Le culte shintô remonte aux origines mythiques du Japon. Ses deux piliers sont la nature et la lignée ancestrale, tout homme japonais, toute femme japonaise pouvant se référer à la fondation de l'empire du Soleil-Levant en remontant à Amaterasu, la déesse du soleil. Le panthéon compte ainsi un nombre illimité de dieux, pas moins de huit millions, entre autres les dieux et les déesses des rivières, de la mer, du vent, de la montagne, du feu, des guerriers célèbres, quelques fidèles serviteurs de l'institution impériale, quelques parents et quelques descendants des empereurs. On se rappelle que le Japon fut créé par le couple Isanagi-Isanami et comprenait à l'origine huit dieux. Dans la mythologie, le dragon dont la queue était une épée avait huit têtes. Mais chaque élément de la nature a son dieu *kami*, qu'il s'agisse d'un animal, d'une montagne ou d'un arbre. La nature est donc remplie de *kami* qui jouent le rôle de protecteurs de leur environnement.

Le *shintoïsme* s'est donc imposé dans l'histoire du Japon comme un culte de l'empereur, des ancêtres familiaux et de la nature. Il ne comporte aucune sanction morale et il n'a pas d'iconographie. Ce dernier point explique le dépouillement des temples et leur beauté. L'orthodoxie du culte a été fixée dans les annales, lorsque l'empereur Temmu (673-686) fit compiler l'histoire des empereurs, depuis la création du Japon par la déesse du soleil. C'est donc dans le *Kojiki* et dans le *Nihonshoki* qu'on retrouve les canons du shintoïsme, qui attache la plus grande importance à la purification. Les prêtres shintô et les dévots pratiquent de nombreuses ablutions corporelles pour se purifier, après tout contact avec des corps morts ou du sang humain par exemple. La prière est le moyen d'invoquer la protection des dieux contre les puissances démoniaques de toutes sortes, inhérentes à la nature : tremblements de terre, épidémies, inondations, incendies, raz de marée, etc. Il existe des prêtresses, qui ne sont pas des nonnes, mais qui se « produisent » souvent comme danseuses de *kagura*, chorégraphie d'un mythe tiré du panthéon shintô.

Cette forme de shintoïsme traditionnel né avant l'introduction du bouddhisme au Japon et dont les manifestations primitives se rattachent à des croyances animistes, on la retrouve chez beaucoup de peuples asiatiques. Au Japon, il était étroitement lié à l'entité du clan familial. On retrouve ainsi la fonction pragmatique que les Japonais assignent souvent à la religion dont les rites servent à se protéger, ou à réclamer protection contre les puissances écrasantes qui environnent l'homme. Au fur et à mesure que certains clans devinrent plus puissants que d'autres, les divinités protectrices furent peu à peu classifiées dans une hiérarchie. La déesse du soleil Amaterasu devint ainsi la divinité suprême. Lorsque le bouddhisme fut importé de l'Inde au Japon, via la Corée puis la Chine, une situation délicate fut créée. L'empereur Kimmei reçut du roi de Kudara, en Corée, des *sutra* et des images du Bouddha. Bientôt vinrent dans l'Archipel des prêtres, des nonnes, des architectes et des graveurs. L'empereur donna instruction à ses ministres de favoriser la nouvelle religion.

Pendant presque deux cents ans, le bouddhisme entrera en compétition avec le shintô que l'on nomma de ce nom pour caractériser les anciennes croyances par rapport à la nouvelle religion. Deux grands prêtres bouddhistes firent la synthèse en proposant un amalgame des dieux du panthéon shintô et des Bouddhas. *Dengyo Daishi* (767-822) introduisit ainsi au japon une nouvelle secte, nommée *tendai* tandis que *Kobo-Daishi* (774-834) créait la secte *shingon* ou bouddhisme ésotérique.

Ce « shintoïsme aux deux visages », comme on l'a appelé, fut en réalité subordonné au bouddhisme jusqu'au XIXe siècle.

Pendant près de mille ans, il fut courant de voir

les prêtres bouddhistes officier dans les temples shintô, sauf aux temples d'Izumo et d'Ise qui étaient les sanctuaires directement liés au mythe de la déesse du soleil. Non seulement le shintô adopta les divinités bouddhistes, mais de nombreux temples shintô devinrent des centres actifs d'étude de la doctrine du Bouddha. Cependant, le shintô ne se départit pas de son courant principal, se tenant à l'écart des problèmes théologiques et restant lié aux affaires terrestres, tandis que le bouddhisme proposait une réflexion sur l'au-delà.

Aux XIVe et XVe siècles, sous l'influence de concepts à la fois bouddhistes et confucéens, le shintô se donna une règle morale, avec l'identification des « trois symboles » de l'empereur, aux vertus morales indispensables à la vie quotidienne. Sous les Yokugawa, plusieurs écoles se rebellèrent contre le syncrétisme shintô-bouddhique et développèrent la théorie de l'origine divine du trône impérial. Avec la restauration de Meiji, le shintô sera peu à peu utilisé comme idéologie politique. Après 1868, il devient l'instrument du pouvoir impérial pour gagner la fidélité populaire. Son statut sera officiellement défini, au-dessus des autres religions, comme un culte par le « rescrit impérial » de 1890 sur l'éducation, qui officialise les structures politico-religieuses de l'Etat.

Le Japon est un pays créé par les dieux et dirigé par une lignée impériale sans interruption depuis les origines et descendant en droite ligne de la déesse du soleil. L'Etat-Famille constitue le fondement d'une morale nationale. Dans les écoles, l'armée, les organisations gouvernementales, tout un rituel de cérémonies d'allégeance à l'empereur et à l'Etat s'installe, laissant préfigurer l'étape de prise en main de cet appareil par les militaristes. Dans les années 30, le *kokutaï no hongi*, principes essentiels de l'unité nationale, investit le Japon d'une mission sainte pour conduire le monde. Le kokutaï, ou concept de l'Etat, fut ainsi largement compris par le peuple comme un sentiment national qui tourna vite au chauvinisme et à la méfiance de tout ce qui était étranger. En 1946, l'empereur renonça à son origine divine. Le shintô, mis sur pied d'égalité avec le bouddhisme, reprit sa signification familiale, évacué des cérémonies qui, avant la guerre, faisaient partie d'un endoctrinement de masse.

Il y a, au Japon, 80 000 temples shintoïstes disséminés à travers le pays. Ils sont rattachés à un bureau central dont les efforts tendent à faire du shintô un culte populaire doté d'une théologie cohérente, et diffusant un certain nombre de préceptes moraux. Bien qu'organisation non gouvernementale, le shintô essaya de faire nationaliser les temples d'Ise et de Yasukuni (temple situé à Tokyo et dédié aux soldats morts), mais n'y réussit pas à cause de l'opposition de l'opinion publique et des partis politiques de gauche.

Le public continue de participer aux cérémonies shintô. C'est une sorte d'affirmation de son attachement à l'héritage national et familial. La grande majorité des Japonais ne croit plus cependant, même dans les campagnes, au pouvoir surnaturel des kami, qui n'en sont pas moins restés populaires et continuent de recevoir des offrandes. Les kami font partie du décor quotidien, ils comblent les aspirations de l'individu au mythe qui sommeille au fond de tout Japonais. Les dieux les plus appréciés sont présents dans les campagnes et dans les rues des villes. Ainsi *Inari*, le dieu du riz et patron des commerçants, descend de la montagne au printemps et y retourne dès l'automne. Son messager est le renard. A l'entrée des temples shintô, on passe sous le *tori* puis, souvent, devant deux renards sculptés dans la pierre.

Les sept dieux de la chance sont également très populaires. Un *netsuke* (sculpture miniature en ivoire) les représente en train de naviguer sur le bateau de la fortune, *Hoteï*, avec la panse gonflée, symbole de sa bonne nature et de sa grandeur d'âme ; *Jurojin*, dieu de la longévité, avec sa barbe blanche, amateur de saké (mais sans exagération) ; *Fukurokuju*, dont la tête étroite et allongée renferme à la fois sagesse et longévité ; *Bishamon* qui combine les vertus messianiques et guerrières ; *Daïkoku*, le dieu de la richesse ; *Ebisu*, le travailleur acharné, et enfin *Benten*, la seule déesse des sept, associée à la mer et aux îles dont l'instrument de musique favori est le *biwa*, un instrument à cordes.

Le shintô a produit un folklore de créatures et d'esprits qui alimentent la littérature, le cinéma et le théâtre ainsi que toutes les formes d'art. Ce panthéon de la mythologie est doublé d'un panthéon de héros tirés de l'histoire, tels les « 47 ronin », héros de la fidélité à leur maître.

Bouddhisme

L'homme japonais est d'un caractère pragmatique. Attiré par le mythe, il essaie cependant d'accorder ses aspirations avec la réalité quotidienne et il a parfois beaucoup de mal à concilier ces deux tendances. La question est tranchée aujourd'hui. On peut être shintoïste et bouddhiste à la fois. Six écoles de bouddhisme se sont développées au Japon, formant de nombreuses sectes, dont les plus florissantes sont celles qui ont su adapter leur enseignement à la vie moderne. Quelques sectes, parmi les plus anciennes, n'ont plus aujourd'hui qu'un intérêt historique, comme l'école de Nara, Hosso, Kegon ou Ritsu. Leurs temples ont été classés trésors nationaux. La secte de Tendai sur le mont Hiei près de Kyoto, associée au temple célèbre de Enryakuji, attire de nombreux prêtres qui se consacrent à l'étude. La secte Shingon, bouddhisme ésotérique, enseigne à Muro-Ji un bouddhisme mystique et cosmique qui garde une grande influence sur les autres sectes. Mais l'une des écoles les plus fréquentées aujourd'hui est celle d'Amida et de ses temples, comme le Honganji, à Kyoto, qui compte des fidèles même aux Etats-Unis.

Le bouddhisme zen est très connu par son influence sur l'art. Ses principes de méditation, d'austérité ont eu un retentissement particulier dans l'histoire du Japon, en devenant les principes de la caste des samouraï. Leur code, le *bushidô*, en est plus ou moins dérivé.

Rentré la veille de Chine, je m'étais mis en ce début d'après-midi de juin, à dépouiller le volumineux courrier qui s'était entassé pendant mes deux mois d'absence. Le ciel, très clair le matin, commençait à se couvrir, présageant l'arrivée de la pluie rituelle, qui tombe chaque année à la même époque, pendant un mois, sans arrêt, jusqu'à l'apparition de la grosse chaleur de l'été. L'approche de cette épreuve rend nerveux. Aussi n'étais-je pas de bonne humeur, lorsque ma secrétaire vint m'annoncer un visiteur inattendu : M. Banzaï Taro. Je ne savais pas qui il était ; personne dans mon bureau ne le connaissait ; il insistait pour me voir. Pourquoi dans ces conditions ai-je accepté de le rencontrer ? Douze ans après, je ne m'en souviens plus. Je me rappelle seulement que je fus attiré par un mot qui éveilla ma curiosité :

« Je voudrais entretenir M. Courdy sur le *bushidô*. »

Il me tendit sans rien dire un petite livre dont la page de couverture était partagée en deux couleurs, noir et blanc, symbole de sobriété et de continence. Le titre mi-japonais mi-français se lisait ainsi :

Budo Shoshin Shu, par Daïdoji Yuzan (1639-1730) : lectures élémentaires sur le bushidô.

« La fleur de cerisier est au Japon le symbole de la vie du samouraï. Elle s'épanouit glorieusement ; sa vie est brève et elle tombe tout à coup sans regret. »

Après avoir dit cela, mon interlocuteur me montra, en haut à droite sur la page de couverture, la fleur de cerisier. M. Banzaï Taro parlait un français correct :

« Avez-vous entendu parler du bushidô ?

— Bien sûr, mais je n'ai jamais approfondi la question.

— Vous avez tort. C'est une idée qui a guidé la vie

japonaise pendant plus de sept siècles. On ne peut pas l'effacer par un simple décret sous prétexte qu'elle est considérée comme féodale et militariste... Il y a trois périodes dans le bushidô : la période qui va de 1100 à l'an 1600, qui marque la fin des guerres intérieures et l'établissement de l'autorité du Shogun. Ensuite, ce que nous appelons le bushidô réformé, amalgame de confucianisme et de zen jusqu'en 1868. Enfin, le bushidô moderne, depuis la restauration de Meiji.

— Comment définissez-vous le bushidô ?

— C'est un code, une règle de vie destinée aux guerriers qui a longtemps tenu lieu de religion. A l'époque du bushidô guerrier, la règle formulait des principes s'adressant aux hommes portant les armes. C'était un code semblable à celui de vos chevaliers du Moyen Age. Ses principes étaient :

— Bravoure devant le danger et fidélité ;

— Loyauté envers le suzerain ;

— Vie sobre ;

— Justice et intégrité.

A partir de 1600, les samouraï sont démobilisés. Ils deviennent paysans, fonctionnaires ou ronin, c'est-à-dire samouraï sans emploi, mettons chômeurs. Le *Budo Shoshin-Shu*, de Daïdoji Yuzan, transpose le code des samouraï dans cette nouvelle société, en expliquant le bushidô du point de vue du zen. Après la restauration de Meiji, les pionniers de notre économie appliquent les principes du bushidô aux affaires, et différents rescrits impériaux diffusent le code dans tout le Japon : rescrit aux militaires et aux marins, rescrit sur l'éducation, rescrit sur le sport... »

M. Banzaï Taro poursuit :

« C'est l'esprit du bushidô qui animait les pilotes de torpilles sous-marines, au large des côtes américaines, et les kamikazes. Il n'y a presque pas eu de prisonniers japonais, sauf à la fin de la guerre. Au seul appel de l'empereur, le combat a cessé...

« Je crois qu'il n'est pas raisonnable de vouloir établir une morale en dehors de la tradition nationale.

322

Etablir une morale nouvelle sur les mœurs anciennes et adaptée à la situation actuelle, c'est le problème du Japon d'aujourd'hui...

« ... De quoi s'agit-il ? Il faut avant tout que chaque samouraï soit habité par la pensée de la mort. Il est indispensable de s'entraîner au maniement des armes, au tir à l'arc, à l'équitation. Il faut se cultiver. Le manque de culture ne saurait trouver aucune justification. La piété filiale est indispensable, elle est la base des trois morales : celles du samouraï loyal, du samouraï juste, du samouraï brave... »

M. Banzaï Taro se leva, écrivit sur la page de garde de son livre : « A M. Courdy, hommages de l'auteur », puis se retira sans un mot.

Je n'ai pas revu le petit monsieur bien mis qui m'avait rendu visite un après-midi d'hiver, à l'improviste, dans mon bureau d'Akasaka. Mais j'ai gardé son petit livre qui explique ce qu'est le code d'honneur des samouraï, le bushidô — de *dô* (code ou voie) et *bushi* (guerrier). Ce code non écrit fixe d'une manière intransigeante le comportement de ceux qui portent les armes, et qui, à ce titre, occupent une place privilégiée dans la société féodale japonaise. Le culte des ancêtres représente pour les guerriers la somme des préceptes hérités du shintoïsme ; la fidélité au seigneur maître, y compris dans la mort, relève de l'influence confucéenne tandis que, comme le fait remarquer Michel Randon dans *Les Arts martieux* (Editions Nathan), les qualités d'esprit et de cœur, la résignation à l'inévitable demandés au guerrier sont puisés dans les exigences et les usages d'une société rurale. La « voie du guerrier », une des composantes essentielles du Japon jusqu'à la période la plus contemporaine, enseigne comment réussir sa mort. Le rite du *seppuku* que l'on appelle vulgairement *hara-kiri* est la consécration de cet enseignement, foncièrement imprégnée des traditions bouddhiques qui ont toujours présenté l'immolation de soi comme le signe suprême de la fidélité.

Que reste-t-il aujourd'hui de ce code ? A Mishima

Yukio, qui me posait cette question avec amertume, lui qui n'a pas hésité à se faire seppuku selon le rituel, je répondis un jour avec étonnement : « Mais il reste vous, les Japonais, et votre société hiérarchisée, vos suzerains et vos vassaux, vos liens complexes et pardessus tout votre propension à la pratique des arts martiaux. » Pensif et comme pour lui-même, Mishima articula : « Les Japonais ont raison de s'entraîner à mourir puisqu'ils n'ont plus la force de vivre comme leurs ancêtres le leur ont enseigné... »

J'ai une expérience très limitée des arts martiaux, mais on ne peut vivre au Japon sans se laisser attirer par un engouement contagieux. Il m'arrivait le matin de bonne heure de me promener dans les rues désertes de mon quartier, surtout au printemps et en été. Vers six heures trente, j'avais observé que, sortant de chaque maison, un jeune se glissait dans la rue, se dirigeant vers le centre commercial où siégeaient les *dojo*, c'est-à-dire les clubs de judo, de karaté ou d'aïkido. La moitié ou presque des jeunes de dix-sept à vingt-cinq ans suit en effet un entraînement régulier dans l'une de ces disciplines. A sept heures trente ou huit heures, ceux qui doivent prendre leur travail à huit heures trente ou neuf heures quittent les dojo ; ils y sont remplacés par ceux qui travaillent plus tard. Un ami japonais m'avait conduit dans le dojo d'aïkido où le maître Ueshiba prodiguait son enseignement. En dépit de ses quatre-vingt-quatre ans, personne ne pouvait le battre. Il connaissait toujours le geste imparable qui déséquilibrait même les plus doués de ses élèves. En ce qui me concerne, je fus vite « expédié », car avant de savoir ce qui m'arrivait et sans qu'il m'eût touché je me retrouvai sur le *tatami*, en position horizontale. Le maître ne parlait pas, mais l'un de ses disciples, avec beaucoup de modestie, essayait de m'expliquer que ce qui importait avant tout, c'étaient la concentration et la force de l'âme. La force du corps et la précision des gestes étaient données de surcroît. Le karaté apparaît plus brutal, du moins celui qui est enseigné par certaines écoles, dans lesquelles l'habileté, la souplesse et la précision technique ainsi que l'efficacité prennent le pas sur le « mental ». Au début de juillet 1968, ma secrétaire m'informa qu'un dojo de karaté serait très heureux de laisser filmer la remise des *dan* (degrés) et des diplômes, qui devait se dérouler le 14 Juillet. Derrière la tour de Tokyo, le dojo consistait en deux pièces dont l'une servait de vestiaire et l'autre de salle d'entraînement. Il était vingt et une heures, on nous fit entrer comme prévu et asseoir sagement sur le tatami, dans les coins, contre les plinthes. Des ceintures de différentes couleurs s'affrontaient devant nous, parfois assez violemment, tandis que le maître nous donnait quelques explications sur la technique de certains coups portés en temps voulu, ou parfois à contretemps. Tous ces combats devenaient une aimable démonstration pour amis étrangers, lorsque arriva la cérémonie. Le maître se tenait au milieu de la pièce, entouré de ses deux meilleurs élèves qui l'assistaient dans son enseignement. L'un faisait l'appel nominatif, l'autre tendait soit la nouvelle ceinture, soit un diplôme. Dès la première remise et à ma grande stupéfaction, les quelque trente ou quarante élèves du dojo entonnèrent, en chœur et en japonais, le refrain de *La Marseillaise*. Puis, lorsque toutes les récompenses furent remises, le chœur se mit à chanter *L'Internationale*. Le maître, très fier, commenta : « Il est d'usage que chaque dojo ait une philosophie et des préceptes moraux qui en découlent. Nous, nous avons pris comme modèle la Commune de 1871, dont nous avons étudié l'histoire et dont l'héroïsme reste pour nous un exemple... » Je remerciai sans commentaires...

Lorsque le mime Marcel Marceau vint pour la première fois au Japon, il jugea indispensable à son art d'étudier la perfection des gestes des arts martiaux. Nous nous rendîmes ensemble dans un dojo de *kendo*, art martial qui compte plus de deux millions de pratiquants au Japon. On apprend le kendo à l'école primaire et il n'est pas rare de voir dans des cours d'école des enfants de six à douze ans, harnachés avec casque et ceinture de protection ventrale, en train de s'exercer deux par deux à manier le bâton, après avoir participé à une méditation collective et à une sorte d'incantation éducative, psalmodiant leur amour pour leurs parents, leurs maîtres, le Japon, et jurant de respecter leurs camarades.

Mon bref contact avec les arts martiaux avait commencé à Tokyo. Je suis revenu depuis dans ce temple des Mille Bouddhas dont la cour abrite l'une des plus fameuses écoles de tir à l'arc de l'Archipel. Tout dans cet art repose sur la méditation zen. Les élèves, alignés au cordeau, exécutent un rituel de gestes et d'attitudes réglé comme un ballet tourné au ralenti. Lorsque les flèches partent, elles semblent bondir vers leurs cibles, comme propulsées par un souffle spirituel qui les téléguide. L'efficacité n'est pas recherchée pour elle-même. Elle n'est que le résultat de la concentration mentale, du vide, et de la perfection du geste accompli.

Nouvelles religions

La secte nichiren a connu, depuis 1945, un succès considérable avec le développement de la sokkagakaï. Cette organisation très poussée et très structurée a donné lieu à des méprises. On y a vu une résurrection d'un certain fascisme nippon. En réalité, son habileté à organiser des manifestations de masse, ses grandes fêtes gymniques, ses méthodes de recrutement parfois sévères, cachaient une doctrine politique centriste. Elle donna naissance au parti Komeito dont le programme non défini, préconisait seulement la voie du juste milieu.

La *sokkagakai* revendique aujourd'hui quinze millions d'adhérents. Dans son temple ultra-moderne, situé au pied du mont Fuji, elle organise des séminaires auxquels viennent assister de nombreuses délégations étrangères. On y pratique une sorte de thérapie de groupe : un groupe d'Américaines se présentent de bonne heure dans la salle commune, revêtues de leur kimono de coton. Elles s'assoient sur le tatami. Leur responsable monte sur l'estrade et se met à crier : « Comment allez-vous, ce matin ? » « Bien. » « Plus fort ! » crie-t-il, et elles répètent, un ton plus haut : « Bien. » « Comment allez-vous, ce matin ? » leur redemande leur « entraîneur ». Alors, tous poumons dehors, les trois ou quatre cents femmes présentes crachent littéralement dans l'atmosphère : « Bien ! » L'observateur a envie de se sentir mal. Le bouddhisme sokkagakai a essaimé aux Etats-Unis et en Europe, créant partout des adeptes et menant une politique de propagande culturelle active. Des centres comme celui de Trets près de Marseille, en Provence, sont des foyers de rayonnement d'un bouddhisme japonais riche, car la sokkagakai accorde des bourses aux étudiants japonais qui vont compléter leurs études en Europe ou en Amérique, ainsi qu'à tous les non-Japonais convertis qui vont au Japon s'initier à leur foi.

Avec la sokkagakai, la secte *tenri-kyo*, dont le siège est à Tenri, près de Nara, possède aussi une vaste influence par le canal de son université qui a ouvert des centres dans les principales capitales du monde, pour enseigner le japonais aux étrangers. Tenri n'a aucun programme politique ou social, mais sa doctrine ressemble en quelque sorte à celle du Réarmement moral. Ses rites incluent la confession ou les témoignages mêlés à des rythmes musicaux, tandis que les fidèles se roulent sur le sol.

Mais le vacuum de 1945 a favorisé une floraison de sectes religieuses plus ou moins sérieuses. La *seicho-no-ye* ou maison de la pensée prétend faire le lien entre le Christ et Bouddha. Le *P.L. Kyodan (Peace and Liberty Association)* honore l'art pictural. Son fondateur M. Miki possède une collection rare de tableaux de maîtres ouverte aux fidèles une fois par an, dans un musée-temple près d'Osaka. Cette visite donne lieu à une cérémonie couronnée par un feu d'artifice de nuit. Le bonheur est dans la contemplation de la beauté. Mais l'une des nouvelles religions les plus curieuses s'appelle... mais au fait, a-t-elle un nom ? Kitamura Sayo, femme d'un fermier, découvrit un jour que l'un des *kami* du panthéon shintô était entré en elle. Elle se proclama aussitôt « déesse » et se mit à propager une danse extatique, la danse du « non-moi ». Des hommes et des femmes de tous âges, aujourd'hui plus de 300 000, se réunissent dans une somptueuse résidence de Tokyo à la recherche de la rédemption. Ils dansent, tandis que les larmes coulent le long de leurs joues comme s'ils étaient hypnotisés. Mme Kitamura aimait à rappeler qu'elle n'avait reçu qu'une instruction élémentaire, mais que le kami lui avait enseigné les techniques modernes de la cuisine et lui avait donné le don de prévoir le temps sans se tromper. Elle est morte le 28 décembre 1967. On a construit près de sa ferme un magnifique temple moderne, signé par le célèbre architecte Tange Kenzo. Sa petite-fille lui a succédé avec le rang de « demi-déesse ». Elle a fait de nombreux adeptes en Californie. La religion de la danse ne nécessite aucun cours de danse, pas plus que la religion du rire ne réclame aucun cours de rire. Ils sont là, quelques centaines chaque jour, à s'exprimer par le rire...

Christianisme

Parmi les religions bénéficiant d'un crédit plus sérieux, le christianisme tient une place relativement modeste avec une communauté, tous chrétiens confondus, catholiques et protestants, d'environ 750 000 membres. Le protestantisme est venu dès le XIVe siècle avec des missionnaires compagnons des marchands hollandais, tandis que le catholicisme s'est implanté dans le sud du Japon en 1549, avec les jésuites de saint François Xavier. La persécution puis l'interdiction des religions chrétiennes amenèrent la création de sectes comme les « Chrétiens cachés » de Nagasaki, qui existent encore aujourd'hui, mais célèbrent leur culte comme jadis et n'ont plus de chrétiens que le nom. L'influence des jésuites se fait cependant sentir dans le Japon contemporain, à travers le rayonnement de l'Université de Sophia, à Tokyo. Nombreux sont les hauts fonctionnaires, journalistes, juristes ou professions libérales, qui font leurs études à Sophia, dont le niveau d'enseignement, bien que considéré au-dessous de celui des grandes universités d'Etat comme Todai ou Kyodaï, compte parmi les plus renommées des universités privées. Les protestants ont ouvert plus d'une centaine d'écoles et sont actifs par le truchement du *YMCA* et du *YWCA*. Les missionnaires travaillent au Japon sur un terrain difficile. Ceux qui s'occupent d'œuvres sociales ne trouvent pas toujours grâce auprès des autorités. Le père X., catholique, vit à Kobé, dans le quartier le plus miséreux de la ville. Durant dix ans, il a traîné chaque matin une charrette dans les rues des quartiers huppés et il a fait les poubelles, récupérant ici un vieux fer à repasser, là un transistor, là une pelote de ficelle. Dans son atelier, il recueille les jeunes qui sortent de prison. Il leur donne un travail, il essaie de créer un esprit d'équipe, mais il ne réussit pas à 100 p. 100. Si l'un de ses protégés le quitte pour s'engager de nouveau dans l'illégalité, et qu'il est repris, le père X. se voit accusé de n'avoir pas fait ce qu'il aurait dû faire et d'être à tout le moins coupable de négligence. Lorsqu'il faisait les poubelles, il n'était pas rare qu'il fût arrêté et prié de cesser cette activité. Le père Y. s'occupe des chrétiens dans un quartier pauvre. Il est curé de paroisse à Tokyo, comme on peut l'être à Paris dans le XXe arrondissement. Le père Z. est membre d'une communauté contemplative qui vit, dans l'île du Nord, le *Hokkaïdo*, de la culture et de la fabrication des fromages. Le père A. connaît les temples bouddhistes de Kyoto mieux que les cathédrales d'Europe. Ils sont sa vie et il les fait visiter à ses amis italiens, français ou canadiens comme s'il s'agissait de sa propre demeure.

Les Japonais montrent à travers leurs sentiments religieux une constante de leur caractère : le souhait de faire coexister dans un syncrétisme national les croyances et les religions que l'histoire ou les circonstances ont propagées autour d'eux. Certains y verront un esprit de tolérance, à l'opposé de l'héritage d'intolérance religieuse qui a accablé plus spécialement l'Europe. D'autres y verront l'incapacité de faire un choix, inhérente à la mentalité. Mais la plupart s'accorderont à voir, dans cette absence de toute métaphysique, la recherche d'un système de valeurs adapté à un code social en pleine mutation. Les Japonais en effet pratiquent souvent le culte shintô, participent aux cérémonies bouddhistes, et pour certains font cohabiter chez eux les religions traditionnelles avec le christianisme, tout cela en vertu de l'argument du pari de Pascal : Ne jouez pas avec la religion ; si elle ne correspond à rien, vous ne perdez rien, mais si elle a raison, alors vous avez tout gagné.

Les Japonais ne sont nullement gênés de parier ainsi sur plusieurs religions à la fois. Jusqu'où va ce pari aujourd'hui ? On a bien noté un déclin du shintoïsme et du bouddhisme, un attachement renouvelé aux valeurs sociales plutôt qu'à des croyances métaphysiques, mais on peut se demander si on n'assiste pas, depuis les années 60, à un abandon progressif des codes régissant les anciennes divisions de la société japonaise et à une imprégnation des concepts occidentaux. La division entre samouraï, paysans et marchands apparaît de moins en moins, tandis que la pensée japonaise adopte contradictoirement ou bien des attitudes marxistes ou chrétiennes, ou bien des modes de pensée rationaliste et logique. On voit surgir çà et là des aspirations métaphysiques qui sont une manifestation de l'angoisse permanente de l'individu. On croyait celle-ci circonscrite au domaine de la vie de tous les jours et des relations d'un individu au groupe ou d'individu à individu. En réalité, l'angoisse individuelle se manifeste en profondeur, suscitant des croyances comme la réincarnation.

Les Japonais et la mort

Parlant de la mort, mon ami Suzuki Takashi m'a dit : « Il n'y a pas de démarcation nette entre la vie et la mort, sauf du point de vue médical... L'angoisse métaphysique existe certes dans notre pays, mais comme une conséquence d'un syncrétisme historique entre le shintoïsme et le bouddhisme et, plus tard, avec la religion chrétienne. L'année 1600 se produit à Sekigahara le « Waterloo » du Japon. Hideyoshi est vaincu par Tokugawa et quelque trente années plus tard le Japon qui avait commencé à s'ouvrir aux influences occidentales se refermera sur lui-même pendant plus de deux siècles, jusqu'en 1868. Après la fusion du shintoïsme et du bouddhisme, à l'époque Heian en l'an 1000, la pensée japonaise avait déjà réalisé une première fusion : la déesse Kannon recouvre la représentation de la Vierge Marie. Les iconographies chrétiennes se mélangent à celles du panthéon shintô. Les chrétiens dits « cachés » de Nagasaki sont un bon exemple de la confusion qui s'opère. Le Todaïji, célèbre temple bouddhiste de Nara, est protégé par le Kasuga-Jinja et ses anges gardiens shintoïstes...

« Le point commun de ce syncrétisme résida dans l'attitude japonaise vis-à-vis du phénomène de la mort qui se voit dans tous les cas conférer un caractère sacré. Nous disons : « Il ne faut pas fouetter la mort. » Au-delà de ce caractère sacré, une certaine idée de la mort s'est développée dans notre pays sur la base des enseignements du Bouddha. Après la mort, il n'y a pas de châtiment pour les uns ni de récompense pour les autres, mais la mort reste toujours présente pour chaque individu, comme une sorte de but auquel on parvient inéluctablement.

« Dans *Kiro-I-Kao* (Le Visage jaune), l'écrivain Endo Shushaku campe le personnage d'un étudiant qui se suicide pour trouver le calme. La mort, dans son cas, est une sorte d'objectif à atteindre et on éprouve une certaine jouissance lorsqu'on arrive au but. La mort ne présente donc pas le même caractère effrayant qu'on lui prête dans la civilisation chrétienne... Dans notre histoire, les kamikazes paraissent un phénomène aberrant pour les Occidentaux, voire inhumain. Pourtant on ne peut parler à leur propos ni de courage, ni de fanatisme. Lorsqu'un pilote conduit son petit avion lesté d'une bombe avec l'ordre de se jeter sur le pont d'un navire de guerre américain, il y a simplement un objectif à atteindre qui se réalise dans la mort. Si l'objectif est accepté, il n'y a aucune raison pour le kamikaze de rejeter l'idée de la mort. Il y a au contraire une jouissance à s'approcher d'elle, puisqu'elle est liée au but de la mission sacrée à accomplir. Il en va de même dans les suicides d'enfants dont on a beaucoup parlé ces derniers jours : une petite fille de neuf ans de la région de Fuchu s'est pendue dans sa classe pour avoir reçu une réprimande injustifiée. C'est un exemple parmi d'autres. Il s'est produit au Japon trois suicides d'enfants la semaine dernière. L'enfant au voisinage de la mort vous fait apparaître cette dernière comme une injustice. Or, tous les enfants japonais ont appris que la mort n'est pas la fin de la vie, et on leur inculque dès leur plus jeune âge la notion de ce que nous appelons « la mort vivante ».

« En Occident, les esprits des morts font bien intrusion dans la vie des vivants, mais toujours sous la forme d'esprits maléfiques ou de fantômes méchants. Au Japon, on appelle les esprits des morts, on les conserve au plus près de soi, à la place d'honneur du foyer. On leur parle au moment des fêtes de l'*O'Bon*, à la mi-juillet... Et sur la montagne Osore, dans le nord de la province du Tohoku, de vieilles femmes aveugles, médiums professionnels, traduisant la volonté des morts, ne délivrent que des conseils bénéfiques à la vie familiale de chaque jour. Pour un Japonais l'angoisse métaphysique n'a rien à voir avec la peur de l'au-delà. Elle naît plutôt de l'incertitude, voire de l'inquiétude de ne pas passer *poliment* d'un état à l'autre. Les Japonais, lorsqu'ils le peuvent, ne manquent jamais d'indiquer le cérémonial de leur *passage*. Le mort allongé derrière l'autel shintô, dans la vaste pièce de la maison, est caché à la vue des proches, parents et amis, mais sa photographie domine l'autel. La famille reçoit ainsi les proches jusqu'au moment de l'incinération. Les cendres seront conservées pendant un an dans la maison, avant d'être portées en terre ou dispersées. Ainsi meurent les enveloppes charnelles et vit l'esprit...

— Et le suicide ?... »

A propos du suicide de la fillette de Fuchu, le journal *Asahi* parle de la solitude des enfants. C'était le cas la même semaine, d'une autre fillette de douze ans, qui avant de mourir avait laissé un message de regrets de ne pas avoir su gagner de bonnes notes en classe, ou de ce jeune homme de dix-sept ans qui s'immola par le feu devant la grille du palais impérial. Tous ces suicides portent effectivement la marque de la solitude de ceux qui les commettent, dans un milieu familial qui n'est plus, comme autrefois, une bouée de sauvetage, et ne peut donc plus servir de refuge lorsque l'environnement social devient trop écrasant.

« C'est une forme de remise en cause des parents, des professeurs, du pouvoir, mais c'est aussi une manière d'atteindre plus vite l'objectif que l'on s'est fixé. Les récents suicides d'enfants en sont un « exemple ». Quant au suicide de Mishima, contestation philosophico-politique, il serait injuste de ne pas y voir le signe d'une frustration de l'individu dans notre société en quête d'un nouveau système de valeurs... »

RÉALITÉS

LE JAPONAIS DANS LA SOCIETE

Tradition et modernisme :
choix de société

Au Japon, l'angoisse se traduit par le rire qui ponctue aussi la fin de l'angoisse. Ce rire, que le critique
japonais Takemoto Tadeo appelle le rire libérateur,
appartient aux moines Zen, qui ont reçu « l'Illumination ». L'homme japonais est souvent à la recherche
de ce rire libérateur, mais il ne pourrait le trouver
que dans le néant. La majorité, incapable de l'atteindre, est obligée de se rabattre sur un système de
valeurs qui puisse réconcilier l'Ancien et le Moderne
et combler l'aspiration à une existence qui ait une
raison d'être, tout en définissant des objectifs nationaux compatibles avec la puissance et le prestige d'un
pays qu'on voudrait le premier en tout. L'oligarchie
de la période Meiji avait forgé ces objectifs d'unité
nationale, d'égalité internationale et de modernisation
accélérée, sans prévoir un instant que pourrait se
poser dans un avenir, même lointain, le problème de
l'homme japonais en tant qu'individu pensant. Tant
qu'il s'est agi d'adopter des techniques, la coexistence du traditionnel et du moderne n'a rencontré
que peu d'obstacles, les Japonais ayant reconnu la
nécessité de faire leurs, pour survivre, les technologies occidentales, les modes de vie européen ou américain.

Cela impliquait donc un choix de l'efficacité, qui ne
reniait en rien le système des valeurs féodales. La

reconversion des samouraï ne remit jamais en cause l'essentiel, sauf après 1945. Les Américains en tant que force d'occupation ne cherchèrent pas seulement à reconstruire l'économie détruite. Les efforts du proconsul Mac Arthur portèrent sur la diffusion de la démocratie, de l'égalité, de la liberté et de l'individualisme. Le traditionnel devint féodal, rétrograde, démodé. Les journaux, et à l'époque la radio, furent massivement utilisés pour répandre les idées du vainqueur missionnaire. Cette diffusion massive d'un égalitarisme dont l'histoire du Japon ne connaissait pas de précédent ne pouvait que contribuer à créer des tensions entre l'Ancien et le Moderne, à provoquer des cas de conscience, à remettre en question non seulement des données de haute politique et de gouvernement, mais également des gestes, des attitudes et, plus encore, le comportement de l'individu dans la vie de tous les jours.

L'adhésion des Japonais à un style de vie occidental fut immédiate et visible. Les étudiants se mirent à fréquenter de nouveaux cafés où l'on discutait des problèmes internationaux, où l'on pouvait écouter de la musique classique. De jeunes couples se firent voir dans des cabarets ou des discothèques, dansant comme à New York ou à Paris les derniers rythmes à la mode. Des hippies, les *futen*, envahirent les abords de la gare de Shinjuku, les cheveux aussi longs et sales que leurs homologues européens ou américains. A l'époque de la minijupe, les filles de Tokyo et d'Osaka l'adoptèrent sans trop de problèmes. Le naturisme n'a pas encore gagné les plages de la façade Pacifique mais pourquoi pas ? On s'est mis à jouer au base-ball, au golf, à aimer les westerns et les séries américaines à la télévision. Pour être préservé de l'incendie, on ne se fie plus seulement au Bouddha, bien qu'on en conserve l'image dans les foyers, on paie aussi sa prime d'assurance. Dans les campagnes, les fermiers participent aux cérémonies shintô pour faire pleuvoir ou pour s'assurer une bonne récolte, mais utilisent scientifiquement les

engrais chimiques. Ces nouveaux modes de vie signi-
fient-ils un changement des mentalités ? Sur l'essentiel, cela reste à prouver. Une observation attentive
des comportements japonais indiquerait plutôt le
contraire.

Hanashiaï et Ringi :
la diplomatie du consensus

Dans une réunion bilatérale avec un pays occidental, la délégation japonaise discute avec son homologue étrangère, invitée à Tokyo, une affaire de
contingents d'importations et d'exportations. Un différend surgit. Le chef de la délégation étrangère tente
de prouver que son interprétation est la bonne. La
délégation japonaise est attentive, mais manifeste
quelque embarras. Le chef de la délégation étrangère
pense que ses arguments portent, que cet embarras
marque le premier pas de la délégation japonaise
vers la reconnaissance d'un fait que le délégué occidental estime avoir suffisamment établi. Une journée
passe, l'attitude japonaise ne varie pas d'un pouce.
Soudain, le responsable japonais propose *hanashiaï*,
une « conversation de couloir », et lève la séance. La
délégation occidentale n'y comprend rien. Le responsable japonais entraîne son homologue occidental à
l'écart, autour d'une tasse de thé, penche la tête du
côté gauche, en aspirant bruyamment l'air ambiant
par une torsion du côté droit de la bouche : cette
mimique veut dire attention, je suis gêné... puis il
dit : « Je ne veux pas vous contrarier mais j'ai raison
et peut-être avez-vous raison aussi... S'il vous plaît,
nous pourrions commencer par le constater et reprendre la négociation demain... » La délégation occidentale ne comprit pas le signal, ou plutôt l'interpréta
comme elle en avait l'habitude, dans un contexte de
rapport de forces d'une part et de bon droit d'autre
part. Pour les Japonais, il fallait éviter à tout prix la

confrontation directe et ouverte que semblaient rechercher leurs interlocuteurs, et sauver la face en obtenant une concession de principe, même sur un autre terrain que celui de la discussion en cours.

Lorsque les désaccords persistent, il n'y a tout simplement pas de décision. Le processus de la décision doit aboutir au consensus, même s'il faut prendre une décision médiane sans grande signification. Si paradoxal que cela puisse paraître, celui qui fait une concession significative au moment opportun mise gagnant à long terme, en grande partie à cause du système du *giri*, c'est-à-dire du système de devoirs et d'obligations réciproques qui se créent entre individus, ou entre groupes, ou entre un individu et un groupe. Cette politique du consensus est normalement et régulièrement appliquée au Japon à travers un mécanisme institutionnel appelé *ringi*. On se demande parfois en Occident d'où vient l'efficacité japonaise ; comment par exemple l'industrie des chantiers navals, qui regroupe des firmes concurrentes, choisit l'option des supertankers à une époque où le marché n'est pas évident puisqu'il n'existe dans le monde aucune installation portuaire capable de les recevoir. Non seulement la décision est prise en devançant l'événement, mais elle le crée dans le consensus parfait de chantiers navals concurrents comme Ishikawajima-Harima et Mitsubishi.

Comment l'industrie automobile japonaise dans son ensemble décide-t-elle de faire sa percée sur le marché européen ? Comment a été décidée la signature du traité de paix entre Tokyo et Pékin ? Comment, plus simplement, une famille accepte-t-elle le mariage de sa fille avec le fils d'une autre famille qu'elle ne connaît pas ? Le *ringi* est un processus à plusieurs niveaux, d'autant plus complexes que la décision à prendre concerne un plus grand nombre de groupes ou d'individus. Prenons la plus simple : celle du mariage. La nécessité de prendre la décision apparaît soit parce que le père de famille ou le responsable du clan a posé le problème, soit parce que le jeune homme ou la jeune fille concernée en a manifesté le désir. De part et d'autre, les chefs de famille feront réaliser une enquête sur l'autre clan, sa position sociale, sa fortune, ses origines et surtout sa réputation. Le père de famille en parlera d'abord à son épouse, puis à ses autres enfants majeurs, éventuellement à ses frères et sœurs ou à ses beaux-frères et belles-sœurs. Si les avis recueillis sont concordants, le père réunira les membres du clan pour un repas familial, éventuellement de cérémonie, et annoncera officiellement l'accord. Si les avis sont divergents, l'origine du désaccord ou les points précis de désaccord seront recherchés. Un complément d'enquête sera fait. Si le différend ne paraît pas trop grave, l'accord sera finalement donné en fonction de la résolution des intéressés. Dans le cas contraire, les motifs du refus seront portés à la connaissance du garçon ou de la fille, que l'on essaiera de faire revenir sur leur décision. Même aujourd'hui, les jeunes qui accepteraient de passer outre ces interdictions sont peu nombreux.

Prenons le cas plus complexe d'une décision gouvernementale, comme le traité de paix sino-japonais. Le bureau « Chine » du ministère des Affaires étrangères réunit un dossier qui est peu à peu complet, après avoir été amendé par différents groupes qui ont à en connaître : diplomates japonais en Chine, services techniques du ministère des Affaires étrangères, ministères concernés, cabinet du premier ministre, commissions parlementaires, commissions du parti de la majorité, universitaires, centres de recherches privés, etc. Un ballon d'essai a même été lancé dans l'opinion publique par l'intermédiaire de la presse. La décision est alors prise avec le concours de toutes les têtes politiques pensantes du parti, c'est-à-dire de toutes les factions du parti de la majorité, y compris celles qui étaient opposées au traité à cause de leurs liens avec Formose. Cette décision a pris de court tous les observateurs, compte tenu de son importance et des intérêts qu'elle met en jeu, mais surtout des réticences qu'elle a dû vaincre. Elle présente un caractère tout à fait exceptionnel à cause de la relative rapidité avec laquelle on a procédé. Si le consensus n'avait pas été atteint, on aurait pu passer plusieurs années en va-et-vient de projets et en discussions. Toute décision prise trop rapidement est suspecte.

Dans le cas du traité sino-japonais, il s'en est fallu de très peu qu'il ne soit entaché de suspicion, ainsi qu'en témoigne la présentation qui en a été faite et qui plaçait le Japon dans une position de partenaire secondaire. Victoire de la Chine, a-t-on dit et écrit, ou encore défaite de l'U.R.S.S., et pas un mot du Japon qui, cependant, ne s'est pas engagé à la légère sur un terrain aussi glissant.

Système du giri-ninjo

Si on examine maintenant le cas des chantiers navals ou de l'automobile, le consensus se fait d'abord entre représentants de firmes concurrentes sur une analyse de la situation mondiale et de l'évolution d'un marché donné. Tout consensus implique l'abandon par les parties en présence de certaines de leurs positions. Lorsqu'une partie abandonne une position sur laquelle elle comptait fermement, elle conclut une sorte de pacte avec la partie adverse, qui appelle la reconnaissance de celle-ci. Schématiquement, c'est le système du *giri-ninjo*. Celui-ci ne peut exister que dans un contexte de relations personnelles, et non dans l'anonymat au gré de rencontres accidentelles.

Le système du giri-ninjo est fort complexe car porteur à la fois de devoirs, de justice, d'honneur, de face, de responsabilité, de courtoisie, d'humanité, d'amour, de gratitude, etc. Toutes les classes de la société sont concernées, du premier ministre au fermier ou à l'ouvrier d'usine. Doï Takeo, médecin psychiatre chargé de cours à l'université de Tokyo, auteur de nombreux articles sur la psychanalyse japonaise écrits pour l'université de Princeton, donne une définition relativement claire des concepts de giri et de ninjo :

« *Ninjo* est un terme que les Japonais considèrent comme spécifiquement japonais (cela signifie que les Occidentaux ou bien ne comprennent pas, ou bien ont aussi leur ninjo). Ce terme veut donc dire : manière d'être correctement en position d'*amaeru* vis-à-vis de quelqu'un, ou de répondre correctement à l'inclination d'*amaeru* qui se manifeste chez les autres. Ceci est tellement clair qu'il convient que je traduise la traduction : il faut lire « manière correcte « de manifester l'inclinaison qui est la nôtre d'aimer « quelqu'un (amitié ou amour), et manière correcte de « répondre à cette inclination lorsqu'elle se mani-« feste ». »

Amaeru et on : sentiments et obligations

L'*amaeru* pourrait se traduire en français par « ato-mes crochus ». C'est toujours Doï Takeo qui définit ainsi le *giri*. Par contraste, le giri se réfère à une série d'obligations morales. Ninjo s'applique aux relations parents-enfants, mari-femme, frères et sœurs, etc. Giri concerne plutôt les relations avec les voisins, les supérieurs hiérarchiques, les collègues de travail, etc. Les relations du type giri sont des relations de pseudo-ninjo... dans lesquelles on peut chercher parfois avec succès le ninjo. Dans cette interprétation l'imbrication du giri et du ninjo n'apparaît pas nettement. Le pacte tacite créé par le giri appelle, de la part du bénéficiaire, le ninjo comme une sorte de sentiment « retour ». Quant à l'amaeru, ou inclination à se faire-aimer de quelqu'un ou à provoquer envers soi un sentiment d'intérêt ou de compassion de la part d'une personne donnée, il peut naître dans le cadre des relations giri-ninjo. Il peut aussi se manifester indépendamment. L'essentiel est de bien marquer que le type de relations qui naissent ainsi entre deux individus, deux groupes sociaux, ou un individu et un groupe ne s'établissent pas sur une base d'égalité, mais toujours dans un cadre vertical, l'une des parties étant hiérarchiquement toujours supérieure à l'autre. A cela, il faut ajouter le concept de *on*. Il s'agit des obligations de base que tout individu contracte en naissant vis-à-vis de l'empereur, vis-à-vis de ses parents, comme à l'époque de la féodalité vis-à-vis du suzerain.

En avançant dans la vie s'accumulent les *on*, ou obligations que l'on contracte à l'égard de son ou de ses maîtres, ceux qui ont assumé la tâche de vous instruire et de vous donner une éducation. La vie entière ne suffit pas à payer sa dette, chaque individu se plaçant ainsi dans une situation permanente de giri appelant de sa part ninjo. Les Japonais sont souvent emprisonnés dans ces réseaux d'obligations dont ils savent tenir une comptabilité surprenante : dans la famille, dans l'entreprise, voire dans le club sportif. Tout contact d'un individu avec un autre individu ou avec un groupe peut créer une situation de giri. Aussi n'est-il pas étonnant que les Japonais, dans leur vie quotidienne, soient très circonspects dès qu'on veut aller avec eux plus loin que la simple rencontre superficielle. Deux sentiments prévalent : celui qui fait hésiter à assumer une relation personnelle qui peut devenir une charge ; celui qui fait prendre conscience de son imperfection et incite à la prudence afin de « garder la face » vis-à-vis de l'interlocuteur qui doit devenir « partenaire ».

Tenko ou l'art de s'adapter

Si saint François Xavier et ses missionnaires avaient connu ces concepts, le Japon eût pu basculer dans le christianisme en vertu d'un autre concept tout aussi typiquement japonais : le *tenko*. C'est l'art de s'adapter à l'inéluctable ou de se plier à un pouvoir qui a montré qu'il était le plus fort. Au sens le plus courant, il s'agit de cette faculté du peuple japonais de s'adapter à l'événement. Le Japon se laisse rarement surprendre par l'évolution ou la révolution. De même qu'une fourmilière au travail, dérangée par une motte de terre qui s'écroule ou un caillou placé à un endroit inattendu, contourne l'obstacle ou répare le chaos et revient à l'ordre antérieur, de même les Japonais, troublés par le « Nixon Shocku », décision de ne plus convertir le dollar en or, ou par la crise de l'énergie, manifestent leur trouble et après quelques mois de flottement, de croissance stoppée, de balance déficitaire remontent la pente et rétablissent leur équilibre général. Il semblerait que leur chaos ne fût pas comme le nôtre, qui a tendance à s'amplifier. On pourrait supposer ce chaos programmé pour revenir à l'ordre. Le fameux puzzle Japon ne serait-il pas fait d'éléments aimantés qui s'attirent dans une parfaite complémentarité ?

Le tenko a permis aux Japonais d'accepter le vainqueur américain et de devenir son allié, de transformer ses structures économiques pour un décollage réussi, de passer le cap de la crise des années 70, et voici qu'on laisse se profiler le spectre d'une crise de la société. Le politique rétabli, l'économique florissant, le tenko suffira-t-il à faire évoluer la société japonaise ? La réponse est en cours d'élaboration. Il faut cependant aller plus loin et percer, au-delà du concept de transformation, le substrat permanent et intangible sur lequel elle s'opère On remodèle la maison, on la modernise, on y ajoute une salle de bain, on refait les peintures, mais les fondations franchissent les siècles. Ainsi opère le tenko qui ne touche pas aux fondements, et qui d'ailleurs n'existerait pas sans leur permanence. Car tenko n'est pas obligatoirement fuite en avant, il peut aussi être retour en arrière, comme c'est le cas de ces étudiants révolutionnaires qui rentrent dans le rang en signant leur premier contrat d'embauche. En règle générale, le tenko représente une surbordination des intérêts ou des penchants individuels à l'autorité du groupe.

La langue japonaise et ses ambiguïtés

C'est dans la langue japonaise qu'on trouve le reflet de ces systèmes complexes de relations des Japonais entre eux. On n'utilise pas le même langage lorsqu'on parle à un supérieur et lorsqu'on parle à un inférieur, lorsqu'un homme s'adresse à une femme ou inversement, lorsqu'on traite une affaire et lorsqu'on bavarde entre amis.

La structure de la phrase japonaise est à l'opposé de celle de l'anglais ou du français. On découpe la phrase en petits morceaux, les qualificatifs ou les pronoms d'abord, les noms ensuite et le verbe à la fin. On en restitue le sens en la répétant, en posant des questions pour amener son interlocuteur à préciser sa pensée et comme cela devient vite impossible, tout se termine dans l'ambiguïté. Un missionnaire jésuite de retour à Rome au moment de l'évangélisation mettait la langue japonaise au nombre des inventions du démon pour freiner la prédication de l'Evangile. Quel étranger n'a pas expérimenté les méprises auxquelles peut donner lieu la communication ! Il y a bien ce marin qui, désespéré de ne pouvoir se faire entendre du chauffeur de taxi, ni en japonais ni en anglais, alors qu'il demandait à être conduit à Yokohama, le port de Tokyo, eut l'idée géniale de dessiner un bateau. « Wakarimas ! », s'écria le chauffeur avec un sourire (« Je comprends »)... Le taxi se lança alors dans une course folle à travers les gigantesques dédales anonymes du grand Tokyo. A l'heure où notre marin aurait dû embarquer, le port n'était toujours pas en vue. Par contre, le chauffeur de taxi, très souriant, l'avait mené à quarante-cinq minutes du centre de la ville, devant un cabaret à l'enseigne d'un bateau.

Le premier problème auquel on se heurte au Japon est celui du oui et du non. Lorsqu'un Japonais dit oui, cela signifie rarement oui, mais plutôt je comprends ou j'ai entendu votre question. Ayant été conviés un jour par un grand journal japonais à faire partie du jury d'un prix attribuant une bourse de voyage à l'étranger, nous fûmes amenés dans la discussion finale à un vote donnant à peu près ceci : trois voix au candidat X, deux voix au candidat Y et une voix au candidat Z. Le président du jury donne aussitôt le résultat du vote : le candidat X a gagné. Tout paraissait clair, sauf le fait que « avoir gagné » signifiait que X avait recueilli le plus grand nombre de voix. Ma surprise se mua en stupéfaction lorsque le président annonça : « Maintenant nous allons attribuer la bourse de voyage. Nous l'attribuons à M. Z » « Mais, dis-je naïvement, M. Z n'a obtenu qu'une voix, il n'est donc pas le vainqueur. » Le président passa outre et dit : « Qui n'est pas d'accord ? » Je levai la main. Le président avait l'air étonné et me demanda de m'expliquer. Je commençais sans doute à être visiblement énervé. Alors il fit servir le thé et se mit à plaisanter tandis que l'interprète de conférence vint me chuchoter en aparté : « C'est vrai que le candidat X est le vainqueur puisqu'il a recueilli le plus grand nombre de voix, mais il n'a jamais été dit dans le règlement que le vainqueur recevait la bourse. Le président a simplement demandé si on voyait une objection, après avoir déclaré X vainqueur, à ce que soit accordée la bourse à Z. » X ne fut pas frustré de sa victoire, mais une ambiguïté sémantique lui enlevait une bourse, qui n'était qu'un marchandage politique. X et Y reçurent des compensations fort honorables au prorata de leurs voix. J'aurais dû savoir que langage et relations sociales sont liés dans le contexte permanent de la hiérarchie.

Mais le langage est surtout lié à la préférence des Japonais pour le vague, le « ni oui ni non ». L'une des difficultés fondamentales de la langue japonaise réside, je cite une linguiste, dans « un nombre de mots vides aussi élevé que le nombre de ceux chargés de sens, donnant parfois à la phrase un caractère emphatique, les Japonais disent poli. » Je veux, je pense, etc., sont des prétentions qu'il est interdit de formuler sous peine de passer pour un rustre si vous êtes étranger, de telles énonciations étant impensables pour un Japonais. Il faut avoir un réservoir inépuisable de mots qui tempèrent toutes les affirmations. De toute façon, il y a une difficulté majeure à affirmer, car la manière dont on le fait indique la condition sociale ou le sexe. Des expressions comme « j'ai faim » peuvent avoir une connotation très vulgaire si une femme emploie la même formule que l'homme. Sa langue représente pour le Japonais lui-même le comble de l'ambiguïté. J'ai souvent remarqué que chaque fois que j'ai confié à un Japonais ami, ou à plus forte raison à une Japonaise, le soin de commander mon menu dans un restaurant, on ne m'a jamais apporté le plat que j'avais demandé. Par contre, chaque fois que j'ai demandé moi-même mon menu avec une économie forcée de termes, je n'ai jamais rencontré d'incompréhension. A force d'emberlificoter, de dire que l'honorable étranger adore la cuisine japonaise, qu'il aimerait goûter à tous les plats, que le poisson lui paraît particulièrement délicat mais que son estomac ne supporte pas le poisson cru, qu'il se contentera donc d'un poisson pané frit (*tempura*), ou bien on m'apporte uniquement le poisson cru, ou bien les deux, alors que j'ai demandé seulement le tempura. L'ambiguïté prend un relief particulier au téléphone.

Imaginons un quidam annonçant en français à son frère par téléphone que leur père est malade et ne viendra pas dîner le soir.

« Allô, Gérard, comment vas-tu ?

— Bien, merci.

— Papa est malade. Il ne viendra pas chez toi dîner ce soir...

— Moshi — Moshi Ammonè, Malade Né.

— Malade ! Ah ! oui... Qui ?

— Père notre.

— Ah ! oui ? Ah ! oui.

— Malade ? Malade ?

— Si on veut, malade un peu.

« — Ah ! oui.

— Chez toi dîner.

— Bien sûr.

— Soir aujourd'hui.

— Oui.

— Peut-être impossible venir.

— Impossible ?

— Des chances il y a.

— Ah ! Ah ! Ah !

— Peut-être pas venir. »

Une pause s'établit sur la ligne. Au bout du fil l'autre frère qui est censé recevoir son père à dîner reprend :

« Alors malade père toi dire ? *Sodès Né*.

— Chez moi, ce soir, dîner ? *Aï*.

— Peut-être impossible père venir — *Sodès*. »

Après avoir raccroché, le frère reste perplexe. Doit-il attendre son père ? Ou ne viendra-t-il pas ? L'ambiguïté permettra au père, s'il va mieux, de se raviser et d'aller le soir dîner chez son fils sans surprendre personne.

J'ai toujours pensé qu'il y a dans ce doute permanent de la compréhension d'autrui non une faille de la communication, mais une possibilité sociologique de refus, si on le souhaite, de communiquer. Chacun peut prétendre ne pas avoir compris ou plutôt avoir entendu de travers, ainsi personne ne peut se sentir obligé par la parole d'autrui. L'ordre peut toujours être interprété, la hiérarchie transgressée. L'ambiguïté vient au secours de la liberté.

Selon le japonologue éminent, Pierre Landy, « l'imprécision de la grammaire, la fluidité syntaxique contribuent à faire du japonais une des langues les moins sûres du monde pour la définition de la pensée. Dès leur première formation intellectuelle, la langue japonaise enferme les Nippons dans un monde de réserves, d'allusions, de demi-valeurs de l'expression... » Le japonais écrit augmente encore le caractère ambigu de la langue parlée. Tous les linguistes s'accordent pour dénoncer la complexité du système d'idéogrammes (*kanji*) à la chinoise. Les Japonais y traduisent leur goût pour les images. Mais, parfois, quelle précision et quelle supériorité dans l'idée qui en sort !

A l'hôpital d'Hiroshima, une femme de cinquante ans, qui a été exposée aux radiations trente ans auparavant, va mourir. Le médecin sait qu'elle n'en a plus que pour un jour ou peut-être même pour quelques heures ; comme il est d'usage au Japon, il va le lui annoncer afin qu'elle puisse, si elle le désire, prendre ses dispositions et faire connaître ses dernières volontés. Le médecin entre dans la chambre de la malade et très doucement lui dit : « Akiramé. » La malade lève les yeux sur le médecin, puis rapidement avec l'index de sa main droite simule sur la paume de sa main gauche le tracé de l'idéogramme akiramé qui signifie : *Résignation*. Le médecin dit simplement : « Sodes » (c'est cela). Un nuage passe dans le regard de la femme, furtivement, puis elle se reprend et répond : « Wakarimas »... je comprends...

Suicides d'enfants

Résignation est sans doute le terme le plus juste pour qualifier l'attitude des Japonais devant la vague de désespoir, nouveau fléau de leur société. Dans la vieille éthique confucéenne, dont on ne dira jamais assez l'empreinte dans le monde bouddhiste influencé par la Chine, on se résignait à entrer dans le moule, comme si la personnalité ne pouvait être modulée qu'au niveau de la cellule de base, c'est-à-dire la famille. La recrudescence des suicides d'enfants serait-elle un signe de la révolte de l'individu contre les contraintes du groupe ? La révolte prend aujourd'hui une autre forme de résignation, la résignation à mourir. Est-ce la faute du seul système éducatif ?... Il n'existe pas de querelle entre les tenants d'un système de « têtes bien faites » et ceux d'un système de « têtes bien pleines ». Il faut même l'avoir si pleine que l'adolescence, au Japon, devient très vite un enfer. Et quand on a passé le cap de ce qui est nécessaire pour entrer dans la vie comme un monsieur Tout-le-Monde très moyen et un peu dépersonnalisé, il faut l'avoir si « bien faite », si l'on veut se réaliser, que le nombre d'élus reste faible, comparé à celui des appelés. Une telle situation crée souvent le désespoir, au point d'attirer l'attention croissante du public sur les suicides d'enfants.

A Kure, près d'Hiroshima, c'est une petite fille de dix ans, Miyako, qui se pend à un arbre avec un bas après avoir été réprimandée par sa mère. Au moment de la rentrée des classes l'an dernier, on dénombrait presque un suicide par jour d'enfants entre dix et quatorze ans. C'est une fillette de dix ans qui se jette du toit d'une maison parce qu'elle n'a pas fait ses devoirs de vacances. C'est un garçon de dix-sept ans qui se pend le même jour parce qu'il n'est plus le premier de sa classe. En 1977, 784 enfants et adolescents de moins de vingt ans se sont suicidés. Un rapport gouvernemental met en cause le système des examens pour rentrer au collège ou au lycée puis à l'université.

Compétition et sélection des élites

Il ne fait aucun doute que, au-dessus de vingt ans, la pression sociale est telle qu'on se suicide au Japon quatre fois plus qu'en Grande-Bretagne selon le *Times* de Londres. Tout commence au jardin d'enfants. Il est important de mettre son enfant dans telle école maternelle plutôt que dans telle autre, enfin si on le peut, car ici il sera plus facile que là d'entrer dans une bonne école élémentaire, ce qui facilite le passage dans un établissement secondaire de bon niveau. Ceci est essentiel si l'on veut pouvoir ensuite rentrer dans une université conduisant à une embauche honorable. Il résulte de cette compétition forcenée, encouragée par les parents, des désordres mentaux conduisant au suicide, ou physiques, telles des déformations de la colonne vertébrale ou par exemple, selon une enquête de l'école de médecine d'Asahikawa dans le Hokkaïdo, une nette augmentation des maladies d'estomac.

Le gouvernement a décidé l'an passé que les universités d'Etat proposeraient toutes le même examen d'entrée, mais ceci reste la façade, car dans les faits chaque université opère elle-même une deuxième sélection. L'angoisse des enfants n'a d'égale que celle des parents qui font pour leur progéniture des sacrifices démesurés, leur offrant des leçons particulières sur tout et sur rien. Celui-ci étudiera jusqu'à seize heures par jour. Un tiers des enfants de six à quinze ans fréquente une *juku*, un cours particulier. Le fils de Sano Hiroshi part de chez lui le matin à six heures trente. Il revient à seize heures. Après avoir vaqué à des occupations personnelles jusqu'à dix-sept heures, il va suivre un cours spécial de français pas très loin de chez lui, à l'Institut franco-japonais. Il rentre à dix-neuf heures et dîne rapidement. A dix-neuf heures trente, il se met au travail jusqu'à une heure du matin, quelquefois plus tard. Et cela tous les jours, sauf le dimanche. Il n'a pas encore quinze ans.

Selon les psychologues, les jeunes sont aujourd'hui entièrement accaparés par leur école, leur club sportif, leur famille. Ils ne font plus d'expériences individuelles et ont de moins en moins l'occasion de se rebeller. L'affaiblissement de la capacité de révolte, venant s'ajouter à l'angoisse de l'examen, est un des facteurs de désespoir. Ce sont les plus timides et les plus dociles qui se suicident.

La compétence, les connaissances, l'intelligence ne suffisent pas toujours pour ouvrir les portes de l'université, donc pour passer le barrage de l'enseignement obligatoire. A l'université de médecine de Nara, on s'est aperçu qu'un tiers des effectifs avaient pu pendant dix ans être admis par la « petite porte », une façon élégante de parler d'admission en fonction de « contributions financières ». Il est connu que des contributions financières importantes sont indispensables si l'on veut entrer dans une université médicale privée. Une telle politique préoccupait la presse japonaise en 1978, qui y voyait une cause de dégradation de la confiance du public dans la médecine. Au cours des cinq dernières années, les charges supportées par les parents pour l'instruction de leurs enfants ont doublé : frais de scolarité, livres et fournitures, frais de cantine, etc. Les charges pour les *juku*, ou cours de rattrapage, grèvent sensiblement le budget des familles : il faut compter une dépense moyenne de deux cents dollars par enfant dans les classes primaires, un tout petit peu plus dans les classes secondaires.

Ainsi l'ensemble du système d'enseignement est-il affecté par la sélection à tous les âges, dans tous les ordres d'enseignement, à tous les niveaux. Selon les statistiques fournies par le ministère de l'Éducation à Tokyo, 80 p. 100 des élèves entrent dans les établissements du deuxième cycle de l'enseignement secondaire, le premier cycle faisant partie de l'enseignement obligatoire, mais de l'aveu même du ministère les procédures d'admission soulèvent de graves problèmes. Elles sont fixées à l'échelon de chaque préfecture par le conseil de l'éducation selon des conditions propres à la localité et à l'école. Le nombre de disciplines soumises à contrôle et sanctionnées par un examen de passage varie de neuf matières à une. Dans l'une des préfectures on ne fait passer aucun examen. Cette sélection influence l'enseignement du premier cycle qui devient obligatoirement un « bachotage » opprimant, nuisible au développement des facultés de jugement et à l'épanouissement de la personnalité. De plus, les étudiants ont tendance à se faire inscrire pour le second cycle dans certains établissements plus renommés que d'autres. Le passage à l'enseignement supérieur est beaucoup plus difficile. Celui-ci ne peut recevoir que 70 p. 100 environ des élèves venant du secondaire, mais de ces 70 p. 100 admis tous ne poursuivent pas leurs études avec la même égalité de chances. Une très petite minorité entrera à Todai (Tokyo Daïgaku) et Kyodaï (Kyoto Daïgaku), les deux plus célèbres universités d'Etat. Non seulement ils passeront un examen de sélection très sévère, mais ils subiront ensuite une sélection de la sélection, etc. Ceux qui franchiront le cap sont promis au plus brillant avenir. Le système de sélection n'est pas basé ici sur le seul niveau. Lorsqu'on a atteint le niveau, c'est un principe de cooptation qui préside à l'admission définitive. Le poids de la tradition se fait donc encore lourdement sentir.

En 1878, 75 p. 100 des étudiants de l'université impériale de Tokyo appartenaient à l'aristocratie ou à la classe militaire ; 25 p. 100 seulement étaient des roturiers. En 1885, près de la moitié n'appartenaient pas à la noblesse. Il existe aujourd'hui de nouvelles aristocraties issues du service public ou de la grande industrie, mais aussi une vieille aristocratie toujours influente et qui est constituée par les clans régionaux féodaux les plus célèbres, comme celui des Satsuma dans le sud du Japon. Derrière les grandes universités d'Etat, piliers d'un système social élitiste que l'on retrouve en France autour des grandes écoles comme Polytechnique ou l'Ecole nationale d'Administration, une autre élite, celle des professions libérales notamment, se forme dans les grandes universités privées : Waseda, d'où sortent les grands avocats et les journalistes les plus en vue ; Keio, avec son amicale des anciens qui regroupe une brochette impressionnante des plus hauts fonctionnaires de l'Etat ; Sophia, l'université des jésuites dont les anciens élèves occupent des postes influents dans tous les secteurs d'activité et forment une minorité soudée et agissante, un peu comme les catholiques en Grande-Bretagne.

On comprend que la cooptation, qui joue au terme du processus d'admission, crée un enseignement supérieur hiérarchisé, non seulement par le niveau de l'enseignement qui est donné dans tel ou tel établissement, mais aussi par le recrutement social des étudiants. Un tel système ne fait que renforcer la « verticalité » de la société japonaise.

L'enseignement est donc organisé à quatre niveaux : éducation préscolaire ; enseignement obligatoire qui comporte un enseignement primaire de six ans et un enseignement secondaire du premier cycle de trois ans ; enseignement facultatif secondaire du deuxième cycle (trois ans) ; enseignement supérieur. L'année académique commence en avril ; elle est divisée en trimestres dont le premier va jusqu'à la mi-juillet, le second de septembre à fin décembre, le troisième de janvier à fin mars. Les collèges et universités séparent l'année en deux semestres, comme aux Etats-Unis, d'avril à septembre et de septembre à mars.

Les cycles d'enseignement primaire et secondaire sont handicapés par le problème de l'enseignement de la langue japonaise. Malgré une Commission de la simplification de la langue, il faut connaître au moins mille huit cents *kanji* (idéogrammes) pour être capable de lire correctement le journal. Or, la moyenne d'acquisition est d'environ mille deux cents caractères en neuf ans de scolarité. Cette contrainte explique que l'organisation des écoles primaires repose sur un système traditionnel de classes, dans lesquelles tous les enfants progressent en même temps, année par année. D'où également un effort soutenu pour maintenir une scolarité obligatoire et sans discrimination jusqu'à l'âge de quinze ans.

Contrairement à beaucoup de systèmes occidentaux, comme le système français, il n'y a aucune orientation en cours d'études avec des voies différentes ; il n'y a pas de classes spéciales, sauf dans certains cas pour des handicapés. Le défaut majeur de l'enseignement secondaire du premier cycle, comme le fait remarquer le rapport spécial de l'O.C.D.E., est d'être axé, et surtout la dernière année, presque exclusivement sur l'examen de passage dans le deuxième cycle. Dès la deuxième année de ce deuxième cycle qui ne fait plus partie de l'enseignement obligatoire, les programmes d'enseignement général sont divisés en cours de préparation à l'université et en cours professionnels. La troisième année, les cours de préparation à l'université comprennent deux subdivisions : disciplines littéraires, science et technologie. Dans le secondaire professionnel, les cours de culture générale sont réduits. Le rapport de l'O.C.D.E. regrette que les écoles donnant un enseignement professionnel soient méprisées.

La séparation enseignement général-enseignement professionnel dès l'âge de quinze ans détermine déjà une barrière sociale quasi définitive. Il en est de même de ce qu'on appelle les *kosen*, écoles techniques où l'on rentre à l'âge de quinze ans pour un cycle d'études de cinq ans. Ceux qui s'y inscrivent constatent, selon le rapport des experts, qu'ils ont renoncé à leurs chances de formation ultérieure au-delà de l'âge de vingt ans.

On reçoit l'enseignement supérieur dans les collèges universitaires et les universités. Quatre ans d'études permettent d'obtenir un diplôme équivalent à une licence française ou à un *bachelor degree* américain. Au-delà, il faut encore deux ans pour obtenir la maîtrise et trois années de plus pour le doctorat. Pour chacun de ces diplômes, il faut avoir obtenu les diplômes d'un certain nombre de conférences, une conférence équivalant à un cours d'une heure par semaine pendant quinze semaines. Pour le *bachelor degree*, un minimum de soixante-dix à quatre-vingts conférences est requis. Les conférences sont soit des cours magistraux, soit aux niveaux élevés des séminaires de recherche. Cette organisation est calquée sur celle des universités américaines avec un renforcement de la compétition inhérent à la société japonaise. Certaines universités enregistrent trente candidats pour un seul admis.

Il faut ici porter un jugement sur l'éducation au Japon. Depuis Meiji, on doit reconnaître qu'elle a constamment préoccupé aussi bien les pouvoirs publics que les parents ou le corps enseignant, dont les méthodes relèvent parfois d'une pédagogie vieillotte, mais dont le dévouement et la conscience professionnelle suscitent l'admiration et le respect. Le maître, celui qui enseigne, le *sensei*, est un des tout premiers personnages de la société. Derrière l'empereur, il se place à côté du père de famille dans la hiérarchie des devoirs (*on*) que tout individu contracte dans sa vie. Il y a peu ou pas d'illettrés dans le pays. La circulation de la presse (près de soixante millions d'exemplaires par jour, contre douze millions en France), la prospérité de l'édition sont là pour en témoigner. Et puis, il y a cette fantastique boulimie de savoir. Aucune connaissance, quelle qu'elle soit, ne laisse indifférent. A Tokyo, on peut rencontrer des étudiants qui lisent Mistral dans le texte et apprennent consciencieusement la langue d'oc. On y voit les amis de Shakespeare et ceux de Pascal. Hemingway, Jean-Paul Sartre jouissent du même prestige que Robert Mitchum, Brigitte Bardot ou Alain Delon. Le pire côtoie sans doute le meilleur, mais le côté positif du système éducatif japonais l'emporte, malgré tous ses défauts, sur toutes les autres considérations. Il forme des hommes prêts à toutes les aventures de l'esprit.

En 1965, j'avais été invité par la secte religieuse seicho-no-ti, la Maison de la pensée, à présenter le film français de Mario Ruspoli, *Regards sur la folie*. La caméra de Mario Ruspoli se promenait en liberté dans une maison de malades mentaux de la Lozère. Le talent du réalisateur et les sujets filmés avaient réussi à briser la frontière entre le monde des fous et celui des gens normaux. Quelle ne fut pas ma surprise de constater que deux cents psychiatres de province avaient fait le voyage de Tokyo pour voir ce film et que tous, sans exception, étaient venus pour en savoir plus sur la psychiatrie en France.

L'enthousiasme pour le savoir ne détruit pas l'angoisse pour autant. C'est elle qui crée une forme moderne de *ronin*, ces samouraï qui errent sans maître et ne trouvent personne sur qui reporter leurs

357

sentiments de dévouement et de fidélité. Des organismes parfaitement structurés accueillent tous ceux que l'université a rejetés. A Tokyo, le séminaire de Yoyogi ou l'école de Surugadaï, à Ochanomizu, repêchent les candidats malheureux et les préparent à repasser leurs examens d'entrée. Cette préparation a pour caractéristique d'être une préparation de masse et à Yoyogi, par exemple, d'être informatisée. L'élève peut ainsi, grâce à l'ordinateur, contrôler régulièrement son niveau et apprécier ses chances de succès au prochain examen d'entrée. Quelles que soient les conditions déplorables de ces institutions-machines à enseigner, celles-ci contribuent à perpétuer quelques mois encore l'espoir, et de mois en mois, l'espoir c'est la vie, plus dure à certains qu'à d'autres. Ces écoles préparatoires, ou *yobiko*, font partie d'un paysage social japonais en pleine mutation où il apparaît que la machine à sélectionner présente quelques défauts majeurs, dont celui de fabriquer un nombre restreint de sujets aptes à la créativité, alors qu'un réservoir de création dans lequel personne ne puise se trouve là, immense et vierge, dans cette foule de ceux que le Japon n'a jamais méprisés puisqu'il leur confère un qualificatif, brevets d'honorabilité, celui de « ronin ».

Le système éducatif est déterminant pour le niveau hiérarchique qu'un individu occupe dans la société. Il ne faut cependant pas considérer le rang dans l'échelle verticale du classement des individus comme le critère suprême du confort social. Plus importante sans doute est l'harmonie qui préside à l'insertion des personnes à une place donnée. Dans le Japon d'avant 1945, les militaires occupaient un rang élevé et jouissaient d'une considération respectueuse, déférente et admirative. Les policiers étaient également placés assez haut dans la hiérarchie, mais la considération dont ils bénéficiaient était déterminée par la crainte qu'ils pouvaient inspirer.

Police et yakuza

Depuis 1945, les militaires ont d'abord perdu leur statut, puis la considération. Trente-cinq ans après la défaite, le statut des militaires a été sensiblement amélioré au fur et à mesure d'une prise de conscience de l'importance des problèmes de défense. Mais si la profession des armes ne suscite plus de réaction allergique violente, elle est loin d'avoir retrouvé le prestige d'antan. Les samouraï sont bel et bien réconvertis. Pour la police, tout est plus subtil. Les Japonais ont en mémoire le comportement tracassier de l'institution, surtout depuis Meiji. Avant 1869, les Shogun n'avaient aucun système de police centralisée. Le peuple, surtout dans les campagnes, dépouillé par des bandes armées, était soumis à l'arbitraire des *samouraï* du seigneur féodal local. Après 1868, la police devint peu à peu très efficace, avec la création d'une police rurale attachée à chacune des préfectures puis d'une police urbaine qui fut très vite impliquée dans les affaires politiques. A partir de 1900, les pouvoirs de la police sont renforcés. La loi d'exécution administrative de 1900 autorise la police à saisir toute arme à feu et à arrêter, sans mandat judiciaire, tout individu suspecté d'être une menace à l'ordre public. En 1913, la police étend ses pouvoirs aux conflits du travail, à la santé publique, etc., mais surtout joue un rôle de surveillance politique et de gardienne de l'orthodoxie des pensées. Un corps spécial prend le nom de « police de la pensée » (*kempetaï*). Il était dirigé pendant la guerre par un homme qui fut dans la période qui suivit 1945 l'un des magnats de la presse japonaise.

Le public japonais avait pris l'habitude de réagir avec servilité vis-à-vis de la police. Les dénonciations furent toujours considérées comme un devoir civique. Pour faciliter son travail, la police avait recours à la technique de l'îlotage, c'est-à-dire à une implantation de petites unités dans chaque quartier et même de postes de surveillance dans des sections de quartier. Cette organisation subsiste aujourd'hui et prouve son efficacité : les policiers d'un quartier connaissent maison par maison et presque individuellement ceux qui vivent sous leur juridiction. Lorsque j'habitais le quartier de *Kakinokizaka* et, plus tard, celui de *Shimouma*, il m'arrivait de donner des réceptions amenant aux abords de mon domicile dix, quinze ou vingt voitures particulières. Sans instructions de ma part, la jeune Japonaise chargée de l'entretien de la maison prévenait le bureau de police ; je bénéficiais, ce soir-là, de l'immunité pour les voitures garées dans ma rue jusqu'à une heure avancée de la nuit, ce qui est légalement interdit en dehors de certains emplacements autorisés, au demeurant assez rares, dans les quartiers résidentiels. Par la même occasion, le bureau de police fut informé de la réception et de l'identité de mes visiteurs, les renseignements recueillis aboutissant au service central de la police des étrangers. Cette technique de l'îlotage est donc en vigueur aujourd'hui, mais l'attitude des Japonais a beaucoup changé depuis 1945. On trouve bien sûr une collaboration spontanée dans la recherche du crime, mais les individus sont aujourd'hui sensibilisés à tout ce qui touche à la liberté individuelle : liberté de pensée, liberté politique, etc. Aussi la police peut-elle de moins en moins compter sur le public pour ce qui attente aux libertés individuelles. Des déserteurs américains recherchés par la police japonaise lui ont été soustraits à maintes reprises.

J'ai recueilli le témoignage d'un citoyen japonais qui, en ayant participé à une action collective de la foule, a pu protéger deux étudiants français en empêchant le car de police de les embarquer sur la voie publique. Cela s'est passé spontanément. Deux jeunes Français sont sur le trottoir, à l'entrée d'un pont, à Osaka. Ils ont tracé à la craie des dessins et ont fait écrire par un de leurs amis japonais : « Nous sommes deux étudiants. Nous sommes venus vous rendre visite. Aujourd'hui, nous n'avons plus d'argent pour rentrer chez nous. Merci de nous aider. » Les passants jettent quelques pièces, mais l'indifférence prime et au bout de quelques heures la récolte est mince. Tout à coup, un car de policiers arrive, ils veulent embarquer les jeunes gens. Un attroupement se forme. Le public japonais, des hommes, des femmes, des jeunes, fait un véritable rempart entre les jeunes Français et la police. La discussion se poursuit. Une équipe de télévision du Mainichi Hoso arrive, les policiers finissent par céder et s'en vont. Les jeunes gens sont aussitôt embarqués, mais dans le car de la télévision. Le présentateur des programmes de l'après-midi lance un appel en leur faveur. En quelques minutes, ils recueilleront assez d'argent pour reprendre l'avion.

A en juger par les résultats, la police japonaise fait l'envie de toutes les polices du monde. À Tokyo, avec la plus grande concentration urbaine, quatre fois Chicago, on dénombre quatre fois moins de meurtres que dans la cité américaine, quatre fois moins de viols qu'à Los Angeles, un nombre infime d'agressions à main armée dans les banques ou autres lieux. Le chiffre moyen des crimes et délits est de 70 000 à New York en un an contre 500 à Tokyo. On attribue cette situation exceptionnelle à l'homogénéité de la société que seule une minorité de huit cent mille Coréens vient rompre. Ceux-ci sont d'ailleurs par priorité dans l'esprit du public coupables et soupçonnés dans toute affaire criminelle. Les psychanalystes voient aussi dans ce faible nombre de crimes l'influence du système familial traditionnel et de l'éducation. Cette situation évolue d'année en année avec la délinquance juvénile, plus forte dans la tranche des seize à dix-sept ans que chez les plus de vingt ans, ou avec le nombre de meurtres commis avec des armes à feu, dont la possession et le port sont purement et simplement interdits, et surtout avec l'augmentation de la consommaion de drogue. Encore faut-il remettre les faits à leur juste place, le phénomène de la drogue étant peut-être, parce que sévèrement réprimé, loin d'avoir pris les proportions qu'on lui connaît en Europe et à plus forte raison aux Etats-Unis.

Cependant, le Japon présente une face de sa criminalité liée à la culture et à la tradition. L'un des grands journaux japonais, un dimanche de la fin de l'année 1963, publiait à la une la photographie d'un gang du quartier de Shinjuku traversant les rues en procession derrière une bannière pour se rendre dans un cinéma voisin afin d'y procéder à l'élection d'un nouveau *boss*. Le journal s'étonnait de cette manifestation à visage découvert · sans intervention de la police. En réalité, la tradition des gangs japonais remonte au XVIIᵉ siècle, à l'organisation de bandes de samouraï inemployés, dans un pays en proie à la guerre civile. Tous les samouraï inemployés ne devenaient pas des bandits, la plupart restaient même fidèles à leur code de chevalerie. Le film de Kurosawa, *Les Sept Samouraï*, montre bien une situation de ce type. Bientôt les marginaux qui défendaient le bon droit, les faibles et les opprimés créèrent des légendes tout comme Robin des Bois. Lorsque, avec le shogunat des Tokugawa, la confusion politique prit fin, des groupes de jeunes samouraï qu'on appela *yakko* se firent les défenseurs des valeurs guerrières perdues et devinrent, pour la plupart, des bandes parcourant les rues d'Edo, attaquant les passants et les résidents : ces hatomoto-yakko trouvèrent vite en face d'eux des groupes d'autodéfense, les nachi-yakko dont les bagarres alimentent les légendes héroïques. A la fin du XVIIᵉ siècle, ces groupes disparurent laissant leur « héritage » à deux catégories de gangs : les marchands ambulants et les joueurs. Regroupés en bandes, ceux-ci étaient liés selon le principe *oyabun-kobun* que l'on retrouve dans le système familial ou dans l'entreprise. En échange de la protection du chef et du groupe, chaque membre engage sa loyauté et son soutien total. On appela ces bandes les *yakuza*. Ils utilisaient un code de comportement, parodie de celui des samouraï, et obéissaient même à des règles écrites dont un modèle est cité par Devos et Mizushima dans une étude faite pour l'université de Princeton :

1 — A la femme d'un autre yakuza tu ne toucheras.
2 — Dans d'autres activités que celles du groupe ne t'engageras.
3 — Les secrets de l'organisation jamais ne révéleras.
4 — A la plus stricte loyauté oyabun-kobun tu t'en tiendras.
5 — En langage commun jamais ne t'exprimeras mais la langue du groupe utiliseras.

Sous les Tokugawa les yakuza devinrent un symbole de résistance à l'autorité. En même temps, ils justifiaient leurs activités au nom du progrès et de l'ordre de la société. On retrouve ces caractères dans les activités des groupes de yakuza, tels qu'ils sont organisés aujourd'hui à Tokyo. M.S., commerçant fort honnête dans un quartier excentré de Tokyo, me reçoit sur la recommandation de l'un de ses amis et homologues que j'ai rencontré quelques jours auparavant dans un autre quartier de la capitale. Il laisse sa femme continuer à servir la clientèle et m'entraîne dans un bar voisin. On nous apporte le thé vert... Pour lui, c'est un Coca-Cola et pour moi un jus d'orange. Il a l'air heureux de parler avec moi. La cinquantaine grisonnante, bien nourri, il donne l'impression d'un notable. Il m'explique : « J'ai recueilli une cinquantaine de jeunes gens sans travail. Je leur ai donné un idéal : grâce à moi, au lieu de faire les voyous, ils ont tous les jours un travail précis. Certains surveillent la rue. Le soir, vous les reconnaîtrez à leur *happy coat* noir. Ils veillent à ce que l'ordre public ne soit pas troublé par l'ébriété, à empêcher les voyous de casser les lampes de l'éclairage public... D'autres surveillent les bars ou les établissements de strip-tease. Certains aident les prêtres du temple voisin qui est placé sous ma protection... » J'avais pris contact avec M. S. sur la recommandation de M. D., son homologue dans un autre quartier. M. D. avait plus de poids que M. S. On le saluait bien bas dans la rue. Lorsqu'il rentrait dans un restaurant ou un café, il confiait au patron une serviette apparemment assez lourde qu'il emmenait toujours avec lui. Dès qu'il sortait, le patron prenait la serviette et la portait derrière le boss jusqu'à l'arrêt suivant.

Ces yakuza vivent aujourd'hui de dîmes, prélevées sur les commerçants, de pourcentages sur les jeux clandestins — car le jeu est interdit au Japon — et des bénéfices de la prostitution également interdite par la loi. Il ne fait pas de doute que localement existent des pactes tacites de non-intervention conclus par les yakuza avec la police, en vertu desquels les membres du gang échappent à toute intervention de la police dans les cas mineurs d'ébriété, de petites bagarres ou de casse légère. Une forte tradition du milieu japonais tend à laisser le commun des mortels hors de toute agression et à s'attaquer à d'autres délinquants. On cite le cas de gangs qui obligent leurs membres à s'abstenir de tout viol sur une fille non délinquante, une prostituée étant par définition délinquante. Les yakuza ont aussi une activité politique à l'occasion de certaines circonstances. Ainsi deux groupes sont en lutte au sujet de leur « juridiction » sur une zone de cabarets et de night-clubs installés à proximité d'une base américaine, réservés exclusivement aux militaires américains. On cite le cas d'une autre bande engagée contre les nationaux coréens. Dans une mine de charbon, les yakuza agissent comme briseurs de grève et s'opposent violemment aux syndicats.

L'affaire devient publique à cause du meurtre d'un policier. Un groupe monte une opération pour tenter d'assassiner un leader du parti communiste... En général les yakuza sont connus comme soutiens des idéologies de droite contre les organisations de gauche et, selon le rapport de l'université de Princeton, deviennent parfois les mercenaires rémunérés chargés de protéger les intérêts du monde conservateur des affaires.

Les yakuza se retrouvaient à la une des journaux

japonais en novembre 1978 après toute une série de règlements de compte opposant les deux plus célèbres gangs de l'Archipel : les Yamaguchi-Gumi de Kobé et les Matsuda-Gumi d'Osaka. Taoka Kazuo, le chef incontesté des Yamaguchi, lançait une invitation insolite à quatre-vingts journalistes qu'il conviait à venir le rencontrer chez lui, à Shinohara, district de Nada. Entouré de ses lieutenants Yamamoto Kenichi, Yamamoto Hiroshi et Oda Hideomi, Taoka Kazuo annonça : « Me voici, j'ai survécu aux blessures consécutives à l'attentat dont j'ai été victime dans un night-club de Kyoto, en juillet dernier... J'affirme que nous ne sommes pas responsables de la mort de Narumi Kiyoshi qui avait tiré sur moi, et dont le corps a été retrouvé sur les bords d'un sentier du mont Rokko... Je déclare que le clan des Yamaguchi-Gumi a décidé unilatéralement de mettre fin à ses hostilités avec le clan des Matsuda-Gumi afin qu'il n'y ait plus de malaise parmi les citoyens... » Les Matsuda-Gumi publièrent aussitôt un communiqué affirmant que toute trêve équivalait pour eux à une « reddition ». Kashi Tadayoshi chef des Matsuda ajoute : « Les Yamaguchi ont assassiné huit des nôtres depuis juillet. Maintenant, ils souhaitent que je me retire des affaires. Il n'en est pas question... »

C'est avec le superintendant de police de Tokyo, M. Matsushita Kazunoki, que j'ai voulu faire le point de la criminalité dans ces aspects les plus actuels. Le Japon a la réputation d'être le pays à la criminalité la plus faible de tous les pays industrialisés et Tokyo passe pour la ville la plus sûre du monde. C'est que l'agression sur la voie publique y est peu courante parce que la tradition a forgé un milieu dont les pratiques diffèrent de celles des milieux américains et européens :

« A l'origine, m'explique M. Kazunoki, les yakuza se divisaient en deux groupes : les tekiya, pratiquant le racket dans les temples, les boutiques foraines, les festivals, et les bakto, groupes tirant leurs revenus du jeu. Les deux groupes, bien que séparés dans des organisations différentes, se livrent indifféremment au racket, à la prostitution, au jeu. Dans le Kansai ils sont formés en petites unités de vingt ou trente et sont portiers de cabarets, de clubs ou d'auberges. Ils fournissent aussi des mercenaires aux sociétés de gardes du corps. Les Yamaguchi-Gumi rassemblent plusieurs de ces groupuscules. A Tokyo, au contraire, il n'est pas rare de trouver des gangs de six ou sept cents membres...

— Il arrive que les gangs tiennent des manifestations publiques. Comment se fait-il que la police ne puisse pas intervenir ?

— C'est vrai, il n'est pas rare de voir des gangs célébrer selon un rituel l'intronisation d'un nouveau *boss* ou les funérailles de l'un des leurs. Mais si aucun d'entre eux n'est individuellement recherché, le fait qu'ils participent à une cérémonie ne constitue donc pas un délit. Nous ne pouvons donc que les ficher. Nous savons cependant que ces cérémonies sont une façon de collecter des fonds. Il est d'usage au Japon de remettre sous enveloppe cachetée une donation personnelle lorsqu'on participe à une cérémonie : mariage, enterrement ou simplement anniversaire. Afin de ramasser de l'argent, les gangs organisent plusieurs cérémonies de funérailles et d'intronisation pour la même personne et chaque fois on ramasse la cotisation de participants plus ou moins forcés. Pour ce qui est du racket, nous commençons à enregistrer quelques réactions. Des restaurants, des cabarets, des commerçants divers ont créé des associations informelles pour résister aux demandes de fonds des gangsters...

« A Tokyo, poursuit le superintendant, commence à sévir depuis quelques mois une criminalité d'un nouveau type : elle est le fait de groupes parfaitement organisés, les sokaiya. Il s'agit d'un chantage aux présidents et directeurs de sociétés. Pendant des mois et des mois, le gang collecte les informations les plus diverses sur une société, au besoin en faisant embaucher un ou plusieurs de ses membres : gestion, relations extérieures, bilans financiers, ils passent tout au crible. Quelques jours avant l'assemblée annuelle des actionnaires, les sokaiya informent la direction qu'ils détiennent les secrets de l'entreprise et qu'ils vont les livrer aux actionnaires. Très souvent, les assemblées d'actionnaires sont reportées et les directions finissent toujours par payer. Car, pour faire pression, les sokaiya impriment des journaux en menaçant de les diffuser. Ils arrivent même à tromper la vigilance de certains quotidiens et à faire publier les documents qui vont rendre leur chantage efficace...

« Les yakuza de la tradition s'adaptent à une société qui évolue et la prospérité du Japon leur a ouvert des frontières où ils ont étendu leur action : en Asie et dans le Pacifique. Selon le *Shukan Asahi*, ils sont établis à Hawaii, aux Philippines, en Corée et en Thaïlande où ils font commerce de femmes, d'armes, et de drogue. En matière de prostitution, ils s'offrent complaisamment à satisfaire la demande de leurs compatriotes égarés sur ces terres étrangères ou à pourvoir le Japon en « lots » exotiques, telles les masseuses thaïlandaises ou les blondes *go-go girls* qui s'attardent après la fermeture des discothèques. Les yakuza poussent aussi leur « sollicitude » envers leurs compatriotes en les fournissant en drogue et en armes. Un 38 automatique, qui vaut 100 dollars à Hawaii, est vendu 10 000 dollars à Tokyo. Le chef de ce réseau international serait, d'après un magazine japonais, un certain Ito, surnommé « l'homme aux sept visages ». Il aurait ses quartiers à Taipei. A Tokyo, les Japonais peuvent aussi, s'ils le désirent, aller en *sex tour* visiter la Corée. Les yakuza, par l'intermédiaire d'honorables agents de voyages offrent le *week-end package deal* (week-end tous frais compris). Les hommes annoncent à leurs épouses qu'ils vont passer un week-end de golf. Aussi, chaque samedi, on peut voir à l'aéroport de Narita toutes les consignes automatiques à bagages remplies de cannes de golf, que l'on reprend, le dimanche soir, au retour de Séoul, après être allé se perdre dans les bras d'une *kisaeng* (geisha coréenne).

« Ce type de criminalité, me dit le superintendant de la police, est relativement stable, mais nous devons comme toutes les grandes capitales faire face à une criminalité de groupe nettement moins bien structurée : celle des jeunes, adolescents ou jeunes gens qui draguent du début du printemps au début de l'hiver. A Tokyo, on compte une cinquantaine de groupes, totalisant quatre mille membres et portant des noms du style « les Empereurs noirs », « les tueurs », etc. Ils se réunissent à cinquante ou soixante et foncent à moto à travers les rues aux heures les plus avancées de la nuit, chapardant, détruisant ou simplement faisant du bruit. Leurs obsessions : la vitesse et la liberté. On les appelle les Bosozoku. Ils commettent de jour quelques vols à l'étalage ou quelques viols, mais ils restent toujours en groupe. Individuellement, lorsqu'ils sont arrêtés, ils sont plutôt pitoyables, dénonçant leurs camarades, s'excusant même... A Tokyo, notre dispositif de protection comprend un quadrillage de 1 200 postes : la ville est sillonnée par 600 cars de patrouille et 800 voitures, reliés à un centre d'urgence qui reçoit environ 1 400 appels au secours par jour. Un service d'hélicoptères vient renforcer ces moyens en cas de besoin... La police peut malgré tout difficilement exercer un contrôle efficace, même si elle applique strictement la loi sur la circulation. Les groupes de motocyclistes ont en effet récemment forcé des organisations politiques de caractère fasciste qui préoccupent les responsables de l'ordre. Ainsi le groupe de Bosozoku, connu sous le nom de « Zéro », qui comprend 450 membres avec 150 motos, a rejoint les Jinryusha, une organisation connue d'extrême droite. La division de la prévention criminelle a ainsi vu son attention attirée par plusieurs cas de ce genre... »

Justice

Face à la criminalité, la prévention efficace de la police et sa répression débouchent sur les cours de justice dont les pouvoirs ont été définis par la constitution de 1947. Le système judiciaire a ainsi connu au Japon de profondes transformations qui lui confèrent une suprématie parmi tous les autres pouvoirs de l'Etat, puisque le pouvoir judiciaire est investi et de l'autorité nécessaire pour juger de la conformité des lois à la constitution et du droit de promulguer les décrets. De plus, la constitution garantit au pouvoir judiciaire une indépendance complète. Celle-ci se traduit par une séparation entre les magistrats de cour — administrativement dépendants d'une hiérarchie propre à leur juridiction, sous le contrôle de la Cour suprême — et les magistrats chargés des poursuites : juges d'instruction, procureurs, qui sont par contre placés sous l'autorité du ministre de la Justice. Tous les tribunaux spéciaux, comme la cour administrative, ont été abolis et il n'existe pas de cour de sûreté de l'Etat, le complot contre l'Etat ou le concept d'activités antinationales ne faisant l'objet d'aucune législation particulière.

A la base, des cours dites « sommaires » sont organisées au niveau des cantons. Elles traitent des délits mineurs passibles d'amendes. Il s'agit de juridictions de première instance qui peuvent aussi être saisies de plaintes et litiges, sous réserve que les préjudices matériels en cause ne dépassent pas mille dollars environ. Au niveau des districts, on trouve l'institution originale et intéressante des cours dites « familiales ». Elles s'occupent de la délinquance juvénile, de la protection des mineurs et de tout ce qui peut mettre en péril la vie familiale, de l'intérieur ou de l'extérieur. Dans chaque préfecture siège une cour de district qui juge en première instance tous les cas dont les cours sommaires ne peuvent pas être saisies. Il s'agit en fait de tribunaux correctionnels, sans limitation du montant des préjudices subis en matière civile. Les hautes cours jugent en appel les cas soumis en première instance aux cours sommaires et aux cours de district. La Cour suprême juge en second appel. Elle est aussi habilitée à connaître tous les cas mettant en cause des problèmes constitutionnels.

A tous les niveaux, les cours ont ainsi une compétence civile et criminelle. On compte, outre la Cour suprême, 8 hautes cours, 6 branches de cette instance dans des villes importantes, 50 cours de districts avec 242 branches locales, 50 cours familiales avec 338 branches locales, 575 cours « sommaires ».

Les prisons japonaises ne sont pas très confortables. La discipline y est très stricte. Les détenus sont astreints à certains travaux d'artisanat. Il n'existe pas de permissions de sortie, mais des libérations anticipées sont parfois consenties pour bonne conduite. La peine de mort est appliquée par pendaison. La publicité des exécutions capitales est interdite, les journaux ne peuvent donc pas les annoncer. Les amendements apportés au code pénal le 26 octobre 1947, sous l'influence des Etats-Unis, sont significatifs : abolition du crime de lèse-majesté, révision de l'arsenal législatif concernant le droit de l'Etat de faire la guerre, la notion d'ennemi et d'agression étrangère. Les lois de répression de l'adultère féminin prescrivent des poursuites exclusivement contre les femmes et leurs amants. Jusqu'en 1973, la loi a continué de faire une différence entre l'homicide de l'un de ses ascendants ou de ceux de son épouse et le crime d'assassinat de toute autre personne. Cette différence dans la répression du meurtre a été déclarée contraire aux stipulations d'égalité inscrites dans la constitution.

Le nouveau code de procédure criminelle reflète l'influence anglo-américaine, en particulier son article premier qui en définit l'objet : assurer le respect des droits fondamentaux de l'homme et des individus et maintenir l'ordre public. Dans la mentalité japonaise, une telle dualité ne doit pas s'exprimer en termes de conflit. Les Japonais rappellent devant cette exigence qu'on ne peut pas courir « deux lièvres à la fois », aussi évitent-ils de mettre en position de contradiction l'ordre et la liberté, par une approche pragmatique, loin de toute construction intellectuelle à priori, dans le respect scrupuleux des textes. La Justice est puissante et modeste.

Les média ou l'autre pouvoir

Chaque année, le Nihon Shimbun Kyotaï (Association des éditeurs de journaux) organise une semaine nationale de la Presse pour laquelle un slogan est choisi. Celui de 1968 aurait pu servir aussi bien à la semaine nationale de la justice. L'aphorisme retenu peut être ainsi traduit : « Les journaux, gardiens d'une société ordonnée ». Cela signifie que la presse tend à se placer au niveau des grandes institutions nationales et au service d'un modèle de société, ce qui exclut d'avance toute espèce de dépendance que pourrait signifier l'obédience à un parti politique, à un syndicat, à une idéologie religieuse. Les journaux japonais forment un pouvoir d'une efficacité telle que la vie publique s'articule autour de leur diffusion. Avec une circulation de plus de soixante millions d'exemplaires par jour, dont trente-sept millions pour les seuls journaux de grande information, la presse est devenue dans la période d'après-guerre un pouvoir de masse, réparti entre plus de cent soixante-dix titres pour la presse quotidienne. On peut diviser les journaux japonais en journaux nationaux, journaux régionaux, journaux locaux et journaux spécialisés. Les trois grands *Asahi*, *Yomiuri*, *Mainichi* avoisinent ou dépassent une circulation de dix millions d'exemplaires par jour chacun. Le *Sankei* tire à près de trois millions, comme le *Nihon Keizaï* à dominante économique.

Les journaux nationaux représentent la moitié du tirage total, ce qui n'enlève rien à l'assise économique des journaux régionaux comme le *Hokkaïdo Shimbun*, vendu dans toute l'île du Nord, ou le *Tokyo Shimbun*, distribué dans le seul Kanto (région de Tokyo). Les journaux spécialisés sont également très lus. Treize journaux sportifs tirent au total à cinq millions d'exemplaires. Il existe encore quatre quotidiens en édition anglaise mais à tirage très restreint.

Les journaux japonais sont distribués à domicile par l'intermédiaire d'agents exclusifs livrant à des abonnés. Vingt-deux mille agents emploient ainsi près de trois cent mille personnes, dont près de deux cent mille jeunes garçons qui distribuent les journaux en allant à l'école ou en revenant. Les journaux rassemblent l'information par un système de clubs très fermés, regroupés autour des sources : ministères, hommes publics, etc.

La radio et la télévision font partie intégrante de l'*autre pouvoir* qu'elles partagent avec la presse. La N.H.K. (Nippon Hoso Kyokaï), télévision nationale, avec ses deux chaînes dont une spécialisée dans l'éducation et l'enseignement, garde en tant qu'institution publique le monopole de la perception directe d'une redevance. Les foyers japonais sont pratiquement équipés à 100 p. 100 d'un téléviseur, dont plus de 92 p. 100 d'un récepteur couleur. La télévision commerciale ne possède pas de réseau national, mais est répartie entre 1 900 stations exploitées par une centaine de sociétés émettant sur un nombre variable de canaux. On a donc le choix, à Tokyo, entre sept programmes ; à Osaka on ne dispose seulement que de quatre, ce qui est la moyenne des villes. La N.H.K. est administrée par un conseil des gouverneurs qui nomme le président-directeur général. Ce système est en principe garant de l'autonomie de l'institution face au pouvoir, mais dans les faits le gouvernement a les moyens d'exercer son contrôle. C'est en effet le gouvernement qui nomme le conseil des gouverneurs. Les ressources financières de la N.H.K., constituées par la redevance, lui donnent un budget de plus de six cents milliards de yen, soit plus d'un milliard de nos francs. Les sociétés commerciales regroupées sous le sigle de N.A.B. (*National Association of Broadcasters*) tirent leurs ressources de la publicité. La loi les oblige à diffuser 30 p. 100 de programmes culturels ou éducatifs.

Au Japon, tout pouvoir est soumis à des devoirs. Il existe donc une éthique des média, extrêmement stricte, qui est fixée dans les canons du journalisme. Dans un préambule à ces canons, l'Association des éditeurs de journaux rappelle que le rôle de la presse est important dans la construction du Japon en tant que nation démocratique, amoureuse de paix. Le même texte parle de « mission ». Pour apprécier ce rôle, il faut se reporter à l'histoire.

Les premiers journaux apparaissent dans les années 1860. Pour le Japon, c'est l'ère Meiji à ses débuts, c'est presque l'heure de l'ouverture, ce sont les premiers signes avant-coureurs de la naissance du Japon moderne.

De 1946 à 1960, ce sera la renaissance, et le centenaire de la presse japonaise dans tout son épanouissement coïncidera étroitement avec le départ fulgurant du Japon vers le peloton de tête des nations. Cependant, bien avant 1860, les nouvelles se transmettaient au Japon. On appelait *kawaraban* une simple feuille recto verso qui circulait sans porter ombrage au shogunat des Tokugawa. Dans le *Yomiuri-Kawaraban* par exemple, on trouvait le récit des catastrophes naturelles, des incendies, les suicides d'amants, les histoires de « vendetta » et toutes sortes de sujets d'intérêt humain. Les kawaraban ne faisaient aucune place aux nouvelles politiques. La plus vieille copie qui existe de tels journaux a été imprimée en 1615 à Kyoto et mesure 43 cm de long et 31 cm de large. La page est illustrée de dessins racontant avec légende à l'appui la bataille d'Osaka qui donna la victoire aux Tokugawa sur les Toyotomi et installa les Tokugawa au pouvoir. Mais le règne des

Tokugawa fut celui qui maintint un Japon isolé, de 1638 à 1868, empêchant toute circulation des nouvelles des guerres européennes ou de la naissance et du développement du Nouveau Monde. Lors du conflit entre partisans de l'ouverture (donc de la restauration de l'Empire) et partisans du Shogun (donc de l'isolationnisme) qui se développa après le coup de force du commodore Mathew Calbraith Perry, l'intérêt pour les nouvelles se réveilla. Il est intéressant de noter que le premier journal a été publié en juin 1861. Il s'agissait d'un bihebdomadaire en anglais, le *Nagasaki shipping list and advertiser*. Nagasaki était le seul port japonais ouvert sur le monde extérieur durant les deux siècles et demi de shogunat.

En janvier 1862 apparaît le premier journal en japonais : le *Batavia Shimbun*, publié avec l'aide du gouvernement du shogun. Il s'agissait d'une simple traduction d'un journal publié à Djakarta et à Batavia, à l'époque sous domination hollandaise. Quelques journaux apparaissent et disparaissent à cette époque à Yokohama. Dès la chute du shogun et la restauration de l'Empire, des journaux comme le *Chugaï Shimbun*, qui tire à mille cinq cents exemplaires, soutiennent le nouvel empereur.

Mais le nouveau gouvernement de Meiji suspend tous les journaux. Il s'aperçoit vite du préjudice que lui causent les rumeurs et les faux bruits. En février 1869, le gouvernement de Meiji crée un système de licence qui réglemente la publication des journaux.

Le premier journal quotidien moderne

Le premier quotidien apparaît en 1871. C'est le *Yokohama Mainichi Shimbun*. Il disparaîtra en 1940. Il est suivi du *Yubin Hochi Shimbun* acheté par le gouvernement (aujourd'hui le *Mainichi*). Ces journaux sont utilisés par le gouvernement de Meiji pour faire connaître sa politique. Le gouvernement voit aussi tout le profit qu'il peut tirer de ce moyen d'éducation des masses. Le *Yomiuri Shimbun* est fondé à Tokyo en 1874 et l'*Asahi* à Osaka en 1879.

De 1875 à 1880, le gouvernement renforce son pouvoir, emprisonne les journalistes ou suspend des journaux. Par réaction, les journaux font une place encore plus grande à la politique et ici encore on peut établir le parallèle entre les soubresauts de la naissance dans les années 1860 et ceux de la renaissance un siècle plus tard.

L'ordonnance impériale d'octobre 1881, garantissant la création d'un parlement dans les dix ans, lança le débat politique. Le sujet essentiel autour duquel tournait la vie politique n'était autre que la constitution que le gouvernement souhaitait de modèle prussien et l'opposition de modèle anglais ou français. Le gouvernement, se faisant de moins en moins entendre, commença en 1883 la publication du *Journal officiel*.

Dans les années qui suivirent la défaite de 1945, la vie politique tournait aussi autour de la constitution proposée par MacArthur et à nouveau on se trouvait devant l'alternative démocratie ou totalitarisme.

Il faut constater à quel point dans les moments critiques de l'histoire nationale la presse japonaise est toujours sortie de sa réserve pour finalement se ranger dans le camp de la démocratie, une démocratie capitaliste et antimilitaire.

La grande presse japonaise, dans les années qui ont précédé le deuxième conflit mondial, s'est rangée dans l'ensemble contre les militaires aux côtés de ce que l'on appelait les *zeibatsu*, c'est-à-dire les grosses concentrations capitalistes. A cette époque, la presse japonaise paya le prix fort. Les militaires imposèrent toutes sortes de restrictions et obligèrent un certain nombre de journaux à fusionner. En 1930, on comptait 1 200 quotidiens au Japon et au total 7 700 publications ; en 1943 il en restait 43. La presse japonaise en vérité dut faire face à la censure avant publication jusqu'en 1946.

Les premières émissions de radio n'eurent lieu qu'en 1923. Cependant les récepteurs se multiplièrent, surtout à partir de 1937, lorsque survint « l'incident de Chine ».

En septembre 1951, la Nippon Hoso Kyokai ne fut plus la seule à émettre. La première radiodiffusion commerciale vit le jour. En février 1953, la N.H.K. diffuse la première émission de télévision. Six mois plus tard, apparaissait sur les écrans la première émission de télévision commerciale.

Cet aperçu historique de la presse japonaise rend compte du lien étroit qui existe entre les journaux et les événements qu'ils rapportent.

Information, éducation et déontologie

Les événements stimulent la circulation de la presse plus qu'ailleurs parce qu'ils sont repris et présentés dans le sillage des préoccupations nationales. Et la presse crée au Japon l'événement plus qu'ailleurs en lui donnant une dimension calculée dans le cadre de canons fondamentaux qui se veulent proches de ceux de l'Occident, sinon inspirés par eux, et qui reflètent une psychologie typiquement nippone. Mais il est évident que la presse japonaise ne s'est pas seulement donné pour tâche d'informer.

L'ambition éducative des journaux, de la radio et de la télévision apparaît dans le traitement de l'information. L'article 1er des canons s'intitule « liberté de la presse ». La presse est libre de rapporter la nouvelle et de la commenter, à condition que ses activités ne soient pas contraires à l'intérêt général ou interdites par la loi. L'article 2 apportera les restrictions volontaires à cette liberté et le cadre dans lequel elle s'exerce : les faits doivent être donnés de bonne foi et avec précision ; l'opinion personnelle du journaliste ne doit pas apparaître. L'information doit être traitée en ayant toujours à l'esprit qu'elle peut être utilisée dans un but de propagande et en essayant d'éviter cette tendance.

Les personnes ne peuvent être critiquées que dans le respect de leur dignité. Les éditoriaux partisans ne doivent pas s'éloigner de la vérité ; un éditorialiste ne doit pas oublier le caractère public d'un journal.

Les autres titres des canons admettent implicitement, en raison d'une étiquette d'impartialité, « le droit de réponse », la tolérance d'opinions contraires à celles défendues par le journal, donc « le devoir de citation » et enfin la « décence », titre important puisqu'il permet de laisser en dehors de la presse les publications à scandale ou pornographiques.

Ces canons, adoptés en 1946 lors de la réunion constitutive de l'Association des éditeurs de journaux et de publications (Nihon Shimbun Kyokai), sont pour une grande part inspirées des règles qui régissent la presse américaine, mais leur interprétation japonaise est à la fois plus restrictive et plus « permissive ». Le Nihon Shimbun Kyokai pourrait n'être qu'une façade et n'exercer aucun pouvoir réel. Dans tout autre pays que le Japon, les grandes options se rapportant à l'éthique professionnelle et à l'objectivité de l'information appartiendraient à la direction propre de chacun des journaux. Mais ici les grands patrons de la presse ne veulent pas endosser isolément la responsabilité d'orientations nationales, dans une société où ils sont à la fois juge et partie. Ils ne souhaitent ni se couper entre eux ni se couper de cette société, ce qui explique de leur part la recherche d'un consensus de leurs pairs et d'une approbation de leurs lecteurs.

Toute décision fondamentale, bien ou mal accueillie, est couverte par l'autorité, combien puissante, d'un directoire anonyme. C'est ainsi que l'ensemble des directeurs de journaux s'est mis d'accord sur ce qui était publiable et ce qui ne l'était pas. Ils se sont engagés à n'imprimer, par exemple, aucun matériel susceptible d'exercer une mauvaise influence sur la jeunesse, histoires pornographiques ou de violence. Mais sur ce point le choix est difficile. Où s'arrête la décence et où commence la pornographie ? A en juger selon les principes établis lors de la fondation de l'association des journaux, la frontière n'est plus la même aujourd'hui. Le Nihon Shimbun Kyokai s'emploie à rectifier constamment les frontières de ce qui est « permissible ». Les Japonais prétendent qu'en matière de sexe l'audace croissante de la presse vient de la vogue de *free sex* (sexualité libérée) née en Europe du Nord et qui aurait gagné l'Europe entière, les Etats-Unis et le Japon. Cette invasion venue de l'extérieur leur poserait des problèmes. Il y a là, de la part des média japonais, une certaine hypocrisie permettant aux journaux à grand tirage de justifier auprès de leur public une austérité qu'ils perpétuent depuis vingt ans. Les journaux japonais sont aujourd'hui comme hier en retard sur l'évolution de leur société qui a toujours été plus « permissive » que n'importe quelle société occidentale, fût-elle danoise ou suédoise.

Les journaux ont aussi des problèmes avec la publicité des films. Les annonceurs font le plus souvent appel au sexe ou à la violence, or les quotidiens surtout, à cause de leur distribution à domicile, souhaitent garder un peu plus de retenue, en deçà même de ce que le public admet généralement.

L'objectivité de l'information pouvait également poser au Japon des problèmes difficiles. De même qu'en matière de sexualité il existe un fossé de plus en plus large entre vieilles et jeunes générations, de même peut-on constater un large écart dans la définition du sens des valeurs.

L'année 1968 fut pour les journaux japonais l'année du *Zengakuren*. Les étudiants et leurs problèmes, leurs manifestations souvent violentes, la crise des universités firent les titres les plus importants. Aussi les journalistes japonais se sont-ils demandé à qui les événements donnaient raison. Au gouvernement, aux étudiants ? L'Association des éditeurs de journaux organisa à cette époque un colloque sur l'objectivité en période de révolution sociale. Le problème était d'autant plus aigu que le Nihon Shimbun Kyokai, qui adopte chaque année un slogan d'orientation, avait pour 1968 lancé la devise déjà citée : « Journaux gardiens d'une société ordonnée. » Le problème étudiant fut considéré par les journaux comme une affaire communautaire. La nature du mouvement fut analysée et les journaux décidèrent que leur action devait faciliter une rapide solution du problème.

Déjà, en 1960, l'ensemble de la presse avait adopté une attitude commune de réprobation lors des manifestations violentes qui marquèrent la révision du pacte de sécurité nippo-américain. Un communiqué commun publié par tous les journaux sur huit colonnes à la une mit fin aux manifestations et permit un retour à la vie normale.

Les éditoriaux, non concertés ceux-là, sur l'invasion de la Tchécoslovaquie par les troupes soviétiques faisaient ressortir un front commun de la presse japonaise, de même qu'à un degré moindre, mais d'une manière sensible, les éditoriaux sur la guerre du Vietnam, ou les résultats de l'intervention américaine au Cambodge. On peut encore relever cette attitude commune à propos des attentats de l'Armée Rouge, et en général de tous les problèmes touchant à l'intégrité et à l'indépendance nationale.

A travailler en commun régulièrement, la presse japonaise s'est dotée de réflexes similaires et, de concert ou non, réagit à l'actualité avec une homogénéité qui est l'une des caractéristiques fondamentales du Japon.

On peut se demander dans ces conditions quelle est la place du journalisme d'opinion dans le contexte social japonais. Tout d'abord, le nombre de pages dites pages d'opinion s'est accru au cours de la décennie dans les grands journaux comme dans les journaux de province. Prennent place dans les pages d'opinion les éditoriaux, le contexte des nouvelles, leur interprétation, les lettres au rédacteur en chef, les opinions des personnalités responsables dans les pays étrangers, les colonnes ouvertes aux lecteurs. Le *Sankei Shimbun* à Tokyo organise cinq jours par semaine des sondages par téléphone et publie presque au jour le jour les réactions de la rue aux événements.

Le journalisme d'opinion n'a donc pas la même signification au Japon qu'en France. A l'exception des journaux communistes, on ne peut pas dire qu'un journal japonais se définisse en fonction d'une ligne politique. Les éditoriaux représentent généralement un éventail d'opinions relativement large, mais toujours dans le cadre des structures reconnues d'une société acceptée. Il est impossible de trouver au Japon un grand journal qui fasse l'apologie de la révolution ou se réclame d'une idéologie fasciste. Il faut toujours se référer à la conscience qu'ont les journaux d'exécuter un service public, ainsi qu'à leur désir de jouer un rôle qui ne soit pas incolore.

On fait de l'anticonformisme dans un bain de conformisme. On contribue à l'évolution d'une société mais on la préserve de toute révolution. On demande à la base de prendre la responsabilité de ce qui a été décidé au sommet. On provoque des tempêtes mais en vase hermétiquement clos. La presse n'est pas un instrument entre les mains d'une puissance. Elle est une puissance. On ne la manipule pas. A son propos, on peut donc parler d'institution. L'image du Japon qu'elle reflète à l'extérieur est toujours conforme à celle qu'elle renvoie sur le Japon lui-même. Elle satisfait les plus exigeants, car chacun peut y retrouver quelque chose de lui-même.

L'ensemble de la presse japonaise ressent la nécessité d'une révolution technique. Il s'agit surtout de bouleverser les vieilles technologies sous la pression des circonstances. Pour les journaux, depuis dix ans, c'est une course à l'innovation technique qui a démarré dans tous les domaines : rédaction, publicité, transmissions, administration, distribution.

L'électronique en particulier a apporté aux grands journaux nationaux une solution à des problèmes liés à l'évolution de la société et à l'influence grandissante de la presse.

Le développement de la presse est toujours allé de pair avec une simplification de la langue écrite. Malgré les universitaires, les journaux ont su réduire le nombre des *kanji* (idéogrammes) et le limiter afin de ne pas devenir des chapelles pour une minorité de lettrés. La langue écrite des journaux s'en tient aujourd'hui à environ deux mille caractères et utilise parallèlement un alphabet *kana* que tous les Japonais connaissent. Le succès de cette opération de simplification se mesure aux soixante millions d'exemplaires de la circulation quotidienne de la presse.

Tous les journaux font un effort spécial de mise en page. Le nombre de pages, le format du journal, sa présentation sont constamment renouvelés pour relancer l'intérêt du lecteur. Cependant, la révolution technologique passe par les ordinateurs et la presse profite des immenses possibilités. Tous les journaux possèdent bien entendu des ordinateurs de gestion. Mais la plupart des grands journaux ont à leur service des ordinateurs de programmation qui composent des pages fragment par fragment. De nouveaux appareils de photogravures peuvent être reliés à l'ordinateur, mais ne permettent pas encore d'obtenir un film de la taille d'une page.

Il y a déjà vingt ans, l'*Asahi Shimbun*, dans son édition de l'Hokkaido, commençait à utiliser l'offset. Aujourd'hui, onze journaux se servent de cette méthode. Le pionnier de l'offset, l'*Asahi Hokkaido*, imprime aujourd'hui directement à partir de plaques tirées d'un film transmis par fac-similé depuis le siège central de l'*Asahi* à Tokyo. C'est le succès de ces retransmissions qui ont conduit l'*Asahi* à développer une nouvelle méthode de distribution du journal à domicile, grâce au fac-similé. Les journaux ne trouvent plus aujourd'hui de personnel pour assurer leur distribution. Ils prévoient que dans quelques années la distribution du journal à domicile ne pourra plus être assurée par des coursiers. Dans un pays où 99,5 p. 100 de la presse est reçue chez soi matin et soir, on conçoit qu'il s'agisse pour les journaux japonais d'une question de vie ou de mort.

Pour l'*Asahi Shimbun*, en 1985, il y aura sans doute suffisamment de machines permettant de recevoir le journal à domicile pour faire la soudure avec le vieux système de livraison par courrier à bicyclette ou à pied. C'est le principe du fac-similé qui a été retenu. Le lecteur peut obtenir chez lui, selon l'humeur du moment, la page des sports, celle des nouvelles de l'étranger ou les petites annonces. Ce système de distribution est appelé à provoquer de nombreux changements de style et de présentation.

Pour le journal *Mainichi*, la machine de réception à domicile mise au point aboutit au même résultat en utilisant le principe de la retransmission télévisée appliquée à l'imprimerie. Sur le plan technique, la presse japonaise est toujours à l'affût de toute innovation pouvant compenser la pénurie de main-d'œuvre ou constituer un attrait supplémentaire pour le public.

L'hyper-télévision de l'an 2000

L'innovation est aussi à l'ordre du jour dans les chaînes de télévision. Sept chaînes diffusant des programmes de six heures du matin à minuit et au-delà font partie de la routine. Cependant, même si notre capacité d'étonnement s'est émoussée, notre attention reste attirée par l'arsenal technologique mis en place derrière ce flot d'images. Ainsi, à la N.H.K., les programmes enregistrés sur magnétoscope sont ramassés quelques minutes avant l'émission sur leurs étagères de rangement, conduits jusqu'à la salle des magnétoscopes, enroulés sur la machine de diffusion et envoyés à l'antenne sans aucune intervention humaine. La programmation est mise sur ordinateur. Une salle de contrôle permet à trois techniciens de vérifier que les programmes se mettent en place à l'heure voulue sur les machines à diffuser ou que l'antenne passe correctement au studio prévu ou au relais mobile lorsqu'il y a diffusion en direct. Ainsi, pendant toute une journée, des programmes sont mis à l'antenne en s'enchaînant sans aucune manutention. Même raffinement au niveau de la fabrication. Chaque producteur possède un terminal d'ordinateur sur sa table et une carte personnalisée d'accès. Il peut ainsi composer à volonté la préparation de son programme et en quelques minutes en connaître tous les éléments : noms de tous les techniciens, équipe du son, cadreurs, assistants, décorateurs, etc., qui vont fabriquer l'émission avec lui. Numéros, dates et heures d'occupation des studios de répétition et d'enregistrement, organisation des tournages extérieurs, etc., et budget total des moyens demandés apparaissant poste par poste. Ce travail de modernisation et de rationalisation a permis à la chaîne nationale N.H.K. de conserver une dimension à l'échelle humaine, sans inflation de personnel. La N.H.K. est devenue aujourd'hui la première organisation de télévision du monde et une sorte de modèle maintenant sorti de la période des « pionniers ». Le président Sakamoto, ancien directeur des émissions de variétés, et son adjoint, Yamashita, ancien journaliste, des présentateurs vedette comme Isomura s'inscrivent dans une lignée de professionnels des programmes, servis par des ingénieurs et des techniciens soucieux d'utiliser le matériel le plus moderne. La N.H.K. est aujourd'hui l'organisme de télévision le mieux préparé aux technologies de l'an 2000 et à l'utilisation intensive des satellites.

La télévision est aussi à la pointe du progrès à l'autre bout de la chaîne, dans la ville nouvelle de Tama où se déroule une expérience de l'an 2000. Il s'agit d'un exemple de télévision câblée au service d'une communauté. Voici donc Tama, à cinquante kilomètres de Tokyo. On est déjà sorti de la zone urbaine. Dans un paysage vallonné et boisé, le béton émerge tout à coup des arbres. En sortant de la gare, j'emprunte quelques-uns des innombrables passages piétonniers, rencontrant çà et là quelques femmes, leur bébé accroché dans le dos, qui se rendent au supermarché. Tama, c'est un quartier de Brasilia, une ville de la région parisienne ou de n'importe quelle agglomération du New Jersey. Rien de spécifiquement japonais. Les immeubles, sagement alignés le long de rues tirées au cordeau, ne font preuve d'aucune imagination architecturale. Cette cité-dortoir, qui compte cent mille habitants, en accueillera au total trois cent mille d'ici dix ans, soit environ cent mille familles. Le revenu moyen mensuel de chaque famille est légèrement supérieur à la moyenne nationale, environ 325 000 yen contre 290 000 dans l'ensemble du Japon. Cela représente respectivement 7 000 F et 6 200 F environ. Chaque maison est câblée, c'est-à-dire reliée à un réseau centralisé de câbles destinés à devenir des supports d'information. Chaque foyer peut être branché sur le câble sous forme d'abonne-ment, comme on s'abonne au gaz, à l'électricité et au téléphone. Le premier problème qui se pose à Tama est celui du terminal. Que mettre au bout de ce câble, dans les appartements, lorsqu'ils sont reliés à la sta-tion centrale de télévision locale ? Un poste de télévi-sion bien sûr. Le branchement sur le câble va permettre d'améliorer sensiblement la qualité techni-que de réception des sept chaînes de Tokyo. Mais la dépense dépasse de loin l'importance du service rendu, d'autant plus que des antennes collectives d'immeubles peuvent aujourd'hui, sans préjudice pour l'environnement, rendre les mêmes services que le câblage. On peut y ajouter un récepteur du journal quotidien. On n'a plus besoin d'acheter le journal ou de s'abonner à la distribution par porteur ou par la poste. Le journal arrive à domicile. On peut encore installer un service de mémo-copie pour recevoir ou transmettre des documents à distance si l'on est par exemple abonné à une bibliothèque. Même service pour la photographie ou pour les programmes de télévision qu'on obtient ainsi à la carte. Au total, une dizaine de services sont proposés à titre expérimental, mais on peut prévoir leur extension presque à l'infini, jusqu'à saturation de vingt ou vingt-cinq canaux de télévision aujourd'hui, demain de cinquante et plus. En mettant de côté l'économie du système, le problème est de loger tout le matériel nécessaire dans un appartement de cinquante à soixante mètres carrés. Mais l'expérience de Tama se poursuit. Les techniciens recherchent le « compact » qui permettra de recevoir tous les services possibles actuels de télévision.

Mon étonnement de professionnel de la télévision a malgré tout été suscité par une expérience d'utilisation du système pour l'enseignement de l'anglais aux petits Japonais. La petite Haruko n'est pas contente du tout. Assise chez elle, à son petit pupitre, elle tripote nerveusement le boîtier qui doit la mettre en communication avec le professeur en train de donner son cours d'anglais sur l'écran en face d'elle. Elle entend ses camarades dans les maisons voisines répondre au professeur : « *Good afternoon, Sir.* » Elle a beau appuyer sur le bouton, son tour ne vient pas... Elle répète « *Good afternoon, Sir* », mais elle n'est pas branchée... La télévision avec voie de retour ouvre ainsi, en particulier à la pédagogie, dans le cadre de la scolarité, de la formation permanente ou professionnelle des horizons nouveaux, justifiant à eux seuls que recherches et expériences soient poursuivies. Dans le petit studio de la télévision locale de Tama, à cinquante kilomètres de Tokyo, la communauté commence à s'éveiller autour de cette expérience qui sert de support à l'enseignement, à l'amitié dans le cadre de réunions du dimanche, à l'animation culturelle, à l'information locale communautaire pour la circulation, l'orientation des consommateurs, l'expression des associations locales, etc.

La coordinatrice de ce projet me dit : « Les habitants de Tama ont tous quitté une communauté familiale ou un clan familial pour venir s'installer ici en ménages isolés. Il est vital pour nous de créer une nouvelle communauté. Cette exigence sera le moteur de la poursuite et du développement de l'expérience... »

Minamata : la maladie de la pollution

Takahashi Osamu est un nom inconnu en Amérique et en Europe. Au Japon, son nom a été presque enterré par l'œuvre qu'il a créée : une pièce de théâtre relatant l'affaire de Minamata. Ecrite en 1969, jouée depuis 1970, elle est l'un des facteurs clefs de la prise de conscience des problèmes de l'environnement dans un temps où sont réunies toutes les données cumulées de la pollution la plus meurtrière du monde. La maladie de Minamata est une forme d'empoisonnement qui s'est progressivement étendue des poissons aux oiseaux, des oiseaux aux animaux domestiques, chats, cochons, poules, puis aux hommes et aux femmes de la baie de Minamata, pêcheurs pour la plupart ou travaillant à l'usine chimique de la Chisso dont les rejets de mercure organique dans la mer sont responsables du fléau.

Au début, dans les années 50, personne ne comprend d'où provient cette maladie bizarre qui touche les centres nerveux. On pense à des cas de poliomyélite, mais en mai 1956 une observation du docteur Hosokawa, le médecin de la Chisso, permet de découvrir la cause des maux. En octobre 1959, la preuve de la culpabilité des rejets de mercure est administrée par des expériences sur des chats auxquels l'absorption de mercure donne tous les symptômes de la maladie. Les conséquences sociales du fléau apparaissent peu après, avec un appauvrissement général des populations locales qui vivaient de la pêche. La Chisso ne collabore pas volontiers aux enquêtes. L'usine, loin d'arrêter son activité, augmente même sa production. La maladie s'étend à toute la région. De son côté, le syndicat des pêcheurs essaie de camoufler la maladie afin de ne pas provoquer l'arrêt définitif des activités de la pêche. En 1960, on a déterminé d'une manière précise les symptômes de la maladie : trouble de la vue et des sens, excès de salivation, ataxie, dysarthrie. Dès cette époque, la maladie de Minamata devient une maladie honteuse. On s'en cache, on dissimule les membres de sa famille qui sont atteints. Elle est la lèpre du xxe siècle, avec la même charge d'infamie. C'est en 1969 seulement que les victimes, regroupées en association de défense, feront valoir leurs droits à une compensation auprès de la Chisso.

Dans le même temps, la maladie de Minamata devient la maladie de Niigata-Minamata. On l'appelle également la seconde maladie de Minamata. Elle est découverte en 1963 dans la région de Niigata, sur la côte de la mer du Japon, dans le Honshu, avec la pollution de la rivière Agano par la société Showa-Denko : l'usine de Kanose rejette dans la rivière du mercure organique. Les chats deviennent fous et meurent. La société reconnaît que, bien qu'informée des problèmes de la Chisso à Minamata, elle a continué ses déversements de mercure dans l'Agano. Showa-Denko est finalement obligé de payer une indemnité de l'ordre de deux cent cinquante mille francs à chaque personne sérieusement atteinte ou aux familles des victimes.

Personne n'a oublié la célèbre affaire de la maladie *itaï-itaï* qui est aussi un élément important de la prise de conscience par le public de la menace de destruction de l'environnement. Mitsui Mining avait été condamné pour déversement de cadmium dans une rivière, près de Toyama, au sud de Niigata, toujours sur la côte de la mer du Japon. Deux cents résidents du village de Fuchu-Machi en étaient morts en dix ans. La maladie se manifestait par une douloureuse érosion des os et occasionnait peu à peu une paralysie généralisée.

Pour combattre la pollution de l'eau de mer, la pollution de l'eau de rivière, la pollution de l'air (dans certains districts de Tokyo où dans la ville la plus polluée du Japon, Yokkaïchi, dans la préfecture de Mie, qui a donné son nom à « l'asthme de Yokkaï-chi »), les nuisances occasionnées par le bruit, tout un arsenal législatif est créé ou renforcé de 1970 à 1975 à l'initiative du ministère de l'Environnement.

Mais le problème peut-il être résolu ? Les Japonais se posent la question. Ils reconnaissent que leur vie de tous les jours ne s'est pas détériorée, mais ils ne voient non plus aucune amélioration. Alertés par les média sur les cas aigus et très graves de Minamata, Niigata ou Toyama, ils se sentent à la fois concernés et impuissants. Le prix à payer est lourd. En 1970, à certains carrefours du boulevard de ceinture de Tokyo, les agents de la circulation devaient se relayer tous les quarts d'heure pour aller respirer de l'oxygène. Les grands magasins vendaient de l'oxygène en boîte que l'on pouvait ouvrir au bureau comme une boîte de thon ; dans les pharmacies et certains lieux publics, on pouvait, moyennant une pièce, respirer de l'oxygène dans une petite cabine.

Dans une école de Kawasaki, le district des hauts fourneaux, coincée le long de la baie de Tokyo entre Tokyo et Yokohama, j'ai vu distribuer des masques à gaz, du type guerre de 14-18, aux enfants de six à douze ans pour qu'ils puissent jouer dans une cour de récréation. L'air était devenu irrespirable à cause du plafond très bas qui rabattait au sol les fumées nocives en direction des habitations.

Le Japon pollué n'est pas un phénomène nouveau. La priorité à l'industrie, le désir de la majorité de devenir le champion de l'électronique, de la sidérurgie, de la construction navale, etc., conduisaient fatalement à remettre en question un mode de vie, mais les méfaits de la pollution industrielle ne sont qu'un aspect des nuisances créées par l'urbanisation. En dix ans, de 1960 à 1970, la *Tokkaïdo line*, de Tokyo à Osaka, est devenue l'espace le plus dense du monde. De 1970 à 1980, on a vu se dessiner la mégalopole. Au-delà de 1980, les effets cumulatifs de l'industrialisation et de la surpopulation mettront l'homme non plus face à un simple problème de destruction par les nuisances mais dans un contexte d'une autre nature où il faudra inventer de nouveaux modes de vie en matière de transports, d'espaces verts, d'alimentation, d'utilisation de la mer, etc., ou périr.

Un rapport de l'O.C.D.E. précisait en novembre 1976 : « La politique du Japon a accordé la priorité à la lutte anti-pollution et plus spécifiquement à la lutte contre la pollution atmosphérique et au contrôle des substances toxiques telles que le mercure, le cadmium et les diphényles polychlorés. Il s'ensuit que d'autres aspects de la politique d'environnement du Japon n'ont pas bénéficié de la même attention... La politique japonaise s'est attachée essentiellement à des objectifs de santé plutôt qu'à des objectifs de qualité générale de vie... »

Le vieillissement de la population

Le Japon moderne n'a fait son apparition dans les mentalités que très récemment. L'Exposition universelle d'Osaka en 1970 a marqué le tournant. On s'est aperçu que le pays, troisième producteur mondial de voitures, manquait de routes ; que la capitale de la troisième puissance économique mondiale n'était pratiquement pas équipée de tout-à-l'égout ; on a pris conscience de la pollution, du caractère agréable des congés payés, des bénéfices de la contestation et des joies que l'on peut retirer des loisirs. Dans ce domaine, on pouvait même dresser une liste des priorités d'utilisation du superflu : le charter Tokyo - Guam permettant de « bronzer idiot » a ainsi remporté un large succès. Bronzer idiot n'a pas le même sens qu'en Europe. Le Japonais ne choisit pas une île avec des cocotiers et des kilomètres de plage pour aller faire du nudisme et revenir rôti et brûlé, suivi de huit jours d'hôpital payés par la Sécurité sociale. Le

Japonais n'est pas aussi stupide. Il choisit une île avec des cocotiers et des plages pour aller se promener, et il le fait sans rien perdre de ses habitudes vestimentaires, soit, dans le meilleur des cas, en chemise blanche cravate comme pendant l'été à Tokyo, soit, s'il occupe un rang social élevé, en complet-veston. La grande joie était le retour à l'aéroport d'Haneda lorsque les parents et les amis se trouvaient là, derrière la vitre, observant le voyageur en train de déballer ses ananas frais et de convaincre le douanier de les estampiller d'un coup de craie blanche.

Quand on revenait de Singapour, c'était différent ; on avait pris la précaution d'acheter ses cadeaux en début de séjour, afin de mener la *dolce vita* avec ces demoiselles geishas chinoises. Elles ne valent certes pas celles de Tokyo mais elles sont à des prix tellement plus abordables que le chef de service peut sans crainte jouer au P.-D.G. On ne déballait donc pas devant le douanier les fruits frais exotiques, mais le rubis ou l'émeraude de Thaïlande, le jade de Hong Kong, le sac en croco de Ceylan, la montre suisse qui porte bien *made in Switzerland*, ce qui est l'essentiel, car après tout même un Japonais n'est pas certain qu'elle n'a pas été fabriquée à Singapour. Les montres Seiko le sont bien. Enfin, les parents et les amis, derrière la vitre Sécurit qui sépare l'enceinte de la douane du public, tout à la joie de revoir le père, l'époux, le fils apparemment en bonne forme, ne prêtent nulle attention à son désarroi lorsqu'il brandit sa bouteille de Johnny Walker rouge, *free tax*, que faute d'imagination pour acheter un cadeau personnalisé il s'est dépêché de prendre dans l'avion. Aujourd'hui, puisqu'on ne peut plus aller chercher le voyageur à Narita à cause de la longueur du trajet, on l'attend à l'*Air Terminal*, près de Nihonbashi. C'est presque le même cérémonial mais l'ambiance n'y est plus.

Cet homme tout neuf ne meurt plus de la tuberculose, mais de l'infarctus ou d'un cancer ; ses enfants peuvent attraper la polio ; le stress de la vie urbaine

lui laisse espérer plus fréquemment qu'avant un passage dans un hôpital psychiatrique. Les Japonais se
sont donc modernisés. Leur espérance de vie est
passée à soixante-dix ans pour les hommes et
soixante-quinze ans pour les femmes, un niveau
atteint seulement par les quelques nations en pointe
dans le domaine de la recherche médicale.

Cependant, ce qui fut autrefois une grande réussite
est devenu aujourd'hui un fléau. Il y a un siècle, pays
à forte natalité, le Japon laissa passer deux ou trois
générations en vue du renouvellement des pertes
humaines occasionnées par le deuxième conflit mondial, puis se mit à favoriser une politique de strict
contrôle des naissances, généralisant la contraception
et l'avortement dans les années 60 et transformant les
vieilles structures du ié ou clan familial à trois ou
même quatre « étages » (générations) en familles
modernes, père, mère avec une moyenne de deux
enfants. En 1980, cette situation a conduit le pays à
un vieillissement de sa population qui pose avec
acuité le sort du troisième et du quatrième âge dont
la charge de plus en plus lourde incombe à un nombre décroissant de jeunes travailleurs. Les effets
cumulés du vieillissement et du ralentissement de la
croissance font apparaître la nécessité de bien mesurer désormais le poids d'une sécurité et d'une aide
sociale qui n'étaient intégrées dans l'ensemble du
système qu'en fonction d'une tradition de revenu
familial. Le dégagement d'un salarié à soixante-cinq
ans muni d'un pécule représentant deux ans de salaire
comportait une compensation à plusieurs niveaux :
celui de l'embauche de l'épouse qui n'a pas atteint la
limite d'âge, du fils ou de la fille qui cherchent un
premier emploi, et enfin le reclassement de l'intéressé
soit à mi-temps, soit dans une société filiale ou sous-
traitante dont les salaires sont inférieurs.

Le livre blanc sur la Sécurité sociale publié par le
ministère de la Santé en 1978 fait ressortir cette situation particulière du Japon comparée aux pays occidentaux. 74 p. 100 des Japonais de plus de soixante-

cinq ans vivent avec leur famille ou avec des parents. Les projets japonais maintiennent donc la prise en compte du facteur familial. S'y ajoutent le souci de créer un système efficace d'assurance-maladie et celui de retarder l'âge de la retraite en maintenant le plus longtemps possible les personnes âgées en activité, ceci toutefois en harmonie avec la politique de l'emploi. Le livre blanc insiste également sur la nécessité de maintenir au Japon un taux de natalité qui ne soit en aucun cas inférieur à celui d'aujourd'hui. Une enquête a révélé que la préférence va aux familles avec deux enfants, en insistant sur le fait que ceux-ci constituent un facteur de succès de la vie familiale. Très peu de personnes interrogées se sont souciées de l'avenir de la société japonaise. Les estimations faites par les instituts spécialisés montrent que la croissance de la population va se ralentir aux environs de l'an 2000 et que le Japon comptera 150 000 000 d'habitants au milieu du XXIe siècle. Dans le même temps, les Chinois auront dépassé le milliard et les Indiens en seront tout près. On prévoit que la population laborieuse, âgée de 45 à 65 ans, sera plus nombreuse que celle des 25 à 45 ans. La tranche des 50 à 55 ans passera de 4 800 000 à 8 200 000 en l'an 2000. Les conséquences de cette situation vont révolutionner les données sociales du Japon traditionnel en modifiant radicalement l'équilibre hiérarchique des entreprises. Les patrons seront obligés de renoncer définitivement aux avancements à l'ancienneté s'ils ne veulent pas créer une situation de désespoir sans remèdes pour les jeunes qui entreront sur le marché du travail. La démographie va devenir le facteur de changement le plus révolutionnaire obligeant à repenser le système éducatif, l'organisation des entreprises, la mobilité de l'emploi et le profil des carrières.

Médecine et santé

Lorsqu'on a vécu quelques années au Japon, on finit par s'apercevoir qu'il y existe des maladies de civilisation. Aux Etats-Unis ou en France, ce phénomène est moins voyant. Il suffit d'observer autour de soi combien de Japonais portent des lunettes, combien sont accablés par une mauvaise dentition, combien ont des maux d'estomac tenaces. Ces maux, très courants, attirent moins l'attention que les maladies du cœur, les cancers ou les maladies mentales qui présentent plus souvent des phases aiguës et meurtrières, puisque, aujourd'hui, une maladie devient « de civilisation » en fonction du taux de mortalité qu'elle engendre. Le Japon est entré il y a à peine cent ans dans l'ère de la médecine moderne occidentale. Toutefois, comme pour la musique, il s'est produit un phénomène d'assimilation à une vitesse record qui place le Japon parmi les tout premiers pays du monde en matière de recherche médicale. Le docteur Vuillet, ma belle-sœur, venue à Tokyo étudier les diagnostics de cancer d'estomac, raconte ainsi sa première prise de contact avec les malades du professeur Kuru à l'hôpital Tsukiji, le centre national anti-cancéreux.

« ... Le professeur Kuru est un homme de grande taille. Il me reçoit dans un bureau destiné à son usage exclusif, très sobre. Je remarque immédiatement le seul élément décoratif, l'*ikebana* (arrangement de fleurs). Les étagères sont garnies de livres en japonais et en anglais. Le professeur s'exprime en excellent français : « Nous avons des techniques « instrumentales particulières d'investigation en « matière de cancer gastrique... Je vais vous confier « à un groupe de médecins, dont le professeur Puji. « Tous parlent l'anglais, certains le français... »

« L'accueil du professeur fut très cordial. Je constatai bientôt que cette cordialité dont il ne s'est jamais départi à mon égard s'adressait surtout à un boursier français, nuancée de galanterie à l'égard du médecin femme que j'étais aussi. Il gardait un excellent souvenir d'un récent voyage en France. Par contre, son attitude avec ses collaborateurs japonais était plutôt distante et je m'aperçus très vite ce que pouvait signifier un « grand patron » au Japon. La hiérarchie au sein du groupe médical m'apparut plus contraignante qu'en France. Les médecins entre eux plaisantaient souvent, et l'ambiance de travail était très agréable. Le professeur Kuru arrivait de bonne heure le matin, mais il restait surtout dans son bureau. Les chefs de service passaient la visite. Le patron tenait une réunion hebdomadaire, le mercredi matin. A l'époque, on expérimentait le Bléomycine et chacun donnait les résultats de son service. En ce qui me concerne, titulaire d'une bourse offerte généreusement par les laboratoires Takeda, j'étais cantonnée dans le service des investigations des cancers gastriques et j'apprenais chaque jour à manipuler les gastro-caméras. A cette époque, en 1966, c'étaient les premiers appareils de ce type mis en service, la plupart fabriqués par la firme Fuji. Aujourd'hui, ces caméras ont été perfectionnées et sont utilisées dans le monde entier.

« En matière d'instrumentation, quelle qu'elle soit, qu'il s'agisse d'investigations gastriques ou cardiaques, les Japonais fabriquent aujourd'hui les appareils les plus miniaturisés, tout en leur conservant une grande fiabilité. Je recevais les malades en consultation, venant de l'extérieur, ou amenés de leur lit, sur un chariot, dans la salle d'examen. J'ai d'abord, pendant quelques jours, assisté un médecin japonais. Il y avait un problème de langue. Mais j'ai vite assimilé les quelques mots de japonais qui m'étaient indispensables : « Déglutissez, respirez, décontractez-vous, etc. » Dès que j'ai eu la possibilité de parler, toute initiative m'a été laissée dans l'examen. J'inscrivai mes observations en anglais sur la fiche du malade. Chaque médecin procédait à quatre ou cinq examens par matinée. Tous mes confrères étaient salariés. Autant que je me rappelle, leur salaire n'était pas très élevé. Ils menaient tous un train de vie modeste.

« Ils étaient très intrigués par ma présence, l'hôpital ne recevant pratiquement que des boursiers venant d'Asie du Sud-Est. Le personnel de l'hôpital, voire les malades valides, sortaient de leur bureau ou de leur chambre pour voir la *geijin* (l'étrangère) blonde et médecin venue d'Europe. Au bout de quelques semaines, alors que la curiosité dont j'étais l'objet ne s'était pas encore émoussée, j'eus la surprise d'être suivie dans tous mes déplacements à l'intérieur de l'hôpital et filmée sous tous les angles.

« Je garde de mon séjour le souvenir d'une profession dans laquelle le respect normal de la hiérarchie sociale se doublait d'un respect dû aux connaissances, au savoir et à l'intelligence d'un grand chercheur et homme de science comme le professeur Kuru. »

Au IXe congrès international du cancer en 1966, les sommités mondiales découvrirent avec stupéfaction l'avancement des travaux japonais dans la mise au point d'une série d'antibiotiques : anticancérigènes tels que la Hitomycine C, la Carzinophyline, la Chromomycine A3 et la Bléomycine ; cette dernière invention a été commercialisée en France dix ans après et fut responsable de guérisons quasi miraculeuses de certaines formes de cancers laryngés.

En remontant les années, on constate que la contribution des savants japonais jalonne les progrès de la médecine dans les secteurs les plus divers. Le docteur Kitazato met au point en 1890 une sérothérapie du tétanos. Le docteur Hata découvre en 1910 un remède spécifique de la syphilis. La même année, le docteur Suzuki extrait des vitamines de l'enveloppe du riz, ouvrant la voie aux recherches dans ce domaine. En chirurgie, le docteur Hanaoka met au point dès 1805 une méthode d'anesthésie générale par un mélange de plantes, quarante ans avant l'utilisation du protoxyde d'azote (gaz hilarant) expérimenté en 1844 par le chirurgien américain William Thomas Green Morton. C'est au Japon qu'a été mise au point la première méthode de contraception, par le docteur Ogino, de Niigata.

Le Japon compte environ 130 000 médecins, soit un peu moins de un pour mille habitants, proportion atteinte par l'Australie, la Suède et les Pays-Bas. Les services hospitaliers japonais bien que fonctionnant parfois dans des installations vétustes et mal adaptées sont d'une efficacité remarquable que j'ai expérimentée. Ayant dû être transporté en pleine nuit dans un hôpital de Tokyo, je fus admis dans un lit sans formalité administrative. Un interne se trouvait près de moi dans les dix minutes suivant mon entrée et un médecin de garde m'examinait moins de trente minutes après. Les formalités administratives furent régularisées le matin, comme c'était le cas dans cet hôpital pour tous les services d'urgence. Je ne fus pas traité autrement que n'importe quel Japonais et je n'étais pas seul. La condition des médecins, tous salariés ou presque, est moins florissante que celle de leurs homologues européens ou américains. Il s'agit cependant d'une corporation hautement dévouée à un service public.

La médecine préventive tient une place à part étant donné son importance. Ainsi, en matière pulmonaire, un dépistage systématique est fait mais, ce qui est plus important et représente un effort considérable, un dépistage systématique et mobile du cancer existe aujourd'hui dans les provinces et les villes les moins favorisées.

Les exclus

Dans le courant de l'été 1969, tandis que j'essayais de rejoindre le port de Kobé en voiture, je fus pris dans un dédale de rues anonymes de maisons en bois et je réalisai tout à coup que je n'arriverais pas à retrouver sans aide la voie principale d'Osaka à Kobé, parallèle à l'autoroute qui enjambe les toits et qu'on ne peut rejoindre que par cette route encombrée de poids lourds. Je continuais de tourner d'une rue à l'autre à l'heure de midi. La chaleur écrasante avait vidé les artères. La cité paraissait morte. Je décidai finalement de m'arrêter dans l'une de ces ruelles identiques, un peu plus large que les autres, aboutissant sur un terrain vague. Celui-ci ressemblait à ce qui aurait pu rester d'un quartier de ville détruite par les bombardements il y a trente ans et que l'on aurait abandonné. Peut-être était-ce cela en effet. Mais mon souci était ailleurs. Il s'agissait pour moi de chercher la bonne route menant à Kobé. J'avais l'intention de prendre le bateau qui traverse la mer intérieure et conduit à Beppu, port du Kyushyu, l'île méridionale. Beppu est célèbre par sa colline aux singes au cul rouge et ses bains de boue colorée. Je descendis de voiture pour aussitôt me rendre compte de quelque chose d'anormal : toutes les maisons bâties sur le même type comportaient des terrasses en`bois dont le sol à claire-voie, fait de lattes parallèles, recouvrait à hauteur du premier étage la place de garage d'une petite voiture. Ces terrasses, séchoir de la ménagère, étaient occupées par des peaux fraîchement tannées...

Les burakumin

... J'étais chez les *burakumin*. J'en connaissais depuis longtemps l'existence, mais je n'avais pris aucun contact avec eux. Je frappai donc à une porte, n'importe laquelle, ou plutôt non, je choisis une maison dont l'emplacement de garage était occupé par une petite Toyota Corolla, immatriculée à Tokyo. Dans les autres maisons, il n'y avait pas de voiture et l'emplacement du garage était encombré de ferrailles et de chiffons. Une femme, petite et boulotte, d'une quarantaine ou d'une cinquantaine d'années, vint m'ouvrir en entrebâillant discrètement l'huis. Je pus voir qu'elle était vêtue du tablier blanc boutonné derrière que portent généralement les femmes de la campagne :

« *Nan Deska ?* (qu'y a-t-il ?) »

Je baragouinai des excuses en japonais, demandant à voir le maître de maison... Mais, apparemment, elle ne me comprenait pas et devant mon langage venu d'ailleurs, suivi de mon silence et du sien, elle me dit : « *Chotto matte* »... (Attendez un peu.) Elle me planta là après avoir refermé la porte coulissante. J'attendis une minute, rien ; deux minutes, toujours rien. J'allais m'en aller lorsqu'un homme habillé à l'européenne vint et s'adressant à moi en un anglais correct me dit : « May I help you ? » (Puis-je vous aider ?) Mû par un réflexe depuis longtemps bien ancré, je sortis de ma poche une de mes cartes de visite et la tendis à mon interlocuteur. Celui-ci la lut attentivement, puis me pria d'entrer. Je me déchaussai rapidement puis, après avoir parcouru un petit couloir biscornu et tourné à angle droit deux fois à droite, la femme au tablier blanc qui m'avait accueilli ouvrit devant moi les *shoji* d'une pièce de 12 tatami. Mon hôte me fit asseoir sur un coussin, le dos au tokonoma. A ma droite, le shoji à moitié ouvert donnait sur une galerie couverte qui faisait le tour de la maison. Les portes coulissantes vitrées s'ouvraient sur un petit jardin japonais très bien arrangé, butant sur le fil de fer barbelé, limite du terrain vague. Lorsque je fus assis, mon hôte sortit de sa poche une carte et me la tendit à son tour : « ... *Dozo* ... » (S'il vous plaît...) Je lus la carte : Nemoto Masao, *Executive marketing department*. La carte était imprimée d'un côté en anglais, de l'autre en japonais ; suivait le nom d'une firme connue pour le succès de ses produits aux Etats-Unis aussi bien qu'en Europe. Nous buvions le thé vert en silence... Il parla le premier et sans faire une allusion quelconque à la raison qui m'avait amené à frapper à sa porte me demanda : « Where are you from ? Italy ?... No, France... Ah ! Ah ! *Sodeska* !... » Nemoto se mit alors à me parler du marché européen de sa firme.

L'année précédente il avait été chargé d'une mission en Europe, avec un groupe de collègues, afin de déterminer les modalités d'organisation d'un réseau de vente de leurs produits dans les pays du Marché commun. Plus spécialement chargé des aspects juridiques du problème, M. Nemoto me raconta qu'il avait fait un séjour d'un mois à Bruxelles pendant que ses collègues visitaient la France, l'Italie et l'Allemagne. Personnellement, il avait pu s'offrir un bref séjour à Londres et à Paris. A mon tour je racontai que j'étais journaliste et que chaque fois que la politique internationale m'en laissait le temps je visitais une région du Japon. J'allais voir le Kyushyu Nord, c'est-à-dire la région de Beppu, le mont Aso et, si j'en avais le temps, je comptais aller jusqu'à Nagasaki, à la maison de « Madame Butterfly ». Une question me brûlait les lèvres, la seule qui m'intéressait maintenant et je n'osais pas la poser. M'enhardissant enfin et par un détour de pensée, j'articulai péniblement : « A propos, pourquoi toutes ces peaux qui sèchent, étendues sur les terrasses de ce quartier.. » Mon interlocuteur attendait sans doute la question et s'était préparé à y répondre... Il se mit à rire comme on le fait au Japon lorsqu'une question embarrassante est posée, puis lentement, en détachant ses mots, il me dit : « Vous êtes ici chez les burakumin, c'est-à-dire les hors castes. Je suis un barakumin... mais si je le dis à Tokyo, je perdrai mon emploi... Je ne sais pas si ma femme ne divorcera pas et j'ignore même si mes deux fils continueront à me considérer comme leur père... Ma sœur que vous avez vue tout à l'heure est toujours restée ici... J'ai une autre sœur qui est mariée dans une maison du quartier, à deux rues d'ici. C'est le mari de ma sœur qui continue à s'occuper du commerce des peaux, car mon père et ma mère sont morts...

— Et vous ? demandai-je.

— Pour moi, tout a été très difficile. J'avais décidé de sortir de la communauté, alors de dix-huit à trente ans j'ai mené une vie errante. Je suis d'abord allé travailler à Pukuoka. J'ai eu beaucoup de chance, car j'ai été embauché dans une compagnie de louage de voitures. Cela m'a laissé un peu de temps libre et j'ai pu faire mes études de droit. Ensuite, je suis allé à Takarazuka où j'ai été employé comme secrétaire à l'administration du théâtre ; puis à Nagoya dans une petite *shoshu* (organisme de commercialisation d'un ou plusieurs produits). J'ai habité dans une vingtaine de villes différentes. Chaque fois j'ai changé de nom. Aujourd'hui, si on fait une enquête sur moi, il sera très difficile de remonter jusqu'ici, bien que j'aie entendu dire que les détectives privés y arrivaient, tant ils mettent d'acharnement à chercher... »

Le cas des burakumin est spécial au Japon. Ils sont trois millions répartis soit individuellement, soit en groupe à travers le pays. Plus de la moitié sont dans le cas de M. Nemoto. Physiquement, ils ne se distinguent en rien des autres Japonais, ce qui leur a permis de changer d'adresse dix, quinze, vingt fois, et souvent de nom sous des prétextes divers : perte de papiers, impossibilité de vérification des registres d'état civil détruits pendant la guerre... Lorsqu'ils sont intégrés normalement dans la société, ils tremblent que l'on puisse les identifier, et cela d'autant plus qu'une sorte de chasse aux sorcières s'est organisée ces dernières années avec la vente sous le manteau d'un annuaire des burakumin, avec les noms et les origines, dressé par le patient « travail » de détectives privés, et que quelques grandes firmes japonaises auraient acheté. Ces firmes pratiqueraient ainsi une discrimination à l'embauche, pratique tout à fait illégale depuis que la mention « burakumin » a été supprimée de tous les registres de naissance après la guerre.

Les « intouchables » japonais remontent à la période de Nara, quand un certain nombre de classes pauvres acceptèrent de faire des travaux dont personne ne voulait : ramassage des ordures, nettoyage des égouts, vidanges, abattage d'animaux, travail du cuir, cordonnerie, boucherie, etc. Aujourd'hui, ces mêmes métiers entraînent une discrimination sociale qui atteint non seulement les individus qui y sont exposés à cause de leurs activités professionnelles, mais encore leur famille, ascendants et descendants. Si on peut compter environ un million et demi de Japonais comme M. Nemoto dispersés dans ce qu'on appelle la *Ippan society*, la société de la majorité, il en reste environ un million et demi qui vivent dans six mille ghettos *(buraku)* répartis dans les villages ou dans des enclaves particulières à la périphérie des villes. Ceux qui ont accepté de vivre dans ces enclos de discrimination se sont forgés une conscience de groupe qui, dès avant le deuxième conflit mondial, était devenue une force politique. En 1946, désireux de faire avancer le problème de l'intégration sociale de sa minorité, le chef de la communauté rencontra le premier ministre Yoshida Shigeru, père du Japon contemporain, et lui proposa le soutien politique des buraku en échange d'une politique active de libération. Yoshida Shigeru fit bien passer dans la loi un texte anti-discriminatoire en faisant supprimer des registres officiels la mention de burakumin, mais fut totalement impuissant à changer les vieilles mentalités, si bien que, de déception, une grande partie des votes des buraku ira au parti socialiste, au parti communiste, ou au Komeito (parti bouddhiste), privant les conservateurs d'un appoint de majorité dont ils pourraient bien avoir besoin un jour. Le mouvement de libération des buraku du Japon a en effet relancé une campagne à la fin de 1977 sous l'impulsion du professeur Murakoshi, un des rares burakumin à s'identifier publiquement comme tel. Selon Murakoshi Sueo qui est lié au parti socialiste japonais, la publication discriminatoire, l'annuaire des buraku et des burakumin — résultat des « enquêtes » de quelques chefs de service du personnel de grandes entreprises et de nombreux détectives privés — circulerait à plus de mille exemplaires. On comprend les craintes de M. Nemoto et de tous les burakumin qui se cachent dans la société japonaise. Ils risquent de tout perdre, même s'ils sont intégrés depuis plus de vingt ans : il suffit pour cela que, à l'occasion d'un projet de mariage de l'un de ses enfants, la future belle-famille fasse entreprendre une enquête un peu poussée... Si l'origine buraku est décelée, non seulement le mariage ne se fera pas, mais de plus, le risque est grand de voir l'employé renvoyé de son entreprise et privé d'emploi.

Le professeur Cornell, de l'université du Texas, a longuement observé la vie et le comportement d'un hameau rural de burakumin : le buraku de Matsuzaki, près de la ville d'Okayama. Il a essayé de traduire comment ces Japonais, placés en position d'exclus et dont la situation durant la période Taisho des années 20 pouvait être assimilée à celle des juifs allemands à la même époque, se comparaient eux-mêmes à leurs voisins de la *Ippan society* (société majoritaire). Les burakumin se considèrent comme supérieurs aux autres Japonais dans de nombreux cas, notamment dans leur respect des valeurs traditionnelles. Ils déclarent se conformer beaucoup mieux que les autres aux principes des mariages arrangés, être plus coopératifs avec leurs voisins et participer plus volontiers à des actions collectives. Ils estiment aussi travailler plus dur, être moins égoïstes. Ils reconnaissent avec une certaine gêne être moins aptes à converser, être moins instruits et moins bien élevés, moins bien habillés, observer une hygiène moins rigoureuse ; ils reconnaissent que les relations entre hommes et femmes sont moins harmonieuses que dans l'autre société. Les « intouchables » japonais sont parfois riches, notamment les bouchers. Mais le plus souvent ils forment économiquement le bas de l'échelle.

Après avoir ainsi constaté chez les burakumin de Matsuzaki l'évidence d'un sentiment collectif de faire partie d'une « autre société », le professeur Cornell a enquêté auprès de leurs voisins japonais, désireux de connaître les raisons de cet « apartheid » puisque rien ne les distingue physiquement les uns des autres.

Tous les Japonais de la *Ippan society* commencent par répondre : « C'est très difficile à expliquer... Ils sont différents, étranges, sales, sans hygiène, sans morale, dégoûtants. A Matsuzaki, ils parlent grossièrement ; ce sont des gens brutaux. Ils se mettent en colère facilement. Il en faut très peu pour qu'ils se sentent insultés... » Dans leurs réponses, les Japonais vivant sur le pourtour du buraku ne visent pas tel ou tel de ses habitants pris individuellement, mais formulent ce type de réflexions en les appliquant collectivement aux résidents du ghetto. Parmi ceux qui ont accepté de ne pas éluder les questions du professeur Cornell, la majorité d'entre eux ont signalé comme causes essentielles de la discrimination qu'ils pratiquent les habitudes diététiques de leurs « voisins » que, péjorativement, ils appellent parfois Etas, ce qui est pour les intéressés une insulte.

Il est vrai que ces communautés étaient les seules au Japon à manger de la viande. Mais si depuis la fin de la guerre les Japonais sont eux-mêmes devenus des consommateurs de « steak », ils continuent à considérer comme détestable et particulière aux burakumin la consommation de foie, d'abats et surtout de tripes. Dans les buraku urbains, à Kyoto par exemple, autour de la gare, on trouve une solidarité beaucoup moins familiale que dans les communautés rurales et plutôt articulée autour des associations qui existent aussi à la campagne : associations de femmes, de jeunes ou les associations *ko*, groupes formés autour de temples bouddhistes et combinant des exercices pieux avec un fonds de solidarité excluant les plus pauvres. Parmi les organisations socio-politiques auxquelles les barakumin adhèrent, il faut faire une place particulière à l'un des trois grands syndicats du Japon, le *Domei*, dont l'idéologie est proche d'un socialisme modéré. Dans de nombreux buraku, le *kocho* (chef de district élu) et ses conseillers coiffent en même temps la casquette de secrétaires syndicaux du *Domei*. Leur relation avec les membres du buraku est fondée sur le modèle *oyabun-*

kobun, une sorte d'allégeance dans le cadre d'un système paternaliste, que l'on retrouve dans toutes les entreprises japonaises. Le Domei incite ainsi ses membres à rationaliser leur vie. Ils recommandent de ne pas trop dépenser d'argent pour les funérailles ou les mariages, de lutter contre les habitudes de jeu et de boisson, d'adopter un planning familial cohérent et, en rapport avec leur niveau économique, de participer à des services communautaires au profit des plus défavorisés. Ainsi, le Domei demande à tous ceux qui disposent d'un *furo* privé (salle de bain) de contribuer à entretenir le bain public.

Cette discrimination persistante, due au poids de l'histoire féodale ainsi qu'à des réactions psychologiques à l'égard de certaines habitudes et modes de vie attribués à des groupes, modèle une société de castes ni plus monstrueuse ni moins justifiée que les barrières de résidence qui s'élèvent en Europe entre les communautés nationales et celles des travailleurs immigrés ou entre les Blancs et les Noirs aux Etats-Unis. Mais au Japon vient s'ajouter pour les burakumin un rôle de bouc émissaire de toutes les superstitions qui affligent les sociétés modernes, un peu comme dans certaines régions d'Europe les sorcières furent les boucs émissaires de tous les maux qui purent frapper une communauté.

La crainte de M. Nemoto rencontré par hasard près d'Osaka est d'autant plus justifiée que, au seuil du XXIe siècle, les perspectives ouvertes par le développement technologique mettent en évidence des zones d'ombre de plus en plus vastes concernant l'homme et son devenir. M. Nemoto, burakumin ayant réussi son passage dans la « caste majoritaire », voit sa réussite d'autant plus menacée que le progrès accompli en quelques années par une majorité de Japonais leur insuffle une crainte de perdre l'acquis. Dans cette éventualité, il faut des responsables. M. Nemoto sait qu'il en est un tout désigné. Pourquoi, s'il n'était animé de quelque obscur dessein, aurait-il mis tant d'acharnement à passer dans la *Ippan society* ?

De même que les Noirs aux Etats-Unis, les juifs en U.R.S.S. et dans les pays de l'Est, les Nord-Africains en France, les Italiens ou les Turcs en R.F.A., les Indiens en Grande-Bretagne, les burakumin du Japon sont porteurs d'une sorte de péché originel dont ils ne peuvent même pas collectivement se laver. D'autres minorités de l'Archipel sont dans la même situation, en particulier les Coréens. Seules les origines de la discrimination diffèrent, mais le fait reste le même : les Coréens du Japon sont rejetés par la *Ippan society* au nom d'une prévention collective.

Les Coréens

L'histoire des Coréens du Japon remonte loin dans le temps, à une époque où le bouddhisme fut introduit dans les îles en venant de Chine par la Corée. Dans la période contemporaine, on sait que la Corée a été annexée purement et simplement par le Japon en 1910 et qu'elle n'est devenue de nouveau indépendante qu'après la défaite du Japon en 1945. Les Coréens sont pour les Japonais ce que les Algériens sont pour les Français. Le même complexe existe chez les uns et les autres du colonisateur évincé d'un côté, du colonial soucieux de renverser l'histoire et n'ayant rien oublié de sa lutte de l'autre.

Ayant rencontré le général Park Chung Hee, président de la Corée du Sud et signataire du traité de normalisation des relations avec le Japon, je me rappelle encore cette phrase d'amertume qui résonne à mes oreilles : « Monsieur, comprenez-nous, ils [les Japonais] ont voulu prendre notre âme... » Au Japon, il est vrai, la condition faite aux Coréens résidents avant la guerre de 39-45 était des plus précaires. Lors du tremblement de terre de 1923, connu sous le nom de grand tremblement de terre du Kanto, les Coréens furent pratiquement désignés par les services gouvernementaux comme coupables de tous les pillages et actes de barbarie qui avaient accompagné la détresse de milliers de sans-abri. Cette désignation des coupables entraîna un immense « pogrome » à travers Tokyo.

Depuis la fin de guerre, les Coréens se sont organisés en deux communautés distinctes : l'une d'obédience communiste, avec passeport de la Corée du Nord ; l'autre, fidèle au régime anticommuniste de Séoul ou du moins se réclamant de Séoul, même lorsqu'ils s'opposent au régime de Park Chung Hee.

Les fidèles de Kim Il Sung sont organisés, hiérarchisés, encadrés. Ils ont engagé contre les autorités japonaises et en particulier la police une résistance à toute provocation. Ils ont réussi à créer leurs propres écoles, où l'on enseigne en coréen, dont une très importante près de Shimouma dans un quartier de Tokyo proche de Shibuya. Ils ont surtout réussi à les maintenir bien qu'on leur ait opposé la législation existante sur les écoles privées. Cette colonie du Nord regroupe environ six cent mille personnes que la Corée du Nord refuse de rapatrier, même pour ceux qui souhaiteraient revenir à Pyongyang. Les Japonais accusent les Coréens du Nord d'espionnage : dans leur esprit, le contrôle individuel d'identité sur leur communauté resterait du domaine de la fiction et l'importance de la colonie permettrait aux communistes d'infiltrer à Tokyo leurs agents comme ils l'entendent. Rien ne ressemble plus à un Coréen du Sud qu'un Coréen du Nord, et vice versa. Cependant, les griefs faits à la colonie du Sud, environ deux cent mille personnes de statut social peut-être plus élevé, vise non le crime politique mais plutôt la criminalité de droit commun. Il n'y a pas un vol, pas un viol, pas un crime dont les Japonais de la rue ne disent instinctivement : « C'est sans doute un Coréen... » Les fonctionnaires parlent des Coréens avec mépris mais il faut constater que ceux-ci le leur rendent bien. Il faut cependant vivre, et lorsqu'on connaît les sentiments de la majorité et de la minorité, on ne peut que s'étonner de la rareté des incidents. Un large effort a été fait de part et d'autre pour faire entrer dans les faits une normalisation discutée aux échelons politiques. Aujourd'hui, les hommes d'affaires japonais vont en Corée. Ils y sont bien accueillis, y compris par les filles. Il en est de même des Coréens en visite au Japon. Près d'un demi-siècle de coexistence, même forcée, a éliminé les barrières linguistiques et même un certain nombre de barrières psychologiques, ce qui se traduit du côté coréen par : « Pourquoi ne pas traiter avec les Japonais, au moins on les connaît... » et du côté japonais : « Les Coréens ont appris à travailler grâce à nous, nous savons ce qu'ils peuvent faire. Mieux vaut leur faire confiance qu'à d'autres peuples d'Asie, comme les Philippins... » Une discrimination existe cependant au niveau de l'embauche et de la vie sociale. Les Coréens résidant au Japon, même ceux du Sud, n'ont aucune chance de pouvoir s'intégrer dans la société japonaise. Quel que soit leur degré d'assimilation, ils forment un groupe à part, peut-être physiquement moins ostracisé que les burakumin, mais tenu à l'écart avec autant de force par la société japonaise.

Les mouvements d'habitants

Toutes les réactions individuelles, même les plus émotionnelles, se traduisent en confrontation de groupes : défi des minorités à la majorité ; défi de la majorité à chacune des minorités. Ce phénomène qui caractérisait la vie politique, puis qui s'était étendu aux modes de vie, affecte aujourd'hui ce qui peut être considéré comme les droits de l'individu. Il y a dix ans, alors qu'on commençait à promouvoir l'habitat vertical, les résidents des maisons individuelles, encore nombreuses même à Tokyo, s'aperçurent du jour au lendemain qu'ils étaient spoliés. Les immeubles de huit, dix étages et plus leur enlevaient tout espoir de voir le soleil même une heure par jour. C'en était fini des pierres savamment posées et du sable finement ratissé, des arbres nains judicieusement orientés. L'espace japonais perdait toute signification puisqu'on ne pouvait plus compter sur les jeux d'ombre et de lumière pour créer la profondeur de champ suffisante à la création de l'harmonie chez un individu qui voit la vie au ras du sol, assis sur le tatami. Les jardins furent d'ombre. Bientôt des associations se constituèrent dans les quartiers pour réclamer le droit au soleil. Il fallut presque dix ans, mais en 1977 ce droit fut enfin reconnu par le Parlement, et l'application de la loi qui est du ressort des arrondissements et des collectivités locales donna lieu à des ordonnances fort compliquées établies après audition de ces associations. Une telle décision ne présente en soi aucune originalité. Il est courant en Europe et aux Etats-Unis de trouver des règles d'urbanisme qui limitent les hauteurs de building, déterminent les styles de construction ainsi que leur orientation par rapport aux immeubles ou aux maisons voisines. Mais ce qui paraît surprenant, c'est le fait que les ordonnances, au lieu de fixer des devoirs aux promoteurs, ont fixé des droits pour les citoyens, en particulier un droit au soleil.

Dans le Minato-Ku, district central de Tokyo où l'on trouve peu de résidences ou d'appartements privés, mais surtout des bureaux, chaque nouvel immeuble ne peut engendrer une ombre en deçà de dix mètres de la limite de propriété pendant plus de trois heures par jour. Au-delà de dix mètres, on n'autorise que deux heures d'ombre. Dans d'autres secteurs, on permet quatre heures ou deux heures et demie, cinq heures ou trois heures. Dans chaque bureau municipal travaillent maintenant des équipes de médiation entre promoteurs et associations de résidents. Lorsqu'un promoteur a l'intention de construire un immeuble de plus de quatre étages, les autorités l'encouragent à recueillir les signatures d'autorisation du voisinage. Ces signatures se monnaient dans la plupart des cas en fonction du nombre d'heures de soleil dont le nouvel immeuble va priver les voisins. Le promoteur dresse alors une carte d'ensoleillement du quartier et va la discuter avec les résidents limitrophes. L'heure de soleil perdue peut valoir 500 000 yen, soit environ 12 000 F. Même l'Etat doit discuter pour indemniser les riverains des nouvelles autoroutes urbaines qui enjambent les toits apportant soit l'ombre, soit une poignée de décibels.

Mais l'argent ne remplace pas le soleil. Aussi les associations de défense des citoyens sont-elles devenues aujourd'hui l'un des éléments les plus actifs de la politique locale. On pourrait être tenté d'y retrouver l'influence de tel parti politique ou de tel syndicat. En fait, les mouvements de défense ne sont pas nouveaux. Si on traduit littéralement le japonais, il faut parler de « mouvements d'habitants ». Ce qui les caractérise le mieux : la spontanéité. Les ouvrières d'une usine en ont ras-le-bol des cadences qui leur sont imposées sur leur chaîne de travail ? Elles se réunissent, confectionnent des calicots, des banderoles, des caricatures et, le samedi suivant, on les voit défiler dans les rues de Tokyo, précédées d'une voiture munie d'un haut-parleur qui hurle les slogans, et suivies de huit ou dix agents en uniforme qui bavardent de leur dernière permission en jouant les serre-file. Le même jour, sur un autre parcours, ce sont les ménagères de tel quartier qui protestent contre l'élévation du prix du riz, un autre samedi on verra les écologistes protester contre les centrales nucléaires... Le défilé dans les rues de Tokyo est devenu une forme d'expression collective, il se termine dans la rue d'Akasaka contre les chevaux de frise de la police, qui interdisent l'accès des deux ruelles menant à la résidence officielle du premier ministre. A la manifestation, une pétition est remise et la manifestation se disloque sans incidents.

Peu à peu, dans les années 70, on est passé de ces mouvements inorganisés à des structures de protestation plus sérieuses, mobilisées autour de trois séries d'objectifs : défense contre les grands projets de développement ; opposition à la construction, puis à l'ouverture de l'aéroport de Narita ; opposition à la construction de centrales nucléaires, défense contre les nuisances et les pollutions, défense des consommateurs. Il est à noter que dans le Japon industriel, semblable en cela à tous les autres pays industrialisés, aucun de ces problèmes parfois insolubles n'a été intégré dans les programmes d'action des structures traditionnelles, qu'il s'agisse des partis, des syndicats, des communes, des préfectures. Bien entendu, des tentatives de récupération et de canalisation de ces problèmes essentiellement locaux ont eu lieu, mais sans succès. Les décisions politiques fondées sur le principe de la majorité ou de la représentation élue ne défendent pas toujours les intérêts de tel ou tel groupe spécifique. Les mouvements d'habitants ont donc démontré qu'ils pouvaient être complémentaires des partis, des syndicats ou des structures administratives de tutelle. Il est intéressant, à titre d'exemple, d'observer depuis trente ans l'impact des orgnaisations de consommateurs qui font presque toutes partie de mouvements de femmes. C'est par exemple la Ligue des ménagères du Kansai qui suscite la création de celle de Tokyo à l'occasion d'une · protestation contre la fabrication d'allumettes qui ne s'allument pas...

A la suite de cette dénonciation s'ouvre un bureau de tests des produits d'usage courant. L'activité de la Ligue est donc centrée sur la dénonciation des fabrications défectueuses. C'est ensuite la publicité mensongère qui est passée au crible, action qui aboutit à une loi sur la prévention de l'étiquetage mensonger. L'initiative la plus intéressante est la création de groupes de cinquante à cent ménagères pour former des « écoles de la vie quotidienne ». Il en existe aujourd'hui près de deux mille dans tout le pays. On y discute les problèmes de biens et de services. On y fait venir des fonctionnaires, des producteurs, des industriels, des distributeurs. Ces écoles ont servi de base à la création des « mouvements de base des consommateurs ». Selon un article de Maki Shohei paru dans le *Japan Quaterly*, il y aurait ainsi groupées six millions de femmes. Le résultat fut probant en septembre 1970 lorsque cinq organisations entreprirent le boycottage des postes de télévision couleur pour protester contre un système de deux prix différents dans le commerce. En décembre, les stocks de téléviseurs couleur s'étaient accumulés si rapidement que la baisse des prix fut inévitable. L'Union des automobilistes a montré également ce que pouvaient faire les hommes. Mais il faut noter ces dernières années une évolution nouvelle. D'une part, les organisations de consommateurs choisissent des cibles plus politisées et cela sous l'influence de mouvements américains, et de Ralf Nader qui est venu au Japon montrer la voie en 1971. Ainsi en est-il des mouvements organisés contre l'industrie pétrolière. D'autre part, les regroupements de femmes ont servi de tremplin aux activités des mouvements de libération de la femme. Les observateurs s'accordent pour remarquer que tous ces mouvements favorisent l'influence des classes moyennes, tout en limitant de ce fait leur portée politique. Mais selon M. Nitagaï Kamon, auteur d'une étude sur « les possibilités et les limites du mouvement d'habitants dans la réalisation des réformes sociales » (traduit du japonais par la Documentation française), « les collectivités locales de gauche d'aujourd'hui s'appuient sur le mouvement d'habitants dirigé par les classes moyennes. C'est pourquoi leur politique revêt un caractère petit-bourgeois. Cette situation risque d'aggraver la tension au sein du mouvement d'habitants entre les classes moyennes et les partisans du « front uni ». En fait, jamais les collectivités locales de gauche ne se sont trouvées dans une situation aussi dangereuse, appelées qu'elles sont à redéfinir leur position sur la question du « front uni », sur la politique du bien-être du pouvoir et sur la réforme des collectivités locales ». Le pouvoir conservateur a saisi l'importance de ces mouvements et a engagé une action de récupération politique pour tout ce qui concerne l'environnement et la consommation. Là encore se manifeste le *tenko*, cette faculté d'adaptation des Japonais à une situation fluctuante dont on tire parti dans une tradition de pragmatisme politique unique au monde.

RÉALITÉS

LE JAPONAIS DANS L'ENTREPRISE

L'animal économique

Comme tous les peuples, les Japonais ont leur fierté nationale. Ils n'aiment pas qu'on les insulte et on les comprend. Or, voici déjà quelques années, ils ont courbé le dos sous une insulte venue d'outre-Pacifique, des Etats-Unis. Mais ils ne l'ont pas laissée sans réponse, attendant le moment propice. Est-ce la presse ? Un homme politique ? Je n'ai pas retrouvé la source. Là n'est pas le problème ; l'insulte existe : elle a été reprise par les Européens, par les Chinois, par les autres pays d'Asie : les Japonais ont été traités « d'animaux économiques » et n'en sont plus aussi fiers qu'auparavant. Il convient de se demander ce que recouvre cette épithète et pourquoi les Japonais, qui ont mis tant de cœur à l'ouvrage de construction et de mise au point de la machine économique la plus perfectionnée du monde, ne veulent pas être affublés d'une image de marque qui rend hommage, même crûment, à un génie dont aucun peuple n'a su faire preuve, même les plus nécessiteux. Etre un « animal économique » prend en effet une connotation péjorative et restrictive dans l'esprit de tous les partenaires du Japon : « Faites du business, nous ferons le reste... Vous ne savez parler que commerce et argent, alors, surtout ne vous mêlez pas de haute politique internationale, nous le ferons pour vous... Un animal possède une intelligence limitée : un « animal économique » se consacre tout entier à un secteur dans lequel il ne peut pas prétendre jouer un autre rôle que celui de régulateur des échanges. Dès qu'il est en position de meneur de jeu, halte-là ! on court à la catastrophe par sa faute. A un certain niveau, l'économie devient une affaire hautement politique, le Japon ne doit donc pas s'en mêler... »

Or, le concept d'« animal économique » implique des qualités à la mesure des immenses problèmes posés à un pays trop peuplé et sans matières premières. Au niveau politique, il est celui qui tire le meilleur parti de la conjoncture miraculeuse des années 65-70. Face à la crise, il résout depuis 1972 avec succès le problème de sa balance des paiements, de la valeur de sa monnaie, d'une croissance raisonnable et, peu à peu, de l'emploi. Mais ces succès entraînent d'autres problèmes qui naissent précisément de l'excédent de la balance des paiements de la plus-value du yen, d'une croissance trop faible, perçue comme une récession après une décennie de croissance en surchauffe, double de celle des pays occidentaux industrialisés.

Pour l'individu japonais, « animal économique » signifie dévouement à l'entreprise et à un système paternaliste de direction ; ambitions individuelles limitées ; discipline et esprit de corps ; soumission à un mode de vie totalement réglé par celui de l'entreprise ; donc, lorsqu'il le faut, mise en sourdine de certaines revendications. Enfin, à tous les niveaux, sens aigu de la compétitivité. Les Japonais sont capables d'humour, mais, lorsqu'il s'agit d'eux-mêmes, ils préfèrent se concocter les plats chauds ou froids d'une plaisanterie en forme d'apologue, tolérant difficilement que d'autres les leur servent. Aussi l'histoire suivante n'est-elle pas de source japonaise.

Le champion de course cycliste sur route de la province du Kanzai, Ichiro, dort profondément, lorsqu'il entend des cris déchirants dans la nuit : « Au voleur ! Au voleur ! » Il se lève, il court, il voit un attroupement dans la rue. On lui montre le voleur qui s'enfuit à bicyclette et qui a pris le boulevard de ceinture, sans issue sur deux kilomètres. Il saute sur son vélo et se lance à sa poursuite. Il a tôt fait de le rattraper... et même de le dépasser, lui mettant un bon kilomètre dans la vue...

Le sens de la compétition procède d'un état d'esprit ; on l'a ou on ne l'a pas. Les Japonais le possèdent à tous les niveaux. Tout pour être les premiers : bas salaires, employés dociles qui ne prennent pas de vacances, prix de dumping sur les marchés étrangers, subordination de la qualité de la vie à la dynamique d'une industrialisation sauvage, accords étroits entre milieux d'affaires et gouvernement.

Ces accusations, lancées pêle-mêle, appellent la réplique de M. Tokuyama, l'un des directeurs de l'Institut de recherches Nomura. Il s'indigne : « Bien sûr, le gouvernement japonais a travaillé en liaison étroite avec l'industrie privée... Pourquoi n'aurait-il pas participé à une coopération indispensable pour restructurer une économie dont la capacité de production avait chuté de 80 p. 100. Cela ne veut pas dire que les intérêts des milieux d'affaires et la politique gouvernementale ne font qu'un... N'est-ce pas plutôt le système de l'emploi à vie qui a contribué à assurer la fidélité et le dynamisme d'une main-d'œuvre motivée par des objectifs nationaux... Le Japon a les lois les plus sévères du monde en ce qui concerne le contrôle de la pollution. En 1977, le Parlement a renforcé la loi antimonopole. Le gouvernement a institué une formule de conseil d'administration qui aboutit en fait à des pressions pour essayer de maintenir les exportations au niveau de l'année précédente. Le Japon a des salaires comparables à ceux des pays les plus avancés dans ce domaine. Pour l'indice 100 au Japon, il faut compter 107 aux Etats-Unis et 99 en R.F.A... Le Japon est obligatoirement orienté vers l'exportation. Ne faut-il pas qu'il compense l'importation de toutes les matières premières et pour cela qu'il accumule des réserves en devises ?... »

M. Tokuyama détruit ainsi le mythe de *Japan Inc* et voilà l'autre insulte qui consiste à traiter le Japon de « Société Japon et Cie »...

Il est vrai que les Japonais ne comprennent pas. Un ambassadeur du Japon en Europe répliquant vivement à une apostrophe de spécialiste rétorquait : « Voulez-vous nous punir de trop bien travailler ?... »

Pour les Japonais, le problème ne se situe pas au niveau d'un simple rééquilibrage de la balance des paiements. Ils savent qu'il ne leur suffit pas de renoncer à exporter une quantité donnée de certains de leurs produits. Ils ont l'habitude des demandes de ce genre. Le président Nixon ne s'était pas gêné pour exiger des Japonais un arrêt de leurs exportations de textiles vers les Etats-Unis. Il en fit une affaire d'Etat. Mais les Japonais étaient réticents à participer à une manœuvre politique du parti républicain dont les électeurs sudistes avaient des intérêts dans une industrie textile archaïque et condamné à terme. Se plier ainsi à des injonctions dont les mécanismes cachés fonctionnent souvent dans l'ordre politique, alors qu'on pourrait les croire soumis aux seuls impératifs d'un secteur économique ayant perdu le sens et les moyens de la compétitivité, équivaut à ouvrir la porte de la vassalité.

Il y a plus grave pour le Japon et les Japonais : c'est le risque permanent de voir s'effondrer tout un modèle de société. Comment, du jour au lendemain, changer un système de recrutement et donc en amont un système d'éducation ? Comment modifier de but en blanc un système de rapports entre salariés et patronat qui s'est forgé pendant un siècle ? Comment demander à ceux qui tiennent les pouvoirs de les abandonner dans l'instant ? Le Japon a le sentiment que l'Occident lui demande de faire une révolution pour contribuer au sauvetage de la société libérale, industrialisée et capitaliste. On change des méthodes, on modifie, on remplace des structures, mais on ne change pas les mentalités. Le défi lancé aux entreprises japonaises est un défi à rebours.

Les pays occidentaux crient aux Japonais : « Attention, votre bateau et le nôtre, naviguent de conserve sur une mer démontée. Notre bateau coule, le vôtre pas. Coulez donc avec nous, nous nous retrouverons ensemble sur des canots pneumatiques. » La cause est entendue, les Japonais ne veulent pas se saborder, quel que soit parfois leur penchant suicidaire.

Trois catégories de salariés : ippan, kanri, keieï

Kato Eiichi, vingt-deux ans, vient de passer trois années à l'université de Nihon où il a appris tous les secrets de l'acoustique musicale et des magnétophones. Il a rempli et adressé un dossier à toutes les chaînes de télévision ainsi qu'aux principales sociétés de fabrication et de vente de matériel audiovisuel. Une seule maison a retenu son profil. Il est convoqué, ce matin de septembre, pour aller passer un test. Il s'agit en fait d'un examen écrit de sélection que la société fait passer avant toute embauche. Sur cent candidats, une vingtaine seront retenus. Il s'estime heureux d'être parmi les cent dossiers retenus. Sera-t-il parmi les vingt ? Je le rencontre quelques jours plus tard, radieux. Oui, il a encore franchi le cap de cette nouvelle sélection. Il est sûr d'obtenir une embauche, mais il sait aussi qu'avant même de l'avoir interrogé oralement la société qui va l'embaucher a déjà pratiquement tracé son plan de carrière. Les vingt sélectionnés vont être recrutés au même niveau, quelles que soient leurs aptitudes, et sans tenir compte de leurs diplômes. Sur les vingt, deux sortent de l'université de Tokyo, deux de Keio, un de Waseda. Ils ont donc plus de chances que lui de faire une meilleure carrière, car l'université de Nihon est moins cotée. Mais il a pour lui deux avantages : il est recommandé, et à un niveau assez élevé, dans la société puisque son oncle est un ami intime de l'un des directeurs généraux, celui qui est chargé des affaires commerciales. Son deuxième atout, c'est sa personnalité, et là il croit pouvoir s'imposer, du moins s'il ne commet pas d'erreur tactique. La plupart des autres candidats sélectionnés ont moins de diplômes que lui. Ainsi, ces vingt recrutés débutent au même salaire. Le service du personnel a tracé pour eux une première courbe de carrière. Au bout d'un an, les deux diplômés de Todai (université de Tokyo) auront franchi trois échelons, ainsi que ceux sortis de Keio. L'ancien élève de Waseda en aura franchi deux, tandis que Kato Eiichi n'en passera qu'un seul. Tous les autres garderont le même niveau un an de plus. Au bout de dix ans, les deux diplômés de Todai et ceux de Keio auront distancé très largement leurs camarades de promotion.

Kato Eiichi a fréquenté une section d'université dans laquelle la firme a des habitudes de recrutement sur recommandations de certains professeurs. Il a passé avec succès les examens imposés par la société. Le service du personnel a recueilli de bons renseignements sur lui et sa famille. La recommandation de son oncle au directeur commercial a pesé dans la balance. Il a enfin franchi avec succès le cap de l'entretien avec plusieurs directeurs et le président. Avec ses vingt camarades recrutés en même temps que lui, Kato Eiichi va faire désormais partie de ce que l'on appelle *ippan*, le personnel général de l'entreprise. Les diplômés du secondaire, premier degré, seront orientés vers les occupations manuelles ; les diplômés de lycée ou d'université entreront dans les bureaux. Les diplômés d'université auront une chance supplémentaire de passer la barrière de la catégorie supérieure et de devenir des *kanri*, c'est-à-dire des administratifs pouvant occuper à différents niveaux des postes de responsabilité, ou même des *keieï*, c'est-à-dire des cadres de haut niveau. C'est le cas de Kato et de ses camarades diplômés de Todai, Kyodaï, Keio ou Waseda.

Ces trois catégories de personnel se retrouvent pratiquement dans toutes les entreprises privées ou publiques. Dès que l'on appartient aux kanri ou aux keieï, la loi interdit toute affiliation syndicale. C'est au niveau des kanri que l'on retrouve une multitude de titres dont les plus communs sont *bucho* et *kacho*, chef de département et chef de section.

Dans le maquis des responsabilités horizontales, les Japonais eux-mêmes s'y reconnaissent difficilement. Kato Eiichi m'avait un jour donné rendez-vous à son bureau, dans Marunouchi, pour me remettre une documentation. Le sachant nouvellement embauché, je ne m'attendais pas à le trouver dans un bureau somptueux avec trois téléphones et deux secrétaires. Au rez-de-chaussée, l'huissier m'annonça et me dirigea sur le cinquième étage, bureau 504. Une jeune femme poussait un chariot rempli de journaux qu'elle distribuait de bureau en bureau, une autre la croisait avec des théières métalliques et de petites tasses qu'elle allait poser dans les salles devant chaque employé, en commençant par les chefs. Les couloirs bourdonnaient d'incessantes allées et venues. Ici et là, des employés entretenaient des conversations animées. Je trouvai facilement le 504. Il tenait de la salle d'examen de baccalauréat pour candidat ayant envie ou besoin de copier sur le voisin. Une cinquantaine d'employés occupaient cinq rangées parallèles de petits bureaux métalliques installés côte à côte et faisant face à quatre bureaux invisibles, mais que l'on pouvait deviner cachés derrière leur paravent. Ces bureaux privilégiés abritaient le chef de division et trois chefs de section. Ils étaient équipés chacun de trois téléphones, un noir et deux gris, tandis que les employés ordinaires n'avaient droit qu'à un poste pour deux. Je cherchais Kato Eiichi des yeux dans le brouhaha ronronnant des va-et-vient des uns qui allaient expliquer quelque chose aux autres ou des autres qui demandaient des explications aux premiers, le tout coupé par des « *moshi, moshi* », suivis de conventions feutrées dont on extirpait la tonalité des *né* qui rythment souvent les fins de séquences dans la phrase japonaise.

J'aperçus bientôt le jeune Kato, au deuxième rang près de la fenêtre, en train de téléphoner. Il me vit aussi et me fit un signe amical. Je m'avançai et il m'indiqua son souhait de me présenter à son chef de section. Je me retrouvai derrière le paravent. Le chef de section se lève avec empressement, me tend sa carte de visite, relativement longue, et m'invite à m'asseoir dans son salon particulier. Devant son bureau, deux fauteuils sont installés autour d'une table basse. Il adresse un signe discret à la jeune fille qui sert le thé vert et m'explique le fonctionnement de sa section, en m'indiquant au passage que le jeune Kato qui s'honore de mon amitié fera une brillante carrière. De mon côté, je lui donne quelques explications sur mon séjour au Japon et mes activités journalistiques. Je n'ai plus le souvenir du nom de ce chef de section. J'ai égaré sa carte de visite, mais je me souviens fort bien avoir appris de lui les mécanismes internes d'une entreprise japonaise.

« Kato-San, me dit-il, va rester dans ma section environ un an. Ainsi, il connaîtra tout sur les filiales et leurs relations avec la maison mère, car ici nous devons établir le livre de bord des commandes passées aux filiales. Nous suivons l'avancement de leurs travaux et nous faisons la comptabilité des produits finis qui nous reviennent. Ensuite, Kato-San passera à la section juridique, il va faire la connaissance de la maison. S'il manifeste des aptitudes, il passera sans doute chez les kanri et sera alors chef de section comme moi, ou chef d'atelier si on l'oriente vers la technique. »

Le processus de la décision

Le chef de section reprit : « Au Japon, si la mobilité est admise au sein de l'entreprise, elle est mal vue d'une entreprise à l'autre. C'est le contraire en Europe. Les Japonais sont employés à vie, enfin si l'on peut dire, puisque la retraite se prend à cinquante-cinq ans alors que précisément, comme dit l'un de vos chanteurs, la vie va commencer. Si on passe au niveau keieï, c'est différent, on peut rester jusqu'à soixante ans ; si on devient président, ça peut durer jusqu'à la mort... Ah ! les présidents ont bien de la chance.

« Mais les trois niveaux d'emploi, ippan, kanri et keieï, ne constituent pas trois couches superposées formant une pyramide. Il ne faut pas oublier que notre société est verticalement structurée. Aussi y a-t-il entre les trois niveaux une communication qui permet à chacun de participer aux grandes décisions. Cela s'appelle le système *ringi*... Aucune décision ne peut chez nous être imposée d'autorité. Ce qui compte, c'est *wa*, l'harmonie. Ainsi, à chaque niveau, on peut se faire entendre, à propos de l'ouverture d'un marché étranger, de l'opportunité de lancer la fabrication de tel ou tel modèle, de modifier tel point du règlement de travail, etc. Lorsque le président fera connaître sa décision, on ne peut pas douter qu'il aura tenu compte de tous les avis et essayé de donner satisfaction à tous...

« Nous avançons à l'ancienneté, c'est le système *nenko*, mais on voit hélas ! aujourd'hui de plus en plus de jeunes loups. Si on les écoutait, nous, les gens de cinquante ans, nous serions bons à jeter. Certes, lorsqu'un jeune est particulièrement brillant, il reçoit une promotion flatteuse qui aurait été impensable il y a quinze ans... Mais le président fait bien attention de ne pas léser les cadres en place. On met des jeunes sur de nouveaux postes de direction qui se créent avec l'extension de nos marchés, en particulier à l'étranger... Je crois que ce qui a fait la force des jeunes ces dernières années, c'est l'organisation des cliques au sein de l'entreprise : les *gakubatsu*... Il ne s'agit pas seulement des cliques les plus connues comme l'amicale des anciens élèves de l'université de Tokyo, de Kyoto ou de Keio. Chacune de ces amicales compte au moins une dizaine de membres parmi les cadres de la haute direction. Chacun protège les jeunes, dès lors qu'ils sont anciens de leur université. Au niveau moyen, il y a ici pas mal d'élèves issus de Nihon. Ils forment une clique nombreuse et bien organisée, c'est pourquoi je suis certain que Kato-San fera une brillante carrière. Mais d'autres cliques que celles des anciens d'une école ou d'une université se forment dans l'entreprise : de petites familles au sein de la grande... »

M. Honda et le « familialisme »

Honda Soichiro est un homme connu dans le monde entier. Son nom, gravé sur les cadres de millions de motos et les carrosseries de milliers de voitures à travers la planète, évoque, pour un Occidental, un personnage de haute stature, volontaire, inaccessible derrière un bureau à portes capitonnées devant lesquelles veillent une armée d'huissiers, de secrétaires et de directeurs. On lui prête une activité débordante, d'un téléphone à un autre, d'un conseil d'administration à une réunion de ses directeurs, ici avec des ciseaux pour couper un ruban, là en train de regarder la télévision, engoncé au fond de sa Rolls. Pourquoi ne pas forcer la dose et lui prêter une écurie de chevaux de course, un yacht avec hélicoptère, un ou plusieurs avions privés, des résidences pour chaque saison et chaque fantaisie, toutes plus luxueuses les unes que les autres. Prêtons-lui encore quelques femmes et on aura réuni les ingrédients d'un beau navet cinématographique sur la vie d'un super-P.-D.G...

Honda Soichiro n'a pas une grande taille, il garde une apparence modeste et il est fort enjoué. Vêtu d'un bleu de chauffe, il se promène dans ses ateliers, s'enquérant de la santé des uns ou du travail des autres. Il n'a pas de bureau, puisque pour travailler il paie des directeurs. Il joue au golf. Il traite des affaires et se veut l'âme de son entreprise : celui qui maintient le moral très haut. Il croit, comme le célèbre homme d'affaires de l'époque Meiji, Shibusawa Eiichi, que le comportement moral et mental de chaque individu influence la capacité de production d'un pays. La fin du *ié* et le transfert consécutif de l'autorité du père de famille au chef d'entreprise confère à ce dernier une responsabilité morale vis-à-vis de ses employés. Une société japonaise n'utilise pas le travail d'un homme, elle *emploie* l'homme. Il n'y a donc pas entre l'employeur et l'employé de relation purement contractuelle, mais une sorte de « convention collective » qui reprend les termes de la loi et reconnaît *de facto* l'existence du syndicat d'entreprise. Ce « familialisme » n'est en rien différent de celui que préconisait au début du siècle Goto Shimpei, président des chemins de fer nationaux, avec son slogan : « Chemin de fer, votre seule famille... » Chez Matsushita, le fabricant connu de matériel électronique et audiovisuel, la même idée est exprimée dans la chanson des ouvriers :

> *Pour bâtir un nouveau Japon*
> *Travaille dur, travaille dur*
> *Augmentons notre production*
> *Nous l'enverrons à toutes les nations.*
> *Sans trêve, sans repos*
> *Comme un geyser*
> *Jaillit notre industrie*
> *Sincérité et harmonie*
> *Voilà Matsushita Electric.*

Un tel comportement, dérivé de l'éthique confucéenne appliquée au milieu « travail », situe les relations employeur-employé dans le système traditionnel *oyabun-kobun* qui implique un devoir de protection pour l'un, un devoir de fidélité pour l'autre. Il est évident dans ces conditions que le système des rémunérations est adapté à ces pratiques. Toute feuille de paie comporte un salaire de base afférent à l'un des trois niveaux hiérarchiques de la société : ippan, kanri, ou keieï. S'y ajoutent la prime d'ancienneté, qui peut représenter pour les plus anciens une somme plus importante que le salaire de base, les indemnités de transport, de famille, de repas, etc., et une « prime d'appréciation », variable selon le rendement, le service rendu ou tout simplement la cote d'amour de la hiérarchie. Il faut aussi ajouter les indemnités saisonnières que l'on nomme couramment au Japon « bonus » : deux mois de salaire fin juin et deux mois à la fin de l'année sont fréquemment accordés. Entrent encore dans le détail du salaire les assurances maladies, retraites, accidents, etc., qui comportent une part patronale importante.

Il y a une manière japonaise de percevoir son salaire. Les Japonais attachent une certaine importance à être payés *cash*. Aussi, chaque fin de mois est un spectacle à ne pas manquer dans les entreprises. Service après service, on passe à la caisse où vous est remise une enveloppe à votre nom. Quelle joie de l'ouvrir, mais aussi peut-être quelle déception, si la prime de « cote d'amour » n'est pas celle que l'on attendait !

Mon directeur général, débarquant à Tokyo, est reçu par son homologue japonais, entouré de ses directeurs. Le groupe japonais a l'air tout joyeux, à tel point que nous nous demandons ce qui se passe. Ils sont là, cinq ou six, affichant des yeux brillants et riants fort. Ils n'ont pourtant pas bu de saké... Il est dix heures du matin. Tout à coup, l'un d'eux n'y tient plus. Pendant que son président entretient mon directeur général, il tire une enveloppe de sa poche, me fait un clin d'œil, l'ouvre, empoche quelque menue monnaie qui tombe, puis se met à compter les billets... Quelques minutes après, il expliquera tout haut : « Notre président a été très gentil ce mois-ci avec ses directeurs... » Et le président expliquera à son tour : « Vous savez, aujourd'hui c'est le jour de la paie. Ils viennent d'aller chercher leurs salaires... ils sont comme des gosses. » Ce jour-là, en effet, la coopérative d'entreprise est assaillie et fait les meilleures affaires du mois.

Les hommes du président

Ainsi s'établit à tous les niveaux une hiérarchie qui ne sanctionne pas systématiquement la compétence

426

mais se développe à travers des affinités personnelles, d'inférieur à supérieur, et vice versa. Ces affinités verticales impliquent le respect du *nenko*, la promotion à l'ancienneté. Elles ne peuvent s'épanouir que d'une classe d'âge plus ancienne à une classe d'âge plus jeune, ou du moins entre des classes de recrutement différentes par leur ancienneté. Les chefs de service n'ont théoriquement pas à craindre qu'un de leurs adjoints soit amené à les supplanter. Au lieu de se méfier de lui, ils le poussent au contraire sur le devant de la scène afin qu'il puisse gravir au mieux et au plus vite les échelons de la hiérarchie. Le père Robert J. Ballon, professeur à l'université des jésuites de Sophia, à Tokyo, a mis en relief dans ce contexte le rôle du *shachoshitsu*, c'est-à-dire le cabinet du président. Il ne s'agit pas d'une structure traditionnelle de l'entreprise japonaise, mais d'une création d'après-guerre. Les grandes entreprises comme Hitachi, Marubeni, Sony, Honda, les grands journaux, les grandes chaînes de télévision ont créé ce type de bureau pour deux raisons : d'abord et avant tout il s'agissait de renforcer une fonction horizontale de coordination, celle de *jomukaï*, qui se trouvait plutôt faible et souvent isolée au sein de l'entreprise. Tous les gouvernements occidentaux connaissent ce système, particulièrement mis en évidence autour du président des Etats-Unis ou du président de la République française. Les hommes du président ont même plus de poids aux Etats-Unis que les hommes du gouvernement. En France, leur rôle, plus occulte, n'en est pas moins important. Dans l'entreprise japonaise moderne, trop verticale par tradition, les patrons ont ressenti le besoin du renforcement de la coordination en instituant des shachoshitsu puissants, dotés des moyens ultra-modernes de contrôle, avec à la base une utilisation intensive de l'informatique. En développant ces bureaux, les patrons japonais ont également créé une faille dans les systèmes traditionnels d'avancement à l'ancienneté en recrutant autour d'eux ou en allant chercher dans les différents services de l'entreprise leurs jeunes *espoirs*.

A côté des patrons traditionnels, dont l'âge varie de soixante à quatre-vingts ans, on a vu naître et grandir les hommes du président : une pléiade de jeunes, ambitieux, débarrassés de la plupart des tabous sociaux, souvent technocrates. L'accroissement de leur influence et de leur pouvoir au sein de l'entreprise a été depuis quinze ans l'élément d'évolution et le facteur de changement le plus important que l'entreprise japonaise ait connu depuis Meiji. Les hommes du président affaiblissent la valeur du système d'avancement à l'ancienneté et compromettent le système *ringi* (décision par le consensus) en occultant, au moment de la décision, les points de vue que peuvent exprimer les cadres moyens ou même les cadres supérieurs et les directeurs, et en influençant le président afin que leur propre point de vue soit pris en considération. A long terme, c'est tout le système d'emploi à vie qui est remis en cause.

Pour compenser certains avancements accordés après un passage au cabinet du président, plusieurs sociétés ont introduit des possibilités de promotion au choix. Il existe donc un mouvement d'évolution de l'entreprise qui se dessine depuis une quinzaine d'années et qui rapproche les systèmes japonais de ceux pratiqués dans les pays occidentaux industrialisés. Toutes les études ont insisté sur l'originalité de l'emploi à vie. En fait, il ne diffère guère au Japon des systèmes en vigueur dans de nombreuses entreprises européennes en France, en Grande-Bretagne ou en Allemagne fédérale. Selon certains experts japonais, l'emploi dit « à vie » ne concernait qu'un cinquième des salariés de l'industrie de transformation. Le système ne s'applique en effet ni aux employés auxiliaires ou temporaires ni aux personnels recrutés en cours de carrière.

Emploi à vie et polyvalence

Dans tous les pays capitalistes, la sécurité de l'emploi est devenue une revendication fondamentale, si bien que, sauf en période de crise où on assiste à des licenciements collectifs, le licenciement individuel est très rare. Le système japonais est en grande partie le résultat d'une structure démographique issue d'une population en expansion. Or, aujourd'hui, le vieillissement de la population et la « dénatalité » ont pour conséquence l'apparition de jeunes classes d'âge moins nombreuses que leurs aînées. La verticalité de l'organisation est menacée. La pyramide se transforme en cylindre. L'absence totale de mobilité de l'emploi ne permet pas aux entreprises de s'adapter aux restrictions de certains marchés.

En 1980, les économistes japonais se posent la question de savoir si l'emploi à vie résistera à une récession qui se poursuit. Le système est évidemment incapable de satisfaire aux exigences croissantes de l'innovation en empêchant tout recrutement de nouvelles compétences, tout appel à un sang neuf. Il frustre quelques travailleurs qui pourraient souhaiter soit changer de résidence, soit se recycler dans une nouvelle profession. A côté de ces inconvénients, l'économie japonaise a bénéficié depuis 1974 d'une souplesse de manœuvre et d'adaptabilité beaucoup plus importante qu'il n'y paraissait.

Après cinq ans de crise, l'entreprise japonaise se porte bien. Pour conserver sa main-d'œuvre, elle a opéré ses « dégraissages » dans le personnel temporaire. Elle a eu la possibilité de réduire l'embauche et a moins fait appel à la sous-traitance qu'en période faste. Il lui restait encore la possibilité de réduire les horaires de travail, ainsi que la part de gratifications. De cette façon, en pleine crise, le personnel excédentaire a été gardé. L'objection à l'emploi à vie vient en fait surtout du patronat japonais plus que des ouvriers. Ils constatent avec raison un alourdissement de leur bureaucratie, c'est du moins ce qui ressort d'une étude de l'O.C.D.E., mais ils ne sont pas pour autant bloqués. Le dynamisme et l'agressivité des entreprises japonaises dans le monde le démontre abondamment. Il faut remarquer que les plus anciens patrons de l'industrie japonaise avaient compris très tôt le rôle important que devait jouer dans l'entreprise une formation professionnelle permanente. Les meilleurs ingénieurs dans les firmes électroniques, dans l'informatique même, à plus forte raison dans les industries de produits de grande consommation (appareils ménagers, photo, etc.), sont des ingénieurs « maison ». Enfin, la grande entreprise japonaise a évité au travailleur le piège du cloisonnement dans une spécialité au nom de la valorisation de celle-ci. La polyvalence au sein des entreprises reste individuellement plus satisfaisante pour l'esprit pratique. En outre, les entreprises, à l'image de ce qui se pratique couramment en Europe et en particulier en France, recrutent des fonctionnaires en milieu ou en fin de carrière, choisis pour leurs compétences particulières, et les intègrent souvent avec des avantages considérables d'embauche et de nouvelle carrière.

L'héritage des zaibatsu

Grâce à ses structures traditionnelles, l'entreprise japonaise est celle qui a le mieux résisté jusqu'ici à la crise ; encore faut-il définir ce que l'on entend par entreprise. On remarque qu'après vingt ans de croissance économique représentant le plus fort taux d'expansion au monde et de croissance industrielle ayant abouti à la plus gigantesque accumulation de capital de tous les pays industrialisés, à l'exception des Etats-Unis, le noyau encore solide de l'appareil de production est constitué par les structures des fameux *zaibatsu*, concentrations économico-industrielles nées au début du siècle. On ne peut oublier en effet que le « décollage » industriel du Japon remonte à 1888, à la fois sous l'impulsion d'une action gouvernementale intelligente et attachée à des objectifs clairs et précis et grâce à toute une génération de samouraï reconvertis dans le service public ; cette action du gouvernement a donc été placée *de facto* dans une structure à double vocation : l'une destinée à donner à l'industrie japonaise une place compétitive sur les marchés internationaux — d'où des structures de concentration avec dans chaque ligne d'activités les quatre ou les cinq grandes entreprises —, l'autre destinée à l'emploi d'une main-d'œuvre nombreuse sur le marché : d'où des structures de moyennes et petites entreprises souvent peu compétitives au départ, parce que calquées sur le modèle d'une économie à dominante agricole.

Jusqu'en 1920, la main-d'œuvre industrielle, disséminée dans les petites entreprises, était essentiellement féminine. Mais l'enracinement de l'industrie dans les mentalités et plus tard la galvanisation des énergies, programmée par les militaristes, tout en modifiant qualitativement la main-d'œuvre ne changèrent pas les structures. On vit même quelques entreprises parmi les petites et les moyennes acquérir une dimension internationale : Sony, Matsushita, Honda. Les structures concentrées furent dissoutes en 1945 et en 1946. Des lois réglant le problème des zaibatsu furent promulguées en 1947. A partir de 1950, on les vit cependant surgir de nouveau sous la même dénomination. Il ne s'agissait pas en fait de trusts familiaux, comme cela a été trop souvent expliqué, mais plutôt d'un type de relation d'affiliation de plusieurs entreprises entre elles, même si à l'origine des branches entières de l'industrie donnèrent lieu à des concessions familiales au sens japonais du terme.

Le fameux décollage de 1888 coïncide avec l'abandon, par le gouvernement, de l'entreprise industrielle et son transfert au secteur privé. Les zaibatsu concentrant d'énormes capitaux entre leurs mains, habilement dirigés par des « managers » appointés connus sous le nom de *banto*, coopérèrent étroitement avec le gouvernement dans le premier stade de l'industrialisation. Ils subvinrent aux besoins financiers de ce dernier et acquirent ainsi un pouvoir politique important. En 1960, les zaibatsu retrouvaient une autre forme de pouvoir alors qu'ils avaient été dissous par la commission de liquidation des *holdings*, instituée par le « Scap (*Supreme Command Allied Power*). En 1963, le groupe Mitsubishi comprenait vingt et une sociétés industrielles et cent trois usines. La création de Mitsubishi Heavy Industries en 1964 achevait le processus de reconcentration. Mitsubishi regroupe aujourd'hui une trentaine de sociétés, Mitsui plus de vingt ainsi que Sumitomo. La grande entreprise s'identfie encore aux groupes financiers, Daï Ichi, Fuji, Sanwa, aux groupes industriels, Nissan, Toyota, Matsushita, Toshiba, Yawata. Il faut y ajouter aujourd'hui un certain nombre de compagnies de commerce dont la plupart sont liées à ces groupes, mais dont l'action représente un apport original du Japon à la stratégie de commercialisation des produits dans le monde. Elles remplissent de multiples fonctions grâce à des réseaux de représentation à travers le monde. Elles ont beaucoup contribué à développer les exportations japonaises à l'étranger. Elles ont aussi été le véhicule des technologies importées par le Japon. Leur efficacité s'est surtout fait sentir dans la sidérurgie et les biens d'équipement, beaucoup moins dans les biens de consommation. De grandes firmes comme Sony ou Honda ont directement commercialisé leurs produits, reprochant aux sociétés de commerce des méthodes aujourd'hui dépassées. Il faut cependant noter qu'elles font partie intégrante de ce service public qu'est l'économie japonaise. Et, en tant que telles, elles peuvent, en cas de crise ou de conflit de concurrence, favoriser les produits nationaux, même à l'encontre de leurs intérêts immédiats. Le Japon est passé aujourd'hui au dernier stade de l'industrialisation. Il a abandonné quelques-uns des profits qu'il pouvait tirer du textile, d'aciers spéciaux ou d'autres produits semi-finis à ses voisins, Corée du Sud, Chine et Hong Kong. Pour sa part, le Japon exporte aujourd'hui sa technologie et ses usines clefs en main. Il fabrique ses propres produits chez ses concurrents. Ainsi, des postes de télévision couleur japonais sont maintenant fabriqués aux U.S.A. Les Japonais sont devenus un concurrent redoutable de la Communauté économique européenne et des Etats-Unis sur tous les marchés tiers, avec notamment ce qu'on peut appeler l'informatique familiale : machines à calculer, mini-ordinateurs, etc.

Les qualités qui ont fait le « miracle »

Pour en arriver là, le Japon a tenu le pari d'un miracle continu de 1965 à 1972, grâce à des qualités que le directeur du *Hudson Institute*, Herman Kahn, énumère comme suit :
- Dévouement à l'intérêt général.
- Accroissement raisonnable et limité de la population.
- Jugement sain, motivation et aptitude à l'orgasation tant dans les sphères gouvernementales que privées.
- Haut niveau d'éducation et de technologie.
- Taux élevé d'épargne et d'investissements.
- Régime libéral et de libre entreprise adapté au Japon.
- Dirigisme et intervention du gouvernement habilement dosés.
- Agressivité dans l'extension des marchés, avec une orientation nette pour la haute technologie et les choix d'avenir.
- Aucune pitié pour les activités économiques non productives.
- Croissance économique servant d' « ancrage » a l'Ouest.
- Large force de travail disponible.

Les qualités du miracle se sont incarnées dans les hommes qui l'ont fabriqué, le pionnier en la matière étant *Shibusawa Eiichi*, né en 1840 et mort en 1931. On retrouve chez lui les qualités qui ont marqué l'élite de la période Meiji. Il a contribué à transformer les emprunts technologiques à l'Ouest et à les adapter au contexte japonais. Fils d'un riche fermier, il reçut une éducation de samouraï, apprenant le maniement de l'épée, la calligraphie, Confucius. Il fut mêlé à l'action du groupe des Joï conservateurs ayant pour mot d'ordre *sonno joï* : « Révère l'empereur et chasse les barbares. » A l'âge de vingt-quatre ans, il participe à un complot contre le Shogunat des Tokugawa. Mais son heure n'est pas venue. Par l'intermédiaire d'un ami, le shogun lui pardonne et en 1867 il fait partie de la mission du jeune frère du prince Yoshinobu, le prince Mimbu. Il se rendra à la cour de Napoléon III, persuadé que la cause des Tokugawa est perdue. Ce voyage lui ouvre de nouveaux horizons et va orienter sa vie de la politique vers les affaires. Membre du clan des Joï, il est vite convaincu que la modernisation du Japon passe par l'emprunt de leur technologie aux étrangers. Il fera ainsi sous l'impulsion et l'autorité de l'empereur Meiji, tout ce qu'il avait refusé de faire au nom de ses convictions politiques : participer à l'ouverture du Japon. Shibusawa va donc abandonner son patriotisme militaire et le transformer en patriotisme économique. Il devint ainsi dès le début de sa carrière un haut fonctionnaire chargé de réorganiser l'impôt, le cadastre, la standardisation des unités de mesure. En 1872, il quitte le service public et bientôt il est élu intendant général de la première Banque nationale, puis devient président de la Dai Ichi Ginko (Première Banque). Il participe à la réforme du système bancaire, dont le nouveau statut permet aux samouraï de prendre des actions dans le capital des nouvelles banques en échange de leurs pensions de féodaux servies par l'Etat. Les samouraï répondent avec enthousiasme alors que les marchands restent sur la réserve. Les samouraï deviennent les propriétaires de 76 p. 100 du capital des banques nationales, la classe des marchands n'en prenant que 14 p. 100. Shibusawa se met à former les cadres des nouvelles banques. Il les aide à s'établir et à respecter les règlements. En 1877, Shibusawa banquier devient industriel. C'est l'industrie du coton qui l'accapare d'abord, puis les chemins de fer, mais son nom reste surtout attaché à l'industriel, à l'homme d'affaires moderne qu'il a incarné. Shibusawa, déçu par la classe des marchands, a tenté de promouvoir le type du marchand samouraï. C'était une affaire d'éducation. L'école qu'il a fondée est devenue l'université de Hitotsubashi, la plus cotée des universités du Japon dans tous les secteurs de l'économie.

De ce portrait d'un pionnier de l'économie japonaise on peut rapprocher celui d'un autre pionnier plus contemporain puisqu'il est âgé de soixante-douze ans. Il dirige aujourd'hui Nomura Securities, l'un des pouvoirs financiers les plus puissants du Japon. Le correspondant du *Financial Times* de Londres, Henry Scott Stokes, l'a appelé « un samouraï en costume de flanelle grise ». Il s'agit de *Segawa Miroru*. Quatrième enfant d'une famille modeste, son père était instituteur, il se rappelle ses jeunes années, en train de vendre du charbon de bois dans les rues pour apporter quelques petits gains supplémentaires au revenu familial. Il fait de brillantes études au collège commercial d'Osaka, au milieu de la bourgeoisie de cette ville. Il rentre à Nomura Securities en 1929. Il a vingt-trois ans. Il se fait remarquer par son ardeur au travail, sa résistance physique incomparable, son calme et son « flair ». Chef d'agence en province, il réalise des chiffres d'affaires plus importants que ceux réalisés dans n'importe quelle autre agence du groupe et, dans tous les cas, distance tous ses concurrents. La guerre ne le touche pas, car il n'est pas appelé dans l'armée ; il refuse un poste en Mandchourie, ce qui lui évite d'aller croupir dans un camp de concentration soviétique. Il attend son heure à Tokyo. Mais la Bourse est fermée. Lorsqu'elle ouvre de nouveau en 1959, elle connaît des hauts et des bas. A plusieurs reprises, il sauvera sa société de la faillite. Grâce à lui, le marché des valeurs de Tokyo deviendra ce qu'on connaît aujourd'hui. Son action aura largement contribué à la valeur du yen, un succès que les Japonais souhaiteraient aujourd'hui plus modeste. Ce qui est frappant dans les coulisses de ce portrait, c'est sa ressemblance avec celui de Shibusawa : même origine modeste, même énergie dans l'action, même paternalisme, Segawa Minoru partage sa passion du base-ball avec son chauffeur et se préoccupe du moindre de ses employés.

On est en présence de ce que le père Robert J. Ballon, reprenant un économiste japonais, appelle le « type fondateur » : un succès dû à un esprit combatif sans limites, une sensibilité plus aiguë que la moyenne, une capacité d'innovation permanente, malgré un cursus universitaire modeste, sinon inexistant, ce qui est aussi le cas de Honda Soichiro et de Matsushita Konosuke.

Le « type deuxième génération » affiche des hommes qui ont surmonté la difficulté d'être « le fils de leur père »... Souvent formés dans les meilleures universités, habiles, intelligents, réceptifs aux nouvelles techniques, ils sont arrivés à gagner la confiance des directeurs placés sous les ordres de leurs pères.

Quant au « type salariés de haut niveau », il est composé d'hommes qui ont atteint le sommet, grâce à leurs capacités plutôt qu'à leurs relations familiales. L'ancien patron des patrons japonais Ishizaka Taïzo est l'un d'entre eux.

Le manager professionnel formé à l'école d'après-guerre représente le succès technique spectaculaire. C'est cette classe d'ingénieurs de premier plan qui a

436

fait la gloire de l'industrie électronique par exemple, tel Ibuka Masaru de Sony.

Hauts et bas d'un système dualiste : « Saloperie de produit national ! »

Avec un tel héritage et des structures aussi enracinées et identifiées à la nation, le Japon pourrait avoir confiance dans la persistance de son miracle. Mais on perçoit aujourd'hui des sons discordants à plusieurs niveaux :

— les faillites se succèdent et chacun sait que le Japon ne pourra pas continuer de vivre avec les seuls « grands » ;

— le chômage consécutif qui atteint pour la première fois le pays risque de précipiter une révolution sociale ;

— les modifications des structures de l'entreprise, par suite de la crise, ouvrent la porte à une crise de régime que même le deuxième conflit mondial n'avait pas réussi à entamer. Ce défi est bien entendu relevé par les Japonais eux-mêmes.

Dans la période faste qui a précédé la crise, les faillites s'étalaient déjà chaque jour dans la presse. Une photographie était devenue familière aux Japonais : ils sont cinq, six, peut-être dix, parfois plus, ayant revêtu l'habit, pantalon gris, jaquette queue-de-pie, gilet, cravate noire, col dur... Ils sont inclinés front presque au genou, mains sur la couture du pantalon descendant presque à la cheville, murmurant : « Nous vous demandons pardon, c'est notre très grande faute... Pardon d'avoir conduit votre entreprise à la faillite... » Face à eux, une assemblée, souvent houleuse qui crie des injures dans l'anonymat. Ce type de photo s'est vue dans les journaux dès 1965, de trois à cinq cents fois par mois : après la crise, on la reproduisit plus de mille fois. En prenant habilement le cliché sous un angle impersonnel, on pouvait l'utiliser autant de fois qu'on voulait, tant le cérémonial est resté immuable. Qui fait faillite au Japon ? D'abord les sociétés hâtivement constituées pour tenter de profiter d'une situation d'abondance. Ainsi, on a vu dans les années 70 et jusqu'en 1974 des centaines de sociétés se faire et se défaire dans la vente et l'achat des tableaux de maître ainsi que des lithographies. Tout ce qui avait au Japon quelque relation avec l'étranger créait sa société et proposait ses services à ceux qui, ayant suffisamment capitalisé, souhaitaient investir. On a ainsi vu une société de télévision créer une société d'investissement immobilier, achetant ici un immeuble, là un hôtel, ailleurs un magasin de couture ou même une propriété agricole, sans parler des chevaux de course, des yatchs, des caves de crus renommés, des châteaux, etc.

Du jour au lendemain, la source financière s'est tarie et toutes les sociétés créées sous l'impulsion de circonstances exceptionnelles ont fermé leurs portes. Font faillite également les sociétés les plus faibles des secteurs économiques quand cette fragilité est liée à une crise structurelle et non conjoncturelle. La construction navale fait partie des secteurs sinistrés de l'économie japonaise et sans doute sans espoir de survie, si bien que la question posée est aujourd'hui celle de la reconversion et des moyens à mettre en œuvre pour la réaliser. La mesure la plus urgente, disent les spécialistes japonais, est la réduction des capacités de production. Petits et grands chantiers ne sont pas d'accord pour suivre l'exemple de l'industrie textile qui a purement et simplement détruit ses capacités de production excédentaires. L'Association des constructeurs de navires demande au gouvernement des mesures de soutien. Celui-ci accorde aujourd'hui des prêts spéciaux sous réserve de certaines réductions de capacités de production, les prêts servant éventuellement à une reconversion. Dans les années 80, il est prévu que la construction navale japonaise comprenne les entreprises les plus importantes, mais avec des capacités de production réduites — trois ou quatre groupes de moyens ou petits chantiers et quelques constructeurs de navires spécialisés. Les petits et moyens chantiers accusent les gros de leur avoir soufflé des commandes de petits bateaux. Les gros accusent les petits d'utilisation de technologies dépassées. En réalité, le seul consensus existant consiste à réjeter la faute sur la concurrence de la Corée du Sud ou de Hong Kong, favorisés par la hausse du yen qui rend les produits japonais 30 p. 100 plus chers et la main-d'œuvre moins bien payée à Séoul et à Hong Kong qu'à Tokyo.

Les grands constructeurs comme Mitsubisha ou Ishikawajima-Harima ne travaillent plus qu'à 50 p. 100 de leurs capacités. La construction navale japonaise a déjà réduit de 35 p. 100 ses capacités de production. Elle risque de devoir aller plus loin.

Ce genre de faillite qui met en cause les structures même de l'économie trace la voie du redressement par la reconversion. Le Japon traverse, en dehors de la crise conjoncturelle, une crise de mutation pour passer de l'économie industrielle à l'économie post-industrielle. C'est pourquoi parmi les secteurs en difficulté on trouve l'agriculture, la sylviculture ou le secteur du cuir. Tous les économistes en ont prévu l'évolution, mais aucun n'a proposé aux politiciens la clef des problèmes nés des « pesanteurs sociologiques ». Les paysans s'identifient en effet par le refus du béton et de l'extension des emprises de la civilisation et la défense de ce qui reste de qualité de vie. Quant à la protection de ce secteur en plein naufrage qu'est le cuir, elle s'impose au gouvernement, soucieux de ne pas créer un problème politique supplémentaire à partir du mécontentement d'un million et demi à deux millions d'intouchables, les burakumin, dont la vie dépend plus ou moins traditionnellement des industries et du commerce du cuir.

Les faillites touchent aussi de grandes entreprises que l'on croyait solides, comme Nakamura Plywood (contreplaqué), Kinsen Gosei Seni (fibres synthétiques), mises en difficulté par suite soit d'un arrêt brutal des crédits bancaires bloquant la trésorerie, soit d'un endettement trop important par rapport au capital investi (pratique courante au Japon).

Le Japon, pays de l'emploi à vie, se retrouve ainsi avec plus d'un million de demandeurs d'emploi. Ce phénomène laisse les Japonais totalement abasourdis. Seuls les jeunes savent stigmatiser le phénomène : « *Kutabare GNP, GNP Kuso Kuraï* » « Rejetons le produit national — C'est une saloperie ! » Ce cri de révolte peut être entendu à Tokyo depuis le début de la crise. « Les jeunes, se plaint un employeur, ne veulent plus profiter des avantages que nous leur offrons. Même les filles de la campagne qui viennent travailler à Tokyo acceptent difficilement les logements que nous mettons gratuitement à leur disposition. Elles préfèrent courir la nuit avec les garçons dans les bars et les boîtes plutôt que de dormir dans nos dortoirs. Elles arrivent au travail le matin les traits tirés et certaines vont jusqu'à croire que nous les faisons trop travailler. » « Ces jeunes, ajoute un autre, n'hésitent pas à nous quitter pour aller travailler ailleurs. Ils sont vraiment instables... » « ... Ils restent à Tokyo un an ou deux, puis regagnent leur province... » « ... Nous ne pouvons plus compter sur leur fidélité à l'entreprise. Ils sont noyautés par le parti communiste ou par le Sohyo... »

Il ne fait aucun doute que l'action syndicale du Sohyo comme l'action politique du parti communiste tendent à ébranler à la fois le sytème paternaliste et les fondements mêmes de l'entreprise traditionnelle, donc de la société contemporaine telle qu'elle se présente avec tout l'héritage de la période Meiji. Les communistes japonais expliquent que la majorité des travailleurs est totalement inconsciente de l'exploitation dont elle est l'objet à cause de l'imprégnation fasciste encore toute proche dans les mentalités...

La part des salaires dans les prix de revient est de trois à cinq fois inférieure à ce qu'elle est en

Europe de l'Ouest ou aux Etats-Unis. L'emploi à vie qui prend fin à cinquante-cinq ans et touche à peine un travailleurs sur cinq ne serait en fait qu'une poudre aux yeux qui cache la misère du troisième âge. 85 p. 100 des travailleurs sont employés dans les petites entreprises sous-traitantes et gagnent la moitié du salaire d'un employé dans une grande entreprise, quand ça n'est pas moins... Les congés ne sont un droit qu'en façade, la Sécurité sociale fournit trois fois moins de prestations qu'en France, par exemple, pour un nombre de travailleurs deux fois plus grand... Les logements, les routes, les transports, les égouts, etc., toutes les infrastructures publiques sont négligées... On pourrait ainsi poursuivre ce tableau des insuffisances, au demeurant corroboré par les services officiels dans un livre blanc sur la vie des Japonais publié en 1978. Mais ces mêmes services rétorquent que le revenu individuel a augmenté de quatorze fois en vingt ans, se situant au cinquième rang dans le monde après la Suède, les Etats-Unis, l'Allemagne fédérale et la France, mais avant la Grande-Bretagne et l'Italie. Les responsables japonais mettent en avant les acquis dans le domaine de la santé : longévité moyenne de soixante-douze ans pour les hommes et soixante dix-sept ans pour les femmes. Ils font valoir que 94 p. 100 des foyers sont équipés de la télévision couleur, qu'un ménage sur deux possède une voiture. Il existe près de cinq cents téléphones pour mille habitants. La fréquentation du secondaire deuxième cycle est passée de 50 à 90 p. 100 en vingt ans, celle des universités de 10 à 40 p. 100. Le livre blanc constate l'exiguïté des logements, le faible taux d'équipements en égouts, la faible superficie des espaces verts, le taux de routes goudronnées ou macadamisées inférieur à celui de l'Europe, le manque de congés payés de longue durée.

Alors, où est le miracle ?

Dans les statistiques globales, alimentant la façade d'une société dont le revenu global est le deuxième du monde après celui des Etats-Unis et devant ceux de l'U.R.S.S. et de l'Allemagne fédérale, ou dans les retombées et leur répartition préférentielle dans les poches de quelques capitalistes ?

Le poids de la société rurale

Un certain Japon majoritaire qui n'analyse pas les situations en termes marxistes oppose à ces insuffisances la pesanteur d'une « nudité originelle », s'ajoutant à toutes les autres, en particulier celle du poids d'une société rurale et féodale qui ne cherche pas obligatoirement à se débarrasser de son héritage culturel, mais plutôt à en retrouver les sources. Les privilégiés de la société japonaise contemporaine ne sont plus ceux qui sont nés samouraï... » Il y a donc des privilégiés et par conséquent des privilèges, qui seraient inhérents à un modèle social trop enraciné dans le passé. Les syndicats japonais ne voient dans cette situation rien d'inéluctable. Sous l'influence de l'école de pensée marxiste, ils cherchent à substituer à une analyse historique de coexistence des classes une analyse non moins historique de luttes. Mais, à l'inverse de ce qui se passe en Occident, ils ne peuvent prendre appui que sur des luttes contemporaines, remontant en vain le temps pour essayer d'y trouver un aliment à leur démonstration. Là, comme ailleurs en Asie, en particulier en Chine, ils se heurtent au monde rural, à ses mentalités, à ses clans familiaux qui n'ont jamais connu de révolution industrielle, mais se sont fait parachuter dans l'aventure industrielle comme s'ils allaient habiter une autre planète, avec leur hiérarchie, leur famille et leur tradition de société fermée. Ainsi sont nés et se développent aujourd'hui des mondes clos au niveau des entreprises, marquées par un lieu de résidence comme autrefois les *ié*, coexistant et ne communiquant que par des canaux limités dans le cadre d'un règlement de bon voisinage.

442

Lorsqu'on observe les soubresauts de ces entités économiques qui se défont aujourd'hui à un rythme effrayant mais se refont aussi avec une capacité d'innovation inégalée, on mesure l'effort global à accomplir pour maintenir l'équilibre qui réduirait sensiblement le profit illicite d'un petit nombre. Le Japon importe 95 p. 100 de son blé, 99,5 p. 100 de son maïs, 100 p. 100 de sa laine et de son coton brut, 100 p. 100 de ses phosphates, 98 p. 100 de son minerai de fer, 100 p. 100 de sa bauxite et de son nickel, 98 p. 100 de son manganèse, 99 p. 100 de son chrome et 99,8 p. 100 de son pétrole brut. Aucune économie développée n'aligne dans le monde de sujétions aussi impressionnantes. On peut avoir une idée plus précise de ces contraintes en scrutant attentivement quelques secteurs sensibles : l'agriculture, la pêche, la construction, le bâtiment et les travaux publics.

Secteurs en crise

Le dernier livre blanc sur *l'agriculture japonaise* adopté par le gouvernement japonais constate les phénomènes dont les agriculteurs sont victimes :

— Conjoncture économique morose entraînant la stagnation de la consommation alimentaire.

— Production pléthorique de riz, de clémentines et autres produits agricoles.

— Situation particulière des riziculteurs qui, pour vivre, doivent trouver des revenus extra-agricoles, supérieurs à ceux tirés de leur activité rurale, et sont frustrés par suite de l'actuelle dégradation de l'emploi.

— Equilibre difficile entre les importations alimentaires (indispensables pour limiter le déséquilibre de la balance des paiements avec la Chine ou les pays d'Asie du Sud-Est par exemple) et le protectionnisme non moins indispensable à la survie du secteur agricole.

443

On assiste au Japon à une diminution de la consommation du riz avec, par contre, une progression de celle du pain. C'est pourquoi le gouvernement a décidé une diminution de la production du riz de 1,7 million de tonnes par an de 1978 à 1980. Par ailleurs, vingt-deux produits agricoles sont protégés de la concurrence étrangère, en particulier la viande de bœuf, les oranges, les jus de fruits et les produits de la pêche côtière.

La *pêche japonaise* connaît une crise sans précédent et pose aujourd'hui un problème national. Sur toutes les mers du monde, les pêcheurs voient arriver avec terreur les bateaux japonais qui sont accusés de vider littéralement les océans. Des équipements ultra-modernes, permettant le traitement de la pêche sur place, la congélation des produits et même parfois leur emballage, font des bateaux de pêche japonais en haute mer de véritables usines flottantes. Aussi, devant cette concurrence estimée déloyale, tous les pays ont élargi leurs eaux territoriales de 3 milles à 12 milles et ont créé la « zone économique des 200 milles ». Successivement, Américains, Canadiens, Soviétiques, Français ont protesté contre « la pêche à la japonaise ». Aux voix des pêcheurs se sont ajoutées celles des défenseurs de l'environnement marin, auxquels les Japonais servent de cible à propos de la pêche à la baleine dont la plupart des espèces sont en voie de disparition. Aussi les pêcheurs japonais demandent-ils aujourd'hui une diplomatie « plus dynamique » qui leur permettrait de découvrir de nouveaux bancs de pêche et de nouvelles ressources dans le cadre d'accords passés avec les pays en voie de développement. Ils souhaitent également que soient revus les problèmes de la pêche côtière par l'établissement d'un plan à long terme de développement de l'aquaculture. Les syndicats de pêcheurs réclament aussi l'aménagement de ports, la protection de l'environnement des villages de pêcheurs, l'utilisation plus rationnelle des produits de la pêche, dont 39 p. 100 seulement sont consacrés au secteur alimentaire et dont la qualité a besoin d'être améliorée. Les entreprises de pêche sont soumises depuis 1974 à une crise sévère qui connaît un début de résorption, avec l'augmentation des prix, mais leur situation reste précaire, le niveau de vie des ménages vivant de la pêche n'atteint pas celui des ménages agricoles. Le nombre de pêcheurs diminue donc chaque année, tandis que s'élève peu à peu la moyenne d'âge de la profession.

Autres secteurs en crise : les *travaux publics* et la *construction*. Autre livre blanc adopté par le gouvernement en septembre 1978. On constate une urbanisation rapide dont on prévoit qu'elle se poursuivra jusqu'au début du XXIe siècle. Le besoin se fait donc sentir de toute urgence de décongestionner les mégalopoles comme Tokyo ou Osaka pour développer les petites et moyennes agglomérations. Certes, la concentration dans les grands centres s'est ralentie et, si l'urbanisation du Japon se poursuit, le centre des villes tend à se dégarnir au profit des banlieues. Ce mouvement de population augmente les migrations journalières, imposant des sujétions de transports aux habitants et des efforts constants d'innovation pour résoudre le casse-tête typiquement japonais que représente le déplacement biquotidien de six millions de travailleurs. De toute façon, les infrastructures restent insuffisantes et les logements ne suivent pas. Le taux d'encombrement des routes et des autoroutes s'accroît, l'approvisionnement en eau de certains quartiers de Tokyo ou d'Osaka ou même de certaines villes dépourvues devient critique.

En 1978, le gouvernement s'est particulièrement penché sur ces problèmes. De sa réflexion est sorti un plan logement, connu sous le nom de « projet 55 », la 55e année de l'ère Showa (le règne de l'empereur Hiro-Hito), soit 1980. Ce projet ambitieux comprend une standardisation très poussée des matériaux et des techniques d'assemblage et le développement informatisé d'un système de commandes et de stockage permettant de satisfaire les demandes individualisées. Trois projets de maisons ont ainsi été retenus et feront l'objet d'une commercialisation à grande échelle à partir de 1980, à des prix de l'ordre de 150 à 200 000 F, pour une maison offrant 100 m² de surface habitable. C'est évidemment la formule de maison individuelle qui a été retenue, conformément à la tradition japonaise. Ces logements à bas prix pourront être construits en un temps record de cinquante à soixante jours. Le projet risque cependant de connaître quelques difficultés d'application du fait du prix des terrains et des placements spéculatifs qui en découleront. Il est vrai aussi que le nombre de maisons venant grossir le parc locatif peut constituer un élément de la baisse des loyers dont le taux est absolument prohibitif. La diminution de la superficie des terrains à bâtir rend indispensables les achats de terrains par les collectivités publiques, ce qui représente une politique d'intervention du secteur public sur le marché tout à fait nouvelle pour les Japonais.

Secteurs en expansion

Le gouvernement a arrêté, en septembre 1978, des mesures économiques de portée générale qui donnent une idée de la santé économique du pays et de ses répercussions lorsque leurs effets se feront sentir dans les années 80. Il n'y a pas à proprement parler innovation, mais répétition d'un scénario, générateur de crainte et d'impuissance chez les Américains et chez les Européens de l'Ouest. Le côté « élève doué » ne présentait aucun caractère alarmant jusqu'au moment où les élèves devenus adultes ont manifesté l'intention de se débarrasser de leurs professeurs en prouvant qu'ils pouvaient faire mieux qu'eux. Dans les secteurs de la technologie de pointe, non seulement sur les marchés tiers, mais même sur les propres marchés de ceux qui furent leurs initiateurs, la *maîtrise* a changé de camp. Après les triomphes de Toyota, Nissan, Mazda, ceux de Sony ou Toshiba, voici la prise de possession du marché américain de l'ordinateur par les fabricants de Tokyo. Objectif : supplanter I.B.M. non seulement sur le marché japonais, ce qui est fait, mais aussi sur le marché américain. Comment, selon les Américains, les Japonais procèdent-ils ? Les plus puissantes des sociétés japonaises forment un consortium pour développer la recherche et adapter la technologie à un marché potentiel de masse. Le *pool* des cerveaux est financièrement alimenté par le gouvernement. Dès que le ou les produits sont prêts, ils sont exportés à des prix inférieurs à ceux de la concurrence, à perte ou avec des marges bénéficiaires infimes. Le chiffre d'affaires de l'informatique japonaise aux États-Unis, en 1978, représente dix fois celui de 1976. Hitachi, Nippon Electric, Fujitsu ont donc attaqué, la place forte d'I.B.M. Les firmes japonaises sont tout à fait concurrentielles en matière de *hardware*. Mais Hitachi et Fujitsu, conscients de leur infériorité en matière de *software*, ont mis au point des ordinateurs ultra-sophistiqués pouvant utiliser les systèmes de *software* d'I.B.M. Or le système compatible fabriqué par Hitachi vaut 10 à 15 p. 100 de moins que les modèles correspondants d'I.B.M.

Les Japonais affichent cependant un optimisme raisonné dans ce secteur. La libération des investissement étrangers en décembre 1975 a amené les Américains à participer au capital de firmes comme Nippon Mini-Computer pour 34 p. 100, alors que cette société créée par le Miti (ministère du Commerce et de l'Industrie) devait devenir le pôle de l'industrie nationale du mini-ordinateur. Fujitsu, qui est sans doute la société la mieux équipée pour la concurrence, espère réaliser 30 p. 100 de son chiffre d'affaires à l'exportation en 1985. Le marché national reste cependant un objectif essentiel. A la fin de 1980, le nombre des ordinateurs a dépassé 75 000. Le Japon est donc, après les Etats-Unis et presque à leur niveau, le pays le plus informatisé du monde. L'industrie japonaise a pratiquement rattrapé son retard en matière de *software*, ce qui explique l'inquiétude des fabricants américains.

Cette offensive sur les marchés extérieurs fait courir au Japon le risque d'une aggravation du déficit de sa balance des paiements. Le gouvernement a annoncé qu'en 1978 ce déficit avait diminué de 24 p. 100 par rapport à l'année précédente et que l'économie japonaise, pour s'en sortir, s'orientait délibérément vers une relance de la consommation interne. Cette décision a été suivie d'effets en 1980.

Mesures gouvernementales

Les mesures prises en septembre 1978 puis en juillet 1980 comprennent ainsi une promotion des investissements publics avec des programmes d'équipements pour l'éducation et la santé ainsi que des équipements sociaux, foyers de personnes âgées ou crèches par exemple. Le gouvernement s'est en outre engagé à favoriser la construction des logements individuels, par un aménagement des prêts, et à mettre en œuvre des dispositions spéciales pour l'emploi. On envisage aussi une promotion de certaines importations. Aucun pays industrialisé ne pense malgré tout que ces actions compenseront l'expansion de l'économie japonaise sur les marchés étrangers. Il paraît de plus en plus vain de demander aux Japonais d'arrêter eux-mêmes leur « machine ». Condamnés à une fuite en avant, leur dilemme est la *confrontation* ou le *suicide*. La crise n'a pas amené de rupture dans les mécanismes de croissance. Il était vital pour le Japon de maintenir celle-ci à un taux réel élevé, soit 7 p. 100 pour l'exercice 1978-1979. Le pari a été tenu à quelques dizièmes de point près, malgré une inflation conjoncturelle de 11 p. 100 à la fin de l'année budgétaire 1979-1980, alors que les prix s'étaient stabilisés en 1978. L'inflation qui avait atteint 20 p. 100 après la première crise pétrolière, avait donné lieu, le 3 mars 1974 à la manifestation de masse la plus importante depuis celles qui s'étaient déroulées en 1960 contre le traité de sécurité militaire nippo-américain. La manifestation contre l'inflation regroupait en effet plus de trois cent mille personnes, selon les chiffres fournis par la police. Un conseil populaire de liaison avait été fondé au mois de janvier de la même année pour lutter contre la hausse des prix et pour la défense de la qualité de la vie.

Syndicalisme et législation du travail

Il semble que ces mouvements quasi spontanés n'aient trouvé aucun prolongement dans les institutions syndicales existantes. On baignait en effet en plein paradoxe, les syndiqués votant à l'intérieur de leurs entreprises l'augmentation de leurs produits, puis manifestant à l'extérieur contre la hausse généralisée. Il existe en effet au Japon un paradoxe syndical que l'on observe tant au niveau des organisations du mouvement ouvrier, des actions et du droit de grève que dans les relations du syndicalisme avec la politique. Le syndicalisme japonais continue de chercher sa voie selon un cheminement qui échappe à la logique de l'analyse marxiste... Je fus très surpris, ce matin de la mi-mars, en arrivant dans l'une des usines Canon, le célèbre fabricant d'appareils photographiques. Dans la cour se tenait une réunion d'une cinquantaine de personnes portant chacune un brassard et écoutant avec attention une harangue lancée du perron de la direction. « Ce n'est rien, me dit mon guide. Aujourd'hui, c'est le début de *shunto*, l'offensive de printemps. » Durant toute la semaine, les salariés vont ainsi tenir réunion sur réunion dans tous les secteurs de l'usine. Dans tous les bureaux que nous traversions, l'ambiance était celle d'une journée normale de travail. Le seul signe d'agitation anormale était fourni par les brassards que tous, sans exception, arboraient... « Chaque travailleur de Canon, m'explique l'attaché de presse et de relations publiques qui me conduit, appartient au syndicat de l'entreprise ; à ce titre il paie une cotisation portée sur son bulletin de salaire et déduite de ses émoluments... C'est une cotisation obligatoire... Personne ne peut y échapper... Ces travailleurs n'appartiennent à aucun syndicat de la photographie. Il n'y a rien de commun entre les revendications de chez Canon et celles des travailleurs de Ricoh, Nikkon ou Olympus... »

Certains travailleurs ou certains syndicats d'entreprises appartiennent cependant aux grandes centrales syndicales... mais cela n'a rien à voir avec le dialogue patrons-ouvriers... Je venais ainsi de prendre contact avec cette forme du syndicalisme japonais qu'est le syndicat d'entreprise. Plus de douze millions de travailleurs adhèrent ainsi à quelque soixante-cinq mille syndicats d'entreprises. Ceux-ci ne recouvrent pas la totalité des entreprises, mais environ 70 p. 100 des entreprises groupant plus de cinq cents personnes, 35 p. 100 des entreprises employant de cent à cinq cents salariés, et moins de 10 p. 100 des autres. Les syndicats d'entreprises sont souvent affiliés aux grandes centrales, même si ça n'est pas le cas chez Canon. Elles sont au nombre de quatre : le *Sohyo*, le *Domei*, le *Shinsanbetsu*, le *Churitsuroren*. Pour donner un ordre d'importance, en situant des effectifs au demeurant fluctuants, le Sohyo regroupe quatre millions et demi d'adhérents, le Domei environ deux millions et demi, le Shinsanbetsu un peu moins de cent mille et le Churitsuroren presque un million et demi. La vie syndicale est donc dominée par le Sohyo et le Domei, le premier régnant presque sans partage dans le secteur public, alors que le second regroupe surtout des syndicats du secteur privé... J'avais été reçu, presque avec cérémonie, par Ota Kaoru, le président du Sohyo qui précédait Ichikawa Makoto. Auteur d'un livre intitulé *Le Mouvement ouvrier d'aujour-*

d'hui, il me le remet avec une dédicace qui me touche : « Acceptez ce livre avec ma profonde amitié... » La signature est précédée de la date du 4 juin 1965.

Certes, le mouvement ouvrier a évolué, voire changé de physionomie mais la doctrine reste. L'un des adjoints de M. Ota a fait ses études en France et me sert d'interprète. M. Ota n'est pas très bavard mais ses yeux, cachés par d'épaisses lunettes, se plantant sur vous avec force lorsqu'il affirme : « Nous sommes des socialistes, pas des communistes. Mais nous ne sommes pas non plus des sociaux-démocrates... » C'est Ota Kaoru qui mit au point la tactique de l'offensive de printemps. Au moment de mon entretien, il venait de faire échouer le rassemblement des forces centristes et de la gauche non communiste dans un parti centre-gauche soutenu par la confédération syndicale. M. Ota y voyait à l'époque le démantèlement des forces de gauche. A la suite de divergences avec son secrétaire général, il céda la place en 1971 à une nouvelle équipe modérée, mais vite débordée sur sa gauche. Le Sohyo a aujourd'hui passé le cap de la revendication. Depuis 1973, il a adopté comme objectif essentiel le renversement du régime capitaliste.

Le Domei, ou confédération japonaise du travail, ne diffère que très peu du Sohyo en matière d'organisation. Côté Sohyo un comité exécutif, avec un président, un secrétaire, un trésorier et quatre bureaux : planification, organisation, niveau de vie, information. Le comité exécutif est doté de neuf vice-présidents représentant les grandes fédérations qui composent la centrale. Le congrès se réunit chaque année et décide souverainement. Côté Domei, même structure mais neuf bureaux au lieu de quatre. Là s'arrêtent les parentés, si l'on excepte toutefois dans ces deux centrales une forte hostilité au parti communiste. La charte du Sohyo indique le sens de son combat : lutter pour l'avènement d'une société socialiste. Les dirigeants du Sohyo estiment que la revendication économique est inséparable de la lutte politique. Aussi toute son action est-elle liée à celle du parti socialiste japonais, et en particulier aux éléments gauchistes de ce parti. La centrale soutient ainsi, financièrement et électoralement, tout ce qui est action nationale. Sur le plan international, le mot d'ordre est à l'indépendance, en particulier vis-à-vis de la F.S.M. (Fédération syndicale mondiale).

Le Domei adhère à la Confédération internationale des syndicats libres et entretient des liens étroits avec l'*A.F.L.-C.I.O.* des Etats-Unis. Depuis 1965, l'évolution syndicale s'oriente vers un nouvel équilibre numérique entre les deux grandes centrales au détriment du Sohyo et vers leur affaiblissement réciproque. Sur une trentaine de fédérations syndicales de plus de cent mille adhérents, Sohyo compte cependant parmi ses membres une fédération comme le Jichiro qui dépasse en nombre et de très loin toutes les autres avec plus d'un million d'adhérents. Le Jichiro est la fédération des employés des administrations locales et possède de plus une influence politique non négligeable. Mais si un certain nombre de fédérations quittent le Sohyo, elles ne vont pas pour cela au Domei. Selon une étude de M. Chung Sung Beh pour le compte de la Documentation française, il n'y a pas attirance vers l'idéologie modérée du Domei. Il attribue la désaffection des fédérations à l'égard des centrales à leur bureaucratisation croissante, à l'apparition de fédérations autonomes puissantes, comme le conseil japonais de la fédération internationale des métallurgistes, et au regroupement de syndicats à la suite de la fusion d'entreprises. La fusion de Yawata Steel et de Fuji Steel, qui a donné Nippon Steel, a entraîné l'organisation du syndicat de l'acier. A ces transformations de la vie économique s'ajoute un facteur politique, celui de l'influence croissante du parti communiste qui tente, souvent avec succès, de quadriller les organisations syndicales affiliées au Sohyo. Le Churitsuroren est un comité de liaison de fédérations qui recrutent essentiellement dans le bâtiment, les industries alimentaires, les assurances sur la vie et les machines électriques. Quant au Shinsanbetsu, sa faiblesse numérique limite et localise son action.

Si l'on s'en tient à la législation du travail, on se trouve devant des textes modernes qui donnent aux salariés des garanties importantes. Le droit syndical est inscrit à l'article 28 de la Constitution. La loi sur les syndicats stipule : « Les syndicats doivent être des organisations ou des fédérations formées de façon autonome, composées essentiellement par des travailleurs dans le but principal de maintenir ou d'améliorer les conditions de travail ou d'élever le statut économique des travailleurs. » La loi interdit d'autre part aux employeurs tout licenciement pour activités syndicales, tout refus de négociation collective avec les représentants des salariés, toute tentative de contrôle ou d'interférence dans l'organisation syndicale, toute sanction pour recours arbitral à l'inspection du travail.

Il existe des conventions collectives. Elles ont force de loi et prévalent sur les contrats individuels. Aucune peine ne peut être encourue en cas de grève, et les employeurs ne peuvent se pourvoir contre aucune organisation syndicale ni aucun syndiqué en cas de dommages dus à la grève ou à un quelconque conflit du travail. L'inspection du travail et la commission des relations du travail régissent les relations employeurs-employés. Un rôle important d'arbitrage est prévu pour faire respecter les dispositions de la loi, en particulier la loi sur les normes de travail promulguée en 1947. Ce texte législatif qui concerne trente-cinq à quarante millions de travailleurs fixe des minima en matière de contrats de travail, paiement des salaires, horaires de travail, repos hebdomadaire, congés payés, sécurité, etc. On peut relever dans la loi des dispositions spécifiques au Japon, comme celle prévoyant que les salaires doivent être payés en numéraire. Toute entreprise employant plus de dix salariés est tenue de soumettre son règlement de travail aux autorités administratives. Il existe des salaires minimaux fixés, mais ils sont rarement appliqués, sauf dans les petites entreprises plus précaires et moins soumises à l'influence des syndicats. Cependant, dans toutes les entreprises, quelle que soit la virulence syndicale, l'usage veut que le nombre des journées de grève revendicative soit réduit au minimum. Une polémique s'est instaurée depuis 1974 au sujet du droit de grève des fonctionnaires. Ceux de l'administration centrale peuvent se grouper en associations, assez voisines des syndicats, mais ils ne peuvent ni négocier collectivement ni recourir à la grève. Ceux des administrations locales n'ont pas le droit de grève, mais peuvent par contre négocier collectivement.

Depuis 1973, le Domei a posé le problème de la participation ouvrière à la gestion des entreprises. Un comité d'étude patronat-syndicat se réunit périodiquement ; le patronat a d'emblée marqué les limites de ce qu'il peut accepter. Il existe en effet dans les grandes entreprises (plus de 80 p. 100 de celles cotées en bourse) un comité de consultations capital-travail dont on cite comme modèle celui créé chez Nissan Automobiles depuis plus de vingt ans. Mais seulement 3 p. 100 des entreprises concernées possèdent un comité qui fonctionne normalement. Le patronat souhaiterait que la participation se limite à l'organisation de tels comités qui ne remettent pas en cause le centre de décision. Le Domei va plus loin, estimant qu'il conviendrait de créer des comités par branches d'industries. Ce problème de la participation est également étudié par le Conseil national économique et social, organisme regroupant les représentants du patronat, des salariés ainsi que des travailleurs indépendants. On est cependant bien *loin* de l'agitation autogestionnaire qui préoccupe en Europe certains partis de gauche et certains syndicats.

Au Japon, la relation des partis et des syndicats est déterminée à un double niveau : au niveau de la dualité économique qui se répercute sur l'emploi, établissant une distinction entre salariés du secteur des grandes entreprises et salariés du secteur familial. Dans le premier, on est syndiqué ; dans le second, peu ou pas du tout. Au niveau de la dualité syndicale avec d'un côté l'appartenance aux grandes centrales plus politisées, de l'autre aux syndicats d'entreprises dont la stratégie se limite au *shunto*, à l'offensive, annuelle et prévue, des revendications. Dans tous les cas, l'objectif des syndicats ne vise pas à la simple augmentation des salaires. Toutes les organisations japonaises insistent sur une meilleure répartition des ressources disponibles de l'entreprise, allant jusqu'à accepter des diminutions lorsqu'ils sentent que l'entreprise peut être mise en péril. Le monde syndical japonais se démarque donc par là nettement du syndicalisme américain. Comme chaque année, au début du mois de novembre, les syndicats se réunissent avant de négocier avec les directions d'entreprises les « bonus », c'est-à-dire les gratifications que toute entreprise japonaise est censée offrir à ses employés. Au temps de la prospérité, le « bonus » pouvait représenter de quatre à huit mois de salaire ; pour certaines entreprises particulièrement prospères, il équivalait même au salaire perçu. A la fin de 1978, aux demandes de bonus les directions opposent des nécessités de licenciement. Aussi certains syndicats ont-ils conclu des accords annuels limitant volontairement leurs demandes au niveau de 1977 ou même au-dessous. Selon la fédération des Associations de chefs d'entreprises, la moyenne des demandes de « bonus » dans cinquante entreprises de premier plan est de 3 p. 100 moins élevée que celle de l'an dernier. En 1979 et en 1980, les syndicats ont continué à primer des demandes modérées, évitant toute surenchère.

Cependant, l'entreprise japonaise n'affiche pas un bulletin de santé très brillant à la fin de 1978. M. Wada Ryuko, adjoint au directeur des affaires financières du *Keidanren* (Patronat japonais) chargé de la prévision, brosse un tableau de l'économie japonaise : « Nous avons devant nous un problème immédiat et préoccupant. Le yen, en hausse permanente face au dollar, même après la légère remontée de la monnaie américaine, se situe à un niveau qui représente le double de ce qu'il était il y a dix ans. Un dollar représentait une contre-valeur de 360 yen, sans fluctuation pratiquement depuis la fin de la guerre. Aujourd'hui, il tourne autour de 180 yen, d'où une baisse sensible des revenus provenant de l'exportation, soit moins 9,6 p. 100 de juillet à septembre 1978... Une forte pression se fait donc sentir sur l'économie japonaise. Il est vrai que, d'un autre côté, nous importons moins cher, mais en réalité l'économie n'en profite pas à la base. Le système est tel que ce sont les sociétés d'importations qui augmentent leurs bénéfices en pratiquant un taux de conversion de 270 yen pour un dollar. Ce double taux d'échange est pratiqué couramment. On dit ainsi qu'il y a le taux commercial et le taux quotidien... »

Au moment où M. Wada Ryuko faisait cette analyse, le gouverneur dc la Banque du Japon, M. Morinaga Teiichiro, déclarait : « Le gouvernement aura des difficultés à compenser les pertes à l'exportation dues à la hausse du yen par une stimulation de la consommation intérieure. Le taux de croissance de 7 p. 100 que le gouvernement s'est fixé pourrait ainsi ne pas être atteint... »

Il ne l'a pas été, mais il s'en est fallu de très peu et la performance du Japon a représenté environ deux fois celle des pays européens placés dans une situation équivalente. En 1980, la relance s'est poursuivie mais parallèlement le patronat japonais, après avoir profité de la sous-évaluation du yen, a fait porter ses efforts sur une réévalution très progressive. Le yen est revenu à 250 pour un dollar puis 230, puis... L'objectif, selon le vice-président du Keidanren est de réévaluer le yen jusqu'à une parité de 200 yen pour un dollar.

Assumer les contradictions

Les économistes japonais sont en général très préoccupés par la réalisation du taux de croissance que le gouvernement s'était donné comme objectif. Pendant dix ans, le taux de croissance a dépassé 12 p. 100 et pas une voix ne s'élevait pour trouver ce développement exceptionnel, voire anormal. Aujourd'hui, face aux anxieux et aux nostalgiques des années 1965-1973, d'autres économistes prennent une plus juste mesure d'une situation que tous les grands pays industrialisés envient. M. Ishikawa, l'un des directeurs de la fédération des Associations de chefs d'entreprises *(Nikkeiren)* n'hésite pas à dire : « ... La crise du pétrole a eu un effet de refroidissement sur une économie en surchauffe. De toute façon, nous ne pouvions pas éviter cette expérience. Elle serait venue un jour ou l'autre. En 1974, il a fallu augmenter les salaires de 35 p. 100 si l'on prend en compte les grandes entreprises, de 27,2 p. 100 si l'on se réfère à la moyenne des entreprises japonaises. Or, on constate que pour une augmentation moyenne de 27,2 p. 100 en 1974, l'index des prix n'a augmenté que de 24,5 p. 100 en 1975 pour 14,8 p. 100 de croissance des salaires ; les prix ont augmenté de 11,8 p. 100 en 1976, les chiffres sont respectivement de 12,8 et 9,3 p. 100, en 1977 de 9,2 et 8,1 p. 100. En 1978, les salaires ont augmenté de 6 p. 100 et les prix d'un peu plus de 5 p. 100. En 1979, il fallait compter 11 p. 100 d'inflation mais la progression des salaires arrivait à la compenser. En 1980, la réévaluation du yen conjuguée avec une relance générale de l'activité économique et une tendance à la résorption du chômage grâce à un encouragement massif aux petites et moyennes entreprises, provoquait une réduction de la poussée inflationniste, la rendant tributaire de situations conjoncturelles. La situation n'est donc pas mauvaise... Pourtant, au patronat, où l'on pense moins en termes d'hommes et plus en termes de structures, M. Wada Ryuko indique sa préoccupation devant les problèmes que pose la reconversion des structures industrielles dans les secteurs touchés par la crise et la concurrence et qui n'ont aucune chance de retrouver leur prospérité de jadis. C'est le cas des textiles, des chantiers navals, de l'aluminium, des engrais chimiques... « ... Il y a peu d'espoir pour la main-d'œuvre de ces secteurs. C'est le chômage qui les attend. Certes, les industries du tertiaire vont accroître leurs activités. Il y a donc des possibilités d'absorption de la main-d'œuvre inemployée, mais cela demandera au moins cinq ans d'efforts. Le chômage va devenir le plus sérieux de tous les problèmes auxquels nous allons devoir faire face. Actuellement, il y a cinquante millions de travailleurs environ. Le taux de chômage dépasse de peu les 2 p. 100 contre 6 p. 100 en Europe ou aux Etats-Unis, soit environ 1 300 000 demandeurs d'emploi. Il faut aussi compter deux millions de salariés que les entreprises conservent, bien qu'elles n'en aient plus besoin. Si ces travailleurs étaient licenciés, le taux de chômage serait alors comparable à celui de l'Europe, en particulier de la France. Ainsi, Nippon Steel, le géant de l'acier, vient de fermer cinq complexes sidérurgiques. De ce fait, cette société a un surplus de personnel de 6 500 employés. Ceux-ci vont cependant continuer d'émarger sur le rôle des salaires... Notre économie doit de plus supporter le poids du déficit budgétaire de l'Etat. Un tiers du budget est couvert par l'emprunt public et deux tiers par l'impôt. Le revenu de l'impôt ne va pas augmenter d'une manière significative, les dépenses peuvent difficilement diminuer. On ne peut pas toucher aux dépenses sociales, il faut continuer de payer les intérêts des emprunts publics, et nous devons maintenir les aides essentielles sur lesquelles le gouvernement a pris des engagements, comme l'aide au riz dont le prix est artificiellement fixé...

« Enfin, nous avons dans le cadre de nos relations internationales ce solde créditeur de notre balance des paiements qui nous met en situation de déséquilibre et nous oppose à nos partenaires européens et américains. Nous sommes ainsi enfermés dans une série de contradictions qu'il nous faut assumer. Exporter moins et importer plus, c'est limiter les débouchés de nos entreprises, c'est donc mettre en danger l'emploi. Réduire les dépenses gouvernementales, c'est fermer toutes possibilités de relance grâce aux investissements publics. Il y a donc pour nous des priorités : d'abord la relance, puis la reconversion de nos industries en crise. Les autres problèmes pourront ensuite être résolus un par un... »

Cette analyse du patronat japonais m'est apparue un peu sévère si l'on veut bien prendre en considération quelques facteurs positifs. La modération syndicale en contrepartie des efforts du patronat pour le maintien de l'emploi laisse à un plan de redressement et de reconversion toutes ses chances d'arriver à son terme.

Dans la période de crise, la notion de revenu familial permet aux Japonais de maintenir dans l'ensemble leur niveau de vie, même s'il y a stagnation durant quelques années. Les entreprises familiales, souvent victimes des faillites, peuvent mieux recaser leur main-d'œuvre dont la mobilité est plus grande que dans les sociétés de dimension nationale ou internationale. Le pessimisme patronal s'atténuait au début de l'année 80 et dès ce moment est apparue une crainte, non plus de chômage, mais de pénurie de main-d'œuvre. En deux ans, le Japon avait renversé le cours des événements par une analyse correcte et rapide de la situation et grâce à un certain niveau de consensus patronat-syndicats. Leurs analyses libres de toutes préoccupations politiques apparaissaient convergentes dans le contexte national japonais.

Les Japonais et l'épargne

Plus que tout, cependant, compte le *facteur humain*. En rendant visite aux dirigeants du Keidanren ou du Nikkeiren, patronat des fédérations des Associations des chefs d'entreprises, j'avais conscience de ne pas aller au fond des choses. On peut disserter dans l'abstrait ou même dans le concret, chiffres en main, de l'économie japonaise, de ses succès, ou de son avenir difficile, on ne viendra jamais à bout du puzzle sans tenir compte de l'homme de la rue et de son comportement. Dans le passé, l'un des facteurs de croissance rapide de l'économie résidait dans la capacité d'épargne du peuple japonais. J'ai rencontré Naoko dans le train. Comme cela arrive fréquemment avec les jeunes Japonais, elle voulait pratiquer son anglais. Assise à côté de moi, elle m'a abordé, mais pas avec la question rituelle : « How long have you been in Japan ? » (Depuis combien de temps êtes-vous au Japon ?) Elle m'a dit : « Do you live in Japan ? » (Vivez-vous au Japon ?)

— Non, j'habite Paris...

— Ah ! vous êtes français ? Moi je suis étudiante... Pour gagner ma vie, je fais des traductions d'anglais en japonais ou bien je suis interprète... Tiens, nous passons près de ma maison. J'habite à une demi-heure de train de la gare de Shinjuki. J'ai l'intention d'aller aux Etats-Unis et de m'y installer pendant quelques années, le temps de payer ma maison. Nous habitons avec ma mère et ma sœur un appartement, mais nous possédons à côté un terrain sur lequel je veux faire bâtir une maison. Pour cela, il faut que j'économise environ trois ou quatre millions de yen. Avec un emprunt, je pourrai réunir les dix millions dont j'ai besoin... Pendant mon séjour aux Etats-Unis, je louerai ma maison et le revenu me permettra de rembourser largement l'emprunt...

— Cela va vous demander beaucoup de temps, d'abord pour économiser trois millions, ensuite pour rembourser l'emprunt...

— Pas autant que vous le pensez. Je travaille beaucoup et j'économise beaucoup.

— Vous n'avez pas l'intention de vous marier ?

— Pas du tout, ça ne m'intéresse pas. J'ai envie de voyager et d'avoir une maison qui m'appartienne.

Une enquête effectuée sur six mille mariages montre qu'en 1978 les Japonais ont épargné 11 p. 100 de plus que l'année précédente. La moyenne du revenu annuel de ces six mille ménages s'élève à trois millions deux cent quatre-vingt mille yen, soit 6,5 p. 100 de plus que l'année précédente. L'épargne a dépassé le taux de croissance des revenus. La commission pour la promotion de l'épargne qui mène chaque année cette enquête ajoute que, en 1978, on a constaté une augmentation des achats d'actions, à cause du taux d'intérêt très faible de l'argent déposé en banque. De plus, 57 p. 100 des ménages avaient contracté des emprunts pour acheter une maison ou une voiture. Le taux des intérêts de l'emprunt est évidemment très faible, environ 3 p. 100. Cependant ces taux étaient sensiblement augmentés dès la fin de 1979. L'augmentation du crédit faisait partie du plan anti-inflation. Dans le même temps, on encourageait une diminution de l'épargne, inférieure à 10 p. 100 en 1980 contre plus de 12 p. 100 les années précédentes. La relance avait été calculée en effet au détriment de l'épargne.

Le montant de l'épargne constitue l'un des facteurs de l'espoir pour une économie qui fait face aux séquelles d'une crise et non plus à la crise elle-même. Il suffit de jeter un regard dans les rues du Tokyo international, cette partie de la capitale nippone qui vit aux seuls rythmes du travail et du plaisir. Chaque année apparaissent des magasins de plus en plus luxueux, de mieux en mieux achalandés en produits japonais ou d'importation qui appellent une clientèle de plus en plus nombreuse. Dans le Tokyo nippon, dont les villages aux maisons de bois s'agglutinent à la périphérie de quelques points de fixation comme Shibuya, Shinjuku, Ginza, les rues commerçantes n'ont pas changé d'aspect extérieur. Les maisons sont simplement rafraîchies, le bois est plus neuf, les petits magasins d'électricité, les restaurants de *souchi* ou de *tempura*, les échoppes d'artisans, les salons de coiffure affichent des devantures plus attrayantes et plus raffinées qu'avant. J'ai connu une époque où le Japonais consacrait ses talents et son épargne à l'aménagement de son intérieur et de son espace privé. Aujourd'hui, tout ce qui donne sur la rue a aussi son importance. Cela est dû à un effet d'entraînement produit par les investissements publics. Dans les artères des villes, on a planté des arbres, les espaces verts de Tokyo ont fait l'objet d'extensions parfois considérables, et, comme cela se produit toujours au Japon, une cité modèle est en train de naître d'une urbanisation anarchique, pour peu que l'effort entrepris soit poursuivi. Les investissements publics dans les infrastructures (routes, logements, monuments publics, jardins, etc.) destinées à améliorer la qualité de la vie ont un effet de relance dans des secteurs de l'économie qui ne peuvent pas trouver à l'extérieur un débouché de compensation à une récession très dure.

L'attitude du gouvernement japonais, encouragé par le patronat, et la réponse du public devant cette prise en charge par l'État des problèmes dont la solution restait jusqu'ici entre les mains de l'initiative privée constitue un fait nouveau qui pourrait bien être l'amorce d'une évolution dans les rôles respectifs du secteur public et du secteur privé. Autre facteur d'espoir pour l'économie japonaise, la psychologie qui préside à la reconversion industrielle. Il y a un consensus, qui n'est pas seulement patronal, pour consommer le sacrifice des secteurs industriels en difficulté et dont on estime qu'ils n'ont plus d'avenir. De plus, reconvertir signifie trouver de nouvelles orientations. Or, on constate que l'innovation abandonne de plus en plus rapidement le « secondaire » pour se tourner vers le « tertiaire » et le « quaternaire ». Toutes les technologies de la vie quotidienne sont au niveau de celles des Etats-Unis, et il faut bien convenir que l'initiative se cantonne de plus en plus aux domaines « folkloriques ». Le fabricant de sacs Louis Vuitton voit ses initiales commercialisées au plus haut prix dans les rues de Tokyo ; le vin rouge Mercian s'appelle « Château Mercian » et il est présenté dans des bouteilles exactement semblables à celles des crus de Bordeaux. Ce genre de faux est évidemment fâcheux et désagréables pour certains fabricants exportateurs français.

Les pays européens sont en outre concernés par la supériorité qu'implique pour le Japon les différences quantitatives pouvant exister dans la balance des échanges. Les Japonais exportent leur technologie la plus sophistiquée en matière d'appareils photos, d'électronique, etc., et importent en échange du vin, des produits de luxe, des parfums. Il est vrai que dans les termes de l'échange avec la France par exemple entraient jusqu'en 1978 des marchés d'uranium ou comme avec la Grande-Bretagne, et maintenant la France, des contrats de service pour le retraitement des déchets atomiques. Mais l'évolution du marché tend à placer le Japon dans une position de superpuissance face à laquelle l'Europe court le risque de devenir un client de même niveau que n'importe quel pays en voie de développement du Sud-Est asiatique. Cette évolution n'est pas le fruit du hasard mais résulte de choix très précis sur lesquels le Japon n'hésitera pas à revenir, s'il s'avérait qu'il ait pris une orientation erronée.

La concertation

Qui fait les choix et quels sont-ils ? Quelles en sont les conséquences ? La conjoncture économique est soigneusement étudiée, et ce sans complaisance, par les syndicats. Le syndicat d'entreprise a toute latitude et toutes informations voulues pour évaluer les résultats. Si ces résultats ne sont pas satisfaisants, les causes en sont analysées avec lucidité. La prospérité de l'entreprise est un des soucis constants du monde du travail. Ce que les Japonais appellent le *hanashiaï*, ou si l'on veut la procédure qui permet de prendre une décision dans le consensus, n'est rien d'autre que ce que les syndicats européens appellent la concertation ; celle-ci se retrouve à l'échelon des grandes centrales. Le Sohyo, syndicat de gauche, a annoncé en octobre 1978 que sa demande de « bonus » (il s'agit du nombre de mois de salaire payés aux employés au-delà des douze mois, selon les résultats de la société) serait modérée, à la suite d'un accord « tacite » avec les employeurs. Mais la concertation va plus loin que la simple entente sur l'augmentation de salaire au moment de l'offensive de printemps ou sur les bonus de fin d'année, à l'automne. Il est important de constater une diminution des journées de travail perdues pour cause de grève. De 1974, année record des grèves dans le secteur privé avec 9,66 millions de journées de travail perdues, on passe à 1978 avec un chiffre qui dépasse à peine le million. Dans le secteur public cependant, les syndicats ont tendance à adopter une attitude différente et à recourir de plus en plus fréquemment à la grève. Les partenaires se réunissent pour le secteur privé dans le cadre des rencontres organisées par le Nikkeiren (Fédération des employeurs) au cours de sessions communes avec les dirigeants des quatre grands syndicats chaque fois que les circonstances l'exigent. Les résultats de ces rencontres sont surprenants pour l'Occident, mais ils s'expliquent par l'origine et la formation des partenaires sociaux. Côté patronal, on peut constater que contrairement aux idées reçues les grands patrons des années 1980 ne représentent ni une classe sociale ni les grandes familles.

M. Doko Toshiwo, le président du patronat japonais, doit surtout sa position à son énergie et à son caractère de « battant » aussi bien dans le cadre du Collège technique de l'université de Tokyo que dans celui des chantiers navals de Ishikawajima-Harima où il a commencé sa carrière comme ingénieur en 1920. Les grands noms des anciens zaïbatsu, comme M. Mitsui Hachiro-Emon, qui représentent les vieilles familles industrielles semblables à celles qui régnaient en Europe au XIXᵉ siècle et au début du XXᵉ sont aujourd'hui relégués au musée des héros dont on écrit l'histoire. M. Mitsui Hachiro-Emon consacre les dernières années de sa vie aux enfants, car il a créé un jardin d'enfants, qu'il dirige lui-même et auquel il consacre tous ses soins. M. Inayama Yoshihiro, président de Nippon Steel, est passé par tous les grades de la hiérarchie. Simple employé dans la firme Yawata Works en 1928, il était en 1934 chef de la section commerciale n° 4. Sa véritable carrière ne commencera qu'après la deuxième guerre mondiale.

Le succès, ou plutôt l'aboutissement de la concertation, s'explique aussi par les structures : à l'intérieur de l'entreprise, où elles sont le reflet d'une psychologie obsessionnelle de l'entente au-delà de l'entreprise, à l'échelle des partenaires patronat, gouvernement, syndicats, où prévaut une certaine idée du Japon qui transcende toute idéologie politique, par quelque voie qu'elle s'exprime.

L'exemple de l'automobile

Les résultats d'une telle entente ont été si spectaculaires et la plupart des choix si judicieux que chacun est amené à lier son propre succès à l'établissement de l'harmonie plutôt qu'à la victoire dans la confrontation. L'histoire de l'industrie automobile est de ce point de vue exemplaire : Takagishi Kiyoshi, président de l'association des journalistes de l'automobile, la raconte dans le journal *Asahi*. En octobre 1956, donc dix ans après la fin de la guerre, remarque-t-il, le rapport de la mission américaine Watkins, enquêtant sur les infrastructures routières au Japon, concluait : « Il n'existe aucune route digne de ce nom... » Même la nationale n° 1 reliant Tokyo à Osaka et empruntée presque uniquement par les poids lourds, n'est macadamisée que sur la moitié de sa longueur. A l'époque, il y avait en tout et pour tout, dans le Japon, 295 234 camions, 493 389 véhicules utilitaires à trois roues, et seulement 181 074 automobiles, en majorité des taxis ou des voitures de location. La première autoroute *Tokyo-Osaka* n'a été terminée qu'en 1970, un peu avant l'ouverture de l'Exposition universelle d'Osaka. Or, dès 1967, la production automobile totalisait 3 146 486 véhicules, avec cependant une priorité accordée à la production de véhicules utilitaires. Cette situation se renversait dès 1968, avec une production de voitures particulières plus forte que celle des camions ou autobus. En 1970, la production dépassait cinq millions de véhicules, en 1972 six millions et en 1973 sept millions. En 74 et 75, la récession ramenait la production au niveau de 1972, mais en 1977 on était reparti et la production dépassait alors les huit millions.

M. Takagishi Kiyoshi attribue ces résultats surprenants à l'augmentation sensible des revenus individuels, au désir grandissant d'évasion des villes, à l'effort des constructeurs japonais, mais également à une certaine stagnation du transport ferroviaire qui a presque atteint les limites de capacité de son développement, dont l'orientation est plutôt liée à l'amélioration indispensable du trafic de banlieue. L'automobile japonaise trouve donc aujourd'hui un marché intérieur en plein développement, puisqu'on pouvait compter en 1980 un véhicule pour trois personnes. Les fabricants japonais ont certes compté sur les marchés extérieurs, marché américain et marché européen. Leur supériorité s'affirme chaque jour davantage. Sur le plan de la productivité, on note par exemple que Toyota produit au rythme de 45 véhicules par travailleur et par an, là où Volkswagen produit 19 véhicules et British Leyland 9 seulement. Sur le plan de la finition, les fabricants japonais livrent des véhicules bien équipés, radio avec antenne incorporée dans le pare-brise, glaces fumées, tableaux de bord sophistiqués, etc. En matière de commercialisation, aucun industriel européen ou américain ne fait d'efforts comparables à celui fourni par ses homologues japonais en fait d'adaptation des spécifications aux besoins du pays. Les Japonais livrent leurs voitures pour l'Europe et les Etats-Unis avec le volant à gauche alors que pour le marché intérieur il est livré à droite. Ils ont monté en Europe et aux Etats-Unis de solides réseaux après-vente et leur publicité est largement répandue dans toutes les langues. La crise dans l'industrie automobile serait durement ressentie aujourd'hui. Les Japonais ont en effet enregistré une chute de leurs ventes en Europe et aux Etats-Unis variant de 6 à 9 p. 100 en 1978. La firme Nissan a constaté une diminution moyenne de son chiffre d'affaires de 15 p. 100. Mais au début de 1980, le succès japonais se confirmait sur les marchés européens et américains.

Les constructeurs européens et américains ont un effort à poursuivre sur les marchés tiers, Amérique du Sud et Afrique, où les Japonais ont déjà pris une avance. L'industrie automobile est donc l'un des choix sur lesquels repose aujourd'hui l'avenir de l'économie nippone. On s'en aperçoit au début de l'année 1980. Une vague d'inquiétude déferle sur l'Amérique et sur l'Europe. Les grands de l'automobile affinent mois par mois leurs stratégies d'endiguement de l'envahisseur japonais. Chez les constructeurs américains, on parle même de « Pearl Harbor » de l'automobile. Le ministère japonais de l'Industrie et du Commerce coincé entre les menaces américaines de rétorsion et la dynamique exportatrice de Nissan et de Toyota notamment, essaie de gagner du temps avec des paroles lénifiantes. Il promet de conseiller aux deux japonais de réduire volontairement leurs exportations aux U.S.A., et de leur suggérer d'investir. Ces promesses restent sans lendemain, car Toyota informe le président du Syndicat américain des travailleurs de l'automobile, Douglas Fraser, qu'elle ne voit aucun intérêt à investir 500 millions de dollars pour produire 20 000 voitures par mois. Douglas Fraser revient de Tokyo sans illusions. Les Japonais entendent maintenir et faire progresser le niveau de leurs exportations. Ils temporisent dans le cadre par exemple de négociations de coopération industrielle, comme celles qui sont engagées entre Ford et Toyota, mais fondamentalement les stratégies économiques japonaises restent inchangées, quelles que soient les pressions même fortes dans le domaine de l'automobile.

La poussée japonaise fait sentir ses effets en Europe. La firme britannique British Leyland est la plus touchée. Pour faire face, les Américains et les Européens, après avoir évalué les répercussions du succès nippon sur l'emploi, proposent au Japon des négociations globales.

L'Occident industrialisé a de nombreuses questions à poser : celle de la réciprocité d'abord. Il faut bien constater que le secteur de l'automobile démontre abondamment les difficultés souvent insurmontables de pénétration du marché nippon. Le Japon accueille au compte-goutte les voitures étrangères dont l'entrée est prétendument libre. Mais quel constructeur américain ou européen irait se lancer seul sur le marché japonais sans partenaire local alors qu'il sait, outre les tracasseries et finasseries administratives, devoir faire face à une entente nationale dans le secteur de la distribution, l'empêchant de créer un réseau sérieux de service après-vente. Cette situation n'existe ni pour Toyota ni pour Nissan ou Honda, que ça soit en Europe ou aux Etats-Unis. De plus, quelle compensation trouver à l'inégalité de fait dans la concurrence ? Les Japonais évoluent dans un contexte social et culturel étranger aux normes régissant les sociétés occidentales et tel, qu'il n'existe aucune parade et qu'il ne reste d'autre issue aux économies libérales que de piétiner le libéralisme. Autolimitation : une supplique pour un palliatif provisoire côté occidental, un argument de chantage côté japonais.

Il convient, en effet, de comprendre que, dans la période des vaches grasses, jusqu'en 1973, tous les pays industrialisés allaient dans le même sens, celui d'une accumulation de la richesse dans un système de croissance forcenée. La crise, les avertissements d'organismes, comme le Club de Rome, les accidents de la croissance : pollution et nuisances de toutes sortes, ont amené, dans tous les pays riches, une réflexion dont les orientations qualitatives ont affaibli la force de frappe économique. Ceci est vrai, aux Etats-Unis, en Europe mais pas au Japon. Il y a eu, certes, des hommes politiques japonais courageux pour dire qu'une croissance annuelle supérieure à 5 p. 100 n'était pas souhaitable. Ce fut le cas de Okita Saburo, ancien secrétaire du Club de Rome qui fut ministre des Affaires étrangères du gouvernement Ohira. Mais le patronat japonais n'a jamais été de cet avis. Il a toujours cherché et cherche encore la croissance maximum ; la décennie 80-90 est encore dominée au pays du Soleil-Levant par le mythe de la croissance : une croissance moins sauvage, plus ordonnée, plus qualitative, mais aussi une croissance dont aucun pays occidental ne peut prétendre soutenir le rythme : elle évolue autour de 6 p. 100 alors que chez les partenaires du Japon elle ne peut guère atteindre 3 p. 100 dans le meilleur des cas pour les pays les plus favorisés.

Le tournant des années 80

Les vieilles habitudes collent à la peau. Abandonner l'idée de croissance équivaudrait, pour le patronat japonais, à un Seppuku. Celui-ci est d'autant moins enclin à limiter le développement de ses entreprises que la facture pétrolière s'étant alourdie, il se voit dans l'obligation de produire plus et d'exporter plus pour la payer. Certes, au Japon, les économies d'énergie font l'objet d'une campagne de sensibilisation des populations, dont le résultat, en ce qui concerne la consommation domestique, est spectaculaire, comme apparaît tout à fait remarquable l'effort d'innovation, de recherches, et de réalisations en matière d'énergies renouvelables. Mais la consommation de pétrole ne cesse d'augmenter et la majeure partie du combustible est absorbée par une industrie dévorante quelles que soient ses transformations. Au début de l'année 1980, pour prendre un exemple significatif, alors que dans tous les pays industrialisés la croissance tend vers zéro, le Japon connaît un boom économique. Le taux de croissance des trois premiers mois de l'année frôle les 8 p. 100. Le taux annuel de croissance des équipements productifs pour 1980 atteint 15 p. 100. Le capital humain valorisé par des formations appropriées à la crise ne connaît qu'un taux de chômage ridicule : moins de 2 p. 100.

En 1979 et au début de 1980, l'O.P.E.P. n'a cessé de relever les prix du brut, or le taux de croissance n'a pas cessé d'augmenter. Ce phénomène ne peut pas s'expliquer par la seule relance de la consommation des ménages, plus 8 p. 100 en 1979, plus 9 p. 100 en 1980, ni par la diminution de l'épargne, plus 8 p. 100 contre plus 12 p. 100 dans les années précédentes. On ne peut pas donner non plus comme seule explication l'augmentation du revenu réel de plus 8 p. 100 en 1980 malgré un taux d'inflation conjoncturel de 11 p. 100 au début de l'année alors qu'il était tombé à zéro en 1978.

Quelle explication peut-on trouver ?

On peut se contenter des statistiques en observant que les mêmes mécanismes produisent au Japon des résultats diamétralement opposés. L'équation salaires, consommation, inflation corrigée par les variations de l'épargne, la cherté du crédit, la capacité

470

d'investissements productifs dans les petites et moyennes entreprises, secteur jusqu'ici négligé, produit un cocktail dont le goût, assaisonné d'un objectif primordial de croissance du revenu individuel, a pour résultat un effet multiplicateur de croissance au niveau national.

Les horizons incertains de l'an 2000

Il ne faudrait pas cependant laisser croire que les Japonais sont dupes par leur prospérité relative au moment où dans le reste du monde occidental, inquiétude et colère alternent devant l'incapacité des gouvernements à proposer des solutions. A l'horizon 90, le Japon voit poindre les nuages d'une évolution dont les facteurs d'autodestruction échappent aux mesures préventives et à toute planification. La course à la croissance connaît des limites. Aucun ménage japonais, pas plus qu'américain ou européen, ne peut continuer à acheter indéfiniment des postes de télésion, des réfrigérateurs, des machines à laver, des automobiles. Un taux de voitures par habitant équivalant à celui des Etats-Unis suffit à paralyser le Japon. Baisse de consommation engendre croissance en diminution, d'autant plus que la structure démographique des dix années à venir montre un vieillissement inquiétant d'une population qui n'a plus assez d'enfants pour assurer la relève de main-d'œuvre. Autres signes inquiétants : le nombre décroissant d'agriculteurs : ils comptaient hier pour 12 p. 100 de la population active, aujourd'hui pour 8 p. 100 à peine, demain en 1990, 2 p. 100. L'expansion des secteurs tertiaire et quaternaire se fait au détriment de la productivité. Les économistes les plus pessimistes y voient le signe d'une future pénurie des biens de consommation, et de la rareté de la main-d'œuvre qui obligera même les plus lettrés à se livrer à des tâches de production.

L'Amérique et l'Europe ont depuis longtemps réalisé que le marché mondial comptait une puissance de plus, qui a ses faiblesses certes et présente une vulnérabilité qui laisse à la concurrence la possibilité de jouer, mais dont la force est le produit harmonieux de l'organisation la plus minutieuse, alliée à un esprit d'innovation sans limites servi par la foi dans le triomphe du *made in Japan.*

Mon ami Suzuki Takashi me rappelait récemment : « La question essentielle est de savoir pourquoi nous sommes devenus malgré la crise la deuxième puissance du monde : parce que nos entreprises pratiquent l'emploi à vie ; parce que nous avons des syndicats « jaunes » ; parce que l'ouvrier japonais est avant tout un *Japonais.* »

Personne ne peut donner une définition du Japonais qui recouvre une réalité satisfaisante à la fois pour un Occidental et pour un Japonais. Mais le Japon connaît des modes dans son comportement, semblables aux modes dans la haute couture. Les années 80 sont les années de l'économie. Les esprits sont donc devenus des esprits « économiques » qui pensent en termes d'économie. J'observais un jour à Sapporo le préposé aux bagages à l'arrivée de l'autobus venant de l'aéroport. Il s'était mis à balayer l'eau de la rigole, au bord du trottoir, pour éviter que ses clients puissent être éclaboussés. Je me demandais ce qui pouvait le pousser à tant de zèle... Rien de plus que son instinct de solidarité avec les intérêts de la compagnie qui l'emploie, car celle-ci assure son avenir grâce à la réputation que lui fait sa clientèle. Dans ce sens, les Japonais ont l'esprit plus « économique » que jamais.

La croissance économique japonaise a connu successivement trois phases : celle des années 60, spécifiquement japonaise, maintenue à un rythme très élevé, plus de 12 p. 100 l'an, a vu le développement d'industries de grande taille s'appuyant sur un marché intérieur dynamique. Très vite à Tokyo les magasins de bric-à-brac se sont transformés en boutiques modernes, voire luxueuses, diffusant des biens de consommation de la plus haute qualité, favorisant ainsi une accumulation rapide sur les secteurs les plus en pointe.

Pour financer cette accumulation les entreprises n'ont pas hésité à s'endetter. Peu à peu, le Japon a rattrapé des pays comme la France ou la R.F.A. et substitué sa production nationale aux importations.

La phase des années 70 montre un Japon logé à la même enseigne que les autres pays industrialisés. La première crise pétrolière l'atteint de plein fouet. La croissance s'étant nourrie jusqu'alors du bond en avant qu'exigeait le rattrapage technologique, celui-ci, une fois acquis, l'accélération des salaires a comblé peu à peu le fossé entre les entreprises de grande taille et les petites et moyennes industries, mais a absorbé tous les gains de productivité. Une période de stagnation industrielle s'est ouverte alors. L'investissement a faibli. Le capital s'est fait rare et cher. La hausse du prix de l'énergie et des matières premières a atteint surtout le secteur de la métallurgie et de la chimie de base, les chantiers navals... Les petites et moyennes entreprises sont paradoxalement moins touchées que les grandes. La main-d'œuvre féminine y est plus nombreuse : on y raisonne en termes de « salaire » plutôt que « d'emploi ».

Il faut, en effet, se souvenir que la règle des grandes entreprises concernant l'emploi à vie, n'a pas varié avec la crise. Ce qui explique les taux de chômage faibles (environ 3 p. 100) que l'on a plus relevé au moment le plus critique.

La phase des années 80 reprend en quelque sorte l'esprit du tournant des années 60 mais une philosophie qui tient compte de la leçon imposée par l'événement :

Maintien de l'emploi à vie mais accélération des reconversions avec une atténuation de la rigidité du principe.

Petites et moyennes entreprises favorisées par la relance de la consommation familiale alimentée par une incitation à casser l'épargne.

Produit des augmentations de salaire canalisé vers

des investissements productifs dans les petites entreprises.

Développement continu du secteur tertiaire au détriment du secondaire.

En 1980, je me rends à Osaka, la métropole des affaires du Japon. Je n'y suis pas revenu depuis dix ans. Du superbe hôtel Plazza je rayonne dans les quartiers d'affaires. Toute trace d'anarchie a disparu, faisant place à un urbanisme à l'américaine. Là où il n'y a pas de buildings, il y a des chantiers. La ville bouge. La capitale de la province du Kansai a bénéficié de l'extraordinaire poussée au décollage qu'a représenté l'Exposition universelle de 1970. Tout le futur avait déjà germé à Osaka : les transports urbains de demain, la télématique, la « robotique », etc., je ne retrouve plus le Japon à Osaka, sauf en prenant le train de banlieue qui m'emmène aux usines du groupe Sunstar, un petit groupe industriel qui est né et qui a grandi dans la tradition la plus stricte du « familialisme ».

La famille régnante des Kaneda a pour origine Hiroshima. Elle crée de rien et s'installe dans la banlieue d'Osaka, où elle emploie deux mille personnes. Dans un local, on fabrique des freins à disques pour un constructeur japonais ; dans un autre, on sort depuis peu un simili-cuir qui servira à fabriquer une gamme de sacs de voyage. Au centre de ce dispositif, on fabrique et on met en tube, une pâte dentifrice, des brosses à dents et timidement quelques produits cosmétiques, crèmes et eau de Cologne de qualité moyenne. La firme est connue du public à cause de la grande diffusion du dentifrice.

Je rencontre tous les directeurs du groupe car j'accompagne mon camarade Victor Sarel, président de Washperle International, un groupe marseillais fabricant de revêtements intérieurs et extérieurs pour le bâtiment. Le président Kaneda et le président Sarel sont face à face dans les salons du Plazza à Osaka. A brûle-pourpoint, le Japonais demande au Français :

« Quelle est la devise de votre société ? »

Le Français est visiblement pris de court. Il a pensé à tout sauf à cette question. Il répond dans le vague :

« Nous sommes pour une productivité humaine... »

Le Japonais hoche la tête. Il a l'air préoccupé. Il lève le regard vers son interlocuteur et lance :

« Président Sarel quel est l'hymne de votre société ? »

Le président Sarel a un bon produit à vendre mais il n'a pas d'hymne, même s'il a la foi dans ce qu'il entreprend. Quelques jours plus tard, l'homme d'affaires français est conduit à l'usine à l'heure du débrayage de fin de journée. Les machines s'arrêtent. Le silence s'établit presque pesant, et tous les ouvriers entonnent l'hymne Sunstar. Combien d'ouvriers aujourd'hui ont dû abandonner le frein à disque pour le dentifrice ? La société ne veut fournir aucun chiffre. Toute précision chiffrée a l'air d'un secret d'Etat alors qu'on m'a affirmé qu'il n'y avait pas de secret pour moi. Je retire dans tous les cas la certitude que le mécanisme de reconversion fonctionne au sein du groupe. On abandonne des activités non rentables au profit de celles qui sont jugées les plus aptes à favoriser l'expansion.

Pour le moment, la métallurgie décline, par contre le dentifrice et les produits de consommation connaissent un boom. On fait donc dessiner, par exemple, des sacs de voyage en Italie ; on en fabrique la matière première à Osaka mais le sac lui-même est fabriqué à Hong Kong où la main-d'œuvre est moins chère. Il n'est pas rare qu'un ouvrier qualifié intelligent abandonne sa machine pour devenir, après recyclage, un col blanc. L'ouvrier japonais n'est pas atteint par le mythe de l'« ouvriérisme » hérité du souvenir de la condition ouvrière au XIXe siècle. Il n'est pas attaché à une spécialisation et il ne raisonne pas en terme d'appartenance à une classe, liée à une condition sociale de travail. Dans le groupe Sunstar d'Osaka comme dans la plupart des groupes japonais on passe sans difficulté apparente d'une activité à l'autre. C'est le marché qui commande. Les structures hiérarchiques restent liées à un paternalisme de clan. « Il y a, encore peu de temps, me dit un cadre, on ne pouvait pas avoir une responsabilité importante si on n'était pas originaire d'Hiroshima. »

Le tournant des années 80 renforce, au niveau le plus concret, les qualités d'adaptation au changement, dans la tradition. Même au sein de l'entreprise le contexte social des relations interpersonnelles n'évolue que très lentement alors que méthodes, organisation de travail et adoption des technologies les plus en pointe devancent toute évolution de la société.

DÉFIS

LES JAPONAIS ET LES « GEIJIN »

La fierté japonaise

JE suis un *gaijin*, nous sommes des *gaijin*, toute la colonie étrangère de Tokyo, qu'elle soit blanche, noire ou jaune connaît ce terme. Parfois évocateur d'une discrimination, il est dans tous les cas le symbole d'une frontière entre eux et nous. Quelque effort que l'on fasse pour apprendre la langue, pour s'intégrer dans la société japonaise, pour vivre à sa manière, il faut en prendre son parti : les Japonais font la distinction non pas entre leur citoyenneté et celle des autres, mais entre leur nature et la nôtre. Ils sont souvent étonnés de trouver un étranger qui parle bien leur langue ou qui connaît certaines régions du Japon qu'ils n'ont jamais visitées eux-mêmes et dont ils ignorent jusqu'à l'existence. Parfois, ils en sont flattés, plus souvent embarrassés.

Invité par un ami japonais, je racontais avec beaucoup de chaleur un merveilleux voyage que je venais de faire sur la côte de la mer du Japon. J'évoquais la vieille cité de Kanazawa, la ville marchande et animée de Toyama, les rizières de la péninsule de Noto. Je ne sortais pas du connu et mon interlocuteur poussait de petits râles admiratifs. Le ton changea dès que je nommai l'île de Hekurajima, à trois heures de navigation du port de Wajima, à l'extrémité de la péninsule de Noto.

« Et vous êtes allé là-bas ? Avec votre femme ? Ah ! Ah ! *So !* »

Il hochait la tête d'un air incrédule. Son incrédulité se mua en stupeur lorsque je lui déclarai :

« Cette île n'est habitée que de juin à octobre. La population, avec ses *ama* (plongeuses), se transporte sur cette île isolée et vit du produit de la pêche des *awabi* (espèce d'ormeau, gros coquillage à trois trous). Ce sont les femmes qui pêchent et les hommes qui gardent les enfants et font la cuisine. Les femmes vivent nues...

— Et elles sont japonaises ? Ah ! *So !* »

Mon interlocuteur se leva et la soirée se termina brusquement. Il me raccompagna sans un mot à la porte, me souhaita poliment le bonsoir, tandis que son épouse qui nous avait servi le repas et s'était éclipsée n'avait pas reparu. Je l'ai revu plusieurs fois par la suite, toujours cordial et urbain, mais il a chaque fois décliné mes invitations et ne m'a jamais plus invité chez lui. Il ne me prenait plus au sérieux. J'étais devenu pour lui une sorte d'illuminé, un joyeux « dingue ».

Ressembler aux étrangers...

Chaque Japonais est censé donner de lui-même et du Japon une image dans laquelle les étrangers doivent pouvoir retrouver les traits essentiels d'un fonds commun à l'humanité industrielle et civilisée. Certes on présente de ce fonds une version japonaise. Il doit être cependant entendu que les Japonais ne sauraient être confondus avec une tribu africaine. Ils ont un comportement sexuel semblable à celui des Européens ou des Américains et, dans ce domaine, se modernisent moins vite qu'en technologie. Le monokini n'a pas encore gagné leurs plages. Ils construisent des aéroports, des routes, des gratte-ciel comme on le fait à New York ou à Francfort ; ils font même mieux... Dès lors, comment l'étranger que je suis peut-il prétendre qu'une civilisation résolument moderne et aussi avancée peut abriter une population tolérant que des femmes puissent accomplir un travail très dur, celui de plongeuses, et vivre nues dans des villages quasi primitifs, tandis que les hommes assument les travaux ménagers ? C'est évidemment une incongruité. L'honorable étranger confond le Japon avec quelque île mélanésienne. Avoir un folklore est admis ; des modes de vie et des communautés qui restent à l'écart du progrès et du développement économique font partie de ces « bavures » que l'on déplore et auxquelles il faut remédier dans les meilleurs délais. Toute réalité non conforme à ce qui est la norme dans les pays occidentaux les plus avancés est volontairement gommée lorsqu'elle renvoie l'image d'une société ayant conservé l'empreinte d'une éducation séculaire. Les Français et les Américains ont leurs sectes ou leurs communautés hippies, présentées comme des courants de pensée ou de croyance. Selon les Japonais, ces marginalités ne devraient pas survivre à moins de se rattacher au folklore.

Il y a là un consensus majoritaire dans l'opinion. Mais on dit et... on fait. Aucun pays au monde ne compte autant de diversités et de marginalités. Cette propension à présenter un visage homogène crée chez les Japonais le désir de se référer à une continuité historique. Or, l'histoire du Japon est faite de discontinuités : discontinuité cette révolution ambiguë de 1868 qui a ramené la restauration de l'empereur dans ses pouvoirs pour appliquer une politique autarcique et isolationniste, alors qu'il s'est ingénié au contraire à faciliter l'ouverture de l'Archipel aux étrangers ; discontinuité encore ce choix délibéré d'imiter les nations occidentales et de devenir un pays impérialiste en annexant la Corée, en 1910 ; discontinuité l'arrivée des militaires au pouvoir et la défaite interne, en 1936, des cadres subalternes de l'armée, dont les révoltes jalonnent le Japon féodal, au profit de vieux généraux comme Tojo, sans doute le plus typique des Japonais ; discontinuité la défaite de 1945 ; discontinuité enfin l'alliance et la coopération avec le vainqueur. A quelle continuité peut-on se référer ?

Les Japonais ont fait des choix politiques et non historiques. Ainsi ont-ils décidé de ne pas expliquer la période 39-45, d'en parler le moins possible, sinon en phrases lapidaires. De 1963 à 1979, je n'ai lu dans la grande presse aucune enquête sur ce qui s'est passé au Japon pendant la durée du deuxième conflit mondial. Alors qu'aux Etats-Unis tous les dessous du maccarthysme, période peu glorieuse de l'histoire, toutes les turpitudes autour de la guerre du Vietnam ont été largement, sinon complaisamment, étalées ; alors que la collaboration française avec les nazis a fait l'objet en France de débats et de polémiques à travers les média de grande diffusion, on attend encore une histoire de la *kempetaï*, cette police de la pensée qui a conditionné le peuple japonais plusieurs années durant. Les Japonais n'avouent pas volontiers le rôle qui fut le leur aux heures sombres de l'histoire du monde, sauf s'il se bornait à un rôle d'exécutants. Il y a un sentiment de culpabilité profonde. Mais tout cela ne compte plus, car c'est le passé : les tribunaux américains ont fait en leur temps un tri entre les bons et les mauvais. Les mauvais ont été punis et les bons disculpés. Il ne faut donc pas en parler... Que faisait le président du Keidanren en 1943 ? La biographie qu'on m'a remise n'en dit rien... « Ce n'est pas important, répond-on, c'était la guerre... » On se retranche derrière des formules vagues du type : « Les militaristes tenaient le pouvoir, nous avons souffert » etc. On ne parle jamais de l'invasion de la Mandchourie et des Philippines. En ce qui concerne la vie quotidienne au Japon de 1936 à 1945, aucune œuvre significative n'existe sur cette période, ni dans la littérature ni au cinéma. La télévision n'a jamais rien montré ni dit de ces années qui ont été gommées par les intéressés. En privé et par bribes, on apprend que X faisait partie des troupes de maintien de l'ordre en Corée ; que Y fut enfermé dans un camp de travail, parce que suspect d'idées de gauche et de tiédeur patriotique. Parvenir à reconstituer la vie d'un Japonais de plus de cinquante-cinq ans, notamment pendant ces années troubles, devient un exploit : vieille méfiance à l'égard des étrangers ? Attitude politique vis-à-vis des Américains ? Toutefois, si les Japonais gardent une sorte de complexe de culpabilité au souvenir de leurs actions militaires en Chine ou dans certains pays du Sud-Est asiatique qui leur reprochent aujourd'hui encore leurs atrocités, ils ne se sentent nullement coupables face aux Américains. Pearl Harbor contre Hiroshima : *zéro à zéro*.

L'américanomanie

Les relations du Japon avec les Etats-Unis sont nés d'un rapport de forces. Entre Tokyo et Washington existent donc des relations d'Etat à Etat, mais il faut les replacer dans leur contexte passionnel. Tout oppose les deux peuples : la désinvolture de l'un s'accommode mal du sérieux de l'autre. La supériorité technologique des Etats-Unis n'admet pas facilement d'être mise en échec sur son propre terrain. Depuis toujours, en fait, les deux gouvernements subissent les interventions de leurs groupes de pression respectifs. Ces tensions, cependant, peuvent trouver aujourd'hui des accommodements. La guerre des citrons ou celle du textile ne passionnent ni l'opinion publique américaine ni les Japonais. La géopolitique des années 80 est dominée en Asie par l'alliance nippo-américaine contre l'U.R.S.S. et l'expansionnisme soviétique, même si le Japon n'assume qu'une part très modeste des charges de la défense des pays libres. Dans chacun des deux pays, l'homme de la rue ne se sent que très peu concerné par les consultations régulières entre les deux gouvernements. Les relations se vivent au niveau des contacts personnels. Jusqu'en 1970, les Japonais qui rencontraient un « Caucasien » (Blanc) le présumaient américain, et la stupéfaction se peignait sur leurs visages lorsqu'ils découvraient que leur interlocuteur était un Français, un Allemand ou un Russe. Combien de fois ai-je été abordé dans la rue, comme tout récemment encore lors de mon dernier séjour, par un jeune homme ou une jeune femme m'annonçant tout de go et sans préambule : « Would you mind helping me to practice my english ? I hope I will not bother you... » (Cela vous serait-il possible de m'aider à pratiquer mon anglais ? J'espère que je ne vous ennuierai pas...) Si vous êtes curieux et de bonne composition, vous répondez à l'attente de votre interpellateur ; il engage alors la conversation comme si vous étiez américain et, si vous le détrompez, il marque ouvertement sa déception. Aujourd'hui, la réaction s'est peu modifiée et les ressortissants des pays d'Europe suscitent toujours une sympathique curiosité. Il y a de toute façon une différence d'attitudes entre groupes et individus. Aux alentours du campus de Todai, dans un petit café, quatre ou cinq étudiants japonais fraternisaient gaiement avec un étudiant américain, blond au crâne rasé. Ils revenaient ensemble d'une « manif ». Ils sirotaient tranquillement qui un café, qui un *coke* (Coca-Cola), qui un jus d'orange. A leurs pieds traînait une banderole à moitié déployée portant l'inscription : *America go home*. Dans les années 70, ce genre de situation était courant. Jamais les hommes d'affaires américains n'ont gagné autant d'argent que pendant la période de contestation anti-américaine des années 1965-1970. On était loin de l'annulation du voyage de Ike Eisenhower, en 1960, à la suite de bagarres épiques. Si on veut comprendre les réactions des deux peuples l'un vis-à-vis de l'autre, il faut d'abord parler du choc et de l'indignation des Américains après l'attaque de Pearl Harbor. A cette époque, l'île de Hawaï était habitée par une forte colonie de citoyens japonais de naissance, mais naturalisés américains. Immédiatement suspects, on les arracha en quelques heures à leurs maisons et à leurs occupations pour les enfermer dans des camps. Ils n'y furent pas malheureux, mais gardèrent bien après la guerre le sentiment d'une injustice, à tel point que beaucoup préférèrent abandonner leur nationalité américaine et revenir au Japon. Un de ceux-là, photographe de métier, est retourné aux Etats-Unis en 1978 pour y exposer des photographies rendant compte de la vie au jour le jour de l'un de ces camps situés aux confins du Nevada.

Les réactions japonaises à la bombe atomique d'Hiroshima ne furent pas plus violentes que les explosions de colère de l'Amérique après Pearl Harbor. Une étudiante, dont les grands-parents sont morts le 6 août 1945 et dont la mère, alors âgée de dix ans, a survécu non sans avoir vraisemblablement subi une irradiation, m'a confié :

« Les Japonais se demandent parfois si la bombe atomique n'a pas été une punition des fautes qu'ils ont commises...

— Oui, ai-je dit, mais pourquoi Hiroshima ? Pourquoi des enfants innocents et des civils marqués pour plusieurs générations ?

— *Nous sommes tous des Japonais...* », m'a-t-elle répondu.

Dans les années 80, l'hôpital atomique d'Hiroshima et le laboratoire de recherches sur ce mystérieux cancer, qui s'apparente à la leucémie sans en être, continue de fonctionner dans le cadre d'une étroite coopération entre les Américains et les Japonais. Les sentiments des Japonais seront de nouveau mis à l'épreuve en 1954. La situation n'est plus la même, car la période d'occupation a pris fin depuis 1952 avec la signature du traité de San Francisco. Mais les esprits sont à vif. Le bateau de pêche *Fukuryū-Maru* a subi les retombées du nuage radioactif de la bombe à hydrogène lancée sur l'atoll de Bikini. L'équipage ne s'est aperçu de rien et rentre au Japon, où on découvre que le poisson vendu est contaminé. Or, les Américains, loin d'exprimer leurs regrets aux infortunés pêcheurs, répondent qu'ils n'avaient pas à se trouver là et qu'ils auraient dû respecter l'interdiction de circuler dans cette zone déclarée « dangereuse » par l'armée américaine. Oui, mais... les pêcheurs japonais ne comprennent pas l'anglais. Les autorités américaines finiront par admettre que le bateau n'était pas fautif, mais que le nuage radioactif, sous l'influence de vents imprévisibles, a malheureusement pris une direction imprévue... A ce sentiment de rancune exploité par la presse japonaise s'ajoute celui de la présence américaine qui, malgré la fin de l'occupation, reste importante et voyante. Le Q.G. des Américains est installé à Akasaka, à l'hôtel Sanno. Ce quartier très animé est à la fois un centre de loisirs et un centre d'affaires au voisinage des grands hôtels, des ministères et de la résidence officielle du premier ministre. En 1970, mon bureau était installé dans un immeuble en face. En 1979, malgré des pourparlers qui durent depuis plus de dix ans, l'hôtel reste toujours réservé aux militaires américains. Cette pomme de discorde a perdu toutefois son « prestige » et les « manifs », qui empruntent la rue d'Akasaka Mitsuke, à Toranomon, ne pensent même plus à conspuer ce vestige d'une vieille confrontation historico-politique.

Les grandes bases, comme la base aérienne de Tachikawa récemment abandonnée, la base nordique de Hakodate ou les bases navales de Yokosuka et Sabebo toujours actives, sans compter les installations impressionnantes d'Okinawa, point de décollage, avec Guam, des bombardiers B-52 pour le Vietnam ou pour les missions secrètes du *Strategic Air Command* témoignent entre autres de la permanence des activités militaires américaines au Japon. Certes, on ne voit pas de soldats en uniforme dans la ville de Tokyo et les officiers américains y sont très discrets. En 1957, survient encore une « affaire de cœur » entre Japonais et Américains : le soldat engagé, William Girard, tue une femme, une paysanne qui ramassait des douilles d'obus en bordure d'un terrain militaire d'entraînement au tir. La presse nationale exige que Girard soit jugé par un tribunal japonais. L'armée américaine répond qu'il est passible d'une cour martiale américaine. Cette affaire provoquera indirectement un accord, entre le premier ministre Kishi et le président Eisenhower, sur le retrait des forces de l'armée de terre U.S. dans un délai d'un an. Autre conflit : en 1960, le traité de sécurité nippo-américain, signé en 1951, est finalement amendé au milieu d'une effervescence qui frise la révolution. Ce que la presse appelle le « coup du 20 », qualifié de fasciste et d'hitlérien, incrimine le vote en force au Parlement de cet amendement reconduisant le nouveau pacte de sécurité. Le premier ministre Kishi avait prévu que la ratification du nouveau traité se déroulerait le 20 mai, soit le deuxième jour de la visite du président Eisenhower dont l'arrivée était prévue le 19. Les dirigeants libéraux démocrates conservateurs japonais avaient bien préparé leur affaire du côté américain.

Après sa visite à Eisenhower, le Premier Kishi avait vu tout le parti que le Japon pouvait tirer pour son redressement de la crainte des Américains de voir resurgir une force militaire fasciste à Tokyo. Le Japon s'accommoderait fort bien d'être défendu par les Etats-Unis, aux frais des Etats-Unis, d'autant plus que la visite de Kishi à Washington avait eu pour effet de rappeler les Américains à la discrétion, en les amenant à éviter toute démonstration de leur présence dans les rues de Tokyo qui fût blessante pour la fierté japonaise et rappelât l'Occupation. En 1960, au moment du renouvellement du traité de sécurité de 1951, le gouvernement Kishi négocia donc habilement un accord par lequel les Etats-Unis s'engageaient à défendre le Japon s'il était attaqué et à consulter au préalable les Japonais si la nécessité se faisait sentir d'introduire des armes nucléaires sur le territoire de l'Archipel. Mais l'opposition socialo-communiste allait déjouer la ruse et réduire à néant l'astuce politique des libéraux démocrates, en brandissant l'article IX de la Constitution, aux termes duquel le Japon « renonce à jamais à la guerre comme droit souverain de la nation ». La gauche japonaise, partis et syndicats réunis, va faire rêver les foules sur un Japon désarmé, dans un monde désarmé. Un pacifisme irréaliste, soigneusement entretenu par Moscou et Pékin, se mue alors en grand mouvement anti-américain. Dix millions de Japonais signent des pétitions pour dénoncer le traité de sécurité. Le syndicat de gauche Sohyo organise une grève illégale des chemins de fer. Le *Zengakuren* (Association des étudiants) lance dans la rue ses troupes de choc casquées. Le premier ministre est sommé de démissionner. Le 7 juin, James Hagerty, porte-parole de la Maison Blanche, est assailli à son arrivée à l'aéroport d'Haneda par une foule de plusieurs milliers de personnes, manipulée à la suite d'une prise en main de la manifestation par la faction communiste du Comité populaire contre le Pacte de sécurité. La Cadillac qui transporte James Hagerty et l'ambassadeur des Etats-Unis, Douglas MacArthur II, est prise d'assaut, ses pneus sont crevés, le pare-brise vole en éclats. C'est sous une pluie de pierres que les deux Américains finissent par embarquer dans un hélicoptère venu les secourir. Le 15 juin, Mlle Kamba, une jeune élève de lycée, est tuée dans une contre-manifestation des extrémistes de droite. La brutalité de la police est mise en cause ; bilan : 341 policiers et 459 manifestants hospitalisés. Un vent de révolte souffle dans tout le pays suscitant des grèves dans tous les secteurs d'activités. Toutes les îles sont en proie à une agitation intense où se mêlent l'anti-américanisme et un mouvement de contestation politique pour contraindre Kishi à la démission. Cette contestation se transforme en un mouvement d'opposition à la visite d'Ike. Kishi obtempère, Eisenhower ne viendra pas au Japon. Ici commence le paradoxe : l'allié privilégié des Etats-Unis n'a jamais réuni, depuis, les conditions favorables à la visite à Tokyo d'un président américain en exercice. Autre paradoxe, les élections de novembre 1960 sont aisément remportées par les candidats du parti conservateur. La guerre du Vietnam va continuer d'attiser les relations

« passionnelles » nippo-américaines, d'autant plus que les réactions affectives du peuple japonais vont se trouver avivées par la délicate question d'Okinawa.

De 1965 à 1970, « Rendez-vous à Okinawa » va devenir un leitmotiv. Je me suis rendu à Naha, la capitale, au moment de l'amerrissage forcé de la capsule *Apollo XIV*. A cette occasion, j'avais mené une vaste enquête sur les liens de l'île avec les autres îles de l'Archipel. Je remarquai tout de suite le fossé qui séparait l'opinion japonaise à Tokyo des courants s'exprimant à Okinawa. Un jeune professeur socialiste me dit : « Je suis partisan du retour d'Okinawa au Japon, inconditionnellement. Nous sommes des Japonais comme les autres... » Là était précisément la question. Les habitants d'Okinawa étaient tributaires des bases militaires et de l'armée américaine pour 80 p. 100 de leur économie. Ils bénéficiaient de nombreux avantages fiscaux, à la fois pour importer au Japon et pour importer des Etats-Unis... « A qui allons-nous servir à boire et à manger ? » me déclare le propriétaire d'un bar-restaurant. « Il faut que les Américains s'en aillent, je ne veux plus voir ces horribles B-52 devant chez moi... », m'affirme péremptoirement la propriétaire japonaise d'une petite maison qui fait face à la base de Kadena. Elle m'a invité, car, de sa terrasse, on peut photographier les B-52 et observer tout ce qui se passe sur la base. Les puissants oiseaux noirs, leurs huit réacteurs poussés à fond, décollent à l'arraché au-dessus d'Okinawa pour quelque mission ultra-secrète au-dessus de la Chine, de l'U.R.S.S. ou du Vietnam. Une quarantaine d'appareils sont en permanence au sol. J'avais demandé la permission de les filmer, mais l'officier de presse nous signifia que c'était interdit, tout en nous indiquant avec un clin d'œil et à demi-mot un endroit au bout de la base, *off limits* pour les militaires, permettant d'assister au décollage des monstres au moment où ils s'élèvent du sol. A l'endroit où nous étions, couchés dans un fossé, les bombardiers prenaient leur envol au ras de nos têtes, à moins de trois cents mètres. Quand Okinawa sera rendu aux Japonais, de nombreux habitants de Naha regretteront l'administration américaine. Aujourd'hui, rien n'a changé, sinon une présence américaine plus discrète mais aussi importante, une administration civile entièrement japonaise et des habitants d'Okinawa qui se plaignent de la pression fiscale de Tokyo. Les relations nippo-américaines ne sont plus obérées par le problème de cette présence militaire américaine. L'opinion japonaise ne se pose plus que de loin en loin quelques questions sur l'implantation d'armes nucléaires sur leur territoire. L'objet des contentieux a été éliminé. Les populations de la banlieue nord-ouest de Tokyo ont vu disparaître avec soulagement la base Tachikawa. Les nuisances, bruit et pollution, de quelques aéroports militaires ne peuvent plus devenir des prétextes politiques à une agitation anti-américaine. Les manifestations sont maintenant beaucoup plus rares.

Ce sont aujourd'hui les Américains qui s'inquiètent et s'énervent de la présence japonaise sur leur territoire. Il n'y a pas si longtemps, sous la présidence de Richard Nixon, le contentieux économique avait pris un tour aigu, sous la pression des lobbies sudistes du textile concurrencés par les importations en provenance du Japon. Depuis, dans le cadre d'une reconversion industrielle accélérée, les textiles japonais ont fait place sur le marché américain à ceux de Séoul, de Formose, de l'Asie du Sud-Est et bientôt de Pékin. Aujourd'hui, les Japonais inquiètent l'Amérique qui les voit prendre possession du marché de l'électronique et même de celui de l'informatique. La toute-puissance d'I.B.M. est sérieusement menacée par l'invasion des petits ordinateurs de Fujitsu. La télévision couleur ne s'achète plus que sous la signature de firmes japonaises, comme Sony ou Toshiba ; les magnétoscopes s'appellent Sony ou Akaï. Cependant, malgré le contexte de leurs relations passionnelles, les deux pays sont dépendants l'un de l'autre pour 30 p. 100 de leurs marchés extérieurs. Côté américain, c'est surtout dans le domaine de la *sécurité* que l'on surveille étroitement les relations américano-japonaises.

C'est ainsi que le Pentagone manifesta son inquiétude, en novembre 1978, à propos de la vente à l'U.R.S.S., par les chantiers navals d'Ishikawajima-Harima, d'un immense dock flottant. Celui-ci destiné à être ancré au large de Vladivostok, allait, selon les militaires américains, permettre à la flotte soviétique de déployer plus aisément ses forces navales dans le Pacifique en rendant possible la réparation à flot de porte-avions de 40 000 tonnes, de la taille du *Kiev*.

Il subsiste toujours, côté japonais, une certaine hésitation et pudeur à afficher son amitié pour les Américains. Depuis vingt ans, cependant, les liens culturels bilatéraux n'ont fait que se resserrer, et il n'y a plus de secteurs d'activités au Japon dont une ou plusieurs figures prééminentes n'aient fait de séjour d'études ou de recherches aux Etats-Unis. Qu'il s'agisse de littérature, de cinéma, d'art, de technologie, d'écologie, de droit ou de sciences, de médecine ou d'espace, les Japonais connaissent et apprécient les travaux des Américains. Toutes les universités américaines sont « truffées » de Japonais : modernisme et avenir sont vus à Tokyo à travers l'Amérique. Les Américains ne sont pas aussi imprégnés du Japon, mais les défis japonais en direction de l'an 2000 ne peuvent les laisser indifférents. C'est de la rive du Pacifique d'où ont jadis décollé les *zéro* de l'attaque de Pearl Harbor que revient vers l'Amérique un *courant-force* de civilisation qui a fait sa grandeur : l'innovation.

En contrepartie, les Japonais n'ont pas pu rester insensibles à la foi que les Américains attachent aux principes de démocratie et de liberté dont ils se sont faits les propagateurs. Le quotidien japonais *Yomiuri*, qui tire à près de dix millions d'exemplaires par jour, s'est associé à l'institut américain *Gallup* pour poser simultanément cette question au Japon et aux Etats-

Unis : « De quoi votre pays peut-il être fier ? » Les Japonais ont d'abord cité leur potentiel technologique et leur sens de l'innovation, puis « leur pouvoir économique ». Il apparaît, en entrant dans le détail des réponses données, que les Japonais sont particulièrement fiers de la qualité et du nombre d'automobiles qu'ils fabriquent. Les Américains, quant à eux, parlent d'abord de liberté, de gouvernement démocratique, des ressources humaines du peuple américain. Ils sont également très fiers de l'égalité des chances donnée à chacun, quelle que soit sa condition économique de départ. Le progrès scientifique ne vient qu'en huitième position dans la liste des sujets de fierté des Américains. Le *Yomiuri* juge ainsi les Américains :

· « Leur foi dans la liberté reste inébranlable. Depuis leur création, il y a plus de deux siècles, les Etats-Unis, creuset où se mêlent toutes les races, ont toujours eu besoin de symboles d'union entre différentes ethnies. Chaque citoyen éprouve la nécessité de connaître le lien de parenté qui le rattache à la communauté. Parmi ces symboles, la bannière étoilée, le président, chef incontesté au sommet de la hierarchie, et la liberté... En 1960, le président Kennedy déclarait qu'il était prêt à combattre n'importe quel ennemi et à défendre la liberté à tout prix. Or, aussitôt après, la puissance nationale des Etats-Unis a subi une longue éclipse avec l'invasion manquée de Cuba, la guerre du Vietnam, le Watergate. Les Américains ont perdu, au fil de ces années, toutes leurs illusions et leur foi dans le progrès et dans les valeurs traditionnelles. Ces événements ont été à l'origine de leur scepticisme actuel sur leur propre force économique et leur avance scientifique et technologique... »

En ce qui concerne les Japonais, le *Yomiuri* écrit : « Aujourd'hui, les Japonais sont plus américains que les Américains. Ils sont optimistes pour ce qui a trait au présent et à l'avenir de leur pays, comme les Américains le furent naguère... Ils croient pouvoir surmonter la récession économique s'ils continuent à travailler dur. Les Japonais manquent certes d'un support moral. Et le journal regrette que la Constitution ne puisse pas servir de dénominateur spirituel commun du peuple japonais... »

Je rapporte ce sondage mixte, car il a une signification au nivau de l'échange et de l'interprétation de deux civilisations. S'il ne fait pas ressortir l'attachement des Japonais à une certaine forme de liberté individuelle importée d'Occident, c'est peut-être une manière de ne pas prêter attention à ce que l'on vit quotidiennement. Comment le citoyen japonais ne se sentirait-il pas libre dans sa vie de tous les jours, quand on sait que tout abandon de sa liberté est librement consenti dans le cadre de contraintes sociologiques millénaires ? Jamais comme au cours de mon dernier voyage je n'ai entendu autant de professions d'abandon de parcelles de liberté au profit et dans l'intérêt de la communauté. Le journal japonais note d'ailleurs, à ce propos, qu'un tel dévouement des individus à la cause du Japon peut susciter la méfiance des autres peuples « à l'égard d'une menace réelle ou imaginaire que pourraient représenter des animaux économiques ».

Il est vrai que, en 1980, la menace japonaise est perçue comme plus dangereuse qu'elle ne l'a jamais été. Le processus engagé sous l'administration Nixon n'a fait que se développer encore plus rapidement sous l'administration Carter. L'inquiétude américaine perçait à travers l'avertissement lancé dans le *Wall Street Journal* par Ezra Vogel, professeur de sociologie à Harvard, japonologue compétent et estimé : « Le Japon, écrivait-il, surpasse les Etats-Unis dans tous les domaines ; il y a des mouvements irréversibles à moins que nous n'agissions rapidement... »

La progression du Japon n'est, démontre le professeur Vogel, ni soudaine, ni éclatante mais régulière et progressive depuis les années 50... Ce furent d'abord les textiles produits grâce à une main-d'œuvre bon marché, puis dans des conditions de compétitivité et de qualité comparables aux nôtres. Ce fut le marché de la montre enlevé aux Suisses, celui de la photographie aux Allemands, celui de la radio, de la télévision, puis des ordinateurs, et de l'automobile aux Américains... Bien d'autres secteurs comme les pianos, les équipements de ski, les motos, la poterie, le verre, les calculatrices, les machines à photocopier, etc., sont devenus l'apanage des Nippons.

Il en résulte, pour le Japon, des surplus commerciaux importants. La balance commerciale bilatérale Japon-Etats-Unis est totalement déséquilibrée au profit des Japonais. Jusqu'en 1979 les Japonais ont financé les surcoûts de leur pétrole avec les devises provenant d'une balance déficitaire pour les U.S.A. et la Communauté européenne. A la fin de 1979, la situation était modifiée car, malgré un commerce extérieur en expansion, la balance générale des paiements du Japon passait au rouge, la progression de leurs exportations ne pouvant compenser l'augmentation vertigineuse de leur facture pétrolière. En 1978, le surplus de la balance commerciale du Japon était de 18 milliards de dollars. En 1979, son déficit se montait à 12 milliards.

Les Japonais paraissent, donc, engagés dans une mécanique implacable qui justifie les inquiétudes américaines, d'autant plus que les gouvernements japonais successifs n'ont jamais voulu démordre jusqu'ici du principe de séparation de l'économie et du politique auquel ils se tiennent strictement depuis le traité de San Francisco en 1952.

Ce froid qui vient de Sibérie

L'Amérique s'éveille au Japon alors que le Japon s'est depuis longtemps éveillé à l'Amérique, au point que tous les sondages placent les Etats-Unis en tête des nations les plus aimées par les Japonais, tandis que l'U.R.S.S. vient en dernière position.

Non, décidément, les Japonais n'aiment pas beaucoup l'U.R.S.S. La rancune historique s'allie à la rancune politique et à un ressentiment populaire. Le Japon a failli devenir communiste. En 1945, cinq cents conseillers soviétiques jetaient les bases de la révolution populaire. Seule l'énergie de MacArthur, commandant en chef du S.C.A.P. (*Supreme Command Allied Power* — Commandement en chef des forces alliées), prévint la chute du « domino Japon ». Le 13 avril 1941, le ministre des Affaires étrangères du Japon, M. Matsuoka, signait à Moscou un pacte de neutralité avec les Soviétiques, au terme d'un voyage inhabituel. Parti de Tokyo, le chef de la diplomatie japonaise s'était rendu à Berlin où il avait signé avec Hitler un pacte d'assistance mutuelle entre l'Allemagne nazie et le Japon. De Berlin, M. Matsuoka s'était envolé directement pour Moscou. Or le pacte fut rompu par les Soviétiques le 9 août 1945, après les bombes d'Hiroshima et de Nagasaki.

Cette déclaration de guerre tardive choque les Japonais chaque fois qu'elle est évoquée, même si elle est la conséquence directe des accords de Yalta. Ce sentiment d'avoir reçu un coup de poignard à terre ne fit qu'amplifier une ancienne rivalité où les haines s'étaient déjà donné libre cours, à l'occasion de la guerre russo-japonaise de 1905. A cette époque, les deux impérialismes s'étaient affrontés. Celui des tsars, sûr de son histoire et de sa puissance, avait sous-estimé l'expansionnisme nippon et sa détermination à devenir l'égal des puissances impériales de la vieille Europe en se créant, à leur exemple, des sphères d'influence privilégiées, notamment en Chine. Depuis 1945, aucun traité de paix n'a pu se conclure entre les deux pays : les Russes ont refusé d'apposer leur signature au bas du traité de San Francisco. Le différend essentiel entre Moscou et Tokyo porte sur les îles Kuriles Sud : Habomaï, Shikotan, Etorufu, Kunashiri.

Il est vrai que la tutelle des îles Kuriles a légalement été confiée aux Soviétiques, mais les Japonais ont quelques solides arguments juridiques à faire valoir pour revendiquer Habomaï et Shikotan, distantes de moins de cinq kilomètres de la côte de l'Hokkaïdo et qui ne font pas légalement partie des Kuriles. Pour les Russes, la question est entendue. Ils ont à plusieurs reprises accepté d'écouter officiellement les doléances du gouvernement de Tokyo, mais ils ont toujours refusé d'en discuter le bien-fondé. Les Soviétiques voient le Japon comme un Etat essentiellement militariste, dont les racines agressives remontent aux origines de l'esprit samouraï. Selon eux, ce militarisme a rencontré les capitalismes européen et américain et s'en est trouvé conforté, en adoptant à son tour les positions colonialistes des pays occidentaux. Le militarisme japonais quoique, vaincu, n'a pas été mis hors d'état de nuire. L'économie japonaise n'a pas été démilitarisée. Le potentiel économique du Japon ne peut aujourd'hui que servir une résurgence du militarisme. L'analyse soviétique a pour conséquence d'avoir créé un mur de méfiance entre les deux nations. Les Russes ont ainsi mis leur veto à l'entrée du Japon aux Nations Unies jusqu'en 1956. Depuis, leur attitude se résume à deux types d'action : d'une part, une tentative d'arrimage économique, en offrant aux Japonais les richesses sibériennes inexploitées et en leur faisant miroiter des matières premières rares, comme les réserves de cuivre des monts Chita en Sibérie. A elles seules, elles égaleraient les réserves actuellement connues du monde entier. D'autre part, une tentative de réconciliation militaro-diplomatique avec l'offre renouvelée d'un pacte de sécurité asiatique, consacrant l'ambition de l'U.R.S.S. de devenir enfin une puissance asiatique à part entière, alors que jusqu'ici l'Union soviétique a toujours été considérée avec suspicion en Asie, sentiment accentué par l'attitude des Chinois depuis la conférence de Bandoeng. Les Japonais ont su se dégager avec habileté de cette diplomatie, faite à la fois de fermeté et de sourire.

Après avoir soigneusement étudié le problème du développement de la Sibérie, ils ont fait valoir leur manque de capitaux pour réaliser les investissements nécessaires à un développement significatif. Tokyo a fait à Moscou des contre-propositions, mettant dans la course les Américains, dans le cadre de *Joint-venture*. Jusqu'ici, aucun des grands projets évoqués n'a abouti. Sur le plan militaire, l'évolution de la Chine, vue à long terme, et l'obligation faite au Japon de passer par une phase de neutralité désarmée, comme le proposait l'opposition socialiste, ont fait réfléchir le gouvernement conservateur sur les avantages d'une Défense bon marché, assurée par les Américains et plus fiable qu'un pacte proposé par les Soviétiques. Aujourd'hui, le traité de paix entre Tokyo et Moscou apparaît aussi lointain qu'il l'était il y a trente ans. Les contentieux s'ajoutent aux contentieux. Périodiquement, le ministre japonais des Affaires étrangères se rend à Moscou. Il arrive à provoquer la signature de quelques contrats, mais dès qu'il parle des Kuriles il se voit opposer une fin de non-recevoir catégorique. Ce scénario dure depuis vingt-cinq ans. Quant à M. Gromyko, chacune de ses visites à Tokyo est ponctuée par une conversation sur le sujet, mais il n'est jamais mandaté pour en discuter... Cette situation diplomatique a des conséquences sur la vie économique des populations du Nord du Japon. En Hokkaïdo, l'île septentrionale, dont la capitale est Sapporo, se ressent déjà l'impact de cet état de conflit latent. Plus de 50 p. 100 de l'économie de cette région dépend des Soviétiques et du commerce avec les îles voisines. Les Kuriles sont distantes de cinq à vingt kilomètres des côtes japonaises. Les Sakhalines sont situées à trente-cinq kilomètres du port japonais de Wakanaï, de l'autre côté du détroit que les Européens appellent détroit de La Pérouse. En se promenant dans ces régions, beaucoup moins peuplées que le reste de l'Archipel, on fait deux constatations : d'abord, la population du

Nord se sent un peu à l'écart de la communauté japonaise et développe facilement un complexe d'isolement, surtout en période d'hiver. Ensuite, impliquée dans un réseau de relations quotidiennes avec l'U.R.S.S., elle est parfois prise dans la contradiction existant entre sa prospérité économique et une aliénation des revendications fondamentales du Japon et des Japonais.

M. Hashimoto est un jeune instituteur d'une école de Sapporo. Je l'ai rencontré dans un magasin de souvenirs où il m'a obligeamment servi d'interprète. Il est dix-huit heures trente environ en ce mois de novembre. Les rues du centre de Sapporo, tirées au cordeau, auraient l'aspect d'un petit Manhattan, n'étaient les trottoirs plantés d'arbustes et l'effet décoratif des innombrables néons, dessinant dans l'ombre des *kanji* de toutes formes, sommets de l'abstraction pour un Occidental. M. Hashimoto m'a accompagné jusqu'au bar de l'hôtel Tokyu près de la gare, où je réside :

« La colonie russe n'est pas très nombreuse à Sapporo, on peut cependant en rencontrer quelques-uns. Leur consulat général est très important et manifeste une grande activité culturelle, diplomatique, politique et militaire... Ils ne se mélangent pas beaucoup à nous, mais ils font leurs achats en ville et ne vivent pas cloîtrés... Individuellement, ils sont très avenants. Ils parlent tous notre langue, du moins ceux qui sont au contact des Japonais. Ils traitent ici de nombreuses affaires. Ils nous vendent par exemple du bois de construction. Nous leur vendons en Hokkaïdo beaucoup de conserves de poisson. Mais il faut bien dire que c'est là le problème... Du jour au lendemain, ils peuvent enlever aux pêcheurs japonais toute possibilité d'exercer leur métier. Notre gouvernement est en pourparlers constants sur ces pêcheries. Comment appliquer la zone des 12 milles pour les eaux territoriales et celle des 200 milles pour les espaces de pêche ? Aux dernières négociations, les Japonais ont perdu 30 p. 100 de leurs possibilités de pêche par suite des contingentements que Tokyo a dû accepter. Les pêcheurs de Nemuro ne sont pas satisfaits de ces arrangements... Mais il y a pis : au nom de ces règlements, les Russes saisissent souvent nos bateaux de pêche. On les arraisonne soi-disant dans les eaux territoriales soviétiques, alors qu'il s'agit d'eaux territoriales japonaises. Il n'y a pour ainsi dire pas de semaine sans qu'un incident ne soit signalé. Les bateaux sont quelquefois rendus au bout de trois mois seulement...

— Et les pêcheurs ?

— Ils sont très discrets sur leur emploi du temps durant leur séjour forcé. A mon avis, ils ont peur, s'ils révèlent certaines « choses », d'éprouver des difficultés à reprendre une vie professionnelle normale.

— Pourquoi ?

— Tokyo ne consomme pas suffisamment de produits de l'Hokkaïdo, les Russes en absorbent beaucoup plus.

— Ces échanges ne sont-ils pas une occasion de contacts utiles sur le plan militaire, étant donné l'importance stratégique de l'Hokkaïdo ?

— Je n'en sais rien. Je ne suis pas compétent pour vous répondre. C'est une question qu'il faut poser aux militaires.

— Vous êtes pour ou contre les Russes ?

— La question ne se pose pas ainsi. Les relations du Japon avec la Russie ne seront jamais bonnes à cause du pacte de sécurité nippon-américain. Les Russes n'ont jamais eu une attitude amicale à notre égard. Dix ans après la fin de la guerre, ils détenaient encore de nombreux prisonniers, en particulier de l'armée de Mandchourie, on a dit environ dix mille... De quelque côté que nous nous tournions, nous sommes pris entre les deux plus grandes puissances atomiques du monde. Or nous ne voulons pas de l'atome. Pourquoi irions-nous nous jeter dans les bras des

Russes qui sont beaucoup moins sympathiques que les Américains ?

— Les Russes pratiquent en Asie depuis plus de dix ans une diplomatie du sourire...

— En tout cas, pas avec les Japonais... »

Les Japonais ont toujours pris garde de ne pas se mêler de la querelle sino-soviétique. Cela n'a pas empêché l'U.R.S.S. d'intervenir violemment dans les relations entre Tokyo et Washington et de lancer maints avertissements. Cette position dure inclina les dirigeants nippons à regarder vers Pékin lorsque le temps fut venu.

Depuis 1972, date de la signature du traité de paix et d'amitié entre Tokyo et Pékin, les Russes n'ont cessé de « prodiguer » à Tokyo d'autres avertissements, estimant que la clause dite d'antihégémonie les visait directement. A la fin du mois d'octobre 1978, la venue à Tokyo du vice-premier ministre chinois Deng Xiaoping mettait Moscou en fureur et cela d'autant plus que, chose rare, on ne vit jamais à Tokyo une si belle unanimité de l'opinion publique. Les vivats d'accueil pour Deng furent autant de huées pour Brejnev. C'est du moins ainsi que le ressentirent les officiels soviétiques. C'est peut-être ainsi qu'inconsciemment le voulait le peuple japonais.

Ce sourire enfin venu de Pékin

J'étais à Tokyo pendant toute la durée du voyage de Deng. Ce fut spontané. Personne n'avait contenu son émotion, ni du côté chinois ni à plus forte raison du côté japonais. La télévision apportait, comme toujours en pareil cas, moins l'information que la dimension affective de l'événement. Mon temps à Tokyo était mesuré mais je ne pouvais m'empêcher de regarder en soirée le flot d'images qui déferlait sur sept chaînes de télévision pour montrer chacun des pas de Deng et de son épouse foulant le sol japonais...

Mme Deng visite une école primaire de la banlieue de Tokyo. Les enfants se précipitent avec les fleurs dont ils comblent la dame venue du continent ; geste officiel suivi d'une belle pagaille, tout le monde veut la toucher et se faire embrasser. C'est à qui apporte un poème ou un dessin que l'on vient d'exécuter. La maîtresse réussit à rétablir l'ordre en faisant entonner le chant qui a été prévu. Et Mme Deng, émue, ne peut contenir ses larmes. A Tokyo, Deng surprend les officiels japonais lorsqu'il déclare : « Je veux voir Tanaka Kakuei. » On lui explique avec force précautions que l'ancien premier ministre n'exerce plus de fonctions officielles et que surtout il a quelques ennuis avec la justice japonaise à qui il doit des comptes... en dollars, après l'affaire des pots-de-vin connue sous le nom d'affaire Loockeed. Mais Deng insiste : « Je ne veux pas me mêler des affaires intérieures du Japon, dit-il, mais je souhaite rendre visite à M. Tanaka sans qui ma visite aujourd'hui n'aurait pas été possible... » Le mardi 24 octobre, l'ancien premier ministre se tient devant le portail de sa résidence privée, avec sa femme Hana vêtue de son kimono de cérémonie. Le couple est entouré des députés de son clan, de sa fille et de son gendre. La presse, canalisée par la police, envahit la rue. La voiture de Deng arrive bientôt, alors qu'un hélicoptère de la sécurité tourne en cercle au-dessus des têtes. Deng descend et serre longuement les mains de Tanaka, tandis que les photographes opèrent, surveillés du coin de l'œil par Tanaka lui-même qui ne lâche Deng que lorsqu'il estime que les photographes ont bien rempli leur office. Il présente au vice-premier ministre chinois sa famille, puis les députés de sa faction. Deng entre dans la maison, bavarde un moment avec Tanaka puis les deux hommes ressortent sur la pelouse du jardin où une table a été dressée. Tanaka lève son verre de saké à l'amitié nippo-chinoise, puis dit à Deng :

« Vous ne paraissez vraiment pas votre âge.

— Vous non plus », répond Deng.

Tanaka montre à Deng et aux journalistes les cadeaux dont il a été couvert à Pékin en 1972, en particulier le cadeau de Chou En-Lai. Deng s'en va, rappelé à l'ordre par le protocole, alors que Tanaka répond vertement à un journaliste qui lui demande ce que Deng a pensé de sa démission après son implication dans le scandale Loockeed : « Taisez-vous, il n'est pas poli de venir m'insulter chez moi. Quel est votre journal ? — Le *Hokkaïdo Shimbun* — Ah ! le *Hokkaïdo Shimbu !* » persifle Tanaka en prenant mentalement note... L'interview se termine. A l'extérieur on entend des cris amplifiés par des haut-parleurs : « Tanaka criminel ! » C'est une organisation d'extrême droite, Aïkokuto, le parti patriote, qui est à l'origine d'une modeste démonstration de quelques dizaines de manifestants contre le traité sino-japonais, encouragés par un soleil encore chaud, témoin d'un été indien prolongé. A Kyoto, Deng visite le château médiéval de Nijo, sous un parapluie de papier huilé, et, à un guide qui rappelle que la civilisation japonaise doit tout à la Chine, Deng répond : « Le professeur, c'est maintenant le Japon... » Après s'être arrêté pour écouter dans les jardins un orchestre de Koto, il se trouve tout à coup devant une exposition de cent cinquante chrysanthèmes, fleur symbole du Japon et de l'Empire. « Les chrysanthèmes ont été importés de Chine il y a mille deux cents ans », fait remarquer le directeur du jardin botanique. Le cortège officiel se rend ensuite sur la colline d'Arashiyama où Chou En-Lai dans sa jeunesse, alors qu'il résidait au Japon, composa un poème un jour de mauvais temps sur le thème du mont Arashi sous la pluie. C'était en 1919.

La visite de Deng Xiaoping au Japon en octobre-novembre 1978 ne peut en aucun cas être ramenée aux dimensions d'une formalité officielle. Il s'est produit, le jour de son arrivée, un *déclic* comme l'histoire en enregistre parfois dans la vie des peuples. Un siècle de guerres et de rivalités alternées venait de prendre fin. Le peuple japonais pouvait enfin donner libre cours à son instinctif élan passionnel vers la source de sa culture et de ses croyances. Il y avait déjà longtemps que le Japon était préparé à ces retrouvailles. Les intellectuels, la presse, les milieux d'affaires, à l'exception du lobby de Taiwan, entretenaient le gouvernement de Tokyo dans une sorte de remords permanent d'avoir à suivre vis-à-vis de Pékin la politique de Washington. Les Japonais avaient développé depuis 1945 un complexe de culpabilité à l'égard de la Chine à cause de la conduite des armées nippones, en particulier dans les années 30. Ce sentiment n'existait par contre absolument pas à l'égard des Américains. De leur côté, les Chinois, depuis l'arrivée au pouvoir de Mao Tsé-Tung, ne s'étaient jamais désintéressés du Japon. Au cours de mon premier voyage en Chine populaire en avril 1965, j'arrivai de Tokyo où je résidais et d'où je rayonnais à travers l'Asie. Au cours d'une réception, je m'entretenais avec un proche collaborateur de Chou En-Lai et lui parlais de la France. Au bout de quelques minutes, je fus surpris de constater qu'il ne s'intéressait absolument pas à ce que je pouvais lui raconter. Brutalement, il me dit : « Parlez-moi de Tokyo... que pensent les Japonais des Chinois ?... Sont-ils vraiment de nouveaux militaristes comme le prétendent les Russes ?... Pensez-vous qu'ils puissent constituer un danger pour la Chine ?... Y a-t-il beaucoup d'automobiles à Tokyo ? Le niveau de vie de l'ouvrier japonais est-il plus élevé que celui de l'ouvrier chinois ?... Quelles sont les conditions de travail dans une usine capitaliste ? » Mon interlocuteur ne se rassasiait pas des notations vivantes que je pouvais lui donner sur le Japon. Puis il me dit : « C'est au Japon qu'on peut trouver les origines de notre première révolution... » Comme je le regardais étonné, il m'expliqua : « Je fais allusion à Sun Yat Sen. Au début du siècle, comme de nombreux jeunes Chinois, il était étudiant à l'université de Tokyo. A cette époque, nous attendions beaucoup du Japon. Nous espérions qu'il nous aiderait à secouer le joug du colonialisme. Mais ce fut le contraire qui se produisit. Le Japon est lui-même devenu un pays colonialiste. Cependant, la révolution chinoise de 1911 a plus ou moins été fomentée à Tokyo... » Nous étions à un an du déclenchement de la Révolution culturelle. Dès cette époque, en 1945, le Japon, par le biais des relations commerciales, était devenu le partenaire le plus important de la Chine. Il suffisait pour s'en rendre compte de visiter, au printemps et à l'automne, la foire de Canton et de regarder les hommes d'affaires japonais payer leur tribut à la pensée de Mao en agitant en chœur leur petit livre rouge.

Les nouvelles relations de Tokyo avec Pékin ont une signification géopolitique. L'équilibre des forces entre le monde communiste et les pays libres est désormais totalement modifié.

L'U.R.S.S. voit de nouveau s'éloigner un objectif qu'elle était bien près d'atteindre : l'acquisition du statut de puissance asiatique à part entière que la Chine a toujours dénié de son ancien allié et tuteur idéologique, estimant que les affaires de l'Asie ne devaient pas être mêlées à celles des deux super-puissances. L'ouverture de la Chine vers Tokyo a frayé un passage dans lequel sont en train de s'engouffrer les pays d'Europe occidentale, ceux précisé-ment qui voient dans le Japon leur concurrent le plus dangereux.

Cette ouverture apparaissait consolidée avec la visite du premier ministre Hua Kuo Feng à Tokyo en 1980. Les Japonais craignaient si fort qu'il ne vînt pas que le protocole n'osa pas informer Pékin de la coïn-cidence des disponibilités de leur premier ministre avec la date qu'ils avaient offerte au président de la République française et que celui-ci avait acceptée. Valéry Giscard d'Estaing annula ainsi son voyage au Japon ou plutôt le reporta une fois de plus à une date ultérieure. Hua fut un hôte facile. Le séjour se déroula sans incidents mais pas dans le même contexte émotionnel qui avait marqué la visite de Deng, un an et demi auparavant. Politiquement, le contenu fut sérieux et les Japonais incités à réfléchir à la situation dangereuse dans laquelle ils évoluaient.

Le leitmotiv fut : Méfiez-vous des Russes...

Ah ! ces maudits Soviétiques, on essaie bien de les oublier mais quelques menus incidents en Hokkaïdo sont là pour rappeler au gouvernement japonais un contentieux important et le fait que l'armistice ne signifie pas la paix que Moscou n'a jamais avalisée. Sur le plan économique, tout va pour le mieux. Les Chinois sont prêts à importer toutes les technologies japonaises qu'on acceptera de leur vendre contre des billets à ordre qui n'ont rien à voir avec les bons de l'emprunt russe du début du siècle, jamais remboursé. Les Japonais misent ostensiblement sur l'avenir. Ils font crédit et confiance. Cette fois, la Chine sera reconnaissante à moins que quelques gouvernants s'avisent dans l'avenir qu'il ne s'agit après tout que d'un « rendu » de l'histoire et non d'un « prêté ».

Une connaissance « historico-folklorique » de l'Europe

Le Japon n'a aucun problème politique en suspens avec l'Europe de l'Ouest. A chaque pays correspond un motif d'affection particulier. On aime Goethe, Wagner, Beethoven, Stockhausen. On ne se lasse pas de voir paître les vaches suisses et de regarder pousser l'herbe verte au pied des montagnes enneigées qui dominent les cantons. On ne peut s'empêcher d'être attiré par ces extravagants Français si pleins d'esprit, qui savent à la perfection mettre le sexe en scène et en chansons, et dont la littérature et la philosophie plongent leurs racines dans une civilisation aussi ancienne que celle du Japon. On n'hésite pas à envier et à copier les sages et stables institutions britanniques. On ne déteste ni les frites belges, ni les rues chaudes d'Amsterdam, on se méfie des pickpockets romains mais on ne peut pas ne pas

505

s'arrêter sur la piazza di Spana et déguster, non sans bruit, quelques spaghetti. L'Espagne n'est pas encore programmée dans les circuits des *tour operators*, mais elle n'a pas échappé aux hommes d'affaires de Honda et de Sony. L'Europe n'est plus aussi éloignée qu'à l'époque où la mission Iwakura rendait visite aux souverains européens, en 1867-1868, et était reçue au château de Rambouillet par Napoléon III. Le cheval de l'empereur venait de s'emballer, un membre de la délégation japonaise se précipita et réussit à attraper la bride de l'animal rétif et à le calmer. Cet épisode donna à la délégation nippone un relief spécial et son séjour en France en fut grandement facilité. Parmi les délégués, un officier supérieur de la marine va visiter la base de Toulon et l'arsenal dont une réplique avait été construite par François-Léonce Verny en 1865 à Yokosuka, dans la baie de Tokyo. Il tombe amoureux d'une jeune Toulonnaise de dix-huit ans qu'il a rencontrée au cours d'une réception. Celle-ci, après un long voyage, se retrouvera à la cour de l'impératrice, à qui elle apprendra quelques rudiments de français. L'une de ses filles verra le grand tremblement de terre du Kanto, en 1923, et survivra au raz de marée qui envahit la ville de Kamakura où elle se trouvait. Ses descendants japonais occupent à l'heure actuelle des postes importants dans la fonction publique.

L'Europe de l'Ouest et le Japon découvrent aujourd'hui leurs intérêts économiques divergents, tout en se reconnaissant dans le même camp idéologique. La preuve est ainsi faite que le Japon et l'Europe sont beaucoup plus proches et beaucoup plus préoccupés l'un de l'autre que ne le laissent supposer les sujets qui font la une de l'actualité. Si le Japon entretient des relations bilatérales suivies avec chacun des pays de l'Europe de l'Ouest, il se place malgré tout de lui-même à égalité avec les pays industrialisés réunis au sein de la C.E.E., et c'est à Bruxelles que Tokyo essaie d'harmoniser une politique de relations commerciales avec l'Europe. Les Européens reprochent aux Japonais l'excédent de leur balance des paiements et font pression dans toutes les réunions de concertation pour obtenir de leur partenaire asiatique une politique de restriction volontaire de leurs exportations ainsi qu'une véritable ouverture du marché nippon. Les Japonais répondent qu'on ne peut les pénaliser à cause de la qualité de leurs produits et de l'efficacité de leurs services commerciaux. Quant à l'ouverture de leur marché, ils font remarquer que les investissements étrangers sont les bienvenus et que l'importation de produits étrangers au Japon ne fait l'objet d'aucune discrimination. Un très petit nombre de produits restent protégés. Il s'agit, affirme l'ambassadeur du Japon en France, de produits que le Japon ne pourra pas libérer dans les années qui viennent à cause de l'impact politique qui en résulterait au Japon. C'est le cas par exemple de la viande de bœuf, du cuir et de quelques produits agricoles. Si on veut aller au fond des choses dans ce domaine, il faut entrer dans une querelle de spécialistes, chiffres à l'appui. Il est vrai que l'invasion japonaise en Europe représente un pourcentage insignifiant du commerce de chacun des pays. Pour l'Allemagne fédérale, qui est le partenaire le plus important, le Japon représente dans les deux ans 3 p. 100 de son commerce extérieur, et pour la France moins de 2 p. 100. Il faudrait donc un accroissement sensible des échanges pour que les productions nippones deviennent une vraie concurrence.

En ce qui concerne l'ouverture du Japon aux productions européennes, le problème posé ne tient pas seulement à une volonté politique dont on pourrait modifier l'orientation si les parties y trouvaient intérêt. Il y a d'abord un problème technique qui provient du système de distribution. Peu d'industriels européens sont capables de s'adapter au marché japonais. Les services commerciaux officiels des ambassades sont mal oganisés pour la recherche de créneaux générateurs de profits. Les arcanes de l'administration japonaise présentent pour certains un obstacle, d'autant plus insurmontable qu'il s'accompagne d'une ignorance des pratiques mutuelles et d'une absence totale de véhicule de communication, la langue japonaise se révélant source de malentendus et de quiproquos. Fondamentalement, le Japon se trouve placé aujourd'hui dans une position de concurrence sérieuse avec l'Europe, dans ce que le langage diplomatique appelle les pays tiers. Cette concurrence joue d'abord en Asie, en Chine, au Vietnam, en Malaisie, en Indonésie, etc. Les Japonais ont su effectuer dans ces pays un redressement spectaculaire de leur image de marque. Les mouvements de colère que l'on observe sporadiquement en Thaïlande ou en Malaisie sont essentiellement dus au choix, par les grandes compagnies japonaises, de représentants locaux de race chinoise, même si ceux-ci sont implantés depuis plusieurs générations et possèdent, de naissance, la nationalité de leur pays de résidence. Même au plus fort de la guerre du Vietnam, les Japonais, alliés de fait des Etats-Unis, réussissaient à envoyer des missions commerciales à Hanoi. Concurrents, les Japonais le deviennent aussi en Afrique, en Amérique du Sud : leur implantation prend des proportions considérables au Brésil. L'Iran et les pays du Moyen-Orient, les pays d'Afrique du Nord, surtout le Maroc, sont devenus des terrains de prédilection de la prospection commerciale japonaise. Certes, Tokyo parvient souvent sur ces marchés à des accords avec Paris, Bonn ou Londres, mais la concurrence ne peut que devenir de plus en plus âpre, et on voit mal comment les objectifs du Japon pour l'an 2000 pourraient atténuer une rivalité pour laquelle les Nippons possèdent des arguments imparables.

Sur le plan culturel, les Japonais sont par contre favorables à toutes les rencontres. Depuis la révolution de Meiji en 1868, ils ne se sont jamais départis d'une attitude d'ouverture à laquelle ils n'étaient pourtant pas préparés. Les Allemands qui vont au Japon peuvent sans crainte tomber malades et se faire soigner dans un hôpital japonais. Ils y trouveront

508

facilement un médecin parlant l'allemand. Une partie des archives hospitalières, des thèses, des recherches, des observations cliniques sont souvent rédigées en langue allemande. L'université germanique a une tradition séculaire d'accueil des étudiants en science venant du Japon. Les Français entendront parler d'Alain Delon par les chauffeurs de taxi. Aznavour, Montand, Becaud, Trénet font recette année après année. Des élèves de l'université de Tokyo apprennent la langue d'oc et sont capables de lire Mistral dans le texte. Sartre et Simone de Beauvoir remplissent des salles de deux mille personnes. Le Corbusier avait trouvé à Tokyo des élèves fort doués, aujourd'hui devenus des maîtres célèbres comme Tange Kenzo. En novembre 1978, Malraux a fait l'objet d'un hommage solennel à l'occasion d'une exposition organisée par un riche industriel, M. Idemitsu. Les peintres français des XVIIe et XVIIIe siècles ont reçu plus de cinq millions de visiteurs au terme d'expositions tenues notamment à Tokyo, Kyoto, Osaka et Nagoya.

La rencontre culturelle avec l'Europe est aussi importante pour le Japon que le fut jadis la découverte de la civilisation chinoise.

De l'ouverture culturelle
à l'ouverture politique à...
ou l'insertion dans un ou plusieurs triangles

Cette attitude constante d'ouverture culturelle vers l'Europe, les Etats-Unis, l'U.R.S.S. ou la Chine mériterait d'être analysée en termes marxistes. Le peuple japonais, dont les modes de raisonnement sont le plus souvent teintés d'affectivité et la dialectique entachée de confusion entre le sujet et l'objet, fait curieusement la différence entre la théorie et la pratique. Cette ouverture culturelle est du domaine de la pratique. Cela signifie qu'elle n'engage jamais l'individu.

Comment le pourrait-elle, si l'individu est incapable d'un choix ? Par contre, toute ouverture disparaît lorsque les objectifs nationaux sont en jeu. On touche ici à l'intangible. La diplomatie de Tokyo à l'égard de Pékin témoigne à quel point on a su transformer un revers, une perte de face, presque un geste de mépris, en arme offensive permettant de franchir une étape décisive vers la réalisation d'un objectif unanimement approuvé.

Le futurologue américain Herman Kahn a défini une partie de cet objectif lorsqu'il a écrit : « Le Japon remplacera un jour les Etats-Unis en Asie. » J'avais rencontré Herman Kahn au *Hudson Institute*, en 1970. Sur la colline verdoyante de Croton dans le Wetchester County, au nord de New York, il animait plusieurs équipes de recherches, notamment sur le Vietnam et le Japon. Fasciné par la dynamique de développement de Tokyo, il était persuadé que celle-ci ne pouvait que conduire le Japon à une recherche de puissance politique et militaire. Deux ans après, je le rencontrais de nouveau à Paris, à l'hôtel Plazza-Athénée qui abritait alors les bureaux d'*Hudson Europe* que venait de prendre en main un clairvoyant et ambitieux politologue, Edmund Stilmann. Herman Kahn, reflétant en cela l'opinion de l'équipe du Hudson, allait même plus loin, évoquant le réarmement du Japon comme une donnée inéluctable.

Les Japonais furent surpris lorsque le président Nixon annonça son intention de reconnaître la Chine populaire. Le premier ministre de l'époque, Sato Eisaku, reçut la nouvelle avec un préavis de quelques heures. La politique japonaise n'était pas préparée à sauter le pas. Il y avait au sein du gouvernement conservateur de Tokyo un puissant lobby en faveur de Taïwan. La route du « leadership » mondial japonais ne passait pas par Pékin. L'ombre tutélaire de Washington était un paravent commode pour arriver sur le devant de la scène sans inquiéter quiconque. Or, le lever prématuré du rideau découvrait tout à coup un Japon en pleine ascension économique, confronté à une décision politique importante. Le journaliste australien Wilfrid Burchette, marxiste, grand ami des Chinois, traduisait ainsi la pensée de Pékin : « ... C'est l'attitude que vont adopter envers la Chine les actuels dirigeants japonais qui va révéler leurs vrais desseins. On va savoir s'ils visent la coexistence pacifique ou s'ils veulent engager le pays sur la voie de l'expansionnisme militaire. » En fait, Tokyo analysait différemment la situation. On se trouvait en présence de deux triangles : un triangle de la puissance dont les pôles étaient marqués Washington, Moscou, Pékin ; un triangle économique passant par Washington, l'Europe et Tokyo. Avant la reconnaissance de la Chine par Nixon, la démarche de Tokyo restait pragmatique et se limitait à accroître son influence dans le triangle où elle se trouvait impliquée. Or, les Japonais entrevirent tout à coup la possibilité de s'insérer dans un triangle de puissance, conforme à leurs ambitions historiques. William P. Bundy l'appelait dans *Newsweek* « le triangle asiatique » et Zbiniew Brzezinski, l'actuel conseiller spécial pour la sécurité du président Carter, parlait à cette époque de « nouveau triangle ». Celui-ci avait pour pôles Washington, Pékin et Tokyo. Pékin a donc été, *volens nolens*, l'agent d'un nouveau type de rapports entre le Japon et les Etats-Unis. *Apoure Guerou*, l'après-midi, prenait soudain un sens différent. Tokyo n'était plus en position de vassalité vis-à-vis de Washington. Tokyo allait jouer un rôle politique déterminant dans le problème Nord-Sud en contribuant directement et avec efficacité à la croissance économique des pays en voie de développement du continent asiatique. Là se trouvait le début de la participation nippone au nouveau triangle asiatique de puissance. Quelle est la suite ? La question se posait dans les années 70, comme elle se pose encore dans les années 80. La puissance économique et industrielle du Japon va-t-elle se traduire en termes militaires, comme elle s'est déjà traduite en termes politico-diplomatiques ? Si l'on infère à partir de l'histoire, comme le soutient le professeur T.C. Rhee, professeur d'histoire à l'université de Dayton, la réponse est positive. Selon le professeur Rhee, on peut établir certains parallèles entre les réalités économiques et les aspirations politiques ; et de citer la guerre sino-japonaise de 1894, après une première tentative de contrôle de la Corée ; la rivalité avec la Russie tsariste, toujours à propos de la Corée, se terminant en 1905 par la défaite de la flotte russe dans le détroit de Tsushima ; la question du Shantung ; les vingt et une demandes ; la crise de Mandchourie ; la mise en place du Manchukuo ; le militarisme des années 30 ; Pearl Harbor. Toutes ces actions ont été menées dans le cadre de la construction d'un Etat industriel dont les piliers étaient les fameux *zaibatsu*. Le professeur Rhee voit le même processus s'enclencher aujourd'hui à partir d'une résurgence du nationalisme. Il convient de lui laisser la responsabilité de cette opinion. Les Japonais s'en défendent avec vigueur. Ceux d'entre eux qui réclament une modification de la Constitution pour agir librement dans cette direction restent cantonnés dans des cercles restreints et leur audience auprès des masses est nulle. L'affaire du suicide spectaculaire de l'écrivain Mishima Yukio n'a soulevé que des mouvements de sympathie personnelle pour le courage d'un geste dans la tradition, mais n'a provoqué ni désordre ni même débat d'idées.

Le Japon gouverne ses relations avec l'extérieur sur des critères qui ne sont pas toujours ceux de la « raison d'Etat ». Lorsque des intérêts économiques vitaux ne sont pas en jeu, il se comporte comme une huître perlière, développant en lui-même sa richesse et disposé à l'offrir au plus persévérant qui a le courage de forcer la porte de son amitié. C'est ce comportement *sentimental* qui a causé l'annulation de la visite d'Eisenhower à Tokyo en 1960, mais c'est ce même comportement qui a placé en 1978 celle de Deng sous le signe d'un grand succès populaire. Ni les Russes ni les Européens ne l'ont encore compris. Depuis l'arrivée au pouvoir du président Carter, les

Américains font un effort considérable pour intégrer cette donnée sentimentale du comportement japonais.

La Corée, ancien colonisé

L'ambassadeur américain à Tokyo est persuadé que désormais un *phase out* américain n'aura pas de conséquences désastreuses pour le monde libre en Asie, car la « traduction politico-militaire » de la puissance économique découle automatiquement de celle-ci et il ne dépend plus d'une volonté politique quelconque que le Japon se dote ou non de tous les attributs de cette puissance. La seule question que les Japonais peuvent se poser est celle du délai et de l'opportunité politique d'en parler ouvertement. Il y a cependant une faille dans le raisonnement américain. Elle s'appelle Corée du Sud, la plus forte puissance militaire de l'Asie non communiste. Tokyo et Séoul appartiennent en effet au camp occidental, mais dans un contexte de relations dont la normalisation a connu bien des difficultés. Il faut un peu plus d'une heure de vol pour se rendre de Tokyo à Séoul ; c'est peu, cependant on aborde déjà un autre pays, presque un autre continent. Ciel et terre aux contrastes plus marqués, lumière plus crue. Nous voici loin de cette atmosphère ouatée du Japon qui donne aux bruits de la foule une résonance assourdie de proche en proche jusqu'à n'être plus qu'un murmure. A Séoul, c'est l'ambiance de Singapour ou peut-être celle de Shangaï. Moins de murmures et plus d'éclats. A l'entrée de la ville, en venant de l'aéroport, quelques vieilles maisons traditionnelles sont noyées dans les nouveaux immeubles, vestiges de ce village qui fut autrefois baptisé « Saint-Claude », allez savoir pourquoi, par le Bataillon français de Corée. A l'arrière d'une guerre impitoyable, les volontaires du général Monclar venaient y puiser un moral d'acier.

En dix ans, Séoul, la capitale, s'est transformée à une rapidité qui permet de mesurer la vitesse vertigineuse de la croissance coréenne. Là où les Japonais ont fait de 12 à 14 p. 100 par an de taux de croissance, les Coréens, qui furent leurs élèves, sont allés jusqu'à 16, et même au-delà. Le décollage de la Corée du Sud s'est effectué dans le sillage de la montée japonaise. Les usines clefs en main livrées par le Japon ont servi à fabriquer des produits concurrents. Les Japonais ont ainsi accéléré leur reconversion industrielle : ce qui n'était pas rentable chez eux le devenait pour les Coréens. Le cas des chantiers navals est de ce point de vue exemplaire : le carnet de commandes des Coréens s'est rempli durant ces trois dernières années au fur et à mesure que celui des Japonais se vidait.

Lors de mon premier séjour au Japon, j'ai fait à maintes reprises le voyage de Séoul, préoccupé par deux questions d'actualité : celle du front occidental des Nations Unies face au communisme dont le symbole est Pan-Mun-Jon, point central d'une zone démilitarisée le long du 38e parallèle et celle des relations de la Corée avec le Japon. « Nous voulons normaliser nos relations avec le Japon, m'affirmait le premier Chung Il-Kwong, mais dans des négociations d'égal à égal. Nous ne tenons pas à tomber de nouveau sous la férule japonaise, sous quelque forme que ce soit. » Le premier ministre coréen faisait allusion à l'époque au contexte historique des relations nippo-coréennes. Ayant choisi la voie impérialiste au début du siècle, dans le sillage des empires coloniaux européens, le gouvernement japonais avait fini par annexer la Corée de 1910. Ce pays n'avait retrouvé sa souveraineté qu'en 1945, conformément aux accords de Yalta, mais au prix de la partition du Nord (sphère d'influence de Moscou) et du Sud (sphère d'influence de Washington).

Totalement dévastée par la guerre de 1950-1953, obligée de faire face à des dépenses militaires trop lourdes, la Corée du Sud stagnait dans le sous-développement, jusqu'au jour où les premiers industriels japonais revinrent à Séoul, proposant d'abord leurs Toyota, puis des chaînes Toyota, puis des usines complètes Toyota. Même processus pour d'autres marques et d'autres produits. J'étais à Séoul au début de cette évolution en 1964 et 1965. Le président Park Chung Hee avait répondu favorablement à ma demande d'audience :

« Quelle est, monsieur le président, la raison des difficultés que vous rencontrez à normaliser vos relations avec le Japon ?

— ... Il faut que vous compreniez que pendant leur occupation les Japonais sont allés très loin : ils ont voulu prendre notre âme... »

Petite phrase que le premier Chung Il-Kwong rendit plus claire en expliquant :

« Nous avons subi l'occupation japonaise, nous vivions sous la loi martiale. Nous n'avions pas le droit de parler notre langue qui n'était plus enseignée dans nos écoles... »

Toujours à propos de cette période, un professeur d'université me dira : « Les patrouilles dans les rues écoutaient parfois les conversations dans les maisons. Lorsqu'elles entendaient parler coréen, elles forçaient les portes et se livraient à des brutalités et à des arrestations. Souvent, on ne revoyait plus ceux qui étaient ainsi emmenés hors de chez eux... » Côté japonais, les fonctionnaires, poussés à la normalisation par les milieux d'affaires, avaient du mal à se dégager d'un comportement de peuple colonisateur à l'égard du colonisé. Aujourd'hui, les hommes d'affaires japonais vont à Séoul, y sont reçus et bien traités. Le réalisme face à la nécessité du développement l'a emporté, sans pour cela signifier l'oubli. La Corée du Sud n'est déjà plus en valeur absolue un pays en voie de développement, même si elle le reste par l'inégalité de la répartition des richesses et le poids de la défense supporté par les Coréens malgré l'aide des Etats-Unis. Et les Etats-Unis ont entamé un processus de désengagement en Corée, parallèlement à celui auquel ils ont procédé au Japon. Personne n'oublie que la guerre de Corée a éclaté dans le cadre d'une action de désengagement américaine, après une déclaration imprudente du secrétaire d'Etat à la Défense, Dean Acheson : « La Corée ne fait pas partie du périmètre de défense des Etats-Unis. »

L'idée de Washington de voir le Japon prendre la relève de la Défense occidentale en Asie fait encore partie des mythes. En aucun cas les Japonais n'ont les moyens d'assurer une Défense régionale. La Constitution octroyée le leur interdit. De plus, il serait étonnant que la Corée puisse envisager de recevoir des troupes nippones sur son sol. Le Sud vit avec le Nord sous le règne d'un armistice précaire qui dure depuis 1953. Il a fallu beaucoup de sang-froid, du côté occidental, pour éviter soit de tomber dans le piège de la dramatisation d'une routine de surveillance réciproque qu'Américains et Soviétiques ont mise au point, soit de réagir en escalade dans le cas d'événements graves comme la mort d'un sous-officier américain tué par une sentinelle nord-coréenne sur le domaine des Nations Unies à Pan-Mun-Jon, alors qu'il émondait un arbre. Les deux Corées forment un seul peuple dans les mêmes conditions que l'Allemagne de l'Est et l'Allemagne de l'Ouest. L'analogie entre les deux situations est évidente. Il semble cependant que le militantisme et la mobilisation idéologique soient plus sévères en Asie qu'en Europe.

Où l'on voit se profiler les deux superpuissances

Le Japon est de toute évidence directement concerné par tout ce qui peut se passer en Corée. Plusieurs premiers ministres successifs, notamment Sato Eisaku qui reçut le Prix Nobel de la Paix en 1972, et M. Fukuda qui céda son poste à M. Ohira à la fin de 1978, l'ont clairement exprimé. Les forces en présence dans cette partie du monde sont impressionnantes, à la fois par leur volume et leur armement. Le pion russe, soit l'armée nord-coréenne, regroupe

516

plus de quatre cent mille hommes face à plus de six cent mille au Sud, mais possède une aviation plus nombreuse et bien entraînée. Sur mer, les deux super-puissances sont directement face à face. On le vit bien lors de l'affaire du *Pueblo*. En février 1968, un navire espion U.S. contenant des équipements très sophistiqués est arraisonné par les Nord-Coréens au large du port de Wonsan. Les communistes accusent le navire américain d'avoir pénétré dans les eaux territoriales ; Washington soutient qu'il croisait dans les eaux internationales. Au moment où le navire allait être pris en remorque et son équipage fait prisonnier, son commandant détruisit le maximum de documents secrets ainsi que certains matériels permettant de les transmettre directement à Washington. Or, surprise, des hommes-grenouilles s'affairent déjà autour du bateau américain. Ce ne sont pas des Nord-Coréens mais des Russes. Les quatre-vingt-deux marins et leur commandant resteront près d'un an en détention avant d'être libérés dans des conditions infâmantes, du moins en ce qui concerne les officiers. J'ai suivi toute l'affaire, qui fit grand bruit à l'époque, et assisté à la libération des prisonniers. Les officiers de presse américains avaient volontairement éliminé du pool des journalistes les représentants de l'O.R.T.F. Cet organisme était parfois considéré comme subversif, parce que je lui avais fait parvenir à plusieurs reprises des documents d'origine nord-vietnamienne ou chinoise. Je réussis cependant à me trouver là où il le fallait, grâce à la complicité amicale du commandement des Nations Unies. N'étant plus liée par les accords d'embargo (il s'agit d'accords tacites, aux termes desquels les journalistes, à la demande de leurs informateurs, ne lâchent une information qu'à partir d'une certaine heure), mon annonce de libération des hommes du *Pueblo* sur France-Inter, quelques heures avant le communiqué officiel, mit en émoi l'ambassade des Etats-Unis à Paris. Cette grave affaire devait aussi plonger les Japonais dans un embarras cruel. Le *Pueblo* était en effet basé près de Tokyo, à Yokosuka, dans l'une des bases concédées aux Américains. Un confrère de la télévision américaine, qui avait loué avec son équipe une barque de pêche pour aller un peu au large d'Okinawa, se trouva tout à coup à portée de voix d'un sous-marin faisant surface. A la stupéfaction des journalistes américains, il s'agissait d'un sous-marin soviétique. Mes confrères firent manœuvrer le bateau de pêche de manière à s'approcher presque bord à bord du sous-marin et lancèrent un paquet de cigarettes blondes qui atterrit sur la passerelle du submersible russe. Ils reçurent en échange des cigarettes russes. On se fit bonjour quelques minutes, lorsqu'un ordre sec retentit à bord du sous-marin, dont l'équipage disparut aussitôt, tandis que le bâtiment se remettait en plongée.

Racontant cet événement, qui semblait incroyable, l'un des journalistes s'entendit répondre par un officier américain de haut grade que c'était normal, car les sous-marins soviétiques ne faisaient que donner la réplique aux sous-marins américains qu'on pouvait rencontrer par hasard au large des côtes soviétiques. L'accord tacite de non-intervention entre Russes et Américains avait été ignoré par les Nord-Coréens. Chaque fois qu'un incident se produit, les Japonais sont conscients de leur impuissance : directement ou non, ils sont, en effet, géopolitiquement concernés par tout événement survenant sur leur territoire, au large ou sur le continent voisin. L'enjeu n'est rien d'autre que la survie du Japon, liée à la sécurité de ses routes d'approvisionnement et de l'indépendance de ses îles.

DÉFIS

LES JAPONAIS ET LA GUERRE

Visite à l'armée du Nord

EN prenant sa place parmi les nations démocratiques industrialisées, le Japon n'a pas mesuré totalement les conséquences de son choix. Ni le peuple japonais ni les intellectuels ni la classe politique, à quelques rares exceptions près, n'ont pris conscience de l'imbrication stratégique de la puissance. En réalité, le problème posé n'est plus celui de la traduction politico-industrielle. L'empire du Soleil-Levant a passé le point de non-retour, au-delà duquel toute conquête de positions économiques entraîne des conséquences politico-stratégiques. Le triangle Washington-Europe-Tokyo, dont on pourrait penser qu'il met en évidence une seule relation triangulaire économique, détermine en fait toute la politique des pays industrialisés à l'égard des pays producteurs de matières premières, y compris des riches producteurs de pétrole. Le triangle Washington-Moscou-Pékin n'a déjà plus qu'une signification limitée, si on n'y inclut pas Tokyo, en considération de son rôle économique en Asie du Sud-Est. Quant au triangle Washington-Pékin-Tokyo, sans coloration militaire immédiate, il ne se conçoit que face à Moscou, ce qui a pour conséquence — dans l'immédiat — une redistribution de l'équilibre des forces militaires en Asie.

Sur tous ces points, les militaires japonais sont prudents. Ils ne font pas de déclaration et préfèrent travailler dans le silence. Je suis donc allé leur rendre

521

visite afin de constater *de visu* ce que pouvait signifier en termes militaires la puissance économique du
Japon.

A Sapporo, capitale de l'île nordique du Hokkaïdo,
il est douze heures trente lorsque j'arrive au Tokyu
Hotel. Je trouve un message disant : « Vous avez rendez-vous cet après-midi à quinze heures avec le général Kobayashi, chef d'état-major de l'armée du Nord.
M. Hasei, interprète, viendra vous chercher pour vous
conduire au Grand Quartier général. » Cinq minutes
avant l'heure prévue, je suis dans le hall de l'hôtel.
Un personnage, style officier en retraite (j'apprendrai
plus tard que, pendant la guerre, il était directeur
d'école), soixante-cinq ans environ, m'aborde l'œil vif
et pétillant. Il parle un anglais correct et m'annonce
en me tendant sa carte de visite qu'il a été commis
par le Centre de la presse étrangère de Tokyo pour
m'accompagner chez le général Kobayashi.

« Préférez-vous prendre un taxi ou le métro ? »

J'opte pour le métro, orgueil de Sapporo depuis les
Jeux Olympiques d'hiver de 1972. Nous sommes à la
sortie de la ville, en lisière d'un immense parc. Face
à nous, les montagnes, à quelques kilomètres à peine,
ne sont pas encore enneigées, mais une brise froide
annonce l'hiver.

Nous ne pouvons pas aller plus loin en métro, car
la ligne s'éloigne de notre direction. Nous prenons
donc un taxi qui nous conduit en moins de cinq minutes à notre rendez-vous. Le Grand Quartier général
s'étend à l'extérieur de Sapporo, dans les faubourgs,
à l'emplacement même qu'il occupait pendant et
avant la guerre. Le bâtiment rectangulaire construit
en brique, avec un perron central, soutenu par deux
colonnes, n'est que la réplique de tous les vieux bâtiments publics militaires ou civils dont il reste quelques spécimens à travers le Japon. Ils ont été construits entre 1930 et 1940. Le colonel Yoshino Takeo,
directeur des affaires administratives, nous introduit
aussitôt. Le général, comme il est d'usage au Japon,
ne me reçoit pas derrière son bureau, mais s'installe

avec nous autour d'une table basse. Le thé est servi. Il faut maintenant réchauffer l'atmosphère. Le général dresse un tableau des forces sous son commandement : quatre divisions d'infanterie plus quatre brigades : blindés, artillerie, défense antiaérienne et génie, soit cinquante mille hommes appuyés par deux escadrilles, dont l'une est basée à Misawa. L'ennemi, en termes d'état-major, c'est l'Union soviétique. La stratégie militaire japonaise est claire sur ce point. Coordonnée avec celle des Etats-Unis, ses objectifs visent à une protection contre toute violation ou invasion du territoire nippon...

« Nos problèmes sont différents des vôtres. Votre Défense est simplifiée par l'existence de l'O.T.A.N., bien que la France n'en fasse pas partie. Nous, nous n'avons comme base d'assistance que le traité de sécurité, il n'existe aucun pacte militaire régional... Deux points retiennent notre attention : les problèmes soulevés par la zone de pêche des 200 milles, donc la protection des pêcheurs japonais ; les violations de notre espace aérien : cent quatre-vingts cas en 1977 ; autant, sinon plus, en 1978...

— Existe-t-il des contacts avec les autorités soviétiques ?

— Bien entendu ! Il y a à Sapporo le consulat général de l'U.R.S.S., avec un personnel nombreux. Mais les contacts se font tout à fait au nord de la base de Wakanaï.

— Est-il exact que les Russes entrent en contact direct avec la population pour obtenir des renseignements ?

— Les Soviétiques essaient effectivement d'attirer à eux quelques pêcheurs et leur demandent de fournir des renseignements en échange d'autorisation de pêche.

— Les pêcheurs répondent-ils à ces sollicitations ?

— Je peux supposer que oui. »

A une autre de mes questions, le général répond :

« ... Il est exact que nous essayons d'encourager nos militaires démobilisés à s'établir en Hokkaïdo.

Nous facilitons leur reconversion dans la vie civile. En cas d'urgence, rien n'est facile. Nous ne pouvons pratiquement pas bouger sans un ordre du premier ministre... Si une offensive nucléaire était menée contre nous, nous pourrions difficilement la contenir. Sur le plan conventionnel, c'est autre chose... Il est vrai que de Sakhaline à Wakanaï il n'y a que quarante kilomètres, mais les Russes éprouveraient quelques difficultés à faire débarquer là leurs fameux tanks T-72, auxquels nous pouvons opposer nos Mitsubishi T-74. Pour atteindre directement Sapporo, ils devraient débarquer à trente kilomètres d'ici dans la baie d'Ishikari : le parcours depuis Sakhaline est dans ce cas plus long et laisse le temps de les intercepter... »

Sur le terrain, le T-74 Mitsubishi est étonnant : accompagné par le général Imada, commandant la première brigade d'artillerie, nous nous arrêtons un moment sur le terrain de manœuvre pour voir évoluer le char : 38 tonnes, il dépasse les 50 kilomètres à l'heure et peut franchir à gué des profondeurs d'eau de deux mètres. Il est équipé d'un canon de 105 mm, d'un fusil mitrailleur et d'une mitrailleuse. Sa tourelle vise à 360°. Il peut effectuer des tirs de précision de nuit grâce à un laser. Devant moi, le pilote du T-74 fait avancer son engin en crapaud, en surbaissant tantôt le côté gauche, tantôt le côté droit : les chenilles s'aplatissent à volonté, jusqu'à donner au char l'angle de pente d'une motocyclette prenant un virage. Même mouvement en avant et en arrière. La maniabilité paraît au profane que je suis légèrement supérieure à celle des engins identiques français ou américains.

Au moment où nous arrivons sur le champ de manœuvre des roquettes 30, il commence à pleuvoir. Mais tout a été prévu. Tandis que nous attendons dans la jeep du général Imada, quelques soldats montent une grande tente et nous voici non seulement abrités mais assis dans des fauteuils, une table devant nous pour prendre des notes. A l'extérieur de la tente, la lisière de la forêt nous fait face à trois cents mètres. Le colonel Misobé, commandant le groupement de R-30, a fait déployer un tableau, sur chevalet. Il y agrafe le plan de sa manœuvre. Il sort de sa poche un micro HF et sa voix se répercute sous la tente derrière moi, et je m'aperçois avec surprise que deux haut-parleurs ont été installés ; elle atteint aussi les différents véhicules porteurs de roquettes, ainsi que le poste mobile radar, installé à un kilomètre de là. Le colonel Misobé donne ses ordres et je vois au-dessus des arbres se déployer vers le ciel l'antenne radar qui va permettre de contrôler la direction des vents, connaissance indispensable à la précision du tir. Deux véhicules, porteurs de trois rampes de lancement chacun, arrivent aux ordres, face à nous, pointent leurs têtes au-dessus de la lisière des arbres, tandis qu'un véhicule de surveillance anti-aérienne équipé de mitrailleuses spéciales se tient prêt à intervenir. Les ordres de mise à feu sont donnés et le compte à rebours commence...

Tous les militaires que j'ai rencontrés en Hokkaïdo sont unanimes sur deux points :

« Les forces d'autodéfense servent à contenir une pression soviétique réelle.

— En cas de conflit, tout ce qui est possible sera fait, mais, au mieux, l'armée japonaise ne pourrait contenir que pendant quelques heures une force d'invasion soviétique, juste le temps de permettre aux voies politico-diplomatiques de s'ouvrir. On peut se demander quelles sont les chances de voir se concrétiser une telle éventualité. »

Les Russes ont débarqué à Wakanaï

En rentrant à mon hôtel, M. Hasei, mon interprète, à qui je posais la question, me dit :

« Attendez un peu, je vais vous montrer quelque chose. »

Il va jusqu'au stand de journaux, me demande cinq francs et achète la revue *Qualité*. Parmi les titres de ce mensuel, il me traduit celui de la deuxième partie d'un reportage de politique-fiction : *Guerre Japon-U.R.S.S. en Hokkaïdo*, par Murakami Kaoru, critique militaire. Sous-titre : *La vie des habitants de l'Hokkaïdo devient de plus en plus misérable*...

Fin mai 198... Les forces soviétiques ont débarqué à Wakanaï. Les forces japonaises d'autodéfense tentent de repousser les envahisseurs sans y parvenir. Les pertes sont lourdes des deux côtés. Le général en chef des armées soviétiques téléphone, de Moscou, un message de félicitations à ses troupes pour le succès de l'opération « Wakanaï ». Les Russes ont proposé à la Chine de rester neutre. Ils lui donnent une assurance que cette opération n'est pas dirigée contre elle, mais si la Chine se mettait du côté des U.S.A. elle en subirait les conséquences, et les Russes n'hésiteraient pas à employer les missiles à tête nucléaire. La Chine estime qu'un face à face U.R.S.S.-U.S.A. ne peut que lui conférer un surplus de puissance, sinon le « leadership » mondial.

La flotte soviétique a franchi le détroit de La Pérouse, et fait route des deux côtés pour encercler l'Hokkaïdo et aller occuper le détroit de Tsugaru. La prise de Wakanaï a semé la panique au Japon. La télévision a montré l'arrivée des Soviétiques à Wakanaï. C'est un choc. Dans tout le Japon, les ménagères se sont ruées sur les supermarchés. Il n'y a plus de sucre ni de savon ni de papier hygiénique. En trois jours, les produits de première nécessité ont disparu des magasins. Des contre-mesures sont prises pour envoyer des renforts en Hokkaïdo préserver les communications et assurer l'accueil des réfugiés. La Diète décrète une loi d'urgence, en appelle au président des Etats-Unis pour faire jouer le traité de sécurité et obtenir une intervention américaine immédiate. La surprise a été totale. Au moment de l'invasion, le système américain d'alerte par satellite n'a rien détecté d'anormal. Les plans stratégiques enfermés dans les coffres-forts ne servent plus à rien car il faut trente heures pour les mettre en œuvre. Le trafic maritime de l'île du Honshu à celle du Hokkaïdo vient d'être interrompu par le blocus soviétique qui a neutralisé le détroit de Tsugaru avec des mines flottantes. La piste de Chitose est endommagée. Les travailleurs civils portent le bandeau de la *résolution* autour de la tête. Ils y ont écrit : « *Keishitaï* » (corps suicide). Cela signifie qu'ils se sacrifient volontairement en continuant de travailler en première ligne. Malgré le blocus, des armements, des munitions et un peu de ravitaillement sont acheminés. Les forces d'autodéfense se regroupent autour de Sapporo. A Wakanaï, la quasi-totalité des 56 000 habitants est passée sous contrôle soviétique. Quelques-uns tentent de fuir en voiture, notamment des femmes déguisées en hommes qui craignent de se faire violer. On apprend bientôt comment les événements se sont déroulés à Wakanaï. Le maire et son adjoint étaient dans leur bureau. Sous la menace des armes, ils ont levé les mains ; en trente minutes, tous les citoyens occupant des postes de responsabilité ont été enfermés au commissariat central. Les Russes ont arrêté, outre le maire et les élus municipaux, les parlementaires, les directeurs de banque, le receveur des postes, le chef de gare, etc. Les Soviétiques utilisent dix espions japonais pour guider leurs recherches.

Sapporo n'est pas sous contrôle soviétique, mais on tire à Chitose, Eniwa et Ishikari. Partout des incendies s'allument et les gens se réfugient dans les forêts. A la préfecture de l'Hokkaïdo, les responsables des services militaires et civils sont en réunion permanente. Ils ont demandé aux présidents directeurs des chaînes de télévision et des journaux de se joindre à eux. Le chef d'état-major a soumis au préfet un plan d'aide aux populations civiles, pour leur permettre de fuir la zone occupée de Wakanaï. Le gouverneur de l'Hokkaïdo refuse de prendre des dispositions tant qu'il n'a pas reçu les instructions du premier ministre. Maintenant il est trop tard. Les

militaires sont furieux contre les civils car le gouverneur a seul le pouvoir de mobiliser les forces de
réserve. Le chef d'état-major avait bien prévu cette
situation et il mérite son surnom de « Monsieur Ordinateur », car la situation s'est tellement dégradée en
quelques heures qu'il n'y a plus grand-chose à faire.
Les Mig commencent à mitrailler les colonnes de
réfugiés... Des négociations secrètes de paix viennent
de s'ouvrir à Genève...

L'article IX

Voilà le scénario livré au public à plusieurs centaines de milliers d'exemplaires en novembre 1978. Sa
publication à cette date et son contenu ne doivent
pas être le fruit du hasard. Je n'ai pas pu rencontrer
l'auteur du texte pour lui poser la question, mais il
est le reflet légèrement romancé de la réalité telle
qu'elle apparaît aux militaires japonais dans l'état
actuel de leurs forces. Certes, de gros efforts budgé-
taires ont été consentis par le Japon au cours des
années 70 en faveur des *jietai* (forces d'autodéfense),
mais on peut estimer que face à une superpuissance
comme l'U.R.S.S. le Japon part battu d'avance, car
il ne dispose pas sur son sol, comme l'Allemagne
fédérale, de la dissuasion américaine. On peut également remarquer à travers le scénario l'incertitude qui
existe quant à l'intervention armée immédiate des
Etats-Unis. On est même persuadé dans certains
milieux officiels ou politiques que Washington n'inter-
viendrait pas en cas de débarquement soviétique en
Hokkaïdo, c'est-à-dire ne ferait pas jouer automatiquement la dissuasion nucléaire. Personne ne doute
qu'ils interviendraient... « à Genève ». C'est donc tout
le problème de l'avenir des forces d'autodéfense qui
est posé aux Japonais dans un débat interne, instauré
parallèlement à une politique du possible et du raisonnable.

Le possible et le raisonnable supposent le maintien à tout prix de l'engagement américain en Asie. C'est ce que le vice-premier ministre chinois, Deng Xiaoping a dit aux dirigeants nippons lors de sa visite de novembre 1978 à Tokyo. C'est dans le cadre de cette politique du possible et du raisonnable qu'a été mis au point, à la fin de 1978, un plan « anti-invasion » qui concerne les aspects opérationnels et politiques d'une riposte japonaise en cas d'invasion de l'Archipel. On avait conçu, en 1965, un plan d'état-major qui avait fait grand bruit. Dévoilé à la Diète par un député socialiste, il avait mis le gouvernement de M. Ikeda dans l'embarras. Il prenait pour hypothèse l'invasion de la Corée du Sud par le Nord et supposait l'intervention des forces japonaises à l'extérieur de l'Archipel. Il était même fait mention dans le plan, et c'était la cause principale de l'émotion politique, d'une nouvelle occupation japonaise en Mandchourie. On avait fignolé le détail, car l'heure du couvre-feu à Chenyang, capitale de la région, l'ancienne Moukden, était soigneusement notée. De tels détails étaient en contradiction formelle avec l'esprit de l'article IX de la Constitution de même qu'avec le texte établissant les principes de base de la défense nationale adopté par la Diète en mai 1957 :

— Soutien des activités de l'O.N.U. et promotion de la coopération internationale.

— Stabilisation du bien-être général et développement de l'amour de la patrie.

— Développement d'un potentiel militaire efficace en fonction des ressources du pays.

— Opposition à toute agression extérieure dans le cadre du traité de sécurité avec les Etats-Unis...

A partir de ces principes, le Japon a défini son attitude à l'égard des armes nucléaires :

— ne pas en posséder,

— ne pas en fabriquer,

— ne pas en importer.

La sécurité du Japon se fonde sur la force de dissuasion américaine.

Le Japon s'interdit également la possession de missiles balistiques de moyenne et longue portée, de bombardiers à long rayon d'action, de bâtiments d'attaque. Le Japon refuse également tout envoi d'unités armées à l'étranger pour y exercer une pression militaire quelconque.

Ces règles, relativement strictes, contiennent les forces japonaises dans des limites qui font du peuple japonais celui qui de tous les pays industrialisés supporte directement le moins de charges pour sa défense. Le gouvernement a donc décidé en 1979 de faire supporter au budget de la nation une part prépondérante de l'entretien des forces américaines stationnées sur l'Archipel. Les Américains y entretiennent 48 000 hommes et 200 avions. La participation budgétaire japonaise représentait cinq cent quatre-vingt-onze millions de dollars par an, auxquels vont être ajoutés cette année cent millions. Quant aux forces d'autodéfense, elles se composent de 155 000 hommes pour l'armée de terre, 200 000 hommes pour la marine et 500 avions qui coûtent environ dix milliards de dollars, soit environ le 1 p. 100 du produit national brut. Par comparaison, la France dépense pour la Défense un peu moins de 5 p. 100 de son P.N.B., les Etats-Unis vont jusqu'à 8 p. 100, l'U.R.S.S. dépasse les 12 p. 100. L'armée japonaise, depuis la défaite, ne jouit pas de faveur particulière auprès de la population. J'ai entendu une mère de famille se plaindre des mauvaises fréquentations de sa fille parce qu'elle voulait se marier avec un officier des forces d'autodéfense. Si les militaires américains ont reçu l'ordre de ne se montrer en uniforme qu'aux cérémonies, les militaires japonais ont pris l'habitude de sortir des casernes en civil. Pas de bars avec soldats ou marins, sauf aux alentours des bases américaines, et seulement dans des quartiers bien délimités, où le public japonais ne s'aventure pas. Lors d'une escale de la *Jeanne d'Arc*, le navire école français, à Tokyo, les marins français en uniforme se virent ainsi interdire, à leur grande surprise, l'accès de certains bars, et gardèrent un mauvais souvenir de l'accueil japonais. Les militaires japonais ont senti, jusqu'à une date récente, tout le poids de leur impopularité.

Puis cette attitude a commencé à évoluer. Dans la presse d'abord : on ne parlait jamais de Défense, jusqu'en 1970 ; on en parle beaucoup depuis, beaucoup trop même au gré de certains. Deux chiffres sont à cet égard significatifs. En 1972, 71 p. 100 des électeurs japonais étaient partisans d'une force d'auto-défense. En 1978, ils étaient 83 p. 100 à y être favorables. En 1972, il y avait à peine 40 p. 100 des électeurs partisans d'une défense combinée avec les Américains, dans le cadre du traité de sécurité. En 1978, leur nombre dépassait 80 p. 100. L'attitude du Parlement montrait ainsi en 1978 que le gouvernement n'était pas mis au pied du mur sur ces problèmes. Il est cependant évident que l'élection du premier ministre Ohira, en décembre 1978, reflète sur ce point une opinion majoritaire que l'on pourrait résumer ainsi : Toute la Constitution, rien que la Constitution, tout le traité de sécurité, rien que le traité. Parmi les candidats à la présidence du parti libéral, donc au poste de premier ministre, on trouvait une opinion en faveur du réarmement (celle de M. Nakasone). Une position centriste (celle de l'ancien premier ministre Fakuda) et une attitude de « colombe » (celle de M. Ohira).

Un sondage révélateur... et ambigu

Le journal *Asahi*, l'un des trois grands quotidiens dont le tirage avoisine les dix millions d'exemplaires par jour, a publié un sondage juste avant l'élection de M. Ohira. Les résultats publiés ne correspondent pas aux chiffres officiels du sondage précédent, mais accusent la même tendance, sauf sur le fait que les problèmes de défense soulèveraient un intérêt moindre dans la population qu'il y a cinq ans. Selon l'*Asahi*, 82 p. 100 des Japonais approuvent et sont favorables au maintien de l'article IX de la Constitution, lequel stipule une renonciation totale à la guerre comme moyen de résoudre ses conflits. Il y a quatre ans, dit l'*Asahi*, 34 p. 100 seulement des Japonais considéraient le traité de sécurité nippo-américain comme bénéfique, or ce pourcentage est passé fin 78 à 49. Dans le même sondage, les enquêteurs ont demandé à l'opinion de dire, selon elle, ce qui était essentiel pour la Défense du Japon :

— diplomatie de paix,
— puissance économique
— Constitution
— amour de la patrie
— forces d'autodéfense avec assistance américaine.

42 p. 100 : ont répondu : diplomatie de paix,
20 p. 100 : puissance économique,
15 p. 100 : Constitution,
13 p. 100 : amour de la patrie,
2 p. 100 : forces d'autodéfense.
8 p. 100 : ne se prononcent pas. Le résultat de ce sondage est accrédité par l'opinion de 87 p. 100 de Japonais qui ont approuvé le traité d'amitié avec la Chine, triomphe de la diplomatie de paix. Il est certain que le Japon n'a pas l'intention de changer du jour au lendemain sa politique. Il tient à rester discret en matière de Défense, quel que soit l'effort qu'il accomplira dans le cadre de ce fameux 1 p. 100 du P.N.B. Le fantastique accroissement de celui-ci, valorisé encore par la montée du yen et le déclin du dollar, devrait logiquement amener le Japon à posséder les forces armées les plus puissantes et les mieux équipées de l'Asie, après celles de la Chine.

Le Livre blanc de la Défense

La réflexion des autorités japonaises sur ces questions de Défense a été publiée dans le cadre d'un Livre blanc, en 1978 : « Nous devons avoir une approche réaliste, m'indique un officier d'état-major. Les systèmes de sécurité collective sont déterminés par les deux superpuissances, et même les nations en dehors de ces systèmes doivent tenir compte des positions militaires des Etats-Unis et de l'U.R.S.S.

« D'un côté, l'U.R.S.S. tente de développer son armement nucléaire pour arriver à parité avec les U.S.A., mais d'un autre, son effort est dévalorisé par certains handicaps : relations avec la Chine, avec certains pays du Pacte de Varsovie comme la Roumanie, situation économique interne, etc. Le danger réside dans la politique soviétique en matière d'armements conventionnels : on donne priorité à une supériorité quantitative et à la valeur de l'attaque surprise. D'où développement massif par les Soviétiques de l'arme blindée, des avions et de la marine. Nous sommes concernés par l'Asie du Nord, mais nous ne devons pas oublier qu'un conflit en Europe en entraînerait un en Asie, ou du moins en ferait sérieusement peser la menace. Nul doute que nous serions de même directement concernés si un conflit éclatait en Corée. »

Le 29 octobre 1978, j'étais invité au camp d'Asaka à la revue annuelle des troupes. Il y avait là une dizaine de milliers de Japonais, rassemblés pour voir passer leur armée. Le premier ministre résuma ce jour-là le sentiment général lorsqu'il affirma : « En l'absence de toute certitude et d'assurances concernant la sécurité du Japon, nous devons être prêts à repousser résolument un envahisseur quel qu'il soit, nous devons pour cela prendre les moyens nécessaires. Les fondements de notre sécurité résident dans les efforts que nous ferons pour donner à notre pays une capacité d'autodéfense. »

L'affaire Kurisu

En réfléchissant aux questions du Japon en matière de Défense, je reste en admiration devant l'art de dire sans le dire, tout en le disant, la nécessité dans laquelle le Japon se trouverait de recourir à la guerre, s'il était attaqué. Mais il est sans doute encore plus époustouflant de voir le Japon agir sans agir, tout en agissant, autrement dit de consolider ses forces armées, dans la limite du 1 p. 100 du P.N.B., qui logiquement ne permet pas d'en posséder, tout en les développant, par suite de l'augmentation en valeur absolue de ce P.N.B. L'affaire du général Kurisu est de ce point de vue exemplaire. Lorsqu'on est le président du Haut Conseil de la Défense, on est en droit de penser que l'on peut répondre avec franchise à une interview d'un journaliste, surtout lorsque celui-ci pose des questions déjà posées par toute la presse et qui font partie d'un débat public. Ce soir-là, le commentateur Takemura Kenichi n'avait donc aucune intention malveillante en interrogeant le chef d'état-major général des armées du Japon :

« Mon général, les forces placées sous vos ordres ne pourraient pas intervenir en cas d'urgence si le Japon était attaqué. Il vous faudrait d'abord obtenir l'autorisation du premier ministre qui, lui-même, devrait, au préalable, consulter le Parlement...

— C'est exact, mais je crois que dans certaines circonstances, qu'il ne faut pas exclure, les forces d'autodéfense pourraient être amenées à prendre sous leur responsabilité l'initiative de certaines actions para-légales, si par exemple elles se trouvaient soudain face à des envahisseurs. Notre premier devoir est d'assurer la protection du peuple japonais. »

Le lendemain, le général Kurisu était prié de donner sa démission pour avoir prôné une violation de la loi. Un député socialiste intervenant au Parlement accusa le général d'avoir fait cette déclaration pour ouvrir la voie à une renaissance du militarisme d'avant-guerre.

« Alors, que doivent faire vos forces en cas d'attaque surprise, si l'ordre du premier ministre n'arrive pas à temps ? » lança-t-on dans les rangs des conservateurs. Le directeur adjoint de l'Agence de défense, chargé de l'administration (secrétaire d'Etat) répondit imperturbablement :

« Dans ce cas, nos forces doivent s'enfuir. »

Le commentateur de télévision Takemura, qui avait réalisé l'interview du général Kurisu, commenta la réponse du ministre, et remarqua avec fougue : « C'est un non-sens. Il y a quelque chose qui ne va pas... Ils sont « piqués » pour faire d'aussi ridicules déclarations. Supposons qu'un bateau de guerre soit attaqué. Si les marins décident de fuir, que doivent-ils faire ? Sauter par-dessus bord ! » Le chroniqueur du journal *Asahi*, Kimpei Shiba, en conclut : « Les Japonais sont, sans aucun doute, le peuple le plus illogique de la terre. Ils passent commande de bombardiers F-15 porteurs de missiles, ils inscrivent au budget de la Défense l'achat de trois porte-avions, ils dépensent ainsi trois ou quatre fois ce que coûte l'entretien des forces armées de trois ou quatre pays réunis... et ils sont horrifiés à la pensée de devoir modifier l'article IX de la Constitution... Mais il y a plus, les Japonais possèdent un autre trait de caractère unique : le complexe de culpabilité. Jamais pendant la guerre, une autorité quelconque n'a admis que l'armée ou la marine avaient perdu une bataille. Même Midway devient une victoire japonaise. Ce fut la même chose à Okinawa, puis en 1945, au moment de la reddition définitive... Mais la logique commande maintenant que la Constitution soit amendée ou que les forces d'autodéfense soient demantelées. »

Les séquelles d'Hiroshima
et les risques de la dissuasion nucléaire

Il faut bien constater que cette logique n'a que peu de chances de prévaloir. L'ambiguïté qui découle du développement progressif des forces armées arrange trop le gouvernement japonais pour qu'il veuille se mettre en accord avec une logique. Celle-ci de toute façon est une attitude d'esprit importée et ne peut être comprise que de quelques journalistes ou de quelques nostalgiques désireux de s'en servir, si la logique doit un jour permettre la traduction de la puissance économique en puissance tout court. Au camp d'Asaka, en regardant défiler l'armée japonaise et en la comparant à d'autres armées, mises sur pied et entretenues par des puissances comparables au Japon, une conclusion s'imposait à l'observateur : l'armée japonaise n'existe pas. Il ne faut certes pas incriminer l'effort du Japon pour fabriquer lui-même les armes nécessaires à sa Défense. Il existe une véritable industrie japonaise de l'armement, dont la force potentielle peut servir de base à la construction d'une armée forte et dotée d'un armement nucléaire. Mais il manque la volonté politique de réaliser une telle opération, et le consensus populaire. 2 p. 100 de la population croient en la vertu des armes. Les observateurs étrangers sont parfois aveuglés par la liberté d'un débat qui n'existait qu'à peine il y a cinq ans. Or, le débat rend compte d'un sentiment confus : chaque Japonais, que le mot guerre traumatise, cherche d'autres voies que celles que nous connaissons pour sortir de l'impasse où le conduit la logique de sa puissance.

J'ai pris connaissance de ce débat dès mon arrivée au Japon. L'écrivain Mishima Yukio avait été catégorique : « Nous deviendrons une nation nucléaire... Les politiciens japonais trompent le peuple. Ils ne lui donnent que les paroles qu'il veut bien entendre. L'allergie nucléaire est affaire de circonstances. » Peu de temps après, je me rendis à Hiroshima. J'avais emprunté un petit avion de tourisme et le pilote, avant de se poser, prit l'initiative de me faire faire le tour de la baie et de traverser la ville à la verticale des ruines du dôme de la chambre de commerce, point zéro de la bombe : « Voilà la vue que le pilote de l'*Enola-Gay* avait juste avant le moment fatal. » Nous regagnâmes tout de suite la piste. J'étais attendu par deux jeunes Japonais. Je fus immédiatement conduit sur le campus et très vite entouré d'un groupe de garçons et filles de dix-huit à vingt ans :

« Le mari de ma mère a été tué en 1945, ma mère n'a subi aucun dommage. Elle s'était rendue à la campagne à bicyclette... Après, elle s'est remariée...

— Que pense-t-elle des Américains ?

— Rien...

— Et vous ?

— C'était peut-être la faute des Japonais, je n'en sais rien.

— Mais vous leur en voulez ?

— Non, pas spécialement...

— Et vous ? que faites-vous ?

— Je suis étudiant en chimie... Je ne suis pas né à Hiroshima, je suis de Fukuoka... La bombe atomique ? C'est une arme terrible. Il faut tout faire pour la bannir... manifester, crier, s'asseoir au milieu de la rue et ne pas se relever tant que le gouvernement japonais n'aura pas pris un engagement solennel.

— Mais c'est fait, il y a l'article IX de la Constitution.

— L'article IX est une bonne chose, mais on peut facilement le tourner.

— Vous haïssez les Américains ?

— Non...

— Comment vous appelez-vous ?

— Setsuo... J'ai seize ans, j'étudie les langues étrangères. La bombe ?... Je ne sais, je ne connais pas la guerre mais j'ai vu des photographies au musée. C'est horrible...

— Vous aimez Hiroshima ?

— Oui, beaucoup. Je viens de Tottori. Hiroshima est devenue une capitale internationale. Il y a beaucoup de touristes. La ville est riche et le musée attire beaucoup de monde, spécialement des Américains... Il y a beaucoup d'Américains qui vivent à Hiroshima.

— Personne ne leur en veut ?

— Si, bien sûr, mais de toute façon ceux qui sont ici n'y sont pour rien.

— Vous aimeriez aller aux Etats-Unis ?

— Oui, beaucoup, pour perfectionner mon anglais. »

J'avais été invité par la suite aux cérémonies qui devaient marquer le 20e « anniversaire » de la bombe. Les « festivités » étaient organisées par deux associations : le Gensuikyo, groupement lié au parti communiste, et le Gensuikin, animé par le parti socialiste et le Sohyo (syndicat de gauche). Tous les hôtels d'Hiroshima affichaient complet et le commerce marchait très fort. Un îlot de piété s'était formé du côté du parc de la Paix et du musée, mais dans les petites rues avoisinantes, restaurants, bars, night-clubs, striptease, cafés-théâtres faisaient ce 6 août 1965 des affaires en or. L'événement survit à travers ses prolongements politiques : en 1977, la conférence mondiale unifiée, c'est-à-dire organisée pour la première fois par les deux associations rivales, adoptait un programme d'action internationale et un programme d'action intérieure. Le premier prévoyait l'organisation d'une campagne de signatures à travers le monde pour réclamer un traité international interdisant tout armement nucléaire. Mais le forum d'Hiroshima reste forum. Politiquement engagé, il n'a réussi, à ce jour, qu'à remporter des succès d'estime.

Les décisions sont prises ailleurs. L'ancien ministre de la Défense, Nakasone, qui est aussi le leader de la faction la plus conservatrice du parti de la majorité et qui a perdu les élections de novembre 78 à la présidence du parti, déclarait, alors qu'il avait encore la responsabilité de la Défense : « Nous n'aurons jamais recours à l'arme nucléaire dans les circonstances actuelles... » Il semble que ce soit là le point de vue le plus communément admis. Mais combien dureront les circonstances présentes ? Le général Hashimoto ancien commandant de l'armée du Nord, aujourd'hui à la retraite, m'avait affirmé : « Si nous sommes attaqués avec des armements nucléaires tactiques, nous serons obligés de réagir comme si nous avions subi une attaque nucléaire globale. Il nous faudra donc nous reposer sur les dispositions du traité de sécurité nippo-américain... » Quelles que soient les assurances périodiquement données par l'administration Carter, le désengagement américain en Asie semble acquis, aussi les Japonais peuvent-ils envisager à plus ou moins brève échéance que « les circonstances présentes », allusion à l'intervention américaine si le Japon était attaqué, deviennent les « circonstances passées ». Tous les milieux japonais, sans exception, doutent non de la volonté des Etats-Unis de remplir leurs engagements, mais de leur capacité à jauger le risque et à prendre la décision qui s'impose si... L'opinion publique, pourtant si prompte dans le passé à manifester contre les Américains, semble aujourd'hui se retourner vers eux. Quant aux partis politiques, ils se font discrets. Les Soviétiques sont là pour les rappeler à la réalité.

Les on-dit soviétiques

Pour Moscou, le Japon et nommément les cercles dirigeants et capitalistes ont une politique de « militarisation ». Seuls s'y opposent les partis socialiste et communiste, le Sohyo et toute une série d'organismes qualifiés de « forces démocratiques antimilitaristes », auxquelles le Kremlin reproche des actions insuffisamment coordonnées. Les milieux politiques et militaires nippons ont, selon Moscou, élaboré les principes suivants:

« Le Japon doit être préparé à soutenir une guerre globale, limitée, ou localisée. L'escalade peut conduire d'une forme à une autre. Il n'y a pas de démarcation. L'objectif est la création d'un potentiel de guerre.

— Le Japon ne peut se passer des marchés extérieurs. Il convient donc de remettre progressivement en cause les trois principes antinucléaires, « ne pas utiliser, ne pas produire, ne pas importer » afin de guérir le plus rapidement possible le pays de son allergie au nucléaire. Il faut dans cet esprit, grâce à l'expérience de l'armée américaine, accoutumer les forces de défense à l'idée d'utiliser l'arme nucléaire.

— Le Japon a décidé un développement harmonieux des trois armes, air, terre, mer, mais privilégie l'armée de l'air et la marine.

— Priorité est donnée à une stratégie offensive. » Les Russes fondent leurs affirmations en rappelant le texte du scénario stratégique des trois flèches (Mitsuya) et en se référant au Livre blanc sur la défense du Japon. Les Soviétiques indiquent que les Japonais, pour mener à bien ce plan, falsifient l'histoire et recourent à des subterfuges pour endoctriner l'opinion. « La propagation du militarisme, écrit le Kremlin, est assurée grâce aux organisations d'anciens combattants : l'Association des amis de l'armée (Tayukaï), l'Association des pères et frères des forces d'autodéfense (Jietaï Kyoryokukaï). Cette dernière organisation joue un rôle d'autant plus important, qu'elle regroupe des élus municipaux et des notables et qu'elle a créé des « sections » dans plus de cinquante préfectures. » Les Soviétiques citent également l'association des familles de tués à la guerre, dont les membres se comptent par millions, si bien que cette association décide parfois de l'issue de certaines élections. Ces associations bénéficient de subsides du parti libéral démocrate... L'endoctrinement se fait aussi par le shintoïsme et les communistes rappellent, à ce propos, le rétablissement en 1967 du *Kigensētsu* (fête du 11 février), qui célèbre la fondation mythique de l'Empire et donc la lignée divine de l'empereur, ainsi que les manifestations du centenaire de Meiji en 1968, durant lesquelles tous les média firent référence au système impérial et à « la suprématie du Japon »... Une organisation d'étudiants ultra-réactionnaire et semi-religieuse, appelée « Union des étudiants du temple de *Yasukuni* », s'est créée en avril 1969. Le 24 juin de la même année, cette association a réuni une convention de quatre cents militants... Leur programme comporte les points suivants :

— L'esprit des héros morts au combat ne doit pas tomber dans l'oubli.

— La Constitution, qui freine le développement du potentiel de guerre, doit être révisée.

— L'organisation se donne pour objectif la récupération des territoires d'Okinawa (rendus depuis par les U.S.A. au Japon) et des territoires du Nord. La publication soviétique ajoute : « Territoires du Nord signifie les îles Kuriles et le sud des îles Sakhalines. »

Il n'est pas étonnant que le programme de cette organisation réactionnaire et militariste revendique un territoire soviétique. Militaristes et revanchards sont les supports de la politique du Japon.

L'armée provisoire

Accusés d'un côté d'être des colombes, de l'autre des faucons, les Japonais sont pris dans un débat rempli d'ambiguïtés et qui dépasse la querelle du dilemme : devenir nucléaire ou pas. Les responsables ont laissé se développer la discussion. Celle-ci, tout d'abord repoussée, a été finalement acceptée. L'issue dépend surtout des circonstances. Là comme ailleurs, c'est une attitude pragmatique qui prévaut. Les Japonais trouvent paradoxal de se voir reprocher un modeste effort de défense par une superpuissance qui consacre au sien plus de 12 p. 100 de son P.N.B. Ils voient avec méfiance se développer en Asie un contexte de compétition entre les Etats-Unis et l'U.R.S.S. Ils ne sont pas d'humeur à devenir un enjeu, aussi ont-ils accueilli avec faveur les nouvelles orientations de la Chine comme une contribution à l'équilibre des forces dans la région. Sur le plan intérieur, bien que plusieurs tribunaux aient statué sur la constitutionnalité des forces d'autodéfense, les Japonais se posent des questions sur la comptabilité du maintien de ces forces avec le fameux article IX. En 1978, « le jour des forces armées » a été célébré par le premier ministre. Il reste encore une étape à franchir : celle où il sera présidé par l'empereur lui-même. Le traumatisme de la défaite s'est atténué, mais il existe encore. Naguère, on appela les militaires « voleurs du produit de l'impôt » *(zeikin dorobo)*. Ce temps est révolu. Cependant, les militaires restent enfermés dans leurs casernes. C'est une situation provisoire.

Fukoku Kyohei (Enrichir l'Etat, fortifier l'armée) *ou la recherche obsessionnelle de l'indépendance.*

Il y a en Occident quelques clichés simplistes qui commandent, hélas !, vis-à-vis du Japon, des réactions passionnelles. En retour ces dernières renforcent chez les Japonais une tentation historique et viscérale à s'isoler. En 1868, c'est au nom de l'indépendance du Japon que Meiji a été porté au pouvoir pour renforcer la politique de « Sakoku » ou de fermeture. C'est au nom de l'indépendance qu'il décida de pratiquer une politique d'ouverture. Enrichir l'Etat, fortifier l'armée sous-tendent la pensée politique japonaise dominée par le désir de se hausser à égalité avec les grands empires de la fin du XIXe siècle tout en sauvegardant farouchement l'indépendance à l'égard de ces tout-puissants.

Le Japon aborde ainsi le XXe siècle. Il choisit de devenir lui-même un pays colonisateur en annexant la Corée. Il participe en tant que tel au partage du traité de Versailles qui fait droit à ses 21 exigences de 1915. Au nom de son indépendance, il fait la guerre en Mandchourie, il se donne un gouvernement militaire. En 1939, enrichir le pays, fortifier l'armée est une ligne de conduite qui ne réussit pas trop mal. Le Japon s'est retiré de la ligne des nations qui lui a demandé des comptes. Il est prêt à affronter le monde entier sur pied d'égalité. Hiroshima casse ce processus mais lorsque le Japon renaît après la défaite, on s'aperçoit que le slogan est toujours là, du moins en ce qui concerne le premier terme : *enrichir l'Etat*. Le fait que le deuxième terme « fortifier l'armée » ait momentanément disparu, signifie-t-il un manque de continuité dans le dessein politique ?

Les partenaires occidentaux du Japon l'ont souvent accepté en tant que « géant économique » mais n'hésitent pas, encore aujourd'hui, à le qualifier de « pygmée politique ». En 1980, on observe que rien ne paraît pouvoir arrêter la progression d'une puissance économique devenue la deuxième du monde après les Etats-Unis.

Il convient donc, au début de la décennie, de se poser la question de la traduction politique et militaire de cette puissance. Il n'est pas sans intérêt, en effet de remarquer que depuis l'affaire Kurisu (v. p. 534) les questions de défense ont fait l'objet dans la presse de débats de plus en plus nombreux tandis qu'elles commençaient à trouver un écho dans la population. Le premier ministre du Japon désigné à la mi-80, Suzuki Zenko, avait d'ailleurs choisi le thème de la défense comme pivot de sa première conférence de presse. Les autorités japonaises sont conscientes qu'elles ne pourront plus éluder longtemps la contradiction de plus en plus choquante entre l'article IX de la Constitution interdisant au Japon de posséder une armée et la croissance continue de forces d'auto-défense, même sur la base du 1 p. 100 du P.N.B. qui font de l'armée japonaise la septième du monde par l'armement. Les Japonais savent aussi qu'ils ne pourront plus jouer trop longtemps sur deux tableaux, tant ce problème irrite les Américains. Ceux-ci ne peuvent pas comprendre comment les Japonais peuvent à la fois investir en force le marché américain au détriment des intérêts U.S., en fondant une partie de leurs capacités sur l'aide américaine en matière de défense. Les Japonais ne sont pas encore accoutumés à l'idée de rompre la séparation entre l'économique et le politique. Nul doute qu'ils y viennent au nom de leur indépendance. Ils reprendront alors le slogan Fukoku Kyohei. Le contexte ne sera pas le même. On notait dans les années 65-70, alors que Mao régnait à Pékin, que les Chinois donnaient au qualificatif « militariste » en parlant du Japon, une connotation exclusivement historique.

Au cours de conversations que j'ai eues à Pékin en 1965 avec les autorités chinoises, j'avais acquis la conviction que les Chinois savaient à quoi s'en tenir, quant à la renaissance du militarisme japonais. Leurs craintes étaient tournées vers « l'impérialisme américain » pouvant se servir du Japon comme base d'agression. Les changements intervenus dans l'attitude de la Chine ont fait sauter l'un des verrous essentiels qui confinait le Japon dans une attitude expectative et très prudente. Hua Kuo Feng a donné le feu vert à une nouvelle armée nippone garante d'un équilibre régional.

Combien de temps tiendra le verrou intérieur qui est réel malgré certains sondages souvent téléguidés ?

Le gouvernement pragmatique du Japon, sauf accident, ne s'avancera qu'à petits pas comptés, comme il l'a toujours fait, depuis ce 25 juin 1950, où Foster Dulles, alors sous-secrétaire d'Etat, obtenait non sans mal du premier ministre Yoshida, la création d'une force d'autodéfense de soixante mille hommes. Mais ce 25 juin avait quelque chose de particulier. Yoshida cédait aux instances de Foster Dulles sous la pression des blindés nord-coréens qui entraient à Séoul.

DÉFIS

LES JAPONAIS ET LA DÉMOCRATIE

Le nouveau Japon, né des cendres de 1945 se révèle, comme l'ancien, plein de tensions et de défis dont les racines plongent au plus profond du comportement des individus. Ses citoyens ont cependant réussi à mettre en commun un certain nombre d'objectifs qui continuent à donner au Japon moderne l'apparence de cohésion et d'homogénéité du Japon traditionnel : créer une nouvelle société, assumer le rôle de locomotive de l'Asie, atteindre à un statut d'égalité politique avec les superpuissances. Après trente ans d'un travail obstiné et patient de redressement, puis de construction, les Japonais ont fait naître un pays qui ressemble à s'y méprendre à une démocratie à l'échelle occidentale, révélant au reste du monde un nouveau visage. Le Japon a suivi de si près la voie de l'Occident qu'il a réussi, en parvenant à la prospérité économique, à dissiper les craintes qu'il avait suscitées en 1930 à la fin du deuxième conflit mondial. Ayant rejeté le fanatisme, il gardait suffisamment l'esprit de son passé pour échapper aux idéologies marxistes, alors que la plus grande partie de l'Asie succombait à la tentation des mondes meilleurs du travail forcé. Le Japon préférait le capitalisme et « l'esclavage » de la société de consommation, quitte à accepter en contrepartie l'inconvénient des crises secouant les démocraties occidentales.

Toutefois, l'occidentalisation est peu à peu apparue comme une façade de plus en plus agitée et affaiblie par une résurgence de « vieux démons » et la pression de nouveaux défis.

Le nouvel homme japonais

Le *kokutaï*, structure globale de l'Etat, a certes été transformé en un ensemble démocratique stable, mais ses fondations restent menacées par des forces émotionnelles conflictuelles impossibles à assimiler à un quelconque modèle connu dans les pays occidentaux industrialisés.

L'histoire de l'Asie a toujours évolué à partir de compromis entre empires puissants : russe, français, anglais, japonais, américain. Aujourd'hui, de nouveau, de puissants empires font face au Japon : Etats-Unis, U.R.S.S., Chine. Les Japonais ont donc patiemment rebâti le leur, conscients cependant de deux réalités : l'impossibilité de dialoguer à égalité avec les deux superpuissances en position de garantie ou de menace de la sécurité de l'Archipel ; la difficulté de définir l'identité culturelle d'une nouvelle société japonaise, à partir des forces conflictuelles actuellement à l'œuvre.

Tout changement, si radical soit-il, prend du temps. Il est cependant déjà visible que l'image physique du citoyen japonais est en train de se modifier. Nous étions accoutumés aux petits hommes jaunes, portant lunettes, complet-veston sombre, cravate impersonnelle et chemise blanche. Il faut dès maintenant s'habituer à l'image de ces jeunes gens, de taille souvent aussi grande que celle de leurs homologues européens, qui fréquentent les abords de la gare de Shinjuku ou les « campus », portant le « jean » et les cheveux longs, la guitare toujours prête, avec comme accessoires blouson de cuir et moto. Avant la guerre de 39-45, la consommation de viande et de blé était très limitée et la nourriture base restait le poisson et le riz. Aujourd'hui, de nouvelles habitudes alimentaires ont favorisé ces changements physiques qu'incarnent les jeunes générations des années 80.

Le nouvel homme japonais trouve de plus en plus d'inconvénients à la manière traditionnelle de se loger. Les conditions de la vie familiale se transforment et, lorsque trois ou quatre générations vivent sous le même toit, la vie du clan évolue vers la coexistence des couples. La désintégration de la famille abolit peu à peu le principe d'autorité indiscutée du père. Les mariages préalablement arrangés, qui furent la règle, deviennent l'exception.

Tous ces changements ne se font pas sans heurts. Nombreux sont les Japonais attachés au poisson, au riz, à l'autorité paternelle, aux maisons de bois avec leurs cloisons de papier, aux tatami, aux plafonds bas, faits pour vivre assis dans la position du lotus, à l'absolue soumission des femmes, au conformisme individuel, continuant de résister aux pressions du modernisme. Pendant des siècles, les Japonais ont été enfermés dans un réseau compliqué d'obligations imposées comme une série de devoirs, dûment répertoriés et comptabilisés, envers leur famille, la famille de leur épouse, leur éventuelle famille d'adoption, leur entreprise, leurs voisins, leurs amis, leur gouvernement, l'empereur, l'Etat. Tout cela est encore accepté aujourd'hui.

On regarde l'emploi dans une société importante comme une réussite. C'est une sorte d'appartenance à un club fermé auquel il faut payer une cotisation d'entrée. Elle implique l'acceptation de tout un système de *giris* (dettes de gratitude) à la hiérarchie. Si on considère que la moitié des travailleurs du pays n'ont pas la chance d'être les employés d'une importante organisation, il faut admettre que plusieurs millions d'entre eux n'ont qu'un accès marginal à la réussite sociale. Le système est ainsi défié à la fois par ceux qui n'appartiennent pas au club et par quelques-uns de ses membres. Afin de pallier cette évolution, le patronat japonais a depuis vingt ans remplacé le système de promotion à l'ancienneté par un système tenant compte aussi du mérite et de la compétance. Le capitalisme japonais ne s'est plié à quelques compromis qu'à condition que la structure de base du système demeure. Il n'y a eu, en trente ans au

Japon, aucune grève significative, malgré quelques tentatives d'actions poussées, notamment dans les chemins de fer. Les syndicats sont en général faibles. Lorsqu'ils ne sont pas directement contrôlés par le patronat, ils sont impuissants à susciter un mouvement de masse. Le secteur salarié a toujours manifesté une certaine apathie sociale. On pourrait s'attendre à une évolution de cette situation, en tenant compte du sentiment croissant d'insatisfaction dans les petites et moyennes entreprises, les sociétés à caractère familial, les artisans et petits commerçants, les paysans et les industries de seconde zone.

La crise de 1972 a créé dans l'Archipel un mal jusqu'ici inconnu ; le chômage. Les banqueroutes dans les secteurs les moins favorisés ont varié depuis 1965 de trois cents à cinq cents par mois, facilitant les fusions et concentrations économiques, suscitant une amertume accrue. Quant aux bénéficiaires de la prospérité, ils sont confrontés avec les problèmes de pollution et d'environnement appelés à influencer l'avenir de la société industrialo-paternaliste. Le capitalisme japonais domine l'appareil de l'Etat à travers les structures du *keidanren* (Fédérations des organisations économiques). Le patronat manipule ainsi les instruments lui permettant de préserver la loi, l'ordre et ses propres intérêts.

Dans la période qui a suivi la guerre, la croissance économique a forgé un lien entre un régime ultraconservateur et la prospérité croissante d'un grand nombre de citoyens. La stabilité politique qui en est résultée découlait de l'opportunisme intelligent des élites japonaises qui avaient su bâtir une démocratie crédible sans casser les mécanismes de la société traditionnelle et le vieux système d'autorité. Le symbole impérial, qui aurait pu être emporté dans les vagues de la défaite et sous la pression de l'occupant américain, a survécu et gardé ses attributs mystiques, même dépouillé de tout pouvoir temporel.

Le compromis démocratique

Dans le Japon de 1980, les élites dirigeantes ont reçu la récompense de leur habileté à surmonter la crise économique née de la crise de l'énergie. Elles ont su engager le dialogue comme étant celui des intérêts vitaux de la nation. Gouvernement et patronat ont réussi à s'identifier à ces intérêts. Cela rend plus difficile aujourd'hui toute tentative de changer le système ou de saper la position des élites dirigeantes.

Etroitement liées au monde des affaires, les diverses factions du parti au pouvoir mettent en œuvre une politique souple et accommodante. Au sein même du parti libéral démocrate, on compte les plus chauds partisans du traité d'amitié avec la Chine et les irréductibles défenseurs de Formose, siège de la « vraie » Chine. On y trouve des amis et des adversaires de l'Amérique, des *pour* et des *contre* les lois sociales. L'opposition n'a jamais été en situation de prendre le pouvoir. Jusqu'ici, elle est parvenue à influencer parfois le processus de décision en dévoilant à l'opinion quelques affaires sensibles touchant aux problèmes de sécurité et de défense ou à des scandales politico-financiers. Le mouvement radical a cependant fait l'unanimité contre lui, dès que l'on a réalisé qu'il était une menace ouverte aux institutions. L'opinion publique, la presse, les syndicats, chaque citoyen japonais, tous sont liés à l'édifice Japon. Si celui-ci est menacé par la « vérité », une complicité nationale naîtra spontanément pour tordre le cou à la menace.

En 1980, les Japonais font un bond en avant. Après avoir liquidé leur contentieux avec les U.S.A. par le retour d'Okinawa, avec l'Asie du Sud-Est grâce au règlement définitif de ce que l'on a appelé la « dette du sang », c'est-à-dire la réparation des préjudices commis pendant la guerre de 39-45, avec la Chine par la signature du traité d'amitié, l'Archipel passe, sans trop de grincements, de l'ère industrielle à l'ère post-industrielle. Tokyo, grand magasin de la société asiatique de consommation, n'exporte plus ses produits finis, mais vend sa technologie. L'étape suivante de cette progression peu orthodoxe déboucherait sur une forme d'hégémonie politique, s'il advenait une modification des conditions de la sécurité nationale et une transformation de la société et de la mentalité japonaises.

Les Japonais n'ont pas trouvé un substitut satisfaisant à leur ordre traditionnel. Espoirs et réalités s'affrontent en permanence : la beauté des jardins est menacée par la pollution, l'urbanisation ou l'abandon du service public. Les fleurs artificielles sont parfois préférées aux *ikebana*. Le sens inné de l'esthétique est systématiquement tué par la laideur de l'environnement, tandis que l'architecture la plus audacieuse voit le jour à Tokyo ou à Osaka. Des cités médiévales doivent sans transition intégrer les innovations les plus sophistiquées.

Mais dans les années précédentes, une forme de retour à la tradition a pu être ressentie comme un signe de régression, par exemple la réforme des livres d'histoire qui enseignent de nouveau l'origine mythique de l'empereur descendant de la déesse du soleil, malgré les protestations du syndicat des instituteurs.

La société de la loi et de l'ordre, en limitant le droit de s'exprimer des jeunes étudiants opposés à la sélection pour l'entrée à l'université, a creusé un peu plus le fossé des générations. Un chauvinisme démodé conjugué avec quelques tensions sociales, a parfois mis en péril la tolérance et la liberté. Les forces émotionnelles, dans un pays où il convient de camoufler son émotivité, ont inauguré un combat difficile. Il n'y a cependant pas ici de réactions affectives qui ne soient compensées par des décisions rationnelles. La décision de porter la guerre aux Etats-Unis ressortissait à l'émotion. La décision de reddition à la raison. Dans les deux cas, l'affrontement entre parties adverses alla jusqu'au sang.

Sans doute les Japonais ne sont-ils pas persuadés

que la pensée logique peut leur faire appréhender correctement la réalité. Ils bâtissent donc une démocratie intuitive issue des tensions engendrées par les conflits sur la manière dont une nation moderne doit être gouvernée.

Les arguments rationnels servent les objectifs d'une oligarchie privilégiée donnant à l'Etat structures et cadre institutionnel assez semblables à celui des pays occidentaux. Les mouvements émotionnels font naître et se développer dans cette enveloppe des conflits parfois violents qu'un consensus de compromis permet seul d'apaiser.

L'homogénéité des structures sociales donne une impression d'unité rationnelle, tandis que, sousjacent, un chaos organisé est provoqué par des forces anarchiques et impulsives. Guidées par un relent de fanatisme, elles servent la cause du progrès et de la liberté, dans les plis du drapeau du Soleil levant. Cette dualité, rationalité/émotivité, exprime les deux composantes de la démocratie à la japonaise.

Ohira élu et battu

Le premier ministre Ohira Masayoshi, élu au début du mois de décembre 1978, est un homme de souche paysanne. De ses origines, il a gardé la rouerie et l'épaisseur qui lui confèrent la solidité. De religion chrétienne, il connaît le prix de la modestie, tout en ayant mesuré les avantages politiques de cette qualité. Le rire prompt et sonore est pour lui une manière de répondre à une question embarrassante, de manifester une opinion, de se donner le temps de la réflexion. Esprit rapide, sa réplique, brève, vous revient souvent sous la forme d'une nouvelle interrogation. C'est ainsi que le premier ministre du Japon m'était apparu lors de notre première rencontre en 1963 ; il était, à ce moment-là, ministre des Affaires étrangères dans le cabinet Ikeda. Au sein de son parti, il représente l'aile la plus libérale. Il a derrière lui un clan solide parmi les autres clans du parti libéral démocrate qui exercent aujourd'hui quelque influence : ceux de MM. Tanaka, Miki, Fukuda, tous trois anciens premiers, celui de M. Nakasone, ancien ministre de la Défense, le plus jeune mais aussi le plus à droite, celui de M. Komoto, etc. Le système japonais de gouvernement repose en grande partie sur des luttes d'influence entre clans rivaux ou alliés, élevés à la hauteur d'institutions, héritage non déguisé de la féodalité.

Depuis de nombreuses années, la politique n'était plus que très peu l'affaire de la nation, dont seul le parti libéral démocrate gérait les affaires par factions interposées, ce qui représentait en réalité un petit nombre d'hommes, les chefs de faction, disposant d'un pouvoir démesuré. Le bouillonnement de la marmite « Japon », sous laquelle brûla bientôt le feu de quelques scandales, bien attisé par la conjoncture de crise, mit en évidence le danger, pour les conservateurs, de perdre le pouvoir. Miki Takeo alors premier ministre, donc élu président du parti après marchandage entre les factions, entrevit le danger qui se présentait dans le pays comme une crise de confiance dans la démocratie. Il proposa alors un nouveau mode d'élection du président du parti, dont l'usage veut qu'il devienne le premier ministre. Celui-ci, au lieu d'être élu par les seuls députés du parti après tractations entre chefs de clans, sortirait des urnes populaires, grâce à l'organisation de primaires. Dans un premier tour, tous les citoyens inscrits au parti pourraient voter. Les deux candidats ayant obtenu le plus de voix participeraient à un second tour, dont les votants seraient les seuls parlementaires. En décembre 1978, tous les pronostics donnaient Fukuda, premier ministre sortant, reconduit. Il n'est pas douteux que, si l'ancien mode d'élection avait eu cours, il eût gagné, mais la proposition « Miki » avait été adoptée. Au premier tour, M. Fukuda fut battu par les suffrages de la base, au profit de M. Ohira.

Il en tira la leçon et se retira aussitôt. Il n'y eut donc pas de deuxième tour.

C'est le même Miki qui provoqua la chute d'Ohira au début de l'année 80. Il le mit en minorité en mélangeant les bulletins de son clan à ceux de l'opposition. Ohira ne se laissait pas faire. Il avait recours à la dissolution de l'Assemblée, confiant dans les promesses dont les résultats des élections municipales étaient porteurs. Osaka avait élu à sa tête un libéral démocrate et même Tokyo avait fait table rase du règne du socialiste Minobe qui avait duré plus de vingt ans. Dans les coulisses, l'ancien premier ministre Tanaka malgré ses compromissions dans le scandale Loockeed, gardait son influence, lorsque, en pleine campagne électorale, Ohira mourut. C'était le 12 juin 1980. Trois candidats apparurent aussitôt : le représentant des milieux d'affaires Komoto, le jeune loup un peu versatile Nakasone et le jeune sage fort compétent en matière internationale Miyasawa.

Miki jura alors qu'il ne jouerait plus les diviseurs et entreprit de dissoudre son clan : geste spectaculaire qui laissa ses rivaux indifférents. L'ancien premier Tanaka travaillait à une autre solution. Au cours d'une traditionnelle partie de Geisha, il sortit de dessous la table un certain Suzuki Zenko, presque inconnu, mais qui finit par faire l'unanimité au nom de l'unité. Celui-ci, membre de la faction Ohira, s'engageait à poursuivre la politique de son prédécesseur après que son parti eut, le 22 juin 1980, renforcé sa puissance, en remportant la majorité absolue des sièges.

Le parti libéral démocrate en campagne...

Ainsi existe-t-il aujourd'hui une démocratie japonaise. Du moins, les hommes politiques se comportent-ils comme des démocrates ayant passé contrat avec leurs électeurs...

Ma rame de métro vient d'arriver à la station de Shibuya. Après avoir franchi le quartier d'Ebisu par-dessus les toits, le train a pénétré au quatrième étage du Tokyu Departo (les grands magasins Tokyu). A travers les rayons, je suis descendu sur la place, où la statue du chien fidèle qui attendit jusqu'à la mort son maître parti à la guerre sert de point de rendez-vous aux amoureux, aux esseulés et périodiquement, aux hommes politiques en campagne électorale. Le parti libéral s'explique ainsi aujourd'hui devant ses électeurs, et le premier ministre lui-même, juché sur l'impériale d'une camionnette, s'adresse aux passants, dont beaucoup restent totalement indifférents. D'autres s'arrêtent quelques minutes, rient, puis vaquent à leurs occupations. Impassible, le président du parti libéral poursuit sa harangue de soutien au candidat député de son parti. Les officiels portent à la boutonnière une énorme rosace rouge, épinglée sur un ruban, pendant au revers du veston. Ils sont cinq ou six à parler chacun à leur tour. Un service d'ordre imposant fait un cordon autour du véhicule couvert de banderoles portant des inscriptions pour inciter le public à voter pour le candidat présenté.

« Vous me connaissez, crie le premier ministre, j'ai toujours tenu mes promesses. Si vous votez pour notre candidat, vous ne le regretterez pas. Il sera bien placé pour vous aider à obtenir un emploi, des crédits pour améliorer les transports publics, pour créer des écoles... Vous le connaissez lui aussi. Né dans ce quartier... »

Le principe des campagnes électorales repose sur un cérémonial fait de défilés, déploiements de bannières ou d'inscriptions, salutations, discours oraux. On n'expose pas de programme mais les références à la personnalité du candidat, afin d'accréditer ses racines locales. A l'occasion d'une autre campagne électorale, dans la péninsule de Chiba, le premier ministre Sato visitait une circonscription essentiellement agricole. Dans les petits bourgs étaient toujours prévus des arrêts de quelques minutes, un discours tonitrué du toit de la voiture, équipée de puissants haut-parleurs, et d'interminables attouchements de mains. Le premier ministre m'a serré ainsi personnellement la main, « à la française », quatre fois dans la même matinée. Pour les Japonais, il ne s'agissait pas de la même poignée de main, mais plutôt d'un cérémonial du toucher, indiquant que l'on est près du peuple, tandis que la voiture haut-parleur déversait des flots de musique populaire plus ou moins occidentalisée. A l'heure du déjeuner, les organisateurs avaient prévu une collation assez brève : le premier et le candidat député furent reçus par le maire dans une grande salle de l'hôtel de ville où étaient alignées une vingtaine de tables basses, perpendiculairement à une table d'honneur. Nous étions assis sur un coussin, les jambes repliées sous le postérieur. J'ai toujours trouvé cette posture intenable au-delà de quelques minutes. Mais je me consolais en voyant mes amis japonais détendre peu à peu leurs propres jambes, et terminer le repas les pieds sous la table... De petits plateaux étaient déjà prêts devant chacun des convives. Dans une minuscule assiette, quelques légumes macérés tenaient lieu de hors-d'œuvre ; une *tempura*, faite de deux grosses crevettes, d'un morceau de sèche et d'une aubergine, voisinait avec un bol de laque clos, rempli d'un bouillon clair très chaud. Bière et saké passaient des uns aux autres, versés dans des coupelles de céramique grise. Le premier ministre bavardait avec le futur député. Le maire se leva et prononça un discours qu'il lut sur un papier roulé, sorti de la poche intérieure de son veston. Le futur député se leva à son tour et proposa un *kampaï*. Chacun brandit sa coupe de saké et cria : « *kampaï* ». Puis le premier ministre prit la parole brièvement pour remercier les notables et les élus locaux. Il proposa un deuxième *kampaï*. Il se rassit puis presque aussitôt se releva pour partir. A ce moment, dans la salle où étaient réunies au moins deux cents personnes, une voix se mit à crier :

« Pour le Japon et pour l'empereur : *Banzaï !* »

Tout le monde debout, levant les deux bras parallèles vers le ciel reprit : « *Banzaï !* », un *banzaï* sonore, déjà évocateur de vieux démons et provoqué sans doute par quelque nostalgique militant appartenant à la faction de droite du parti libéral démocrate.

Dans la vie politique de l'après-guerre s'est imposée une pratique de la démocratie, très proche de celle des Etats-Unis ou de la plupart des pays de l'Europe de l'Ouest. Les hommes politiques souhaitant se faire élire tiennent à donner d'eux-mêmes une image de marque résolument moderne, jeune, sportive. Il n'y a guère que les partis d'extrême droite qui en appellent à la tradition, à l'histoire mythique du Japon, à la grandeur nationale. Or, comme le fait remarquer le journaliste japonologue Robert Guillain, ceux-ci ont précisément perdu toutes les batailles de l'après-guerre, du moins jusqu'ici : ils demandent la révision de la Constitution, la reconstitution des forces armées, la conscription, la nucléarisation militaire de l'Archipel, le rejet de la politique d'amitié avec la Chine, le retour au shintoïsme comme religion d'Etat... Leur échec montre la faible emprise sur le peuple d'un passé relativement récent. Doit-on croire que les Japonais sont maintenant convertis à la démocratie ?

Quand le parti socialiste défile

Le leader socialiste Narita menait campagne en 1966 contre la présence militaire américaine. A la tête d'un cortège imposant de dix mille personnes, nous passions devant la base navale de Yokosuka. Les haut-parleurs des voitures accompagnatrices faisaient scander : « A bas le traité de sécurité ! », repris avec d'autant plus de vigueur que l'on arrivait devant l'entrée principale de la base, grilles bouclées, avec leurs deux sentinelles impassibles, mais sans doute inquiètes. « La démocratie, c'est la liberté pour le peuple de s'exprimer comme aujourd'hui... », remarque Narita-San dont la silhouette haute et mince domine les premiers rangs de la foule, mais il ajoute aussitôt à mon intention : « Au Japon, la démocratie est étouffée... Elle peut difficilement survivre. C'est une question d'argent. Chaque fois que nous voulons exprimer une idée, il faut que nous rassemblions tous les démocrates. C'est une journée de salaire perdue que nous devons compenser. Ce sont des autobus à affréter pour emmener les manifestants à pied d'œuvre. C'est une indemnité à chaque participant pour son *o'bento* de midi. Tout cela coûte cher, et nous n'avons pas l'argent du patronat, dont bénéficie le parti de la majorité. »

Le chef de file des socialistes est profondément convaincu que seule une alliance solide avec l'U.R.S.S., après la signature du traité de paix et le règlement du contentieux territorial des Kuriles du Sud, peut apporter au Japon la paix et la sécurité. Dix ans après, au moment où Deng Xiaoping visite le Japon et où les U.S.A. normalisent leurs relations avec Pékin, au grand soulagement de Tokyo, les nouveaux dirigeants du parti socialiste japonais vont à Moscou, mais avec peu de chances d'aboutir à un accord. Leur position internationale n'a pas varié. Pour la faire avancer, il faudrait que les Russes acceptent de transiger sur les fameuses quatre îles des Kuriles du Sud dont la population est japonaise ; car, en tant que Japonais, ils ne peuvent, en aucun cas, sacrifier leurs compatriotes, sous peine de perdre une partie de leurs militants. Sur le plan intérieur, les socialistes subissent les conséquences de la politique d'ouverture à la Chine lancée abruptement, en 1972, par le premier ministre conservateur Tanaka Kakuei.

Lorsque Deng, en novembre 1978, demanda à rencontrer ce dernier, bien qu'il fût sous le coup d'une inculpation judiciaire dans l'affaire Loockeed, il voulut rendre hommage à un acte politique courageux en faveur de l'amitié chinoise. Mais il se rappela aussi un autre pionnier de cette amitié, un socialiste précisément, le secrétaire général Asanuma, assassiné en 1960 par un militant d'extrême droite. Avec tout l'état-major du parti socialiste, Deng s'est rendu chez la veuve d'Asanuma en témoignage de sympathie et d'amitié avec le Japon, tout en ne pouvant dissimuler son embarras devant cette initiative des conservateurs. Comment aller contre une approbation populaire massive, plus de 80 p. 100, de cette politique d'amitié sino-japonaise.

Entre le marteau soviétique et l'enclume chinoise : les communistes japonais

Les communistes ne sont pas les moins embarrassés. Miyamoto, leur secrétaire général, a refusé d'assister au banquet officiel donné en l'honneur des hôtes chinois au moment de la ratification du traité à Tokyo, en novembre 1978. Officiellement, le parti suit maintenant de nouveau la ligne de Moscou. Sous l'influence de Miyamoto, le parti communiste japonais avait vu ses effectifs augmenter dans la période de la croissance, grâce à l'apport des exclus des bénéfices du progrès, notamment un prolétariat urbain installé à la périphérie de Tokyo dans des quartiers lugubres, comme Sanya, et dont on exploitait la main-d'œuvre à bas prix. Les communistes trouvaient aussi un réservoir d'adhérents dans les chemins de fer ou le métro.

Né en 1921, le parti communiste était resté dans l'illégalité jusqu'en 1945. Un front populaire stalinien prévalut jusqu'en 1953, mais surtout à partir de 1951, date à laquelle les dirigeants communistes n'ont pas hésité à prêcher la violence et à se réfugier dans la clandestinité. Après la mort de Staline, l'action violente a été mise en veilleuse. Le parti a développé son action d'infiltration d'associations ou d'organisations dans les milieux intellectuels dont on voulait attirer les éléments les plus radicaux. Le parti communiste n'a plus rien de clandestin. Cependant il n'a pas pu échapper au « factionnalisme » dû à la querelle sino-soviétique. Il devint évident, à partir de 1960, que le militant de base avait plutôt tendance à regarder vers Pékin que vers Moscou. L'organe du parti, Akahata (Drapeau rouge), qui circule aux alentours de un million d'exemplaires, indiquait clairement à la fin de 1961 que, malgré leur désir de ne pas se laisser prendre dans les feux croisés de Pékin et Moscou, les communistes japonais soutenaient de préférence la ligne Pékin-Tirana. La situation a depuis quelque peu évolué. Le politburo japonais porte cependant à bout de bras son amitié pour Moscou. A son retour de Tokyo, un membre du politburo français, Roland Leroy, ne pouvait pas s'empêcher de manifester son incompréhension pour la politique du parti communiste japonais réclamant aux Soviétiques le retour des Kuriles du Sud dans la souveraineté japonaise. La critique visait, en fait, une politique de doute, d'incertitudes et d'ambiguïtés, que l'on retrouve dans l'eurocommunisme.

Le parti communiste japonais, enfermé dans des contradictions internes, malgré une structure militante bien organisée et relativement nombreuse, environ trois cent mille membres, ne peut jouer qu'un rôle limité, cantonné dans l'agitation sociale. Aucune grande municipalité ne lui échoit en partage et, même sur des objectifs locaux, il n'a pas encore réussi à mener d'actions conjointes significatives en liaison avec le parti socialiste. Les élections du 22 juin 1980 ne l'ont cependant pas affaibli.

Le « centre » immobile

Entre les conservateurs au pouvoir et la gauche socialiste et communiste, deux partis occupent le centre. L'un, le parti démocrate socialiste, scission de droite du parti socialiste, rassemble surtout des notables et élus locaux centristes. L'autre, le Komeito ou parti propre, est l'émanation de la nouvelle religion *sokkagakai* qui compte cinq millions d'adhérents.

Tous les membres de la sokkagakai ne votent pas pour le Komeito, m'indiquait un des dirigeants. La hiérarchie religieuse a constamment voulu se démarquer de l'action politique du Komeito. Cependant, lors d'une visite au secrétaire général du parti, je remarquai que les bureaux se trouvaient dans l'immeuble de la sokkagakai. Le parti Komeito a toujours œuvré pour l'ouverture de relations avec Pékin. Parti de zéro en 1964, il compte aujourd'hui une trentaine de parlementaires.

Le parti libéral démocrate

Le parti le plus représentatif de la politique japonaise est sans conteste le parti libéral démocrate. D'abord, en tant que parti de la majorité et du gouvernement, il concentre autour de lui la majeure partie de la vie politique. Ensuite, par ses mécanismes de fonctionnement, il illustre parfaitement la dualité japonaise, cette double face que l'on retrouve constamment dans les institutions et les comportements. L'écrivain Mishima m'avait fait remarquer un jour : « Dans la démocratie, il y a tout ce qui ressortit à un ordre technique et ce qui peut être attribué à l'ordre politique. » Dans le parti libéral démocrate, on trouve effectivement des structures et des comportements que l'on pourrait qualifier de techniques, directement calqués sur ceux de l'Occident, et des mécanismes de fonctionnement politique directement hérités des luttes féodales d'influence, donnant à l'action du parti au pouvoir une coloration typiquement nippone. Aucun parti n'échappe à cette dichotomie, mais au parti libéral elle est plus voyante dans ses manifestations et ses conséquences.

Quelques semaines avant les élections pour la présidence du parti libéral démocrate, l'ancien premier ministre Tanaka, victime du « Watergate » japonais, allait être traduit devant un tribunal. Survint la demande inopinée du vice-premier ministre chinois de rencontrer Tanaka, rehaussant ainsi l'image de marque du politicien japonais compromis. Jugement remis, témoignages anti-Tanaka moins assurés que six mois auparavant, bref l'accusation perd de sa consistance. Tanaka, malgré sa disgrâce, n'a pas perdu le bénéfice de son voyage à Pékin, en 1972, et a conservé un certain prestige dans les milieux suburbains et ruraux. Il dispose d'une clientèle nombreuse et d'un groupe parlementaire solide. Il avait décidé d'appuyer Ohira dès les primaires, donc de renforcer le clan le plus libéral du parti, face à une division des clans conservateurs.

Le jeune loup Nakasone, ancien ministre de la Défense, devint alors un rival plus dangereux pour Fukuda, idéologiquement plus proche, que pour Ohira. Le vote des primaires est un processus démocratique bien rodé aux Etats-Unis ; l'entente entre la faction Tanaka et celle d'Ohira est l'illustration de ce jeu propre au Japon, et qui consiste à déplacer les clientèles d'un homme politique à un autre. Les tractations se déroulent dans le secret des maisons de Geisha, comportant toute une série de « donnant, donnant », allant de portefeuilles ministériels à des actions cotées en bourse. Elu à la charge de premier ministre, Ohira Masayoshi se mit en devoir d'équilibrer son cabinet entre les différentes factions. Joueur habile, il donnait à son rival Fukuda quatre portefeuilles ministériels, le même nombre que ceux attribués à sa propre faction. Un marchandage s'instaurait cependant, à la suite de la désignation d'un secrétaire général de la même faction que le premier ministre, disposition qui finit par être avalisée, après une conférence secrète entre l'ancien premier Fukuda et Ohira. Plus récemment des tractations du même ordre menées par l'ancien premier Tanaka ont amené au pouvoir le premier Suzuki Zenko.

La dualité de l'ordre technique et de l'ordre politique apparaît dans les structures et les comportements au niveau du Parlement. De 1868 à la défaite de 1945, le Parlement, concession à la démocratie, n'avait pour tout pouvoir que celui de refuser ou d'approuver un texte de loi, ou un budget. Il ne pouvait ni se prononcer sur la constitutionnalité d'une loi, ni censurer le gouvernement, ni bien entendu déclarer la guerre. Tout cela était prérogative de l'empereur. Depuis la Constitution de 1947, le rejet par le Parlement d'une loi importante équivaut à une censure dont l'issue est soit la démission du cabinet, soit la dissolution de la Chambre basse. Le mécanisme fonctionne assez bien, selon des règles démocratiques, sauf usage de méthodes para-légales : obstruction du côté du pouvoir. En 1970, le renouvellement du pacte de sécurité nippo-américain ne fut acquis que par surprise. Le speaker de la Chambre, membre du parti de la majorité, suspend la séance pour quelques heures, tandis qu'on discute d'un projet de loi anodin. Les députés s'en vont à la buvette, dans leur bureau, en réunion de commission ou à l'extérieur. Mais les hommes de la majorité se sont donné le mot. Ils reviennent subrepticement en séance.

Le speaker ouvre de nouveau les débats ; après avoir fait constater que le quorum est atteint, il fait passer la loi litigieuse au vote. Pour prévenir de telles méthodes, l'opposition reste vigilante. Au moment des grands débats, afin d'empêcher le speaker d'ouvrir la séance par surprise et de faire passer les députés au vote quasi clandestinement, les députés socialistes et communistes, rejoints souvent par les démocrates socialistes et les Komeito, s'assoient dans les couloirs et bloquent l'entrée de la salle des séances. Lorsque l'opposition n'a pas gain de cause à la Chambre basse, elle peut essayer de gagner à la Chambre des conseillers. Le système des deux Chambres lui donne un champ plus large. La Diète japonaise est le plus ancien parlement en Asie. Les Américains en ont fait, dans la Constitution de 1947, un outil de démocratisation ; cependant il ne faut pas se leurrer, le pouvoir est assuré par le parti libéral démocrate et c'est entre les factions de la majorité que se jouent les luttes d'influence les plus significatives. Les partis d'opposition constituent tout au plus des groupes de pression, au même titre que la presse, le patronat ou les syndicats.

Puissance du pouvoir local

La vie politique ne tourne pas seulement autour de Tokyo. Les élus locaux ont leur mot à dire et un pouvoir qui n'est pas négligeable. Le parti socialiste tient depuis longtemps la préfecture de Tokyo, dont le gouverneur élu, Minobe, a toujours fait preuve d'indépendance vis-à-vis du pouvoir, qu'il s'agisse de protéger des minorités comme les Coréens du Nord, dont les écoles étaient menacées, ou d'imposer des normes anti-pollution à l'industrie automobile.

... Gifu est le chef-lieu d'une préfecture au centre du Japon, non loin de la ville de Nagoya. On y vient de tout l'Archipel pour assister sur la rivière à la pêche au cormoran. J'avais décidé de me faire inviter à la pêche organisée pour les diplomates par la Maison impériale. Malgré des relations influentes, je n'avais pu y parvenir. L'ambassadeur de France était même intervenu sans succès, lorsque, sur l'avis du cabinet de l'empereur, je m'adressai au maire de Gifu. Il mit à ma disposition sa barque et son emblème, seul autorisé à évoluer au milieu des barques impériales et des invités de l'empereur. Le maire possède ainsi dans les villes un grand prestige.

Dans chaque préfecture, dont le gouverneur est également un élu, siège un parlement local dont le nombre de membres varie de cinquante à cent cinquante selon la population. Les conseillers municipaux sont de douze à cent vingt en fonction du nombre des électeurs.

Dans « l'ordre technique », le Japon fonctionne donc comme une démocratie. Dans « l'ordre politique », le débat est ouvert. La démocratie est un « concept étranger importé », comme le faisait remarquer Mishima. La Constitution aujourd'hui en vigueur, imposée par MacArthur en 1946, est-elle en conflit avec ce que les Japonais appellent le *kokutaï*, c'est-à-dire, leur entité nationale ? La défaite de 1945, a opéré une rupture psychologique : la souveraineté nationale était exercée de droit divin par l'empereur ; du jour au lendemain, la voici transférée au peuple par la puissance occupante. Mais pour les dirigeants actuels du Japon, s'il s'est produit un changement dans la forme de gouvernement, la structure nationale de l'Etat, fondée sur le système impérial, reste la même. L'ambiguïté est de taille.

S'il y a eu changement, le Japon s'est alors engagé vraiment sur la voie de la démocratie mais en abandonnant tout ce qui a modelé fondamentalement, au cours des siècles, le caractère de la nation japonaise et constitué au sein de la dynastie impériale l'héritage des influences confucéennes et des vertus morales qui sont encore aujourd'hui la référence de comportement de l'individu. Mais s'il n'y a pas eu de changement, comment parler alors de démocratie ? Le *kokutaï* renferme les racines de l'identité culturelle japonaise. On est conscient, cependant, dans tous les milieux responsables, politiques, économiques, intellectuels, que le kokutaï a été manipulé d'abord sous Meiji, où une certaine interprétation idéologique de son contenu a accentué la fameuse dualité du Japon du xxᵉ siècle. L'étranger et tout ce qui vient de lui admiré et imité, mais on suscite parallèlement une idéologie nippone, dont le côté mystique apparaîtra nettement avec les militaristes, avant et pendant le deuxième conflit mondial.

Pour la jeunesse japonaise, le kokutaï, version xxᵉ siècle, a apporté au pays le déshonneur et son écroulement dans le chaos de la défaite. Cela prouve son peu de consistance et de valeur idéologique. Il n'en reste pas moins que le kokutaï version 1980 porte en lui la crise de l'identité culturelle du Japon. La distorsion du kokutaï par les militaristes représentait un effort de clarification. Le *Kokutaï No Hongi*, publié en 1937 par le ministère de l'Education, reflétait la doctrine officielle : Méfiance à l'égard de l'influence pernicieuse de l'Occident — Primauté de l'Etat sur l'individu — Valeurs du *Bushidô*, loyauté, piété filiale, harmonie...

La légitimité constitutionnelle

Avant le deuxième conflit mondial, il y avait donc distorsion du modèle original confucéen. Selon Herman Kahn, le futurologue américain, on retrouverait aujourd'hui « une situation similaire ». De même que les Japonais ont absorbé et digéré l'apport chinois, de même ont-ils absorbé et digéré la démocratie occidentale. Toujours selon Kahn, la comparaison entre les comportements anglo-saxons et japonais donne deux versions de la démocratie, parfaitement contradictoires. La souveraineté politique est l'affaire du peuple et se délègue de bas en haut. C'est le contraire au Japon où elle est accaparée et distribuée par les dirigeants, de haut en bas de l'échelle hiérarchique.

Les citoyens japonais se rangent sous la tutelle de l'*Establishment*, font confiance à l'autorité du gouvernement, acceptent le compromis, sont pour la cohésion de la « nation-famille », donnent la priorité à l'harmonie au sein du groupe, donc à une subordination de l'individu, assignent à chacun une position dans une hiérarchie, parlent moins de leurs droits et plus de leurs devoirs et obligations...

Cet état d'esprit national a rendu perplexes les Américains. Ils se sont demandé s'il ne fallait pas détruire une fois pour toutes le Japon du passé et aller plus loin que la démocratisation des institutions existantes. L'empereur faillit être jugé comme criminel de guerre, jusqu'au moment où il fut estimé que seul, il pouvait par son autorité morale faire accepter la défaite et l'Occupation. Le système impérial vit encore, mais dans des conditions qui l'apparentent plus à la monarchie constitutionnelle britannique qu'à la monarchie absolue de droit divin, remise à l'honneur par Meiji en 1868.

L'empereur Hiro-Hito va souvent dans sa propriété de bord de mer à Hayama, au sud de la baie de Tokyo. J'avais loué une maison de week-end à quelques kilomètres de la résidence impériale. Chaque samedi, en passant devant le portail de la propriété, nous regardions avec mon épouse si la maison avait reçu ses hôtes ou non, selon que le poste de garde était occupé ou non par un agent de police. Un dimanche de printemps, après avoir marché longtemps sur la plage, j'arrivai au bord de la rivière qui sert de limite à la propriété. Je l'aperçus de dos, à quelques mètres de moi, seul, marchant sur la plage vide. Ma méditation fut interrompue par des inspecteurs en civil qui me faisaient signe de circuler. Il avait connu cette maison, avant même d'être empereur. Son père, l'empereur Taisho, y était mort. C'est en sortant de cette villa, le 25 décembre 1926, qu'il avait pris contact pour la première fois avec ses sujets, alignés le long de la route, têtes baissées, venus de toute la région pour apercevoir le nouveau souverain. Il leur avait fait un signe de la main. A ses côtés, dans la même voiture, le Grand Chambellan de la Maison impériale portait les trésors sacrés, du moins deux d'entre eux : l'épée et les pierres précieuses, le miroir étant entreposé dans le Grand temple shintô d'Ise. Hiro-Hito était un empereur-dieu, le 124e dans la lignée à accéder à un trône chargé de 2 600 ans d'histoire.

L'empereur avait choisi le nom de Showa pour qualifier son règne : Lumière *(Sho)* et Paix *(Wa)*. Il avait vingt-cinq ans. Il connaissait quelques pays étrangers, en particulier l'Europe, ayant visité, en tant que prince héritier, la Grande-Bretagne, la France, la Belgique, les Pays-Bas et l'Italie. Il avait épousé la princesse Nagako, fille d'une noblesse ruinée.

Au moment où il monte sur le trône, en 1926, Hiro-Hito, empereur de droit divin, ne peut pas se douter que les années qui l'attendent lui apporteront un cortège de tristesses et de malheurs, sans commune mesure avec ceux de la première décennie de son règne qui voit le Japon subir encore les conséquences du grand tremblement de terre du Kanto en 1923. Selon la phrase célèbre de l'auteur de *Rashomon*, Akutagawa, le Japon de cette époque est atteint d'« une indéfinissable anxiété ». Un an après, en 1927, Hiro-Hito apprenait le suicide de l'écrivain, dont la presse fit un symbole du malaise de la société japonaise. A cette époque, un journal coûte 3 yen, soit trois cents fois moins qu'aujourd'hui. Les banques sont en difficulté et on frise la catastrophe financière avec l'affaire des bons d'emprunt du tremblement de terre garantis théoriquement par le gouvernement, mais dont les épargnants réclament le remboursement immédiat. L'incident, dit de Shangai, donne aux militaires un prétexte pour poursuivre leur expansion en Chine continentale. La morale publique se dégrade. En 1926, rapporte l'équipe du *Mainichi journal* (dans une revue de cinquante années de règne impérial), on recense rien qu'à Tokyo plus de trois cents incendies de maisons provoqués par leurs propriétaires qui se sont auparavant confortablement assurés. Les femmes et les jeunes filles, toujours selon le *Mainichi*, commencent à porter des talons aiguilles. La première ligne de métro entre en service.

Le malaise du Japon trouve son expression dans la recherche entreprise par Akutagawa pour déterminer la forme de la mort qu'il va se donner... Miyamoto Kenji, secrétaire général du parti communiste japonais a vingt et un ans. Il étudie l'économie à l'université de Tokyo. Il ne cache pas sa sympathie pour Akutagawa mais il qualifie son œuvre de « littérature du défaitisme ». Cet état d'esprit va encore prévaloir au Japon durant plusieurs années. Le fanatisme patriotique, qui s'accentue et se manifeste en 1933 par le retrait du Japon de la Société des Nations, comporte quelques revers psychologiques. Un après-midi de février, racontent les reporters du journal *Mainichi*, la police arrête une jeune adolescente, élève d'un collège, au moment où elle termine la descente du mont Mihara, volcan en activité au centre de l'île Oshima au sud de la baie de Tokyo. La jeune fille avoue qu'elle vient d'accompagner une de ses camarades de classe qui s'est suicidée en se jetant dans le cratère en ébullition. Pressée de questions, elle poursuit ses aveux et déclare avoir accompagné une autre de ses camarades un mois auparavant. Le *Mainichi* titre : « La jeune fille, pilote de la mort, raconte ses missions fatales. » Le mont Mihara devient un lieu de pèlerinage, tandis que le témoin involontaire de cette vague de suicides meurt peu après, nerveusement brisé.

L'empereur gardien de la démocratie légitime

Le règne de l'empereur va ainsi se poursuivre comme une longue montée de calvaire semée de suicides, d'assassinats, de révolution comme celle de 1936, jusqu'à l'holocauste de la guerre, avec la bombe atomique et la défaite. Le mardi 14 août 1945 à vingt-trois heures vingt-cinq, Hiro-Hito enregistre son message annonçant au Japon qu'il accepte les conditions de reddition de Potsdam. Shimomura Hiroshi, directeur général de l'information, qui assiste à l'enregistrement, témoigne qu'il a vu les larmes perler aux yeux de l'empereur. Moins de vingt ans plus tard, au début d'octobre 1964, en un de ces jours où l'automne habille, comme il sait le faire, le Japon de ses vêtements de fête, l'empereur pénètre dans le grand stade olympique pour déclarer les Jeux ouverts. Le monde entier le suit sur les écrans de télévisions sans se douter que le petit homme aux yeux bons, qui passe devant eux, s'apprête à dire au monde l'*amae*, le souhait profond que, puissant ou misérable, chacun de ses sujets porte au fond de lui : le besoin d'être aimé. En 1964, c'est presque une imploration.

En mars 1970 à Osaka, quand il inaugure l'Exposition universelle, c'est déjà une offre assortie de tous les signes de la puissance, désormais la deuxième du monde occidental. Il est donc acquis que l'empereur existe de nouveau en tant que symbole, sinon en tant que pouvoir. Il a conscience de son rôle. Le 29 avril 1971, il a eu soixante-dix ans. L'impératrice en a soixante-sept. Il a choisi Nagako en piétinant mille ans d'une tradition qui voulait que l'empereur prît femme parmi les cinq familles princières. Quoique de naissance princière, Nagako n'appartient à aucune de ces familles. Hiro-Hito et Nagako mènent une vie simple dans une modeste résidence d'un étage située au milieu du parc impérial, le palais Fukiage. Le nouveau palais impérial, où se tiennent les cérémonies officielles, comme la remise des lettres de créance, se trouve dans le même parc, à une dizaine de minutes à pied. Depuis quelques années, il a exprimé le désir de faire visiter l'Europe à l'impératrice. Il n'était jamais sorti du Japon depuis 1921.

A cette époque, écrivant de Londres à son plus jeune frère, le prince Chichibu, alors âgé de vingt ans, il disait : « C'est en Angleterre que j'ai pour la première fois appris ce qu'était la liberté pour un être humain. » Tandis que plusieurs dizaines de millions d'étrangers, venus du monde entier, débarquent au Japon à l'occasion d'Expo 70, Hiro-Hito déclare : « Il y a cinquante ans, moi qui ai toujours été un oiseau en cage, c'est en Europe que j'ai fait l'expérience de la liberté. »

Ce lointain premier voyage, renouvelé en septembre 1971 comme un pèlerinage, avait laissé au jeune prince des habitudes qu'il a conservées depuis. Il a toujours dormi dans un lit et non comme les Japonais sur le tatami dans le futon. Il prend ses petits déjeuners à l'anglaise et porte des vêtements européens. Il reste cependant obsédé par les souvenirs de la guerre, le rôle que lui ont fait jouer les militaires, l'obligeant à endosser la responsabilité de la capitulation sans conditions. Il mène depuis 1945 une vie calme et simple, entouré cependant de ce que les journalistes ont appelé en forme de paraphrase : « le rideau de chrysanthèmes ». Modeste, l'empereur est donc venu à Londres et à Paris en septembre 1971. Aucun empereur du Japon avant lui n'avait franchi ce « rideau de chrysanthèmes ». Mais aucun homme n'a vu comme lui le rendez-vous de l'histoire, depuis les sommets de la grandeur jusqu'aux tréfonds de la misère d'un peuple. C'est ce regard qui fait de son histoire la plus exceptionnelle des aventures humaines. Paradoxalement, c'est encore ce *regard impérial* qui témoigne de la démocratie au Japon.

CONCLUSION

J'AI toujours été fasciné par les combats de *sumo*. Le théâtre, où se déroulent les tournois, quatre fois par an, deux fois à Tokyo et deux fois à Osaka, se présente dans une lumière tamisée, avec ses gradins populaires disposés comme sous le chapiteau d'un cirque et ses places d'honneur, véritables loges, dont le sol est recouvert du tatami traditionnel. On se déchausse en rentrant, comme chez soi, et on s'installe dans la position la plus détendue possible. En une journée on n'épuise pas tous les combats. Il faut donc apporter son *o'bento*. On peut venir en famille ou avec des amis, négliger le spectacle si les lutteurs sont de deuxième catégorie, et en profiter pour bavarder de tout et de rien.

Rendez-vous social, le *sumo* devient, à certains moments de la journée, une cérémonie captivante, mettant en œuvre des forces mythiques qui s'opposent dans l'au-delà.

Les demi-dieux se sont préparés plusieurs heures et s'affrontent quelques secondes à peine. Le rituel est ponctué par un maître de cérémonie. Les lutteurs s'observent sous le dais, jettent une ou plusieurs fois le sel de la purification avant le *tachiaï* : l'empoignade. Chacun d'eux pèse en moyenne cent cinquante kilos. Quelques champions de la Fédération des lutteurs de *sumo*, corporation quasi féodale, sont allés en Europe et en Amérique. Les grands champions sont surveillés et couvés. C'est ainsi qu'une compagnie aérienne, pour signer le contrat autorisant l'un de ces demi-dieux à venir se produire en Europe, avait dû garantir qu'il n'attraperait pas de maladie vénérienne. En regardant les tournois, puis en rendant visite aux lutteurs dans les coulisses, j'ai cherché le pourquoi de leur séduction sur le peuple japonais. On peut donner une réponse à la signification du mythe sumo sur le podium : les lutteurs sont pourvus de tous les attributs ; ils sont les plus forts et les plus virils ; ils peuvent gagner ou perdre dans leur monde, mais aux yeux du citoyen moyen ils représentent l'invincibilité. Pour le Japonais environné de forces souvent maléfiques, auxquelles il paie tribut, le *sumo* est un élément sécurisant dans le rêve quotidien, comme la police, les institutions ou le groupe quel qu'il soit peuvent l'être dans la réalité. L'Europe et l'Amérique connaissent aujourd'hui un nouveau héros importé au Japon : Goldorak dont le succès mondial ne s'explique pas seulement par une de ces modes avec ou sans lendemain, par la grâce desquelles un jour on se laisse pousser les cheveux en s'interdisant de les laver pour être hippie donc « in », tandis que l'année suivante on demande à son coiffeur de faire une boule à zéro pour continuer à être « in », cette fois en devenant « punk ». Goldorak, de la bande dessinée portant le même nom, représente quelque chose de plus : encore un mythe comme seuls les Japonais savent en fabriquer : le mythe de la sécurité. Goldorak pour tous les enfants du monde est l'invincible, le plus fort, la référence sur laquelle on peut s'appuyer, parce que seule elle présente des garanties de stabilité.

A quoi aspire l'individu japonais ? Les Japonais ne répondent pas directement à ces questions, mais leurs choix de civilisation dans la vie quotidienne sont suffisamment éloquents. Pour la réalité, ils souhaitent un mode de vie moderne mais qui s'insère dans le

574

cadre traditionnel de l'espace japonais, donc dans un contexte de cohabitation avec la nature. *Wa*, harmonie, semble être le commandement suprême du comportement social lié au concept de *ma*, c'est-à-dire au sens de l'espace. Immédiatement accessible et presque physique, l'harmonie découlant du *ma* se répercute au niveau intellectuel dans une certaine conception du temps, qui s'égrène non pas en minutes ou secondes, mais en intervalles entre deux sons ou deux événements. On écoutera ainsi le rythme imposé par l'eau du petit bassin, au fond du jardin, où frétillent trois carpes, lorsque, par un jeu de bascule, le trop-plein d'un réservoir de bambou se vide et se remplit, indéfiniment. On pourra également se mettre en harmonie avec le bruit familier des barques de pêcheurs, dont les moteurs matinaux annoncent qu'il fait assez beau pour sortir en mer. Tout sera prétexte à rythme : la neige qui apparaît au sommet du Fuji avant l'entrée de l'hiver, la pluie qui revient en juin comme une ritournelle, le rouge de l'érable chaque automne ou la fleur du cerisier au printemps.

A quoi aspire l'individu japonais ?

A garder l'esprit du Japon éternel.

« Si l'on vous demande ce qu'est l'esprit du Japon éternel, répondez : il est comme les fleurs de cerisier aux premiers rayons du soleil matinal, pur, clair, et délicieusement parfumé... » (poème du XVIIIe siècle de Norinaga Motoori).

DU MÊME AUTEUR

Vinci, roman, *coll. Les Quatre Saisons*, Tchou 1977.

Composition réalisée par C.M.L. - Montrouge

IMPRIMÉ EN FRANCE PAR BRODARD ET TAUPIN
7, bd Romain-Rolland - Montrouge - Usine de La Flèche.
Le Livre de Poche - 12, rue François Ier - Paris.

ISBN : 2 - 253 - 02663 - 8   30/5493/9